JN219669

新体系看護学全書

母性看護学❷

マタニティサイクルにおける母子の健康と看護

メヂカルフレンド社

本書デジタルコンテンツの利用方法

本書のデジタルコンテンツは、専用Webサイト「mee connect」上で無料でご利用いただけます。

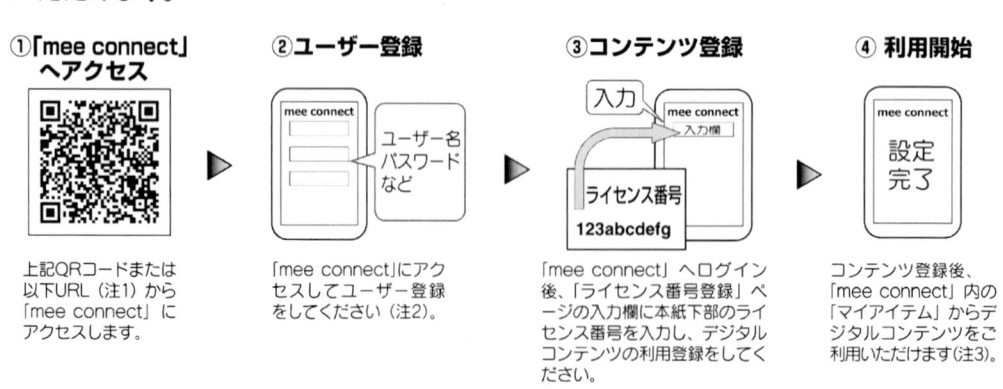

①「mee connect」へアクセス

上記QRコードまたは以下URL（注1）から「mee connect」にアクセスします。

②ユーザー登録

ユーザー名 パスワード など

「mee connect」にアクセスしてユーザー登録をしてください（注2）。

③コンテンツ登録

入力

ライセンス番号 123abcdefg

「mee connect」へログイン後、「ライセンス番号登録」ページの入力欄に本紙下部のライセンス番号を入力し、デジタルコンテンツの利用登録をしてください。

④利用開始

設定 完了

コンテンツ登録後、「mee connect」内の「マイアイテム」からデジタルコンテンツをご利用いただけます（注3）。

注1：https://www.medical-friend.co.jp/websystem/01.html
注2：「mee connect」のユーザー登録がお済みの方は、②の手順は不要です。
注3：デジタルコンテンツは一度コンテンツ登録をすれば、以後ライセンス番号を入力せずにご利用いただけます。

ライセンス番号　　a047 0703 gycjhq

※コンテンツ登録ができないなど、デジタルコンテンツに関するお困りごとがございましたら、「mee connect」内の「お問い合わせ」ページ、もしくはdigital@medical-friend.co.jpまでご連絡ください。

まえがき

　2019（令和元）年に，2022（令和4）年の看護基礎教育カリキュラムの改正や日本の社会・医療の転換を迎えつつある "いま" を踏まえ，本書『母性看護学①②』の全面改訂を行った。今回の改訂にあたっては，『産婦人科診療ガイドライン』をはじめとする，各種ガイドラインや法制度に関する内容の更新を行い，看護師国家試験出題基準（令和5年版）をカバーするべく，項目の見直しを行った。

　日本は，出生率が回復しないまま，2025年には団塊の世代が75歳を超え，国民の3人に1人が65歳以上，5人に1人が75歳以上という「超超高齢社会」を迎える。

　今後の人口減少を見据えて，日本では働き方改革，地域医療構想の実現や地域包括ケアシステムの構築，AI（Artificial Intelligence），IoT（Internet of Things）等の情報通信技術（ICT）を導入した医療が急速に進み，社会・医療は大きな変革の時代に入った。

　母性看護学領域においても，就労女性の支援，高齢出産の増加にともなうハイリスクケア，児童虐待対策や増加する外国人妊産婦の支援など多くの社会・医療的な課題を抱えている。家族の在り方も多様化・複雑化しており，対象者とその家族のニーズもこれまでの疾患を治す，子どもを安全に出産するという目標だけにとどまらず，どのような社会的資源を活用して子育てをしていくかを模索している。

　つまり，看護職の対象者である病気や障害をもつ人，また命を生み出す，そして命をはぐくむ母親と家族などは，人生の中でも大きな危機に直面している。看護職は，それらの人をはじめとしたケアの中心的役割を担っている。対象者とその家族のニーズを満たし，子育て期にある家族を孤立させることなく，社会全体で支援策を講じる必要がある。

　母性看護の対象者は，表面的ではなく，深い信頼関係に培われた心からのケアや支援を求めている。そのため，看護職には，解剖，病態，治療に関する確かな知識に加え，対象者の揺れ動く思いの機微を捉え，社会・家族・生活レベル，精神・心理レベルでの情報を引き出し，アセスメントし実施する能力が必要とされている。

　そのうえで，看護職は対象者に寄り添い，疾患の予防や悪化を防ぎ，対象者の健康の維持・増進を促す役割を持つ。そして，チーム医療の推進においては，多職種での連携が求められており，看護職が専門性や独自性を自ら理解し発揮することは，社会的な責務であるといえる。

　本書は，日本の課題や対象をイメージすることを助け，知識と技術を学び，その理論と根拠から，自らもケアを考えられるように以下の6編で構成している。

母性看護学①
　第1編　母性看護学概論

第2編　女性看護学

第3編　リプロダクティブ・ヘルス／ライツに関する看護

第4編　母性看護技術

母性看護学②

第5編　周産期にある母子の生理と看護

第6編　周産期における母子の異常と看護

　さらに，周産期における看護技術は映像により学びを深められるようにしている。これに合わせ，執筆者には，産婦人科学，母性看護学，助産学で教育・研究・臨床で現在活躍されている方々を厳選している。

　本書が看護学生の教科書としてだけでなく，助産学生の参考書や病院・地域で活躍する看護職の皆様の指導書としても十分に活用できる内容に仕上がっており，幅広く活用され，看護の対象となる人に寄与することを祈っている。

　本書は2003（平成15）年に発刊以来，改訂を重ねてきた。初版からの編者，お忙しい中ご尽力いただいた執筆者の方々に心から深謝したい。

2022年10月

編集ら

執筆者一覧

編集

渡邊	浩子	大阪大学大学院医学系研究科保健学専攻教授
板倉	敦夫	順天堂大学大学院医学研究科産婦人科学教授
松﨑	政代	東京医科歯科大学大学院保健衛生学研究科リプロダクティブヘルス看護学教授

執筆（執筆順）

菅沼	信彦	名古屋学芸大学看護学部教授
小谷	友美	名古屋大学医学部附属病院総合周産期母子医療センター病院教授
下平	和久	昭和大学保健医療学部教授
松﨑	政代	東京医科歯科大学大学院保健衛生学研究科リプロダクティブヘルス看護学教授
田中	守	慶應義塾大学医学部産婦人科教授
落合	大吾	慶應義塾大学医学部産婦人科准教授
宮坂	尚幸	東京医科歯科大学周産・女性診療科教授
山本	弘江	愛知医科大学看護学部准教授
大田	康江	北里大学看護学部教授
高桑	好一	新潟大学名誉教授
金井	誠	信州大学医学部保健学科小児・母性看護学領域教授
菊地	範彦	信州大学医学部産科婦人科学教室講師
五十嵐	稔子	奈良県立医科大学大学院看護学研究科教授
片岡	弥恵子	聖路加国際大学大学院ウィメンズヘルス・助産学教授
牧野	真太郎	順天堂大学浦安病院産婦人科教授
齋藤	知見	総合母子保健センター愛育クリニック周産期メンタルヘルス科副部長
齋藤	益子	関西国際大学保健医療学部看護学科教授
小嶋	奈都子	東京医療保健大学東が丘看護学部看護学科講師
加藤	江里子	帝京平成大学ヒューマンケア学部看護学科准教授
児玉	由紀	宮崎大学医学部発達泌尿生殖医学講座産婦人科学分野教授
渡邊	浩子	大阪大学大学院医学系研究科保健学専攻教授
近藤	好枝	慶應義塾大学名誉教授
波﨑	由美子	福井大学医学部看護学科教授
金子	政時	宮崎大学・大学院看護学研究科教授
関	博之	埼玉医科大学名誉教授
杉山	隆	愛媛大学大学院医学系研究科産科婦人科学教授
松原	裕子	愛媛大学周産母子センター講師
永松	健	国際医療福祉大学成田病院産婦人科教授
小川	久貴子	東京女子医科大学看護学部教授
藤方	小弥香	東京女子医科大学看護学部助教

飯塚　幸恵　　　東京女子医科大学看護学部准教授

板倉　敦夫　　　順天堂大学大学院医学研究科産婦人科学教授

川野　亜津子　　自治医科大学看護学部教授

西郡　秀和　　　福島県立医科大学ふくしま子ども・女性医療支援センター教授

杉下　佳文　　　人間環境大学看護学部教授

諸隈　誠一　　　九州大学大学院医学研究院保健学部門教授

早川　昌弘　　　名古屋大学医学部附属病院総合周産期母子医療センター病院教授

脇田　浩正　　　愛育こどもクリニック院長

三浦　良介　　　名古屋大学医学部附属病院小児科医員

齊藤　明子　　　日本赤十字社愛知医療センター名古屋第一病院第一小児科副部長

伊藤　美春　　　大垣市民病院第二小児科医長

村松　友佳子　　名古屋大学医学部附属病院卒後臨床研修・キャリア形成支援センター（小児科）
　　　　　　　　病院講師

目次

> ● 本文の理解を助けるための動画を収録した項目に **VIDEO** のアイコンを付しています。
> 視聴方法：本文中に上記アイコンとともに付している QR コードをタブレットやスマートフォン等の機器で読み込むと, 動画を視聴することができます。

第1章

妊娠期にある母子の生理と看護

この章では

● 妊娠の定義とメカニズム，および妊娠時の母体の変化について理解する。

● 胎児の成長・発達と胎児付属物について理解する。

● 妊娠の診断方法，妊婦健康診査の目的，内容を理解する。

● 正常な妊娠経過をたどっている妊婦の健康状態を維持・向上させるための看護支援について理解する。

● 出産・育児に向けての準備支援について理解する。

● 家族メンバー間の役割調整や関係性調整における支援を理解する。

I 妊娠成立のための諸因子

A ヒトの発生

　ヒトの発生は，精子と卵子の合体による受精に始まる。受精後8週（妊娠10週）未満を**胎芽**，以降を**胎児**とよぶ。受精卵は卵管内で分割を繰り返し，桑実胚から胚盤胞に至り（図1-1），子宮内に到達し着床する。受精後第3週には胚盤胞の内細胞塊から外胚葉，中胚葉，内胚葉が分化する（図1-2）。外胚葉からは皮膚，神経系，眼球，歯などが，中胚葉からは骨，筋肉，軟骨，結合組織，心血管系，腎臓，生殖器などが，また内胚葉からは気管，消化管，肝臓，膵臓，甲状腺，胸腺，膀胱などが発生する。胎児期には各器官の成長と機能の成熟がみられる。器官ごとの発育には相違が認められるため，薬剤や放射線などによる奇形発生の臨界時期が異なる（図1-3）。

B 性分化のメカニズム

1. 染色体・遺伝子

　ヒトの性分化の原点は染色体構造に始まる。ヒト染色体を構成する46本の染色体のうち，22対（44本）の常染色体とともに2本の性染色体があり，女性ではXX，男性ではXYである（図1-4）。すなわち核型は，女性は46,XX，男性は46,XYと表記される。この性染色体構成に鑑みると，X染色体は男女ともに有することからも，Y染色体上の情報が男性を規定していることは容易に想定される。Y染色体の詳細な遺伝子解析の結果，まさに sex-determining region Y（SRY）上の Sry 遺伝子から発現される SRY たんぱくが未分化性腺を精巣に分化させることが明らかとなった（図1-5）。

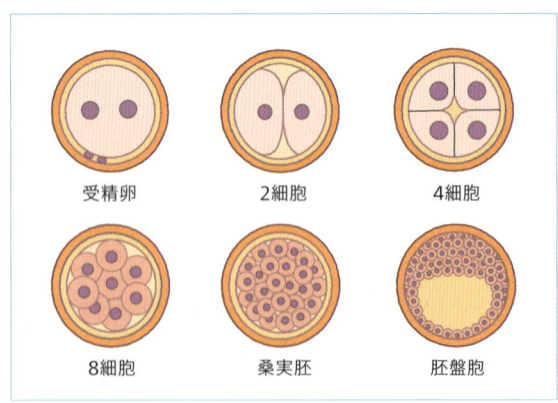

図1-1 胚発育

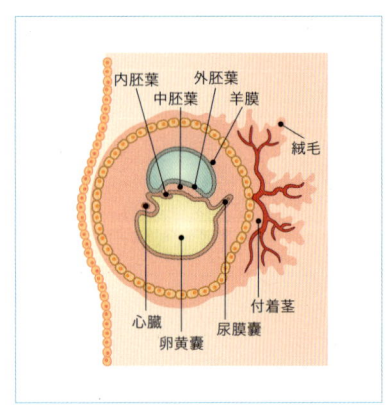

図1-2 胚葉発生

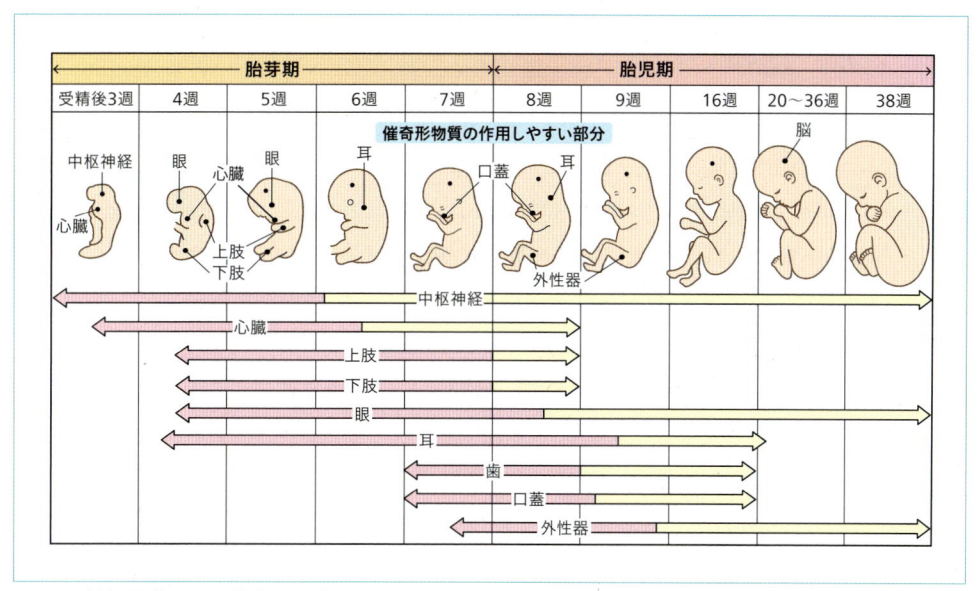

図1-3 妊娠週数による器官の発生

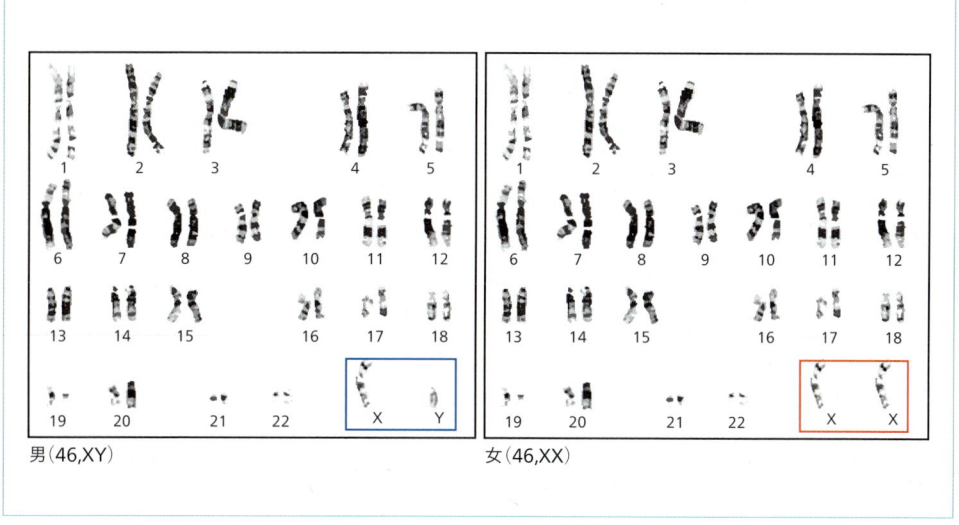

図1-4 染色体

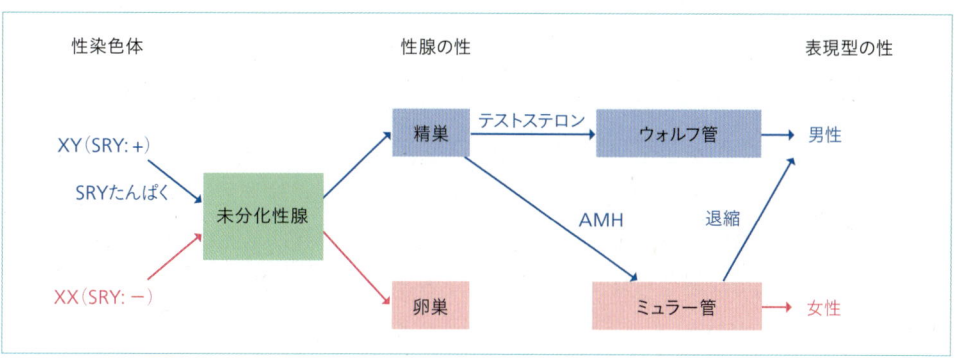

図1-5 性分化のしくみ

2. 性腺・性器

精巣からは**アンドロゲン**（主にテストステロン）が分泌され，ウォルフ管を発育させ，男性器として精嚢腺，前立腺，陰茎，陰嚢を形成させる。また，精巣からは抗ミュラー管ホルモン（anti-Mullarian hormone：AMH）も分泌され，ミュラー管の発育を阻害する。一方，SRY たんぱくがなければ，性腺は自然に卵巣に分化する。X 染色体が 2 本存在しないと（ターナー症候群など），分化した卵巣はその機能が維持できず胎児期に退縮する。また，精巣からのアンドロゲン分泌がなければ，ウォルフ管は発育せず，ミュラー管が自動的に発育し，女性器である子宮，卵管，腟，陰核，大陰唇，小陰唇を形成する。

3. ホルモン

思春期に至り，精巣からのアンドロゲンならびに卵巣より分泌されるエストロゲンやプロゲステロンが第 2 次性徴を発現させ，男女の身体的相違を明らかにする。これには視床下部からの**ゴナドトロピン放出ホルモン**（gonadotropin releasing hormone：**GnRH**）の律動的分泌と，それに伴う下垂体性ゴナドトロピンである**卵胞刺激ホルモン**（follicle stimulating hormone：**FSH**）と**黄体化ホルモン**（luteinizing hormone：**LH**）の分泌が関与する（次頁の「月経の発来機序」にて詳解）。

4. LGBT

身体的な性とともに，人においては精神・心理・社会的な性が存在する。「心の性と身体的性別が異なる，すなわち性の同一性が一致しない状態」を，性別違和（性同一性障害，トランスジェンダー）という。また，性指向として同性あるいは両方に有する場合も存在する。このように，レズビアン（Lesbian），ゲイ（Gay），バイセクシュアル（Bisexual），トランスジェンダー（Transgender）は総称して**LGBT**とよばれ，セクシュアル・マイノリティにあたる。**SOGI**（sexual orientation and gender identity）は性的指向と性自認という概念を表す言葉で，LGBT が「人」を指すのに対し，「指向」を表現している。

C 性周期

1. 初経

女性の第 2 次性徴として，乳房の発育，陰毛・腋毛の発生に続き月経が開始する。初経の発来時期は，10 歳 6 か月までに月経が始まる場合では思春期早発症（早発思春期）と診断され，15 歳以上では遅発月経（遅発初経）とされるため，その間の初経発来が正常域とみなされる。

第5編

1 妊娠期にある母子の生理と看護

2 分娩期にある母子の生理と看護

3 産褥期にある母子の生理と看護

4 新生児の特徴と生理的変化と看護

付 周産期にある母子の看護の事例

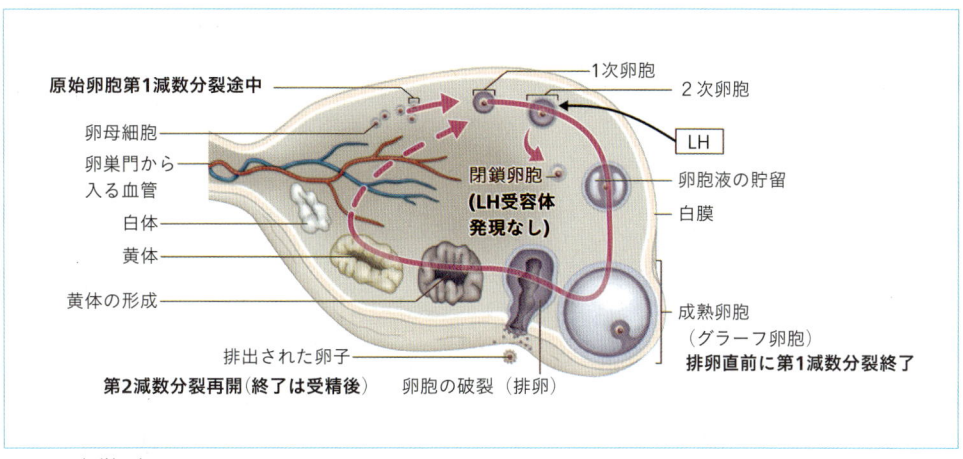

原始卵胞第1減数分裂途中

卵母細胞

卵巣門から入る血管

白体

黄体

黄体の形成

排出された卵子

第2減数分裂再開（終了は受精後）

卵胞の破裂（排卵）

1次卵胞

2次卵胞

LH

閉鎖卵胞
(LH受容体発現なし)

卵胞液の貯留

白膜

成熟卵胞
（グラーフ卵胞）

排卵直前に第1減数分裂終了

図1-6 卵巣・卵子

2. 月経の発来機序

　GnRH の律動的分泌に伴い，下垂体性ゴナドトロピン分泌が開始される。FSH は卵巣内の原始卵胞の顆粒膜細胞の増殖を促し，卵胞が 1 次卵胞，2 次卵胞を経て成熟卵胞（グラーフ卵胞）に至る（図1-6）。その結果，顆粒膜細胞におけるエストロゲンの産生・分泌が増加する。このエストロゲンによって子宮内膜の基底層より内膜細胞が増殖し，機能層を形成する（増殖期）。エストロゲンが閾値（通常血中濃度として 200 ～ 250pg/mL）に達するとポジティブ・フィードバックにより LH サージが起こる。LH は卵胞を破裂させ，卵子を放出させると同時に，卵子の減数分裂を再開させる。また，卵胞内に残った顆粒膜細胞は黄体細胞へと分化する。黄体細胞はエストロゲンとともにプロゲステロンを分泌し，子宮内膜を分泌期へと分化させ，血管新生や分泌腺の増殖を促し，胚の着床に備える。黄体の寿命は約 14 日間で，妊娠が成立しない場合はヒト絨毛性ゴナドトロピン（human chorionic gonadotropin；hCG）の刺激がないため自然に退縮し，エストロゲンとプロゲステロン分泌が消失することにより，子宮内膜の機能層は剝離する。そのため，内膜血管が断裂し出血する（図1-7）。これが月経であり，ほぼ 4 週間の周期で内膜の新生が繰り返される。

D 性行動

　性行動は生殖を完遂するための行為であり，女性においては思春期から閉経期までの性成熟期においては，性交を行うことにより妊娠が可能である。しかしながらヒトにおいては，進化による前頭葉の過剰な発達によりセクシュアリティを獲得し，常時，発情状態を導き出した。すなわち人間における性行動には，①生殖，種の保存，②社会的な制度・慣習における性行為（夫婦関係など），③実存としての「心と自由の選択」における恋愛，④快楽，を意味し，人間の性の特殊性を表している。さらに，人工授精や体外受精において

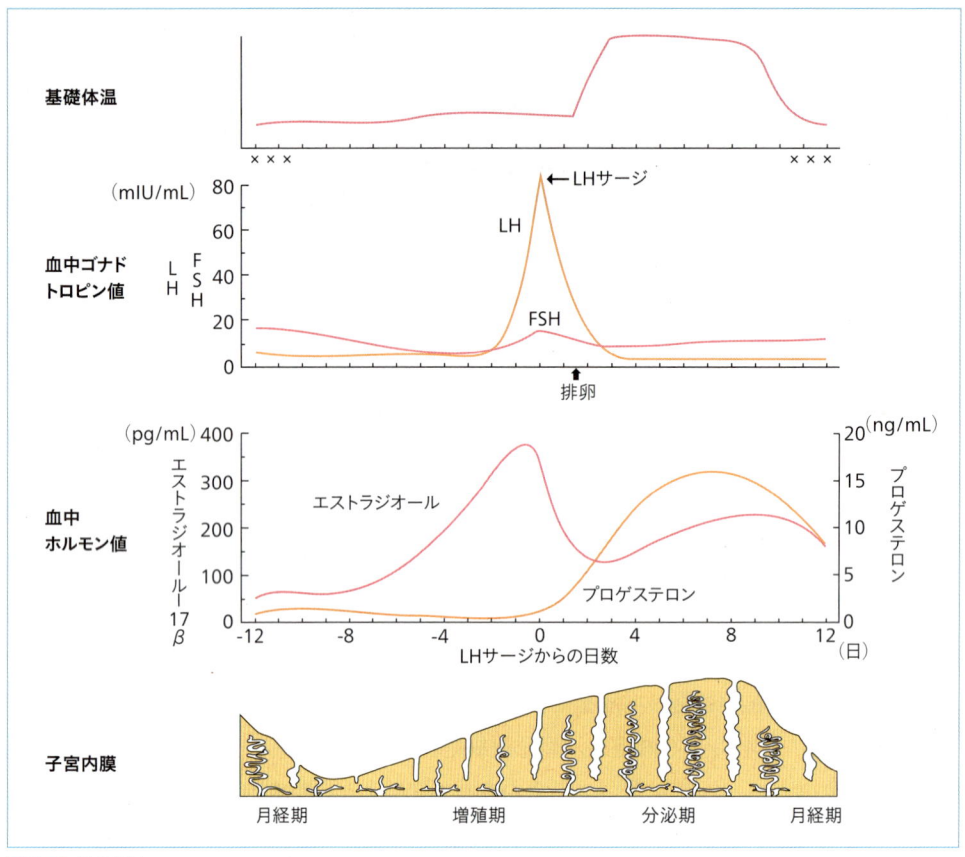

図1-7 性周期

は生殖に性交を必要とせず，まさに性と生殖が分離されたことになる。

E 性反応

　人間の性反応はマスターズ（Masters, W. H.）とジョンソン（Johnson,V. E.）により，次の4期に分類されている。男女の性反応は一見異なるようにみえるが，解剖生理学的には極めて類似した現象といえる（図1-8）。

❶興奮期（excitement phase）　興奮期は充血期でもあり，男女の性器が充血し膨張する。骨盤内の血流の増加により，ペニスは海綿体内の血流の増加により勃起し，腟壁からは潤滑液の漏出が起こる。すなわち，腟へのペニスの挿入が容易な状態をつくり出す。

❷高原期（plateau phase）　男性では精巣が挙上し，クーパー腺の分泌が起こる。女性の外陰は膨張し，腟の膨張とともに腟管の拡張がみられる。

❸オルガズム期（orgasmic phase）　男性では射精が起こる。女性では骨盤内を中心に律動的な骨盤底筋収縮と快感を生じる。

❹消退期（resolution phase）　オルガズムの後，それまでの興奮反応は速やかに消退する。

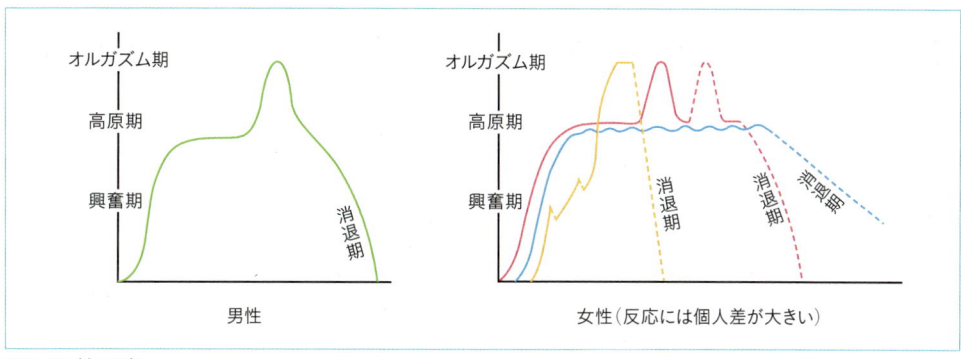

図1-8 性反応

F 受精

　受精とは「精子が卵子の中に入り込み，雌雄の配偶子が合体することにより新たな生命が発生可能となること」をいう。

　精巣における精母細胞（46,XY）は第1減数分裂により2細胞となり，続く第2減数分裂により，染色体数を半減した2つの精子細胞（23,X と 23,Y）となる。すなわち1つの精母細胞より4細胞が生じ精子が産生される。この分裂は造精可能な期間を通じて継続する。これに対して，妊娠12週までに形成された卵母細胞（46,XX）は，第1減数分裂中期にて

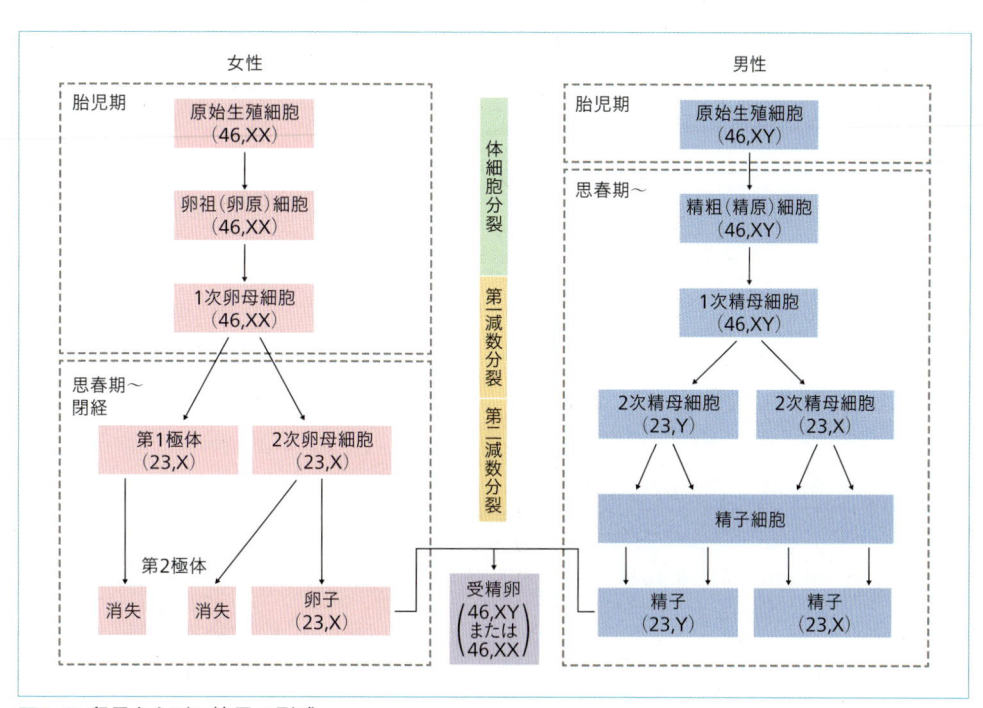

図1-9 卵子ならびに精子の形成

第5編

1 妊娠期にある母子の生理と看護
2 分娩期にある母子の生理と看護
3 産褥期にある母子の生理と看護
4 新生児の特徴と生理的変化と看護
付 周産期にある母子の看護の事例

停止し，卵巣内に原始卵胞として存在する。思春期に至り LH 刺激による排卵とともに減数分裂が再開し，第2減数分裂に至る。この際，細胞質のほとんどは1細胞に偏在し，もう一方は第1極体として放出される。この第2減数分裂は精子の侵入（受精）によって進行し，完了する。この場合にも細胞質は1細胞に局在し，他方は第2極体となる。結果的には卵母細胞1つより1つの卵子（受精卵）が生じるのみである（図 1-9）。卵母細胞は妊娠 20 週前後には 500 万〜 700 万個に達するが，以降減少し，出生時には 100 万〜 200 万個，思春期には 20 万〜 30 万個まで減少し，新たな産生はみられない。やがて閉経時には皆無となる。すなわち，精子と卵子は同じ配偶子でありながら，その形成と新生の機序は大きく異なっている。

受精は卵管膨大部で起こるが，卵子が受精能を有する期間は 24 時間，精子では 48 〜 72 時間であり，そのタイミングで出会うことが受精成立のためには重要である。卵子に1個の精子が侵入すると卵細胞内のカルシウムイオンが増加し，ほかの精子の侵入が妨げられ，多精子受精が阻止される。

Ｇ 着床

着床とは「胚が子宮内膜に定着し，胚の発育が可能になった状態」を指す。受精卵は分割を繰り返しながら卵管を通過し，4 〜 5 日で子宮腔に到達する。到達時には胎盤に分化する栄養膜と個体となる内細胞塊，ならびに胚胞腔を有する胚盤胞となっている。受精後 6 〜 7 日で透明帯から脱出（ハッチング）した胚盤胞の栄養膜は，分泌期の子宮内膜に接着し着床を開始する（図 1-10）。安定した着床が得られるには約 5 日間を要する。

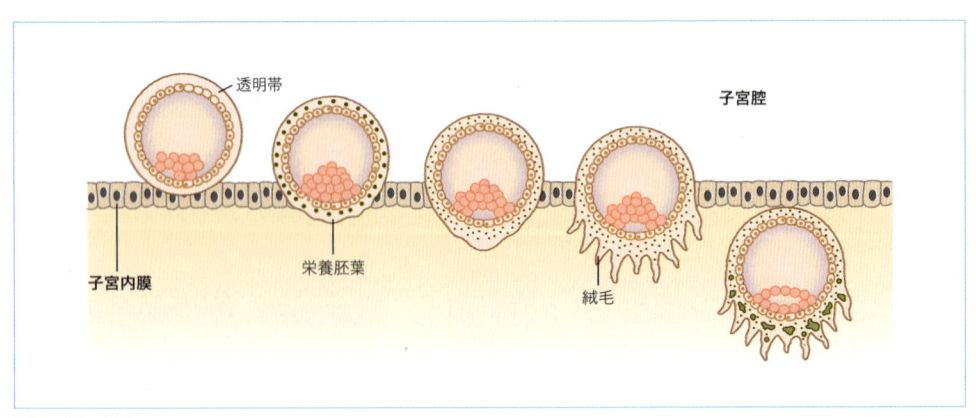

図 1-10 着床

第5編

1 妊娠期にある母子の生理と看護
2 分娩期にある母子の生理と看護
3 産褥期にある母子の生理と看護
4 新生児の特徴と生理的変化と看護
付 周産期にある母子の看護の事例

Ⅱ 正常な妊娠の経過

A 妊娠の成立

妊娠とは「受精卵の着床から始まり，胎芽または胎児および付属物の排出をもって終了するまでの状態」と定義される（日本産科婦人科学会）。着床し，子宮内膜に侵入した胚盤胞の栄養膜細胞は，絨毛突起を細胞表面に形成する。絨毛は基底脱落膜に侵入し，脱落膜と共に胎盤となる（図 1-11）。また，栄養膜細胞から分泌される hCG は黄体を刺激し，妊娠黄体へと変化させ，プロゲステロンの分泌を促す。胎児発育に従い被包脱落膜は伸展し，妊娠 16 週までには対側の壁側脱落膜と癒合し，胎盤が完成する。

臨床的な妊娠成立は，尿中 hCG を測定する検査薬（妊娠反応）が陽性（50IU/L 以上）をもって診断されるが，その後胎嚢が確認できず，月経様の出血が発来する場合もあるため，胎嚢の確認をもって臨床的妊娠とする考えもある。

妊娠している女性を**妊婦**といい，初めて妊娠した人を**初妊婦**，2 度目以後の妊娠をしている人を**経妊婦**という。また，出産経験のない人を**未産婦**，妊娠 22 週以降（日本産科婦人科学会，2018）での分娩を初めて経験する人を**初産婦**，2 度目以後の分娩を経験する人を**経産婦**という。

B 妊娠期間と分娩予定日

妊娠期間は最終月経の初日を 0 とし，妊娠が継続している期間を満週数で表す（表 1-1）。その 280 日目（40 週 0 日）を**分娩予定日**と定めるが，妊娠 37 週 0 日（259 日）から 41 週 6 日（293 日）までの分娩を**正期産**とする。妊娠 22 週では児体重が 500g に至ると推定され，

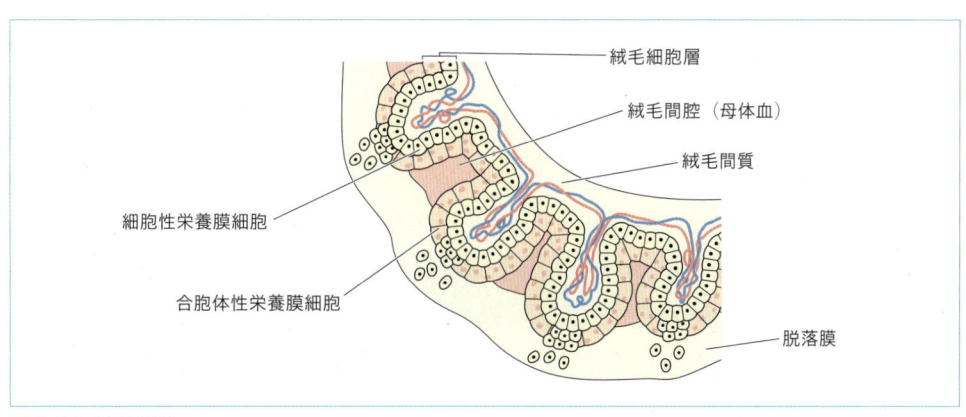

図 1-11 絨毛細胞

表1-1 妊娠期間の定義

妊娠時期	妊娠月数	妊娠週数	妊娠日数	
初期	1	0	0 ～ 6	0日：最終月経第1日
		1	7 ～ 13	
		2	14 ～ 20	14日：受精日
		3	21 ～ 27	
	2	4	28 ～ 34	
		5	35 ～ 41	
		6	42 ～ 48	
		7	49 ～ 55	
	3	8	56 ～ 62	
		9	63 ～ 69	
		10	70 ～ 76	（流産）
		11	77 ～ 83	
中期	4	12	84 ～ 90	
		13	91 ～ 97	
		14	98 ～ 104	
		15	105 ～ 111	
	5	16	112 ～ 118	
		17	119 ～ 125	
		18	126 ～ 132	
		19	133 ～ 139	
	6	20	140 ～ 146	
		21	147 – 153	児体重 500g
		22	154 ～ 160	
		23	161 ～ 167	

妊娠時期	妊娠月数	妊娠週数	妊娠日数	
中期	7	24	168 ～ 174	
		25	175 ～ 181	
		26	182 ～ 188	
		27	189 ～ 195	児体重 1000g
末期	8	28	196 ～ 202	（早産）
		29	203 ～ 209	
		30	210 ～ 216	
		31	217 ～ 223	
	9	32	224 ～ 230	
		33	231 ～ 237	
		34	238 ～ 244	
		35	245 ～ 251	
	10	36	252 ～ 258	
		37	259 ～ 265	
		38	266 ～ 272	
		39	273 ～ 279	（正期産）
	11	40	280 ～ 286	280日：分娩予定日
		41	287 ～ 293	
		42	294 ～ 300	
		43	301 ～ 307	（過期産）
		44	308 ～ 314	

子宮外成育が可能とされるため，それ以前の妊娠の中断は**流産**とする。妊娠22 ～ 36週の児娩出は**早産**で，42週以降では**過期産**である。妊娠月数は数え月数で表現する。

　これらの計算の根拠は，28日型の月経周期を有し，14日にて排卵する女性を前提としている。しかしながら，月経周期や排卵日には個人差ならびに周期差が存在する。そこで妊娠8 ～ 9週に経腟超音波断層法にて得られた胎児の頭殿長（crown rump length：CRL）にて妊娠週数ならびに分娩予定日の補正を行う。ただし，体外受精あるいは凍結胚−融解移植などにて受精日が明らかな際には，それを2週0日として予定日を算出する。

　妊娠期間は妊娠14週未満（～ 13週6日）を**妊娠初期**（1st trimester），14 ～ 28週未満（14週0日～ 27週6日）を**妊娠中期**（2nd trimester），28週以降（28週0日～）を**妊娠末期**（3rd trimester）と定義している。

C 妊娠による母体の変化

　本項では，妊娠による身体の変化の概要をみる。詳細は，本章 -IV「母体の身体的変化」を参照。

1 子宮

　非妊娠時には 50g の子宮重量は，妊娠末期には 1000g に，また子宮内腔は非妊娠時の 500 〜 800 倍に達する。これに対して子宮壁の厚さは妊娠 12 週頃から菲薄化(ひはくか)し，非妊娠時の 10 〜 20mm から，妊娠末期には 5 〜 8mm となる。これらの変化は主として妊娠中に増量するホルモン作用による子宮平滑筋(へいかつきん)や結合織(しき)の肥大，増殖による。非妊娠時に小骨盤腔にあった子宮は，妊娠 16 〜 18 週に至ると腹腔(ふくくう)に向かって上昇し，子宮底長は末期では 30 〜 36cm となる（図 1-12）。円靱帯(じんたい)，広靱帯，仙骨(せんこつ)子宮靱帯など，すべての子宮周囲の靱帯は肥大，延長，充血し，軟化する。

2 卵巣

　hCG の作用により妊娠黄体が形成され，妊娠 7 週頃には卵巣(らんそう)は 2 倍程度に肥大するが，12 週頃より退行しはじめる。

3 腟・外陰

　腟壁は著しい血管増生を認め，軟化する。帯下(たいげ)は増加傾向を呈する。外陰も軟化し，汗腺の分泌(ぶんぴつ)も盛んとなり湿潤し，静脈は拡張し静脈瘤(りゅう)を生じることもある。

4 乳房

　乳房は，乳腺(にゅうせん)の発育と皮下脂肪の蓄積によってしだいに膨大する。乳輪は色素沈着が著しく，**モントゴメリー腺**を形成する。また，皮下には拡張した静脈がみられ，妊娠中期には初乳の分泌も認める。

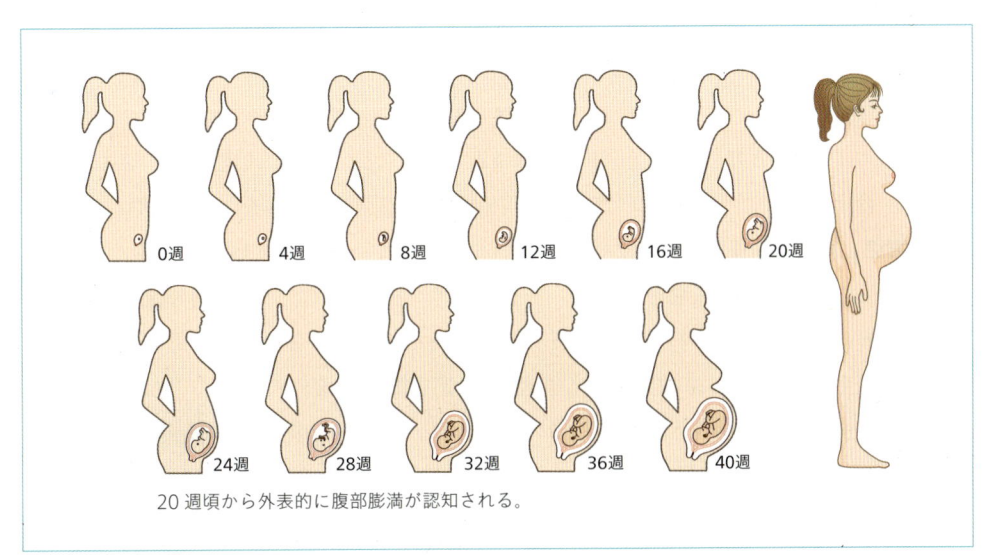

20 週頃から外表的に腹部膨満が認知される。

図1-12　妊婦体型

第5編

1 妊娠期にある母子の生理と看護

2 分娩期にある母子の生理と看護

3 産褥期にある母子の生理と看護

4 新生児の特徴と生理的変化と看護

付 周産期にある母子の看護の事例

5 | 皮膚

色素沈着が主に腹部中心線，臍部（さい），外陰部に出現する。また，増大した妊娠子宮による下大静脈（か）の圧迫により，下肢や外陰に静脈の怒張（どちょう）を認める。子宮の急激な増大により皮膚が急激に伸展した際には弾力線維に断裂を生じ，腹部などに妊娠線が現れる。

6 | 消化器系

つわり，妊娠悪阻（おそ）*として，妊娠 5 〜 6 週よりしばしば悪心（おしん）・嘔吐（おうと）が出現する。症状は早朝空腹時に起きやすく，通常は 1 〜 2 か月で消失する。また，子宮の増大に伴い，消化管への圧迫と消化管自体の運動性低下により便秘傾向となる。

7 | 全身的変化

循環血液量の増加により，循環器系や泌尿器系への負荷，増大子宮に伴う横隔膜挙上による換気機能への影響，腹部膨満（ぼうまん）による姿勢の変化など，母体には多くの負荷と変化がみられる。

Ⅲ 胎児・胎盤の特徴と生理的変化

A 胎盤形成と胎児の発育

1. 胎盤形成

卵管の中で卵子と精子が合体し形成された受精卵は，4 〜 5 日かけて子宮腔（くう）内へと移動する。そして，受精 6 〜 7 日後には，**胚盤胞**（はいばんほう）（胎児となる内部細胞塊と，胎盤などになる栄養外胚葉に分かれている）となって，子宮内膜（**脱落膜**）へ侵入し（**着床**），胎盤形成（**図 1-13**）が始まる。着床した部位（**床脱落膜**（しょう））では，栄養外胚葉の細胞性栄養膜細胞が増殖し，**合胞体（ごうほうたい）栄養膜細胞**と**絨毛外栄養膜細胞**（じゅうもうがい）の 2 種類の細胞に分化していくと考えられている。

合胞体栄養膜細胞は，絨毛を形成し，一般的にイメージされている胎盤の役割，すなわち，ホルモン産生や母体とのガス・物質交換を担当している。ちなみに，母体の血液に満たされた絨毛間腔に浮かぶ絨毛を覆う合胞体栄養膜細胞が壊れて生じる DNA（絨毛由来DNA）が，一部母体血中へと流れ込んでいるために，母体血胎児染色体検査（NIPT）が可能となっている。NIPT は胎児細胞そのものの検査ではないため，非確定的検査である。

＊ **妊娠悪阻**：妊娠第 1 三半期（三分期）にみられる悪心・嘔吐を中心とした消化器症状を主徴とする「つわり」が重症化し，体重減少，脱水，アシドーシスや電解質異常を呈する病態をいう[1]。

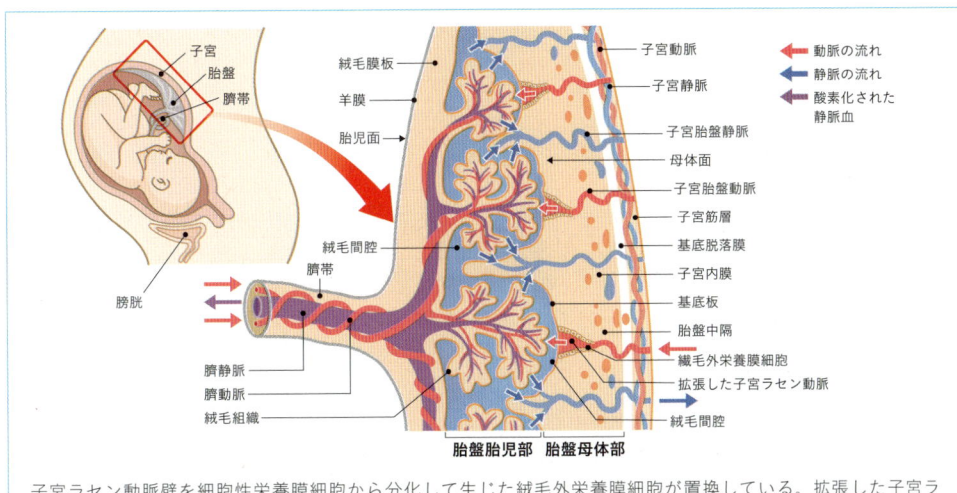

子宮ラセン動脈壁を細胞性栄養膜細胞から分化して生じた絨毛外栄養膜細胞が置換している。拡張した子宮ラセン動脈から絨毛間腔へと血流が噴出しており，絨毛間腔に浮遊している絨毛（細胞性栄養膜細胞とそれから分化して生じた合胞体栄養膜細胞で形成）で母体とガス・物質交換が行われている。

図1-13 胎盤形成

確定診断には羊水検査が必要である。

　一方，胎盤形成にかかわるのは，絨毛外栄養膜細胞とよばれる細胞である。この細胞は，母体の免疫細胞から異物と認識され排除されないよう巧みに攻撃をかわしながら（免疫寛容），母体の脱落膜さらには子宮筋層にまで浸潤していく。浸潤した絨毛外栄養膜細胞は，ゴールである**子宮ラセン動脈**の血管壁に到達すると，血管壁の細胞を壊して置き換えてしまう。血管壁の細胞は，もともとは交感神経の支配下にあって収縮するが，絨毛外栄養膜細胞に置き換えられた血管壁は，常に拡張した状態になる。このことにより，妊娠期には，子宮ラセン動脈は，絨毛間腔へ豊富な血流を安定して供給できると考えられている。これは，子宮ラセン動脈が絨毛外栄養膜細胞によってつくりかえられるという意味で，子宮ラセン動脈のリモデリングといわれている。妊娠高血圧腎症は，何らかの理由で子宮ラセン動脈のリモデリングが不十分となってしまい，胎盤形成不全となった結果，発症すると考えられている。

2. 胎児の発育

　胎児は，約10か月程度で，1つの細胞である受精卵から始まって約3kgにまで，急激な発育を遂げる。妊娠10週未満は，胎芽とよばれている（**図1-14**）。胎児とよんでも間違いではないが，この時期はまだ人としての構造ができあがっていない。そのため，薬物服用や，放射線被曝などの影響を受けやすい時期でもある。**図1-15** に示されている**卵黄嚢**は，妊娠初期にのみ認められ，細胞分裂を盛んに繰り返し，発育する胎芽に栄養を供給するが，やがて退縮していく。妊娠10週以降は**胎児**とよばれるようになり，妊娠15〜20週頃には胎盤が完成する。

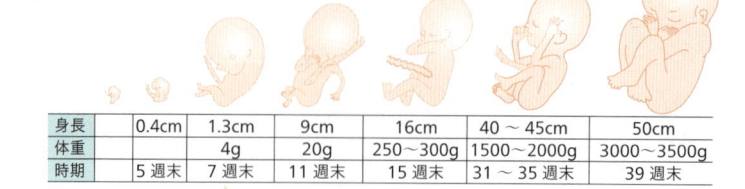

身長	0.4cm	1.3cm	9cm	16cm	40〜45cm	50cm
体重		4g	20g	250〜300g	1500〜2000g	3000〜3500g
時期	5 週末	7 週末	11 週末	15 週末	31 〜 35 週末	39 週末

胎芽 　　　胎児

妊娠週数　4　5　6　7　8　9　10 11　12 13 14 15 16 24　　30　　34 35 36 37 38 39 40

図1-14 胎児の形態と大きさ

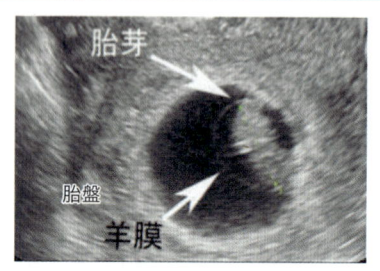

妊娠 8 週の胎芽。頭部と体幹に分かれた構造が認められる。

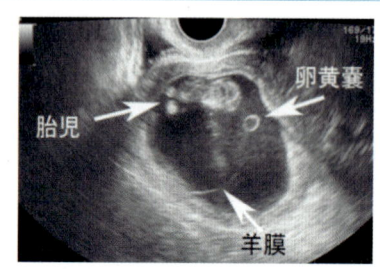

妊娠 10 週の胎児（下肢らしきものを認める）＋卵黄嚢

図1-15 経腟超音波所見（妊娠8週，10週）

　胎盤形成後は，胎盤・臍帯（さいたい）をとおして，母体から酸素・栄養を供給されるようになり，胎児発育は，胎盤・臍帯からの供給に依存するようになる（図1-16）。したがって，胎盤・臍帯の異常は，胎児発育不全の重要な原因の一つとなる。たとえば，胎盤が小さくて，ガス・物質交換する場の面積が狭い場合には，酸素・栄養の供給不足となり，胎児は発育不良になる。また，胎盤と胎児をつなぐ臍帯で血流の流れが悪くなるような出来事が起きても，同様に供給不足となって，発育不良となる。臍帯の捻転（ねんてん）（ねじれ具合）が過剰な**過捻転**，臍帯が結び目のようになっている**臍帯結節**，臍帯の胎盤付着部が胎盤の辺縁や卵膜である

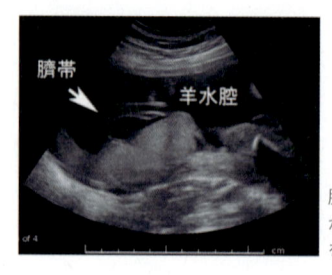

胎盤は子宮後壁に付着。臍帯が胎盤のほぼ中央に付着しているのがわかる。黒い部分（低輝度）は羊水であり，羊水が充満している羊水腔を示している。

図1-16 経腹超音波所見（妊娠22週）

第5編

1 妊娠期にある母子の生理と看護

2 分娩期にある母子の生理と看護

3 産褥期にある母子の生理と看護

4 新生児の特徴と生理的変化と看護

付 周産期にある母子の看護の事例

などの臍帯の付着異常があっても，臍帯からの供給は不安定となる。さらに何らかの要因で羊水過少症になると，子宮収縮の際に臍帯が直接圧迫されるため，血流の流れが遮断され，供給が不足することになる。

B 胎児付属物

胎児が母体の中で発育するのを助ける臓器を**胎児付属物**とよび，胎盤，卵膜，臍帯，羊水などを指す。これらは出生後には不要となり，胎盤，卵膜，臍帯は児の娩出に続いて母体から排出される。

1. 胎盤

正期産の胎盤は，重量が約 500g で円から楕円形の盤状の臓器である。胎盤は胎児側から観察すると，臍帯の胎盤付着部から臍帯動脈と静脈が分岐を繰り返しながら胎盤の表面（胎児面）を走行したあと，最終的には胎盤実質内に入り込んでいくのが見える（図 1-17a）。また，肉眼的には滑らかな構造の羊膜で覆われている。反対に子宮に付着していた母体面から観察してみると，15 〜 20 の大小不同のコチルドン（胎盤分葉）とよばれる多角形の分葉に分かれているため，ごつごつしている（図 1-17b, c）。灰白色の脱落膜の下に絨毛が存在している。

2. 卵膜

胎児は卵膜に包まれて子宮内で成長する。内側から，羊膜，絨毛膜，脱落膜の 3 つの膜で構成されている（図 1-18）。そのうち，羊膜，絨毛膜は胎児由来の細胞であるが，脱落膜は母体細胞で構成されている。娩出した卵膜は，用手的に羊膜と絨毛膜（一部脱落膜も付着）が分離できる。

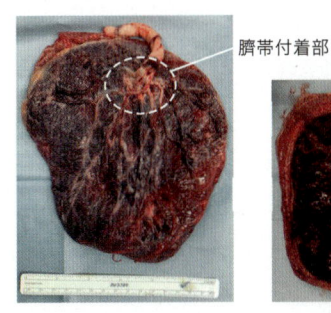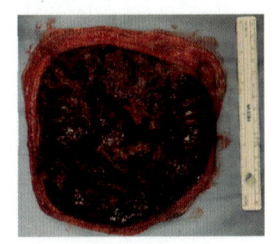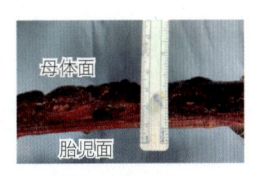

臍帯付着部

a：胎児面から見た図　　b：母体面から見た図　　c：側方から見た図

母体面

胎児面

図 1-17 胎盤の肉眼所見

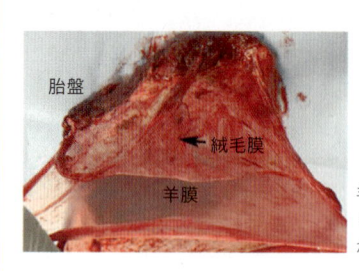

羊膜は血管がなく，薄く透明な膜であることがわかる。

図1-18 卵膜の構造

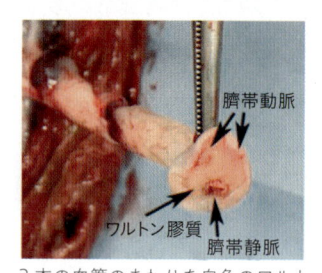

3本の血管のまわりを白色のワルトン膠質が包んでいる。

図1-19 臍帯の肉眼的所見

3. 臍帯

臍帯は胎児・胎盤循環をつなぐ命綱であり，胎盤と胎児の臍から胎児循環へとつながっている。2本の臍帯動脈と1本の臍帯静脈をワルトン膠質が包み，表面は羊膜で覆われている（図1-19）。臍帯動脈には酸素濃度が低い「静脈血」が流れており，臍帯静脈には逆に酸素濃度の高い「動脈血」が流れていることに注意する。「動脈」とは，心臓から送り出される血管を意味している。胎児の場合には，肺ではなく，胎盤がガス交換の場となるため，臍帯動脈に流れる血液は，胎児のからだから胎盤へと送られるので，酸素濃度の低い血液が流れている。逆に，臍帯静脈は，胎盤でガス交換後に胎児のからだに流入する血液が流れており，最も酸素濃度が高い血液である。

4. 羊水

分娩の際に，児の娩出に先立って，卵膜が破れて中の液体が外に流れ出ることを「破水」というが，卵膜の中の黄色透明な液体を**羊水**という（妊娠末期には胎児の皮膚の剝離により乳白色となる）。羊水は pH 8〜9 とアルカリ性であるため，破水の診断では，BTB 溶液が青変するのを利用している。妊娠初期の羊水は羊膜から産生されるが，妊娠 15 週頃から胎児尿が主な成分となり，これに胎児の肺胞液が加わってつくられている。つまり，妊娠中期以降は，羊水は胎児循環から腎臓で産生された尿が排尿されることによって産生され，胎児の嚥下により腸管で吸収され，胎盤から母体循環に戻る，という経路をとる。

羊水量は，妊娠末期に向かって増加して，妊娠 32 週頃に 700〜800mL とピークになると考えられており，その後減少することが知られている。妊婦健診で，羊水量は母児の健康を知る手がかりとなる。羊水量の評価の一つの方法として，妊婦健診では超音波検査で羊水ポケットまたは**最大羊水深度**を測定し（図1-20），2 cm 以下で**羊水過少**，8 cm 以上で**羊水過多**と診断している。いずれも羊水異常として，原因となる疾患を検索する必要がある。

羊水は，胎児や臍帯を衝撃から守るクッションとなっている。また，胎児にとって，羊水中で胸郭の運動を行うことは，肺の発育にも重要で，妊娠中期から羊水過少が続く環境

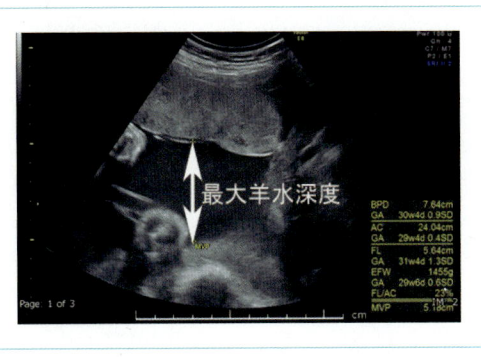

図1-20　最大羊水深度の測定

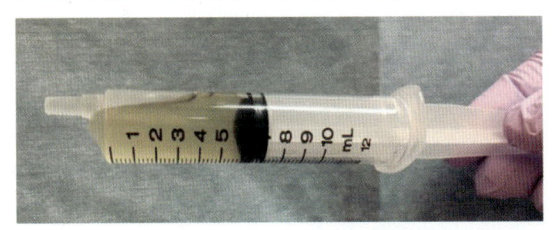

羊水穿刺によって得られた羊水（妊娠19週以前）を一部シリンジに採取したもの。黄色透明であることがわかる。

図1-21　シリンジに採取した羊水

にいた胎児は肺が低形成となり，呼吸障害が生じることが知られている。また，羊水中の細胞は胎児由来細胞であるため，羊水穿刺により胎児染色体検査を行うことができる（図1-21）。

C 胎児・胎盤系

1. 胎児循環と新生児循環

　母体から酸素・栄養を供給された絨毛内の血管は，胎盤の表面（胎児面）に集合して1本の臍帯静脈となる。臍帯静脈は胎児の臍から体内に入ると臍静脈となる。胎児期には，ヒトにとって最も重要な臓器である「脳」へ酸素・栄養豊富な血流をいち早く届けるために，2つのバイパスをもっている。それが「静脈管」と「卵円孔」である。静脈管は，肝臓を介さず，直接，臍静脈が下大静脈に注ぐためのバイパスであり，その後右心房に戻った血液は卵円孔を通って，左心房から左心室に至り，大動脈から腕頭動脈や左総頸動脈を通って脳へと循環する（図1-22a）。胎児期に頭部が身体に占める割合が大きい（図1-14参照）のは，このためであると考えられている。静脈管は，胎盤からの血液を一気に「脳」へと届けるために血流が速くなっており，超音波検査では**乱流**となって見える（図1-23）。

　一方，下半身へ向かう血流は，右心房→右心室→肺動脈本幹→動脈管→大動脈という流

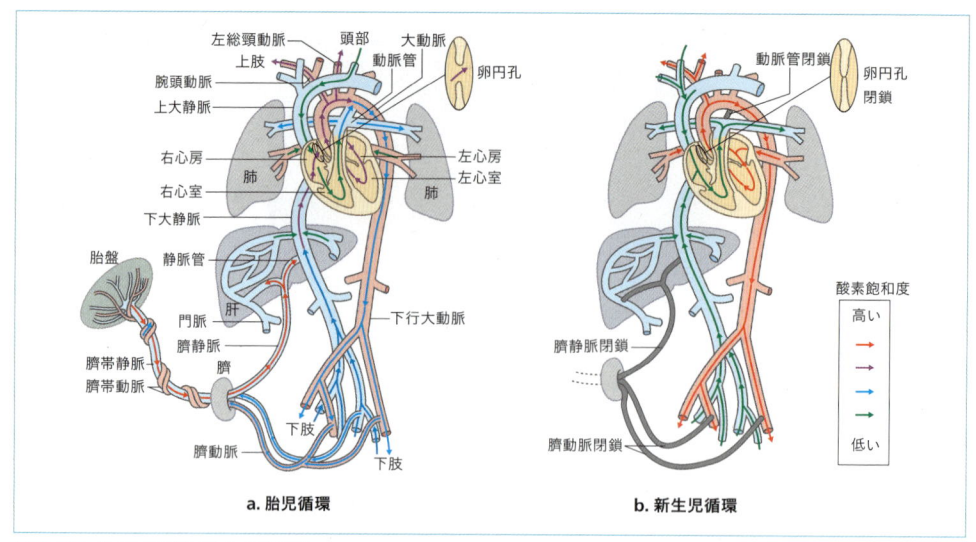

図1-22 胎児循環と新生児循環

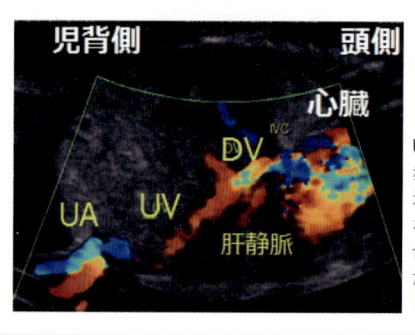

UV：臍静脈，UA：臍帯動脈，DV：静脈管
赤色は近づく血流，青色は遠ざかる血流を示しているが，血流が速いために，乱流となって，水色に見える。胎児発育不全の場合には，この水色の部分でサンプリングした血流波形（図には示していない）を評価して，胎児の状態を判断する。

図1-23 カラードプラ*法検査像

れになっている。下半身へ向かう血液は，右心房から右心室に入る血液に上半身を循環してきた酸素濃度の低い血液も混じるため，図1-22a に示されているように，頭部へ向かう血液に比べると，酸素濃度が低くなっている。胎盤・臍帯からの血流供給が何らかの原因で減少して発症する胎児発育不全では，下半身の血流を減らしてでも，頭部へ向かう血流を保とうとする代償機序がヒトには備わっているので，頭部の大きさは正常範囲であるのに，腹部の大きさが小さい胎児となりやすい。

　出生後は，啼泣により肺が広がることで，肺への血流が急激に増加し，卵円孔や動脈管が閉鎖する。その結果，胎児循環のように酸素濃度の低い血液が混じり合うことなく，大静脈→右心房→右心室→肺動脈→肺→肺静脈→左心房→左心室→大動脈という循環となる（図1-22b）。また，胎盤から切り離され，臍動静脈が閉鎖し静脈管も閉鎖する。すなわち，卵円孔，動脈管，静脈管は胎児期のみに存在するものである。このように，出生直後に，

---

* **カラードプラ**：血流の動きを，そのドプラ信号を利用して色づけして表示する方法。

呼吸循環動態は大きな変化をとげる。

2. 内分泌機能

絨毛（図 1-13 参照）の合胞体栄養膜細胞が主に内分泌機能を担っており，妊娠の維持や出産後の授乳に向けた母体の身体的変化を助ける役割を果たしている。胎盤で産生されるホルモンは多岐にわたるが，主に，成長ホルモン，ステロイドホルモン，神経作動性ホルモンなどがあり，母体血中へと分泌されている。しかし，ヒトにおいて，産生ホルモンやその作用については，解明されていない点もいまだに多い。これはヒトの胎盤がヒト特有の性質があって，ヒトにも適用できる動物実験の結果が限られていることなどによる。

▶ ヒト絨毛性ゴナドトロピン（hCG）　最も重要なホルモンの一つで妊娠初期から分泌され，母体尿中の hCG を測定する妊娠反応として用いられている。hCG は 2 つのサブユニットから構成され，成人の下垂体から分泌される LH（黄体化ホルモン），FSH（卵胞刺激ホルモン），TSH（甲状腺刺激ホルモン）と共通のサブユニット（αサブユニット）をもつ。hCG 作用として，卵巣黄体におけるプロゲステロン産生の促進が知られている。hCG は，妊娠初期に急増し，その後漸減するが，それに伴い，卵巣の黄体に依存していたプロゲステロン産生は，主に胎盤産生へと切り替わっていく。hCG は妊娠初期に卵巣黄体へ作用することにより，妊娠維持に働き，流産しないようにしていると考えられる。そのほか，絨毛細胞の分化や，胎盤における血管形成の促進，母体の免疫寛容（胎児の細胞を攻撃しないようにする）などの誘導など，胎盤形成に促進的に作用するなど様々な機能があることがわかってきている。

　ステロイドホルモンである**プロゲステロン**も妊娠維持に重要なホルモンで，受精卵の着床，免疫寛容，子宮筋収縮抑制などに働くとされている。流早産の予防薬として使用されるようになっている。

▶ ヒト胎盤性ラクトーゲン（hPL）　hPL の測定は，以前は胎盤機能検査に用いられていた。妊娠 6 週から母体血液中に検出されて，妊娠末期に向かって胎盤重量の増加とともに漸増していくとされている。したがって，胎盤発育の評価にも適しているとされてきた。hPL は，胎児側には移行しないことがわかっており，母体の脂質分解を促進して胎盤を通過しやすくし，胎児へのエネルギー供給の増加を図り，間接的に胎児発育を助けているのではないかと考えられている。

　また，胎児と胎盤の両方の機能を評価する検査法として，母体の尿中のエストリオール（E_3）値測定があげられる。ステロイドホルモンである E_3 は，胎児の副腎・肝臓および胎盤が協調して産生しているため，胎児や胎盤の機能が低下すると，E_3 値も低下する。**胎児副腎**は，体重比にすると成人の 20 倍程度の重量といわれているが，その大部分は，出生後 1 歳頃までに消失する**胎児層**である。胎児層では，デヒドロエピアンドロステロン硫酸塩（DHEA-S）が多量に産生され，胎児肝臓で 16 α -OH-DHEA-S となり，胎盤を通過する際に E_3 に転換され，母体尿中に排出される。なお，E_3 には，子宮胎盤血流を増加させる作用などが知られている。

第5編

1 妊娠期にある母子の生理と看護

2 分娩期にある母子の生理と看護

3 産褥期にある母子の生理と看護

4 新生児の特徴と生理的変化と看護

付 周産期にある母子の看護の事例

これら hPL 値や E_3 値による胎児・胎盤機能の評価は，現在では，実施されていない。

■ 3. ガス・物質交換と代謝

　絨毛の合胞体栄養膜細胞が，主にガス・物質交換と代謝機能も担っている。絨毛は木の枝のように細く枝分かれしてその中に胎児血管が入りこんでおり，ガス・物質交換がより効率よく行えるようになっている。合胞体栄養膜細胞をとおして，濃度勾配で移動する物質もあれば，積極的に取り込まれる物質もある（能動輸送）。胎児に必要な酸素・栄養を取り込み，老廃物や二酸化炭素を母体血中に排出する。このように胎盤は，人体における肺や腎臓の役割も担っている。ガス交換では，勾配を利用して，酸素は勾配の高い母体から胎児へ移行し，二酸化炭素は胎児から母体へと移行する。特に二酸化炭素は拡散能が高いので移行が容易であるが，酸素の場合には，胎児のヘモグロビンが成人のヘモグロビンよりも酸素に結合しやすい性質をもっており，受け渡しに有利に働いている。栄養も母体から胎児へと輸送されるが，勾配によって拡散して移動するものや，トランスポーター（輸送体）を用いて能動輸送で取り込まれているものが知られている。

IV　母体の身体的変化

A　性器・乳房の変化

■ 1. 子宮

▶ **子宮の重量・大きさ・容量**　非妊娠時の子宮重量は未産婦と経産婦で異なるが，40 〜 70g である。子宮腔長（大きさ）は約 7cm で，容量は約 10mL である。胎児や胎児付属物の発育とともに，子宮体部の筋線維が増殖肥大することにより，妊娠末期には子宮重量は 1000g 前後となり，子宮腔長は約 36cm となる。容量は約 5 L となる。

▶ **子宮体部・子宮頸部・子宮腟部**　子宮体は妊娠初期よりも軟化し，妊娠 8 〜 15 週で最も軟化する。子宮頸部と子宮腟部は妊娠により軟化するが，時期が遅く，大きさが妊娠で変化することはない。子宮腟部は，妊娠初期よりリビド着色とよばれる暗紫色となる。また，初産婦では妊娠末期に子宮頸部が前腟円蓋の方向に引き延ばされ，内診上短く触知するようになるが，経産婦ではそのような変化はみられない。

▶ **子宮峡部（下節）**　子宮峡部は子宮体部と子宮頸部に挟まれた部分である（図 1-24）。非妊娠時は 1cm ほどであるが，妊娠末期には 7 〜 10cm に伸展する。妊娠 12 週以降は組織学的内子宮口が子宮腔と子宮頸管との境界となり，この部位を産科的内子宮口とよぶ。分娩時には子宮峡部は伸展して子宮下部になり，子宮頸部と共に通過管を形成する。陣痛時

第5編

1 妊娠期にある母子の生理と看護
2 分娩期にある母子の生理と看護
3 産褥期にある母子の生理と看護
4 新生児の特徴と生理的変化と看護
付 周産期にある母子の看護の事例

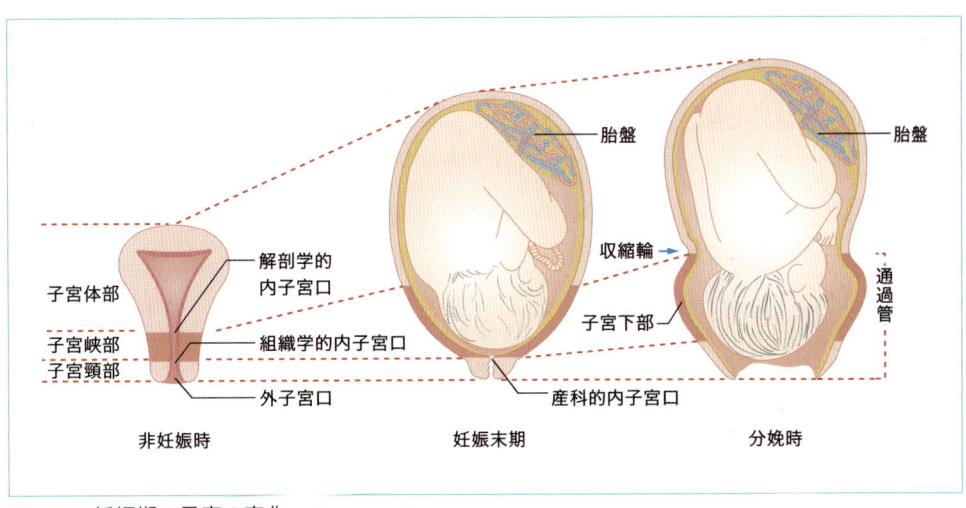

図1-24 妊娠期の子宮の変化

（非妊娠時　妊娠末期　分娩時）

子宮体部
子宮峡部
子宮頸部

解剖学的内子宮口
組織学的内子宮口
外子宮口

胎盤
収縮輪
子宮下部
産科的内子宮口
通過管
胎盤

に子宮体部が収縮すると，子宮峡部との間にくびれ（収縮輪）が生じる。収縮輪は，解剖学的内子宮口に一致する部位に生じる。

2. 卵管・卵巣

▶ **卵管**　卵管は，子宮底の上昇により，その位置も骨盤腔内を上昇していく。子宮円索や仙骨子宮靱帯などの子宮を支持する靱帯も子宮の増大により肥大・延長し，広靱帯も拡張し，前後両葉が離開してくる。

▶ **卵巣**　卵巣は，妊娠時には血管の肥大や間質細胞の増殖などによって，非妊娠時より大きくなる。これは，妊娠の成立により絨毛からヒト絨毛性ゴナドトロピン（hCG）が分泌されるためであり，黄体は退縮しない。妊娠6～7週頃までは，エストロゲンとプロゲステロンを産生するが，それ以降は黄体が退縮に向かい，分娩後は白体となる。

3. 腟

妊娠の進行とともに腟壁は肥厚，軟化し，腟腔は延長，伸展していく。子宮頸部と同様に，腟粘膜の毛細血管拡張からリビド着色がみられる。腟分泌物は増加し，帯下は白色乳汁状となる。

▶ **腟内環境**　腟上皮細胞はグリコーゲンを含んでいる。妊娠時には，エストロゲンの作用によりその量が増加するため，腟内の酸性度が上昇するため pH の値は小さくなり，pH 4 前後となる。この結果，腟内の雑菌の繁殖が抑えられるため，酸に強いデーデルライン桿菌のみが発育するため，腟清浄度＊は I 度となるものが多い。

＊ **腟清浄度**：I～III度に分類されている。I 度は「腟分泌物にデーデルライン桿菌と腟上皮のみを含み，pH4.0 前後」，II 度は「桿菌，腟上皮に腸球菌，ブドウ球菌，大腸菌，白血球などを含み，pH5.0 前後」，III 度は「桿菌や腟上皮がほとんど消失し，多数の雑菌や白血球で満たされ，pH5.6 以上で黄色」を示す。

4. 外陰部

　大陰唇，小陰唇共に軟化，肥大し，色素沈着が増加する。皮脂腺，汗腺の分泌も増加し，外陰部は湿潤する。子宮が増大するため下大静脈が圧迫されることにより血液灌流が妨げられ，静脈圧が上昇する。その結果，うっ血した外陰の皮下静脈が怒張し，うっ血性変化が著明になると外陰静脈瘤が発生する。

5. 乳房

　出産後に新生児に乳汁を与えるため，妊娠中にはその準備が行われる。まず，エストロゲンの作用により乳腺の発育がみられ，プロゲステロンの作用によって腺房が発育し，両者の作用によって脂肪組織が増加され，乳房は大きくなる。妊娠初期より乳房の増大は始まり，妊娠末期には非妊娠時の数倍の重量となる。乳輪の面積も増大して暗褐色（リビド着色）に変化し，乳輪の中にあるモントゴメリー腺が発達し隆起するため，容易に肉眼で観察できるようになる。乳頭も肥大し，通常，暗褐色に変化する。

▶ **乳腺の分泌能**　乳腺は妊娠の比較的早い時期から分泌能をもつ。乳頭を圧迫すると水様性の分泌物が排出され，妊娠の進行とともに分泌物は乳白色に変化し，さらに黄色味を帯び，その粘稠度も上昇する。

Ⓑ 全身の変化

1. 循環器系

▶ **血液**　妊娠中は赤血球数が約20％増加し，総ヘモグロビン量は約10％増加する。血漿量は妊娠初期から増加しはじめ，妊娠32〜34週には非妊娠時の約40％増加し，最大量となる。以後は妊娠末期に向けてやや減少する（**図1-25**）。妊娠中は凝固因子の一つであるフィブリノゲンが非妊娠時と比較すると約50％血中に増加し，血液の粘稠度が上昇する。血球成分に比べ血漿量が相対的に増加することにより血液が希釈され，血液粘稠度の上昇が抑えられるが，これを生理学的水血症という。この状態では，ヘマトクリット値は妊娠初期と中期で，それぞれ非妊娠時の5〜8％と12〜16％の減少がみられ，妊娠性貧血の原因となる。白血球数は，多核白血球と骨髄球が増加するため軽度に増加する。

▶ **心臓**　妊娠中は血液量が増加するうえ，体重の増加，胎盤循環などにより心臓の負担は増え，左心室が肥大傾向となる。心拍出量も妊娠12週頃から増加し，妊娠28〜32週で最大に達し，以後徐々に減少していく。

　妊娠末期には増大した子宮容積により，心臓は左上方に挙上される。妊娠中の血流の変化や心臓の転位による肺動脈の軽度捻転などにより，心臓基底部で軽度の収縮期雑音が聴取されることがある。

第5編

1 妊娠期にある母子の生理と看護
2 分娩期にある母子の生理と看護
3 産褥期にある母子の生理と看護
4 新生児の特徴と生理的変化と看護
付 周産期にある母子の看護の事例

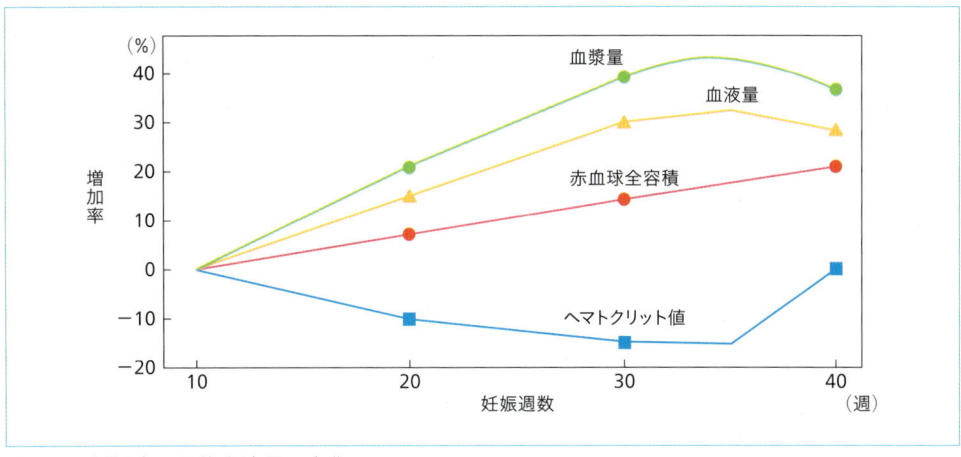

図1-25 妊娠中の母体血液量の変化

2. 呼吸器系

　妊娠末期では，増大する子宮により横隔膜が挙上されるため，胸郭が前後に圧迫され横方向に拡張する。そのため妊娠時は腹式呼吸から胸式呼吸に移行しやすく，呼吸数が増加するため，過呼吸となって呼吸性アルカローシスに陥りやすい。

3. 消化器系

▶ **歯・口腔**　妊婦の50％前後に歯肉炎，歯肉腫がみられる。特に慢性歯周炎（歯槽膿漏），口内炎，舌炎が悪化しやすい。これらは妊娠に伴う組織の充血や浮腫が原因と考えられている。

▶ **つわり・妊娠悪阻**　妊娠初期には，約70％の妊婦に悪心・嘔吐，流涎がみられる。軽症のものを**つわり**といい，栄養代謝障害を伴う重症のものを**妊娠悪阻**という。いずれも一過性のものであり，妊娠16週以内に自然治癒するものが多い。そのほか，妊娠に伴って消化器系にみられる症状としては，胸やけ，痔疾・脱肛，便秘などが出現することがある。

4. 泌尿器系

▶ **膀胱・尿管**　膀胱は増大する子宮のため圧迫され，前後に扁平となって容量が減少する。このため尿意を頻回に催すようになる。尿管は子宮による圧迫と緊張の低下により弛緩する。そのため尿の滞留が起こりやすく，膀胱炎や腎盂腎炎などの尿路感染症のリスクが高くなる。

▶ **腎機能**　糸球体濾過量（glomerular filtration rate；GFR）と腎血漿流量（renal plasma flow；RPF）は妊娠初期から増加し始める。糸球体濾過量は妊娠16週頃には最大となり，以後妊娠末期まで高値を維持する。

　妊娠中は腎尿細管機能も変化がみられ，妊婦では尿糖の排泄が多くなる。これは糸球体

濾過量の上昇と尿細管の糖再吸収能の低下によるもので，アミノ酸の尿中への排泄も増加する。特にヒスチジンの排泄が増加する。尿酸の尿中排泄も増加するが，尿酸産生は非妊娠時と変わらないため，血清尿酸値は低下する。

▌ 5. 皮膚

妊娠中の皮膚の主な変化は，色素沈着（**リビド着色**）と**妊娠線**の出現である。

▶ **色素沈着**　色素沈着は顔面，乳頭，乳輪，外陰，腹壁，臍窩などに淡褐色，暗褐色がみられることをいう。妊娠中期以降に著明となり，経産婦のほうが顕著にみられる。顔面では額，頬，鼻などに左右対称な色素沈着がみられ，これを妊娠肝斑とよぶ。

▶ **妊娠線**　妊娠線は妊娠末期に下腹部，乳房，大腿に現れる赤紫色の線である。分娩後には徐々に薄くなり白色となる。これを旧妊娠線という。原因は脂肪組織の増加により皮膚が急速に引き伸ばされ，結合織線維の断裂が起こるためである。副腎皮質ホルモンの作用も関与していると考えられている。

C 母体の内分泌

▌ 1. 胎盤性ホルモン

胎盤では多くのたんぱく／ペプチドホルモン*やステロイドホルモンが多量に産生され，母体血中にもこれらのホルモンが増加する。

▶ **ヒト絨毛性ゴナドトロピン**　ヒト絨毛性ゴナドトロピン（hCG）は妊娠初期から絨毛で産生されるたんぱく／ペプチドホルモンである。血中濃度は妊娠8〜10週頃がピークであり，妊娠末期に向けて低下していく。卵巣の黄体を刺激し，黄体ホルモン（プロゲステロン），エストロゲンの分泌を促し，妊娠の維持に重要な役割を果たしている。妊娠初期に母体尿中に排出されるヒト絨毛性ゴナドトロピンを同定することで妊娠の診断を行う。

▶ **ヒト胎盤性ラクトーゲン**　ヒト胎盤性ラクトーゲン（human placental lactogen；hPL）も絨毛で産生されるたんぱく／ペプチドホルモンで，血中濃度は妊娠経過に伴って漸増し，妊娠末期にピークとなる。抗インスリン作用をもつために糖の分解が抑制されるので，このホルモンが増加すると，母体は糖よりも脂質からエネルギーを得るようになる。この結果，より多くの糖が胎児に供給されることになる。このようなメカニズムによって起こる胎児への糖によるエネルギー補給が，ヒト胎盤性ラクトーゲンの重要な生物学的作用と考えられている。

＊ **たんぱく／ペプチドホルモン**：内分泌機能をもつたんぱくまたはペプチドであり，ホルモンの多くはこれに属する。

2. 性腺系

性腺系は妊娠初期から抑制されると考えられる。

▶ 排卵の停止　妊娠中は，胎盤から分泌されるエストロゲンやプロゲステロンにより，視床下部から性腺刺激ホルモン放出ホルモン（GnRH），下垂体から性腺刺激ホルモンの分泌が抑制される。そのため卵胞発育や排卵は起こらない。

▶ 乳汁分泌の抑制　乳汁の合成・分泌を促すプロラクチンは妊娠中に増加する。これは胎盤から分泌されるエストロゲンが下垂体のプロラクチン分泌を刺激するためと考えられている。しかし，プロラクチンの乳腺に対する作用はエストロゲンにより抑制されるので，妊娠末期はプロラクチンレベルが高いにもかかわらず乳汁は分泌されない。分娩後，血中プロラクチン値は低下するが，胎盤のエストロゲンの影響がなくなってエストロゲンによる抑制作用が消失するため，乳汁が分泌されるようになると考えられている。

3. 甲状腺系

妊娠中，甲状腺刺激ホルモン（TSH）に大きな変動はみられない。しかし，胎盤から分泌されるヒト絨毛性ゴナドトロピン（hCG）は TSH 様の作用があり，甲状腺ホルモンの産生は増加する。ただし，サイロキシン結合グロブリン（TBG）の血中濃度も妊娠により上昇するため，活性をもった遊離の甲状腺ホルモンはそれほど増加しない。母体の甲状腺ホルモンは一部胎盤を通過し，胎児発育，なかでも胎児の脳発達に重要な役割を担い，母体の甲状腺機能低下は児の精神発達遅延の原因ともなる。

4. 副腎系

母体血中のコルチゾールの濃度は妊娠中にしだいに高まるが，非妊娠時と同じく，早朝高値・深夜低値という日内変動は妊娠時にも認められる。胎盤には下垂体性と同一の副腎皮質刺激ホルモン（ACTH）や，視床下部と同一の副腎皮質刺激ホルモン放出ホルモン（corticotropin-releasing hormone：CRH）も存在する。胎盤性 CRH は母体血中に移行し，母体の下垂体からの ACTH 分泌を促進するが，同時に CRH を不活性化する CRH 結合たんぱくも母体血中に著増するため，胎盤性 CRH の作用は限られている。妊娠における母体コルチゾールの生物学的意義は解明されていない。

母体の栄養代謝

1. 糖代謝

妊娠時の母体の糖代謝は，非妊娠時と大きく異なる。

▶ 耐糖能の低下　母体の糖は胎児のエネルギー源として利用されるため，母体では非妊娠

時の飢餓状態によく似た代謝動態が形成される。そのため，空腹時血糖値は非妊娠時に比較して低値となる。一方，食後血糖値は非妊娠時より高値を示し，食後のインスリン分泌も著しく亢進する。しかし，インスリンの分泌亢進にもかかわらず妊婦の耐糖能は低下し，この傾向は妊娠末期に顕著となる。その原因は，インスリン抵抗性*が妊娠中に上昇することによると考えられている。

▌ 2. 脂質代謝

妊娠時の母体の脂質代謝も，非妊娠時とは大きく異なる。

▶ **脂質異常症の状態**　脂質には脂肪酸，トリグリセリド，複合脂質（リン脂質および糖脂質），コレステロールなどが存在する。妊娠初期はこれらの脂質の血清中濃度は非妊娠時と差がないが，妊娠末期には著しく上昇し，脂質異常症の状態となる。

▶ **母体のエネルギー源**　特にトリグリセリドの増加は著しく，非妊娠時の2倍以上となる。トリグリセリドは遊離脂肪酸とグリセロールに分解され，母体のエネルギー源となる。母体は胎児へのエネルギー源として糖を胎児に優先的に供給し，母体自身は，トリグリセリドの分解により生じる遊離脂肪酸とグリセロールをエネルギー源とするようになると考えられている。

▌ 3. たんぱく質代謝

▶ **胎児へのアミノ酸供給**　胎児へのアミノ酸供給のため，母体のたんぱく質の同化と異化は共に亢進する。たんぱく質の異化の指標である窒素の排出は，妊娠中は摂取量に比べて極めて少なくなり，たんぱく質の蓄積が起こると考えられる。しかし，蓄積されたたんぱく質は，同時に異化作用によりアミノ酸となり，胎児に供給される。

V 妊婦と家族の心理的変化と社会的特徴

日本の合計特殊出生率は，2005（平成17）年の1.26以降は横ばいを示しており，2021（令和3）年は1.30であった。出生数は2016（平成28）年に100万人を下回り，以降も減少は続いている。また1世帯当たりの平均人員も減少しており，2021（令和3）年は2.37で核家族世帯の割合が増加している[2]。以前はみられていた，幼少期に弟や妹の面倒をみるという経験や，先にきょうだいが結婚し，その子どもの育児を手伝うということも少なくなった。また，就労女性が多くなり，仕事をもちながら結婚・妊娠・出産・育児を経験する女性も増えた。

＊ **インスリン抵抗性**：機序としては，①インスリン受容体の数の減少やインスリンに対する親和性の低下，②インスリンの細胞内情報伝達系の変化，③胎盤から分泌されるヒト胎盤性ラクトーゲン（hPL）などの抗インスリン作用をもつホルモンの増加，④胎盤によるインスリン分解の亢進など，様々な機序が考えられている。

このような時代では，自身やパートナーが妊娠したときに初めて，妊娠・出産・育児について知り，身体の変化，役割の変化，社会経済的変化に直面する。妊娠・出産・育児期では，栄養摂取量を付加する必要があり，また睡眠時間や睡眠のしかたが変化するなど，生活習慣の変更や修正が生じる。ほかに，経済的には支出の増加に加え，育児などの役割の増加により家事や仕事の量，質の水準が下がるなどの変化を余儀なくされる。妊娠中の就労が難しい場合，退職をせざるを得ないこともある。妊婦中の退職理由としては，妊娠初期ではつわりのため，妊娠中期では身体負荷の多い就労のため，妊娠末期では，出産後は育児に集中したいという価値観のためなどがある。このように，現代の人々は実際に妊娠・出産・育児をするまでは，その経過や子どもがどのような存在のものであるか，どのように扱うべきかを知らないために，多くの困難に直面する。

ホームズ（Holmes, T. H.）とレイ（Rahe, R. H.）は社会的再適応評価尺度（表1-2）を作成し，人々が43の生活上の出来事に遭遇したとき，再適応に要する強さと期間を示した[3]。そのなかで，配偶者の死によるストレスを100（1位）としたときに，妊娠は40（12位），新しい家族の増加は39（14位）と示されており，妊婦にとってもパートナーにとっても，妊娠・出産はその適応に労力と時間を要するストレスであるといってよい。この危機的な

表1-2 社会的再適応評価尺度（SRRS）

順位	生活上の出来事	点数	順位	生活上の出来事	点数
1	配偶者の死	100	23	息子または娘が家を出ていく	29
2	離婚	73	24	親戚と争うこと	29
3	夫婦の別居	65	25	著しい個人的紛争	28
4	拘留期間	63	26	妻が仕事を始めるまたは辞めること	26
5	親密な家族の死	63	27	学校に行き始めるまたは終えること	26
6	負傷または病気	53	28	生活状態の変化	25
7	結婚	50	29	個人的習慣の変化	24
8	解雇	47	30	上司との紛争	23
9	夫婦の和解	45	31	勤務時間または条件の変化	20
10	退職	45	32	住居の変化	20
11	家族の健康の変化	44	33	学校の変化	20
12	妊娠	40	34	レクリエーションの変化	19
13	性的困難	39	35	教会活動の変化	19
14	新しい家族の増加	39	36	社会活動の変化	18
15	仕事の再適応	39	37	1万ドル（約100万円）以下の抵当または借金	17
16	財政状態の変化	38			
17	親友の死	37	38	睡眠習慣の変化	16
18	仕事における配置換え	36	39	家族の会合数の変化	15
19	夫婦の口論回数の変化	35	40	食事習慣の変化	15
20	1万ドル（約100万円）以上の抵当または借金	31	41	休暇	13
			42	クリスマス	12
21	抵当または借金の請け戻し権喪失	30	43	法律に少し違反する	11
22	仕事における責任の変化	29			

出典／Holmes, T. H., Rahe, R. H.：The Social readjustment rating scale, J Psychosom Res., 11（2）：213-218, 1967. を参考に作成.

第5編

1 妊娠期にある母子の生理と看護
2 分娩期にある母子の生理と看護
3 産褥期にある母子の生理と看護
4 新生児の特徴と生理的変化と看護
付 周産期にある母子の看護の事例

時期に家族形成がうまく行われずその機能が正常に働かない場合，児童虐待^{ぎゃくたい}などの問題を生じることもある。しかし，この危機的な時期を乗り越えることで家族の絆^{きずな}が強まり，健全な家族形成が行われ，家族機能が発揮される。

　少子化や核家族化の時代であるからこそ，「母親になる」「父親になる」「兄や姉になる」または「祖父母になる」「家族になる」ということを理論的に理解し，その過程において，専門家が家族をアセスメントし，健全に家族形成がされるような支援をすることが求められている。

Ⓐ 妊婦の心理的変化

　妊娠期から出産後の女性は，劇的な身体的変化とともに心理的変化を経験する。身体的変化として，胎動の自覚や腹部の増大，陣痛^{じんつう}，出産があり，このなかで妊娠と児をもつことに適応していく。また，喜びの一方で，不安や心配，困惑といった相反する感情を常にもち，依存的で内向的になる時期である。

1. 妊娠初期（第1三分期）

　妊娠13週6日までが**妊娠初期**の期間である。身体的には妊娠に気づき，病院で妊婦健康診査を受け始め，つわりが生じる時期である。妊娠を知ったときから，すべてのほかの計画，人とのかかわり合いや約束などは，出産予定日との関係で決定されることとなる[4]。

　結婚前に妊娠したケースの場合，予期せぬ妊娠の場合もあり，妊娠期や産後にストレスを抱えやすく，産後うつになりやすい[5]ことや，夫婦関係として夫への愛情が低い[6]ことが報告されており，妊娠の受容についてのアセスメントが必要になる。また，妊娠を自覚しても，「母親になれるのか」という自己母性性への疑問や不安などの個人の理由や家族関係の理由などから，妊娠したことを受容できず喜べないこともあり，大きなストレスとなる[7]。

2. 妊娠中期（第2三分期）

　妊娠14週0日から27週6日までが**妊娠中期**の期間である。つわりも落ち着き，胎動を感じ生命を内部から体験し，安定期に入るものの，体重の増加，腹囲・子宮底の増大があり，ボディイメージとのギャップを受け入れる時期でもある。また，食事・外出・衣服・仕事など妊娠前とは同じようにはいかないことや，妊娠24週から妊婦健康診査が2週間に1度となり，両親学級などの親になるための準備があり，負担に感じるとストレスとなる。一方で，親から子どもに対して向けられる情緒的な関心や愛情であるボンディング（絆）は，妊娠18～20週頃に感じる胎動，成長している胎児の目新しさ，変化を目のあたりにし，理論的モデルから実際に生きている子どもへと認識が変化することで強まる。また，妊娠が目立つことで社会的にも認識され，ホルモンの助けを得て落ち着きとエネル

第
5
編

1
妊娠期にある母
子の生理と看護

2
分娩期にある母
子の生理と看護

3
産褥期にある母
子の生理と看護

4
新生児の特徴と
生理的変化と看護

付
周産期にある母
子の看護の事例

ギーが生じ，生活が質的に高められ，妊娠中で最良の時期である。

3. 妊娠末期（第3三分期）

妊娠28週0日以降が**妊娠末期**の期間である。この時期は腹部の増大があり，寝苦しくなり睡眠の中断も頻繁に生じるようになる。動くことや衣服の着脱にも時間がかかり，いらだちを抱くこともあるが，怒ったり拒否はしないのが一般的である。この経験は，出産後に新生児や幼児がゆっくりとした効率の悪い動きをしたときに忍耐強く受け入れることに生かされる。

一方で，母親になることへの不安や分娩（ぶんべん）への不安が増大し，ストレスを強める時期でもある。妊娠期に分娩恐怖感が高いことは，産後の分娩によるトラウマ症状を呈することと関連するため，分娩への不安，恐怖感をアセスメントし，バースレビューなどで支援する必要がある。

B 親になることへの支援

親になることへの支援には，自治体や病院，地域の助産所，助産師の職能団体などで行われている出産準備教室（両親学級，母親学級，父親学級）がある。これらの目的は，妊娠に伴う心身の変化を学ぶこと，正常な妊娠経過を促すための生活習慣を学ぶこと，分娩のしかたについて学ぶこと，新生児の特徴や育児について学ぶことである。これらのなかでの母親・父親の役割を学ぶことが含まれている。具体的には，妊娠期に適した栄養の摂取方法や，衣服の選択，身体活動の方法などの生活スタイル法，分娩時の過ごし方や呼吸法，夫婦のコミュニケーションのとり方，授乳のしかた，沐浴（もくよく）のしかた，おむつの取り換え方，などを助産師や栄養士から学ぶ。最近では，無痛分娩を行う施設が増え，妊娠期に麻酔分娩教室を行うところも増えてきた。これらをとおして妊娠・出産・育児期をイメージし，準備をし，少しでも不安や心配がなく，そして，親としての自覚をもつことを促していく。一方で，妊婦健康診査では，個別に母親だけ，もしくは夫婦に，妊娠・出産・育児期をとおして家庭生活や仕事のしかたと，その方法の修正と変更の保健指導を具体的に行う。

医療者は，妊娠期から産後までの精神的な変化や不安定さを伝え，夫として，父親としてできることを一緒に考えるなかで，母親になること，父親になることを支え，家族形成期である新婚期から妊娠期，育児期までの家族の健康を支える。

▶ **家族の定義**　ここで，家族とは何かを考えたとき，フリードマン（Friedman, M. M.）によると「家族とは，絆を共有し，情緒的な親密さによって互いに結びついた，しかも，家族であると自覚している，2人以上の成員」としている[8]。また，ライト（Wright, L. M.）によると，「家族とは，強い感情的な絆，帰属意識，そしてお互いの生活にかかわろうとする情動によって結ばれている個人の集合体である」と定義されている[9]。

▶ **家族の健康**　次に，「家族の健康」としたときのその定義は，ハンソン（Hanson, S. M. H.），

カーキネン（Kaakinen, J. R.）によると「家族の健康」とは，「個人および家族システム全体の，生物的・心理的・全霊的・社会的・文化的要素を含むウェルビーイングがダイナミックに変化している状態[10]」であり，「家族全体として人生と同時に個人としての人生の側面を併せもつものである」と定義している[11]。

ハンソンは「健康な家族」の特徴として次をあげている[12]。

- コミュニケーションをとり，よく話を聞く
- 食事の時間と会話の時間を大切にする
- 互いを肯定し合い，支え合う
- 他人を尊敬することを教える
- 信頼する感覚を伸ばす
- 遊びとユーモアのセンスをもつ
- 家族メンバー間の相互作用のバランスをもつ
- 余暇の時間を共に過ごす
- 互いに尊重する気持ちを表す
- 善悪の判断を教える
- 行事や伝統に富んでいる
- 核となる宗教的価値観を共有している
- 互いのプライバシーを尊重する
- 他人へのサービスを重んじる
- 問題を容認し，助けを求める

また，ベルスキー（Belsky, J.）らは，親になる移行期を成し遂げることのできる夫婦の特徴を次にあげている[13]。

- 個人的目標や欲求を放棄して，2人がチームとして一緒に働く
- 家事分担や仕事についての不一致を，双方の納得いくやり方で解決する
- ストレスを処理するのに，配偶者や結婚を過度に重圧にさらさない方法で行う
- けんかするときは建設的に，互いの優先順位が異なっても，共通の興味を維持する
- 子どもが生まれた後，前ほど結婚自体がよくなくても，それは子どもが生まれる前と同じではないことを知る

母親になる，父親になるという家族形成期にある家族の発達課題は，「夫婦間の役割分担の再調整」「父・母親役割の取得」「安定した家計の設計」「親族（祖父母）との関係調整」「上の子（きょうだい）の適応過程の支援」がある。移行期を成し遂げる夫婦の特徴や健康な家族の特徴から，妊娠・出産というライフイベントでの夫婦間の認識や感情のずれを最小限にするよう医療者は支援する。そうすることで，夫婦は発達課題をスムースに達成できるであろう。これは，産後うつや虐待などの予防や早期支援にもつながると考えられる。

1. 母親になること

母親になる過程で，いくつかの心理的な変化を受け入れ，形成する必要がある。それが，妊娠の受容であり，愛着やボンディング，相互作用，自己像（アイデンティティ）の形成である。ルービン（Rubin, R.）は，女性は妊娠し，それを受容すると「母親になること」のイ

第
5
編

1
妊娠期にある母
子の生理と看護

2
分娩期にある母
子の生理と看護

3
産褥期にある母
子の生理と看護

4
新生児の特徴と
生理的変化と看護

付
周産期にある母
子の看護の事例

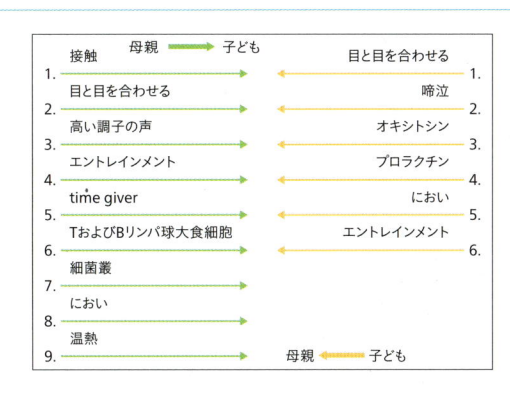

出典／Klaus, M.H., Kennell, J.H. 著, 竹内徹, 他訳：親と子のきずな, 医学書院, 1985, p.334-336. を参考に作成.

図1-26 母子相互作用

メージを膨らませながら具体的な準備を始め, その準備の過程で, 次のような努力目標に取り組むようになると報告している[14]。

①妊娠・出産を通じての自分自身と赤ん坊の安全な経過を保証すること
②自分自身と自分の子どもに対する社会的受け入れを確保すること
③"わたし (母親)" と "あなた (胎児)" のイメージとアイデンティティの構築のために, 血縁的な結びつきを強めること
④与える (妊娠することでパートナーに子どもを, 親に孫を与える) こと / 受ける (パートナーや親からそれぞれの喜びを受ける) こと, すなわち交流行為の意味を強く追求すること

これらを目標に, 女性は両親学級や両親, パートナーを含めた他者とのかかわりから母親になる準備を行う。

そして, 母親になる準備が成功している判断指標として, 「主観的幸福感」「役割の習熟」「人との関係性の安寧」「自己同一性の再形成」があり, 小林は, 医療者は, これらを指標に支援の効果や支援の必要性を評価することが重要であると述べている[15]。

図1-26 は, クラウスとケネル (Klaus, M. H. & Kennel, J. H.) によって報告された母子の相互作用を示したものである。母子の互いの行動が, 互いを補足し合い, 両者を結びつけることにも役立っている。この母子相互作用は産後すぐからみられる行動であり, 産後はさらに愛着やボンディング, 自己像 (アイデンティティ) の形成が促される。

2. 父親になること

母親は, 妊娠により身体が変化し, 精神的にも内向的になるなど, 実体験のなかで児の存在を知ることができ, 子どもへの愛着も形成される。一方, 父親は, 実体験がないために, 図1-27 のように愛着の度合いが母親よりも低く, 母親と同等になるのは生後10か月頃である。そのため妊婦を疑似体験することで愛着が促され, パートナーへのかかわりも変わってくると考え, 両親学級では, 妊婦体験ジャケットなどを装着し, 父親が妊娠末期

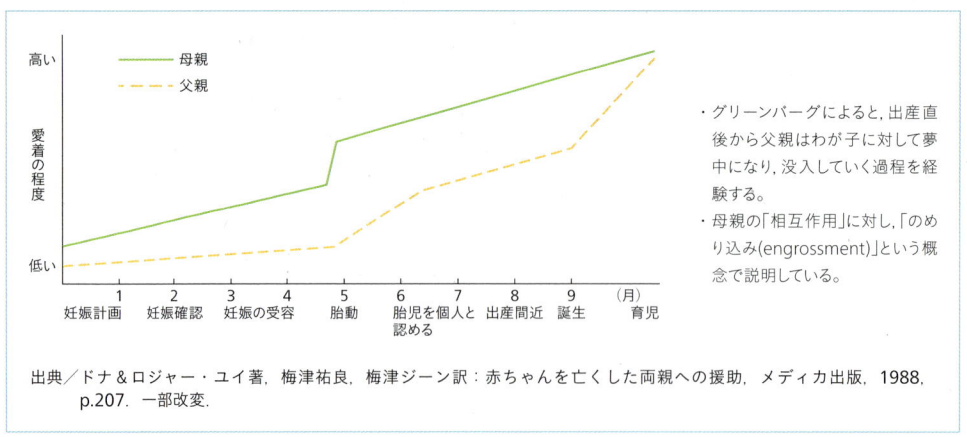

出典／ドナ＆ロジャー・ユイ著，梅津祐良，梅津ジーン訳：赤ちゃんを亡くした両親への援助，メディカ出版，1988, p.207. 一部改変.

図1-27 母親と父親の子どもへの愛着の度合い

の母親の疑似体験をすることがある。児への愛着も形成されるが，妊娠そのもの，妊娠中の生活の大変さを知り，妻へのいたわりの気持ちが生じ，また実際どのようにいたわり，サポートしたらよいかを学ぶ。妻・パートナーが夫から実際のサポートを実体験することで夫婦の絆（きずな）が強まる。

　また，分娩（ぶんべん）のために母親が病院に入院することで，上の子は初めて母親と離れる体験をする。父親と上の子と2人で過ごすことで，夫は父親としてのさらなる役割を経験する。この経験を成功体験とすることで，夫として，そして父親としてさらに成長していく。

　しかし，妊娠期は母親も周囲の家族も，胎児に関心が向くため，父親は疎外感を体験するという報告もある。育児期に入っても，妻の関心を子どもに独占される状況は同じであり，社会的役割や父親役割により，父親も産後の抑うつ症状を呈することがあるため，精神的な支援も必要となってくる。

C 上の子への支援

　兄・姉になることは，これまで自分だけに向けられてきた親からの愛情を弟や妹に奪われるという危機的な状況でもある。特に，3歳未満の子の場合には，退行現象である**赤ちゃん返り**をすることがある。たとえば，すでに卒業したおっぱいを欲しがったり，哺乳（ほにゅう）びんでミルクを飲みたがったり，抱っこをしつこく要求してきたりする。これは，生まれた子どもと同様に赤ちゃんになることで親から注目を浴びたいという欲求の表れである。そのため，この欲求に応えることによって，上の子は安心感を得て，情緒が安定し，退行現象は一時的なものとして終わる。しかし，上の子のこの欲求を満たさず，お兄ちゃんだから，お姉ちゃんなのだからと，一方的に我慢をさせると，その後の親子やきょうだいの関係にゆがみが生じる可能性がある。看護者は，上の子の心理的変化と退行現象の可能性やその対応を両親に伝え，家族形成がスムーズに行われるように支援する必要がある。

ほかには，妊娠期に上の子を対象にクラスを開催し，分娩から育児期までのお母さんの変化，家族の変化，生活の変化を説明し，新しい家族を受け入れ，適応できるようにすることや，自分の役割を学ぶ機会を設けている分娩施設もある。具体的には，母親の突然の分娩入院で離れ離れになること，赤ちゃんについては，おっぱいを飲むこと，トイレには行かずおむつをすること，泣くこと，すぐには遊べないことなどを，事前に紙芝居や人形を使って理解を促す。また，年齢によっては育児のお手伝いの方法も具体的に伝える。たとえば，抱っこのしかた，おむつの交換方法などである。

このように，家族が，そして看護者が上の子を支援することで，親子・きょうだいの新しい関係が健全に築かれる。

D その他の家族への支援

育児方法は 10 年前，20 年前と比べて大きく変化している。たとえば，2000 年頃に主流であった 3 時間授乳は自律授乳に変わり，1 か月健診までの日光浴もそれほど推奨はされなくなった。このような育児方法の時代による変化により，里帰り先で両親（祖父母）と母親との間で育児方法の齟齬（そご）が生じ，早々に自宅に帰ってきてしまうといったケースもある。そこで，助産師による祖父母のための育児クラスが市町村で開催されている。

E 地域社会へのかかわり

妊娠・出産・育児は，自分たちだけの生殖家族（自分たちでつくる家族）だけでなく，自分たちが生まれ育った家族である定位家族との人間関係・家族関係の変化や拡大を意味するものである。たとえば，妊娠 15 週の戌（いぬ）の日に行う安産祈願に始まり，お宮参り，誕生日や節句などでは，双方の定位家族から経済的，物理的，心理的にも援助を受け，子どもをもうけることで夫婦だけの頃とは比較できないほどの強い関係が生じる。ほかに，病院に通うことで，ほかの妊婦との交流があり，公園や保健センターでの地域の母親との交流や，新生児訪問でかかわる助産師，地域の助産院での両親学級や産後クラスなど，新しい交流や社会資源との関係も生じる。これらの新しい交流や社会資源を上手に活用することで，健康な家族の形成へと促される。そのためにも，医療者は，特に長い育児期を見越した地域での社会資源の情報提供と活用方法を紹介する必要がある。

また，就労女性では，職場への妊娠の報告が必要となる。立ち仕事や過重労働はおなかの張りや下肢のむくみなどにつながることや，つわりなどがあることから，仕事の内容や方法を妊娠前から変更しなくてはならないこともある。また，定期的な妊婦健診，産前・産後の休暇も必要であり，この調整ができない場合には退職せざるを得なくなり，診断書などの実質的な支援やアドバイスなどの支援が必要となることもある。

第5編

1 妊娠期にある母子の生理と看護

2 分娩期にある母子の生理と看護

3 産褥期にある母子の生理と看護

4 新生児の特徴と生理的変化と看護

付 周産期にある母子の看護の事例

VI 妊娠の診断

妊娠の診断は，胎芽，胎児の存在により確定されるが，妊婦の自覚症状によって気づく。現在では尿検査による免疫学的反応と超音波断層法の進歩により，妊娠早期から容易に診断することができるようになった（図1-28）。自覚症状と検査法の主なものを次にあげる。

A 妊婦の自覚症状

妊婦には，月経の停止，つわりの出現，基礎体温の高温相持続などの自覚症状が出現する。これらの自覚症状は，妊娠以外の原因によってもみられることがあるため，自覚症状の出現だけでは妊娠と診断されることはない。

1. 月経の停止

妊娠を自覚する第1の徴候は，月経が停止することである。月経周期には個人差があるが，比較的順調な人では約1週間以上，不順な人でも約2週間以上，予定月経の開始時期になっても出血が起こらない場合，妊娠の可能性が考えられる。しかし，月経は，それまで規則的にあった場合でも，環境の変化や急激な体重の減少，悩みなどの精神的影響によってもしばしば停止することがある。そのため，妊娠の自覚症状として最もわかりやすいものではあるが，月経の停止だけで妊娠と診断することはなく，ほかの徴候と総合的に判断していく。

2. つわりの出現

妊娠初期に悪心・嘔吐，食欲不振などの消化器症状が起こることを**つわり**といい，妊婦の50〜80%に認められる。妊娠5〜6週から出現し，妊娠16週までには軽快すること

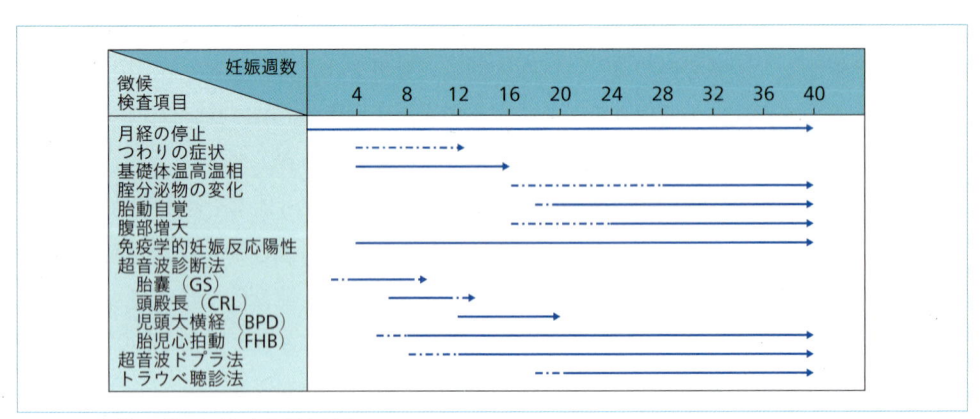

図1-28 妊娠の徴候・検査項目と時期

が多い。しかし，これらの症状が悪化して脱水症状，体重減少，栄養障害や代謝異常など
が生じて，全身状態が著しく障害される場合を**妊娠悪阻**という。妊娠悪阻のために入院治
療を必要とする者は，全妊婦の 1 ～ 2% である。

妊娠悪阻の原因は，妊娠初期のホルモン変化（ヒト絨毛性ゴナドトロピン［hCG］やエストロ
ゲン，プロゲステロンなど），胃の運動と胃液の分泌の減少，情緒的因子などの自律神経失調
など，と考えられているが，はっきりとはわかっていない。また，妊婦の性格や体質，家
庭や職場を中心とした生活環境などにも影響されることが知られている。

妊娠悪阻の状態では，糖質の摂取不足により体脂肪の分解が亢進すると，酸性物質であ
るケトン体産生が増加し尿中に排出されるため，尿検査でケトン体が強陽性となる。また，
症状の進行とともに電解質バランスが崩れ，酸塩基平衡の異常が発生するため，点滴によ
る水分摂取や電解質バランスの調整を要することがある。重篤な合併症として，稀ではあ
るがビタミン B$_1$ 欠乏によるウェルニッケ脳症を発症することがある。これは眼球運動麻
痺，意識障害，運動失調などが出現し，増悪例では死に至るため，注意を要する。

3. 基礎体温の高温相持続

排卵後，基礎体温は上昇して高温相となる。妊娠が成立すると，妊娠黄体から黄体ホル
モン（プロゲステロン）が分泌されるため高温期が 2 週間以上続く。次の予定月経がなく，
高温期が続いた場合，妊娠している可能性が高い（図 1-29）。

4. 腟分泌物の量や性状の変化

濃厚，粘稠，白色乳汁様の帯下が増加する。この変化は月経停止後，比較的早く現れる。
妊娠により増加したエストロゲンの作用による。

5. 胎動の自覚

子宮内での胎児運動を**胎動**という。妊婦が最初に胎動を自覚するのは，妊娠 20 週以降

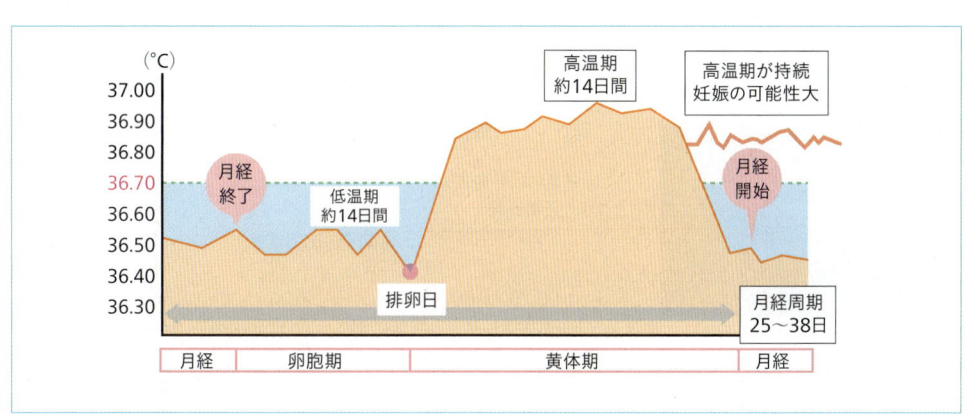

図 1-29 基礎体温の変化

第5編

1 妊娠期にある母子の生理と看護
2 分娩期にある母子の生理と看護
3 産褥期にある母子の生理と看護
4 新生児の特徴と生理的変化と看護
付 周産期にある母子の看護の事例

が多いとされている。しかし，子宮内での胎児運動は妊娠20週頃に開始するわけではない。現在は，超音波検査により，妊娠10週頃から胎児の運動を直接観察することが可能であり，妊娠中期以降では，頭部や体幹をひねるような運動や呼吸様運動などを，発育に応じて示すことを観察することが可能である。

▌ 6. 腹部増大

　胎児の成長に伴い，腹部（子宮）は増大する。腹部の増大によって，急速な皮膚の伸展で皮下組織の断裂が起こり，妊娠線が生じることがある。

Ⓑ 妊娠反応

　受精卵が子宮内膜に着床して妊娠が成立すると，表面の絨毛細胞からヒト絨毛性ゴナドトロピン（hCG）ホルモンが分泌される。hCG は妊婦の血液や尿で検出することができるが，一般的な妊娠反応検査薬は尿を用いて検査を行う（図1-30）。現在市販されている妊娠検査薬は，簡便な操作で短時間に尿中の hCG を検出することが可能であり，妊娠4～5週で陽性となる場合が多い。

　しかし，妊娠反応が陽性であっても，生化学的に妊娠を示したにすぎず，超音波検査などで子宮内に胎嚢を確認して，はじめて臨床的妊娠と診断できる（図1-31）。子宮腔以外の場所で着床した場合を異所性妊娠（子宮外妊娠）という。また，稀ではあるが，妊娠以外の hCG 産生腫瘍や絨毛疾患でも妊娠反応が陽性化するため，注意を要する。

Ⓒ 内診

　内診台の上で，妊婦に砕石位をとってもらい内診を行う。まず，腟鏡を用いて，腟内や子宮腟部の観察を行い，形態，色調の変化，出血の有無などを調べる。次に，一方の手指

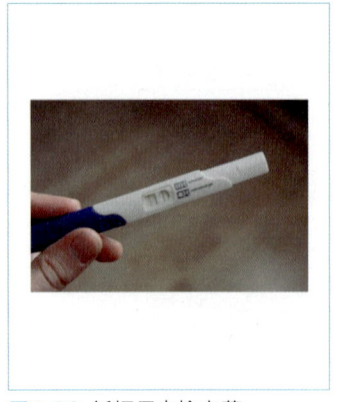

図1-30 妊娠反応検査薬

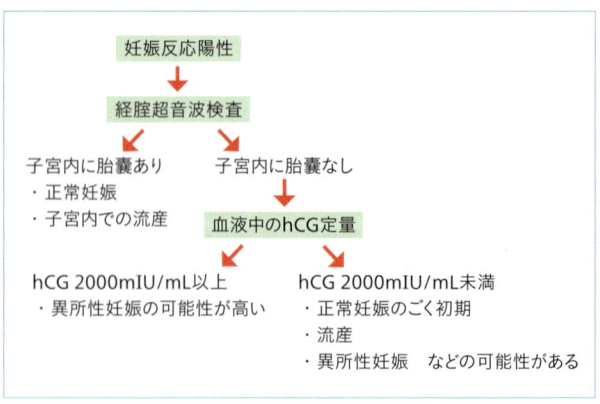

図1-31 妊娠反応陽性時の診断手順

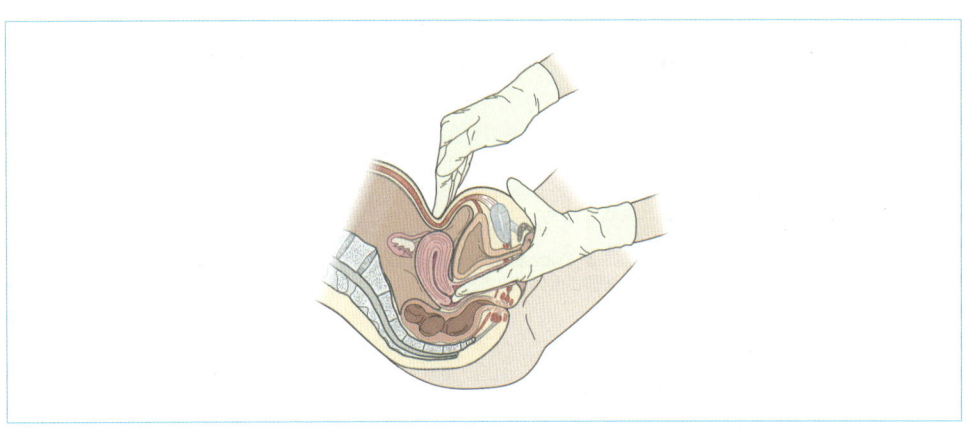

図1-32 双合診

を腔内に挿入し他方の手を腹部に当て，子宮の大きさ，硬さ，動きや卵巣・卵管など付属器を触診する（双合診）（図1-32）。

　妊娠時には，子宮は腫大し柔らかく変化するが，内診のみで妊娠を診断することはなく，経腟超音波検査を併用する。

D 超音波検査・胎児心音聴取

1. 超音波断層法検査

　超音波断層法検査には，経腟プローブを腔内に挿入して検査する経腟法と，母体の腹壁上にプローブを置いて検査する経腹法がある（図1-33）。妊娠初期には内診台で砕石位をとってもらい，内診と同時に経腟超音波断層法検査を行い診断することが多い。妊娠の診断は，胎囊や胎芽，胎児の存在により行われる（図1-34）。また，胎児心拍の有無や胎児数（単胎，双胎，品胎［三つ子］など）の確認も行う。

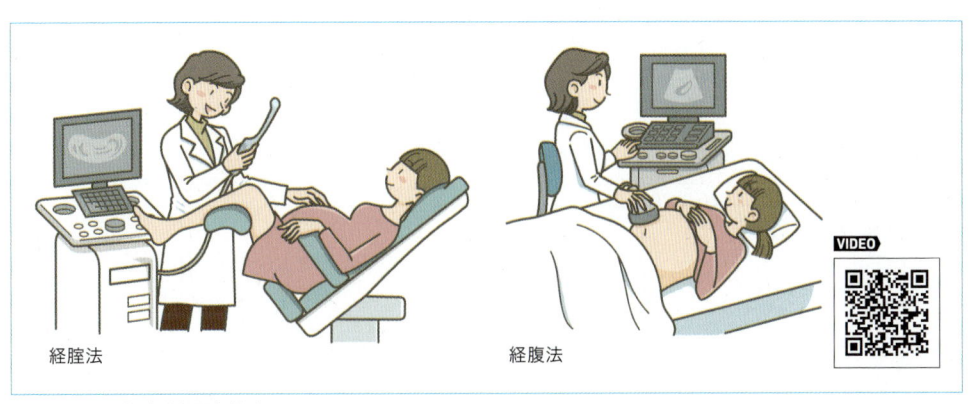

経腟法　　　経腹法

図1-33 超音波断層法検査

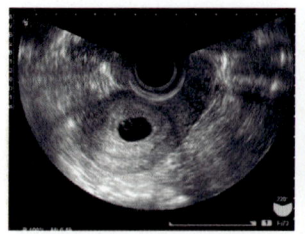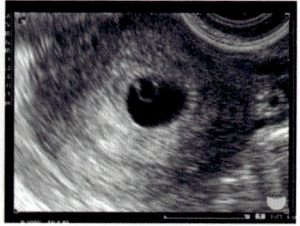

妊娠 6 週の超音波像。胎嚢と卵黄嚢が確認できる。

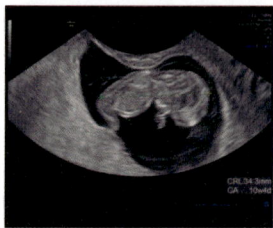

- 妊娠 5 ～ 6 週
  胎嚢が子宮内に着床している妊卵像として円環状に認められる。また，一般的には，子宮内に胎嚢を確認することにより異所性妊娠を否定する。
- 妊娠 6 ～ 7 週
  胎芽が確認できる。また，胎児心拍動が確認できる。
- 妊娠 7 ～ 10 週
  大まかな胎児（芽）の形態がわかり，頭殿長の計測ができる。

妊娠 10 週の超音波像。胎児の頭部と胸腹部などが確認できる。

図1-34 妊娠初期の超音波像と所見

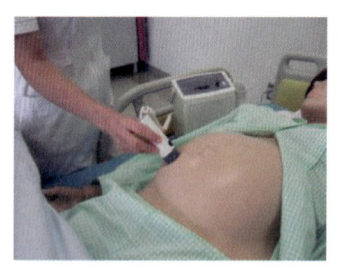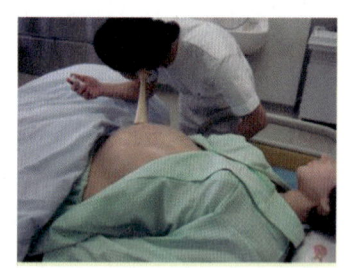

a：超音波ドプラ法　　　　　　　　　　**b**：トラウベ桿状聴診器法

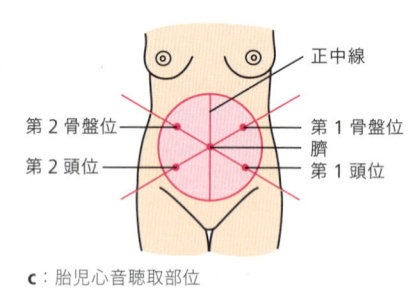

c：胎児心音聴取部位

図1-35 胎児心音聴取法

第5編

1 妊娠期にある母子の生理と看護

2 分娩期にある母子の生理と看護

3 産褥期にある母子の生理と看護

4 新生児の特徴と生理的変化と看護

付 周産期にある母子の看護の事例

2. 胎児心音聴取

- **超音波ドプラ法**：経腹的に胎児心音を聴取する方法で，妊娠12週以降には胎児心音が聴取できる場合が多い（図1-35a）。胎児の生存が証明できる最も簡便な方法であり，妊婦への負担は少ない。
- **トラウベ桿状聴診器法**：妊娠18〜20週頃より胎児心音を聴取できるようになる（図1-35b）。しかし，現在はほとんど使用されていない。

E 胎児の触知

妊娠後半期には，通常，腹部の触診により胎児が触知できる。このため，妊娠後半期の妊婦健診では，**レオポルド触診法**（図1-38 参照）で胎児の胎位，胎向，胎勢や骨盤入口面への先進部（児頭，殿部，足など）の嵌入度を診察する。

F 妊娠時期および分娩予定日の診断

1. 妊娠時期の診断

▶ **最終月経から計算する方法**　最終月経の開始日から現在に至る全日数を計算し，これを週に換算する方法である。電卓型の妊娠暦計算機（図1-36a）や岡林式妊娠暦（図1-36b）による計算が簡便で用いられてきた。これらは月経周期を28日で計算したものであるから，月経周期にばらつきがある女性には正確ではない。

▶ **超音波断層法による方法**　超音波断層法により，胎嚢の大きさや頭殿長（crown rump length；CRL），児頭大横径（biparietal diameter；BPD）を画像上で計測し，計測値から妊娠週数を確認する。胎嚢は形が一定せず大きさの誤差が大きく，妊娠8〜12週までの頭殿長は誤差が少ないため，一般的には後者を用いて適切な妊娠週数を判断する。特に，もと

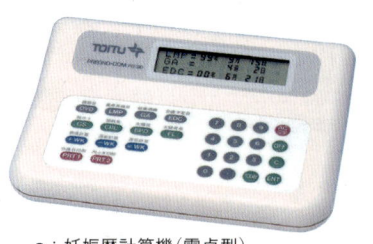

a：妊娠暦計算機（電卓型）
写真提供／トーイツ株式会社

b：妊娠暦速算器
写真提供／アトムメディカル株式会社

図1-36 妊娠暦計算機

もとの月経周期が不規則であった場合には，超音波断層法による妊娠時期の診断は必須である。

▌ 2. 分娩予定日の診断

▶ **最終月経から算出する方法**　最終月経開始日から 280 日（40 週 0 日）後を分娩予定日とする方法であり，妊娠暦計算機の使用で算出する。

▶ **基礎体温から判定する方法**　受精排卵日が特定される場合は，推定排卵日を 2 週 0 日として計算し，排卵日の 266 日後を分娩予定日とする。

　これらの算定方法は月経周期が 28 日型を標準にしたものであるため，月経周期が不整な場合は正確ではない。

▶ **超音波断層法で判別する方法**　月経周期が不整な場合，超音波断層法検査による頭殿長の計測を併用して，分娩予定日を算出する。

▶ **体外受精・胚移植による妊娠の場合**　体外受精による採卵日を 2 週 0 日として計算し，排卵日の 266 日後を分娩予定日とする。また，凍結胚移植など採卵周期と胚移植周期が異なる場合は，胚移植日に受精後の培養日数を加味して予定日を計算する（培養 5 日目の胚盤胞を移植する場合は，移植日の 5 日前が推定排卵日［2 週 0 日］となる）。

▌ 3. 妊娠期間の表示

▶ **週数表示**　妊娠期間は最終正常月経第 1 日より起算し，満日数または満週数で表す。統計学的に妊娠期間は 280±15 日であるため，分娩予定日は満 280 日（40 週 0 日）とする。

▶ **月数表示**　従来の慣用から，妊娠時期を月数で表すこともある。この場合，28 日間を妊娠暦の 1 か月とし「かぞえ」で表現する。たとえば，「第 1 か月」のように「第」をつけるのが正式な表記法であるが，略して 1 か月ということもある。

▶ **2 分法・3 分法**　妊娠期間を 2 分する場合，妊娠 20 週を境に，妊娠前半期と妊娠後半期に分ける。妊娠期間を 3 分する場合は，妊娠 14 週未満を妊娠初期，妊娠 14 週から 28 週未満を妊娠中期，妊娠 28 週以降を妊娠末期とよぶ。

▶ **分娩の時期による区分**　妊娠 22 週未満の妊娠自然中絶を流産とよび，妊娠 12 週未満の流産を早期流産，12 週以降 22 週未満の流産を後期流産と分類する。妊娠 22 週 0 日から 37 週未満（妊娠 36 週 6 日）までの期間における分娩を早産，妊娠 37 週 0 日より 42 週未満（妊娠 41 週 6 日）の分娩を正期産，妊娠満 42 週 0 日以後の分娩を過期産という。

▶ **過期産の注意点**　過期産では，胎盤機能不全や羊水過少により低酸素症，低血糖症，胎児機能不全が発生しやすいため注意を要する。

第5編

1 妊娠期にある母子の生理と看護

2 分娩期にある母子の生理と看護

3 産褥期にある母子の生理と看護

4 新生児の特徴と生理的変化と看護

5 周産期にある母子の看護の事例

VII 妊婦の管理

A 妊婦健康診査の概要

　日本における妊産婦死亡率（出生10万対），周産期死亡率（出生千対）は，ここ数十年間で著しく改善しているが，これには医学の発達と同時に，母子保健制度の確立もまた大きく貢献している。母子健康手帳の歴史は太平洋戦争前の政府の人口増加政策にさかのぼるが，その後の定期的な妊婦健康診査（妊婦健診）の定着は，妊婦と医療提供者の距離を短縮し，医療を妊婦や胎児に還元しやすい環境を整えてきたといえる。

　母子保健法はその第1条に定められているとおり，「母性並びに乳児及び幼児の健康の保持及び増進を図るため，母子保健に関する原理を明らかにするとともに，母性並びに乳児及び幼児に対する保健指導，健康診査，医療その他の措置を講じ，もつて国民保健の向上に寄与すること」を目的として1965（昭和40）年に施行された。その第13条において「市町村は，必要に応じ，妊産婦又は乳児若しくは幼児に対して，健康診査を行い，又は健康診査を受けることを勧奨しなければならない」としており，これが日本における**妊婦健康診査**の実施根拠となっている。さらに，その第2項で「厚生労働大臣（注：現在は内閣総理大臣）は，前項の規定による妊婦に対する健康診査についての望ましい基準を定めるものとする」としている。以下に2015（平成27）年に厚生労働省から公布された「妊婦に対する健康診査について望ましい基準」の通知内容を示す。

1. 妊婦健康診査の実施時期および回数

　市町村は，次に掲げる頻度で妊婦健康診査を行う。回数は妊婦1人当たり，出産までに14回程度行うものとすることとし，その実施に要する費用を負担する。

- 妊娠初期から妊娠23週まで，おおむね4週間に1回
- 妊娠24週から妊娠35週まで，おおむね2週間に1回
- 妊娠36週から出産まで，おおむね1週間に1回

2. 妊婦健康診査の内容等

　市町村は，各回の妊婦健康診査において，表1-3に掲げる事項について実施し，そのほか，必要に応じた医学的検査を妊娠期間中の適切な時期に実施する。医学的検査については，表1-4の左欄に掲げる検査の項目の区分に応じ，それぞれ右欄に掲げる妊娠週数および回数を目安として行うものとする。

　妊婦健康診査の内容等については，上記のほか，1996（平成8）年11月20日付け児発

表1-3 妊婦健康診査の実施項目

- 問診，診察など
  妊娠週数に応じた問診，診察などにより，健康状態を把握するものとすること。
- 検査
  子宮底長，腹囲，血圧，浮腫，尿（糖およびたんぱく），体重などの検査を行うものとする。なお，初回の妊婦健康診査においては，身長の検査を行うものとすること。
- 保健指導
  妊娠中の食事や生活上の注意事項などについて具体的な指導を行うとともに，妊婦の精神的な健康の保持に留意し，妊娠，出産および育児に対する不安や悩みの解消が図られるようにするものとすること。

出典／厚生労働省：妊婦に対する健康診査についての望ましい基準.

表1-4 妊婦の医学的検査

検査の項目	妊娠週数および回数の目安
血液型などの検査（ABO血液型，Rh血液型および不規則抗体に係るもの）	妊娠初期に1回
B型肝炎抗原検査	
C型肝炎抗原検査	
HIV抗体検査	
梅毒血清反応検査	
風疹ウイルス抗体検査	
血糖検査	妊娠初期に1回および妊娠24週から妊娠35週までの間に1回
血算検査	妊娠初期に1回，妊娠24週から妊娠35週までの間に1回および妊娠36週から出産までの間に1回
HTLV-I抗体検査	妊娠初期から妊娠30週までの間に1回
子宮頸がん検診（細胞診）	妊娠初期に1回
超音波検査	妊娠初期から妊娠23週までの間に2回，妊娠24週から妊娠35週までの間に1回および妊娠36週から出産までの間に1回
性器クラミジア検査	妊娠初期から妊娠30週までの間に1回
B群溶血性レンサ球菌（GBS）検査	妊娠35週から妊娠37週までの間に1回

出典／厚生労働省：妊婦に対する健康診査についての望ましい基準.

第934号厚生省児童家庭局長通知「母性・乳幼児に対する健康診査及び保健指導の実施について」の「第4　妊娠時の母性保護」に包括的に述べられている。

　一般の医療がすでに疾病を発症した患者を対象とするのに対し，妊婦健康診査は，すべての妊婦を対象として，異常の発生を予測し，その予防および早期発見に努めることが主な役割といえる。そこで次項以降で，現在の妊婦管理で行われている問診，身体診察，検査などについて解説を行う。

B　問診

　妊娠の管理において，母児に発生した異常に対応することはもちろんであるが，今後母児に発生する可能性がある異常を事前に予測し，それに備えるリスクマネジメントも非常に重要である。その点において，妊娠の早い段階でその妊娠のもち得るリスクを正しく評

価し認識することは，妊娠分娩管理を行ううえで有用であり，初診時の問診で必要な情報を取得することがその第一歩となる。一般的な医療面接と同様に，家族歴，既往歴，生活歴，アレルギー歴などについて問診を行うが，妊婦の診療で特に留意したい項目について

表1-5　初診時の問診時に取得する情報

基本的な身体情報	年齢，身長，体重以外に妊娠前の体重も確認する。これは妊娠中の体重増加量を評価して母体の栄養管理を行ううえで有用である。
家族歴	高血圧，糖尿病，遺伝性疾患の有無に注意する。また，凝固線溶系に何らかの遺伝的な異常を有している場合，非妊娠時に問題がなかったとしても，妊娠期や産褥期に静脈血栓塞栓症を発症するリスクが著しく高くなる。したがって，血縁者に血栓性疾患に罹患したことがある人がいるかどうかの確認は大切である。
既往歴	妊娠は一種のストレステストといわれるように，母体に非妊娠時とは異なる大きな負担が発生する。したがって，基礎疾患を有する女性が妊娠した場合，その基礎疾患が妊娠に与える影響と，妊娠が基礎疾患に与える影響を慎重に検討しなければならない。その意味で，既往疾患，持病，現在使用中の薬剤などに関して念入りに聴取することが大切であり，必要に応じてその疾患の担当医に問い合わせを行う。 母児感染予防の観点から，全身性ウイルス性疾患の既往やワクチン接種歴を確認すると同時に，妊娠成立前後に発熱，発疹，リンパ節腫脹などを伴う疾患に罹患していないか聴取する。 婦人科疾患のなかで，子宮頸部円錐切除術の既往は早産のリスクが上昇し，子宮筋腫核出術後の妊娠では分娩方法の選択に影響を与え，また性器ヘルペスの既往は分娩時の再発に伴う母児感染対策を講じる必要性が生じるため，初診時に確認しておきたい項目である。 産科診療で用いられる薬剤のなかには，喘息患者では禁忌となるものが含まれるため，喘息の確認は必須である。
生活歴	喫煙は胎児発育不全や常位胎盤早期剝離のリスクを高めることが知られており，受動喫煙の状況も含めて確認しておく。
月経歴	最終月経をきく際には，普段の月経周期や基礎体温記録の有無も確認し，分娩予定日決定の参考とする。
妊娠分娩歴	妊娠既往がある場合，過去の妊娠分娩時に発生した異常は今回の妊娠でも繰り返されるリスクが高いため，妊娠のどの時期にどのような異常が発生したかを詳細に聴取し，必要があれば前回分娩取り扱い機関から情報を得る。
今回の妊娠	今回の妊娠が自然妊娠なのか不妊治療による妊娠なのかを確認する。
メンタルヘルススクリーニング	妊婦健診では身体的疾患のみならず精神的側面にも留意し，ハイリスク妊婦を抽出することが，自殺や児童虐待などを予防するうえで重要である。費用対効果が高く有用な方法として，英国国立医療技術評価機構（NICE; National Institute of Health and Clinical Excellence）で提唱されている，うつ病および不安障害についての包括的2項目質問票を表1-6,7に示す。いずれにおいても，1つでも「はい」という回答があった場合は，精神科医への受診および地域の行政窓口への情報提供を考慮する。
要支援妊婦のスクリーニング	妊婦と今後の育児について想定される状況について包括的なアセスメントを行い，要支援妊婦の把握に努める。厚生労働省から示されているスクリーニングシートを表1-8に示す。

表1-6　うつ病に関する2項目質問票

❶過去1か月の間に，気分が落ち込んだり，元気がなくなる，あるいは絶望的になって，しばしば悩まれたりしたことがありますか？
❷過去1か月の間に，物事をすることに興味あるいは楽しみをほとんどなくして，しばしば悩まれたことはありますか？

表1-7　全般性不安障害に関する2項目質問票

❶過去1か月の間に，ほとんど毎日緊張感，不安感または神経過敏を感じることがありましたか？
❷過去1か月の間に，ほとんど毎日心配することをやめられない，または心配をコントロールできないようなことがありましたか？

表1-8 アセスメントシート

支援を要する妊婦のスクリーニング
出産後の養育について出産前から支援が必要と認められる妊婦（特定妊婦）の様子や状況例

○このシートは，特定妊婦かどうか判定するものではなく，あくまでも目安の一つとしてご利用ください。
○様子や状況が複数該当し，その状況が継続する場合には「特定妊婦」に該当する可能性があります。
○支援の必要性や心配なことがある場合には，妊婦の居住地である市町村に連絡をしてください。

		☑欄	様子や状況等
妊娠・出産	妊婦等の年齢		18歳未満
			18歳以上20歳未満かつ夫（パートナー）が20歳未満
			夫（パートナー）が20歳未満
	婚姻状況		ひとり親
			未婚（パートナーがいない）
			ステップファミリー（連れ子がある再婚）
	母子健康手帳の交付		未交付
	妊婦健診の受診状況		初回健診が妊娠中期以降
			定期的に妊婦健診を受けていない（里帰り，転院等の理由を除く）
	妊娠状況		産みたくない
			産みたいが育てる自信がない
			妊娠を継続することへの悩みがある
			妊娠・中絶を繰り返している
	胎児の状況		疾病
			障害（疑いを含む）
			多胎
	出産への準備状況		妊娠の自覚がない・知識がない
			出産の準備をしていない（妊娠36週以降）
			出産後の育児への不安が強い
妊婦の行動・態度等	心身の状態（健康状態）		精神科への受診歴，相談歴がある（精神障害者保健福祉手帳の有無は問わない）
			自殺企図，自殺行為の既往がある
			アルコール依存（過去も含む）がある
			薬物の使用歴がある
			飲酒・喫煙をやめることができない
			身体障害がある（身体障害者手帳の有無は問わない）
	セルフケア		妊婦本人に何らかの疾患があっても，適切な治療を受けない
			妊婦の衣類等が不衛生な状態
妊婦の行動・態度等	虐待歴等		被虐待歴・虐待歴がある
			過去に心中の未遂がある
	気になる行動		同じ質問を何度も繰り返す，理解力の不足がある（療育手帳の有無を問わない）
			突発的な出来事に適切な対処ができない（パニックを起こす）
			周囲とのコミュニケーションに課題がある
家族・家庭の状況	夫（パートナー）との関係		DVを受けている
			夫（パートナー）の協力が得られない
			夫婦の不和，対立がある
	出産予定児のきょうだいの状況		きょうだいに対する虐待行為がある（過去または現在，おそれも含む）
			過去にきょうだいの不審死があった
			きょうだいに重度の疾病・障害等がある
	社会・経済的背景		住所が不確定（住民票がない），転居を繰り返している
			経済的困窮，妊娠・出産・育児に関する経済的不安

第5編

1 妊娠期にある母子の生理と看護

2 分娩期にある母子の生理と看護

3 産褥期にある母子の生理と看護

4 新生児の特徴と生理的変化と看護

付 周産期にある母子の看護の事例

表1-8（つづき）

		夫婦ともに不安定就労・無職など
家族・家庭の状況	社会・経済的背景	健康保険の未加入（無保険な状態）
		医療費未払い
		生活保護を受給中
		助産制度の利用（予定も含む）
	家族の介護等	妊婦または夫（パートナー）の親など親族の介護等を行っている
	サポート等の状況	妊婦自身の家族に頼ることができない（死別，遠方などの場合を除く）
		周囲からの支援に対して拒否的
		近隣や地域から孤立している家庭（言葉や習慣の違いなど）
その他　気になること，心配なこと		

概説する（表1-5）。

基本的な診察

▎ 1. 胎位，胎向，胎勢

　胎位とは，胎児の縦軸と子宮の縦軸の関係を表すのに用いる用語である。胎児の縦軸と子宮の縦軸が一致している場合，児頭が母体の尾側にある場合を頭位，逆に母体の頭側にある場合を骨盤位という。また，胎児の縦軸が子宮の縦軸と直交している場合は横位という（図1-37）。

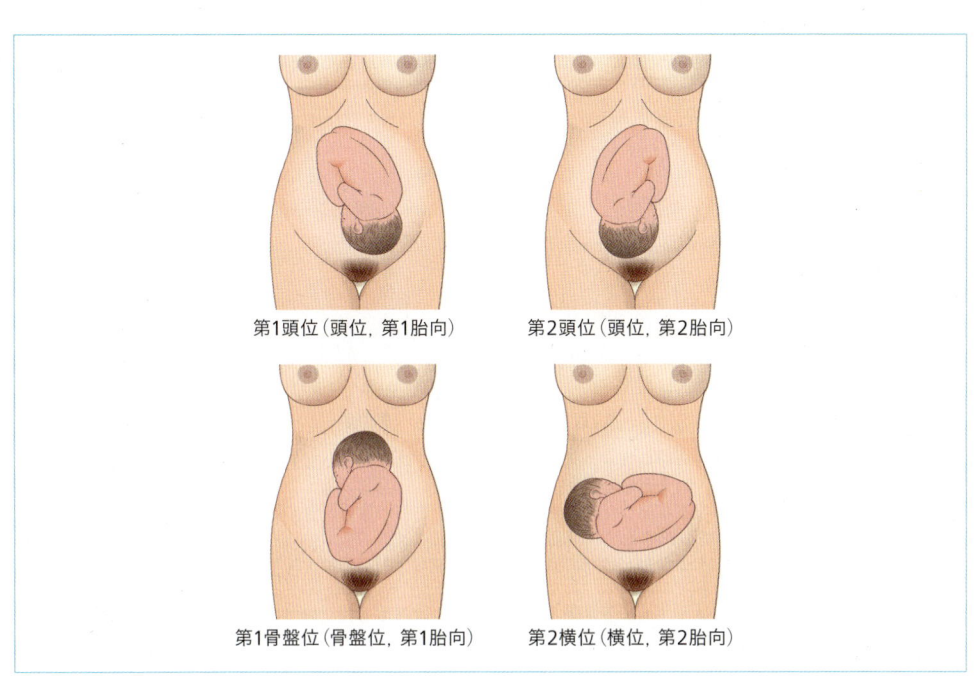

第1頭位（頭位，第1胎向）　　第2頭位（頭位，第2胎向）

第1骨盤位（骨盤位，第1胎向）　　第2横位（横位，第2胎向）

図1-37　胎位，胎向

一方，**胎向**とは，胎児の子宮に対する左右の向きを表す用語である。胎児が縦位（頭位または骨盤位）の場合は，児背が母体の左側を向いている場合を**第 1 胎向**，右側を向いている場合を**第 2 胎向**とよぶ。また，児が横位の場合は，児頭が母体の左側を向いている場合を第 1 胎向，右側を向いている場合を第 2 胎向とする（図 1-37）。

　また，**胎勢**とは胎児の姿勢を意味する言葉で，正常では**屈位**であるが，その反対に反り返った状態を**反屈位**とよぶ。

▌ 2. 腹部の診察

1 ┃ 視診

　子宮の増大に伴って腹部が膨満し皮膚が過伸展することにより，皮下組織にひび割れが生じ，ミミズが這ったような赤い筋ができたものを**妊娠線**とよぶが，病的な意義はない。妊娠に関連する皮膚疾患としては，妊娠性痒疹，妊娠性瘙痒性蕁麻疹様丘疹局面，妊娠性疱疹などが出現することがあり，しばしば強いかゆみを伴うため治療を要することがある。

2 ┃ 腹部の触診

　仰臥位で両膝を屈曲させて腹壁を弛緩させた状態で，子宮の緊張（収縮の有無）や圧痛の有無を確認し，次いで，以下に述べるレオポルド（Leopold）触診法を行う。

▶ **レオポルド触診法**　レオポルド触診法は，胎児の胎位，胎向，骨盤入口面への胎児先進部の嵌入度を診察するための触診法である（図 1-38）。胎児の頭部は球形で一様に硬く，凹凸のない構造物として触知し，殿部は球形に近いが全体が軟らかく，凹凸のある構造物として触知する。四肢は膝，肘，踵などを 1 個または数個の小さな結節として触知する。頭部，

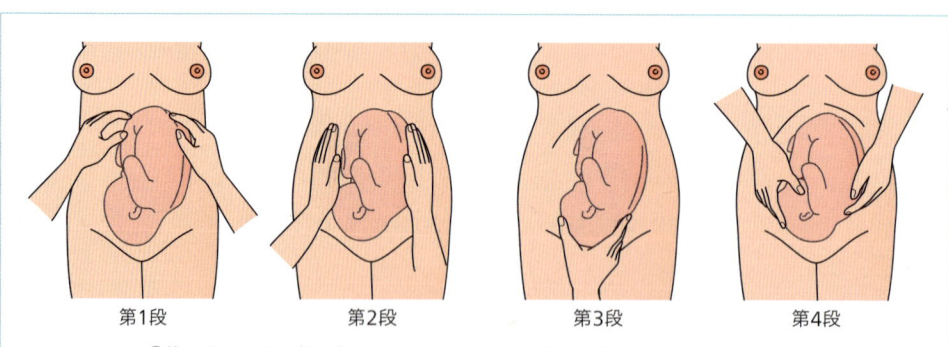

| 第1段 | 第2段 | 第3段 | 第4段 |

①第 1 段：妊婦の顔に向かって右側に立ち，わずかに彎曲させた両手を子宮底に当て，子宮底の高さ，形，胎児部分を診察する。
②第 2 段：子宮底に当てた両手を下方に移し，左右の手を交互に動かして腹部を揺らし，大部分，小部分を触知することで胎向を確認する。
③第 3 段：右手の母指とほかの 4 指で，恥骨結合上の胎児部分をつかみ，胎児の先進部位の種類を確認する。
④第 4 段：妊婦の下肢の方を向き，両手掌を左右の下腹部に当て，これを骨盤入口面の方向へ静かに圧入して，胎児の先進部，その移動性から骨盤内進入状況を確認する。

図 1-38 レオポルド触診法

背部，殿部を**大部分**，上下肢を**小部分**と総称する。

▌ 3. 下肢の診察

1 │ 視診

皮膚の色，太さ，表在静脈の怒張あるいは静脈瘤の有無を確認する。妊娠中は**深部静脈血栓症**（いわゆるロングフライト血栓症［エコノミークラス症候群］）のリスクが高く，また腸骨動静脈の解剖学的な位置関係から左下肢に発生することが多いため，左右を比較することが大切である。

2 │ 触診

脛骨前面，足背の浮腫の有無を触診する。深部静脈血栓症が疑われる場合には，腓腹筋の圧痛の有無，**ホーマンズ徴候**（Homan's sign，強制的に足関節を背屈させた際にふくらはぎに疼痛を訴える徴候）の有無を確認する。

▌ 4. 局所の診察

外陰部の視診を行い，静脈瘤の有無，炎症，尖圭コンジローマの有無を観察する。特に外陰ヘルペスの既往があり外陰部痛を訴える妊婦では，腟入口部の水疱の有無に注意する。

腟鏡診にて分泌物の性状を確認し，腟炎の有無を確認する。性器出血を訴える妊婦では，出血部位同定のため，綿球で腟内に貯留した血液を拭い，子宮口からの出血か，子宮腟部のびらん面などほかの部位からの出血かを鑑別する。また，水様帯下を訴える妊婦では，破水の有無の鑑別が重要である。

内診は，示指を腟内に挿入し，子宮頸部の状態を観察する行為であり，子宮頸管の開大度，展退度，硬度，位置，児先進部の下降度を評価する。妊娠初期，中期は流産・早産の予知を目的として行うが，過度な内診は子宮収縮を誘発する可能性があるため，経腟超音波断層法検査による子宮頸管長の測定のみを実施することもある。妊娠末期には，分娩の準備状態の評価に重点を置いて内診を行う。子宮頸管の成熟度を客観的に表現する方法として，**ビショップスコア**（Bishop score）がよく知られている（**表 2-10** 参照）。

Ⓓ 一般検査

▌ 1. 体重測定

妊娠前体重からの増加量は，妊婦の栄養摂取状態の指標として有用であり，妊婦健診のたびに測定する。2021（令和 3）年に改定された「妊娠前からはじめる妊産婦のための食生活指針」では，普通体重（非妊娠時 BMI 値が 18.5 以上 25.0 未満）の妊婦の体重増加量の目

第 5 編

1 妊娠期にある母子の生理と看護

2 分娩期にある母子の生理と看護

3 産褥期にある母子の生理と看護

4 新生児の特徴と生理的変化と看護

付 周産期にある母子の看護の事例

安を 10 〜 13kg としている。また，妊娠中の母体体重増加量が多いほど児の出生体重が重くなる傾向があり，この傾向は，妊娠前 BMI 値が小さい妊婦にはよく当てはまる。また，多過ぎる体重増加量は巨大児分娩・帝王切開分娩のリスクが高まる。一方，妊婦の体重増加不良は低出生体重児と関連があり，また，近年の疫学研究から，低出生体重児は成人後の糖尿病，高血圧，冠動脈疾患発症のリスク因子となることが指摘されているため（本章 -VIII-C-**Column**「DOHaD 説」参照），あまり過度な体重増加制限はするべきではない。

また，前回妊婦健診時からの急激な体重増加は，急な水貯留（浮腫の増悪など）を表していることがあるので，妊娠高血圧症候群，妊婦心機能障害などの発症に注意を要する。

▌ 2. 子宮底長および腹囲の計測

子宮底長の計測法は，妊婦の膝を伸ばした状態で恥骨結合上縁から子宮底部まで腹壁に沿った長さを計測する**安藤の方法**と，膝を曲げた状態で恥骨結合上縁から子宮体部前壁が腹壁に接する最高点までの距離を計測する**今井の方法**があるが，通常は前者が広く行われている（**図 1-39**）。子宮底長は，胎児，胎盤，羊水，子宮のすべてを総合した値であり，妊婦管理の指標となる。子宮底の高さは妊娠 24 週頃に臍高，妊娠末期の子宮底長は 32 〜 36cm になる。子宮底長が低値の場合には羊水過少，胎児発育不全（fetal growth restriction：FGR），横位などの胎位異常を疑う。一方，高値を示す場合には巨大児，多胎妊娠，羊水過多，子宮筋腫合併妊娠などを疑う。

また，腹囲の計測は臍部で計測する方法と，最大周囲と思われる部位を測定する方法とがあるので，経時的に比較するためには，常に一定の方法で測定する必要がある（**図 1-40**）。

これらの計測は，胎児発育の客観的評価のために古くから用いられてきた方法であるが，個体差も検者間のばらつきも大きい。そのため，『産婦人科診療ガイドライン—産科編 2020』では，腹囲測定はその有用性が不明なので，省略可能としている。一方で，羊水過多における羊水量増加の客観的指標として，腹囲計測が有用な場合も存在する。

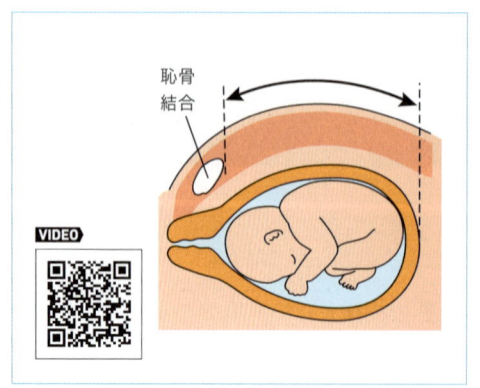

図 1-39 子宮底長の計り方（安藤の方法）

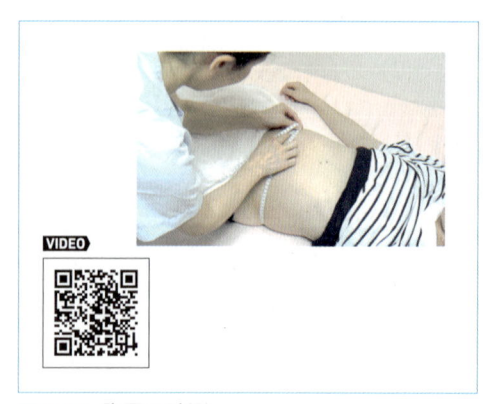

図 1-40 腹囲の計測

第
5
編

1
妊娠期にある母
子の生理と看護

2
分娩期にある母
子の生理と看護

3
産褥期にある母
子の生理と看護

4
新生児の特徴と
生理的変化と看護

付
周産期にある母
子の看護の事例

3. 血圧測定

重篤な妊娠合併症である**妊娠高血圧症候群**の早期発見のために，血圧は妊婦健診のたびに測定する。血圧測定の手順について，日本妊娠高血圧学会では表1-9のように定めている。収縮期血圧が 140mmHg 以上かつ／または拡張期血圧が 90mmHg 以上の場合を高血圧と診断する。

4. 尿検査

妊娠糖尿病（糖尿病合併妊娠）および妊娠高血圧腎症のスクリーニング検査として，妊婦健診のたびに試験紙法（テステープ）を用いて，随時尿の糖，尿たんぱく半定量の検査を行う。また尿たんぱく半定量は陽性であっても，その正診率は低い（偽陽性が多い）ことが知られている。精密・確認検査としては，24 時間蓄尿による尿たんぱく定量が最も信頼できる検査であるが，蓄尿に伴う負担を考慮し，代替法として随時尿中のたんぱく（P）とクレアチニン（C）を定量してたんぱく / クレアチニン比（P/C）を用いることが推奨される。

5. 超音波検査

超音波検査装置は，無侵襲でリアルタイムに対象を観察できる有用な検査であり，日本の産科診療で広く普及している。本検査法は，同じ装置を用いても検査の目的や実施時期によって観察すべき項目が異なる。『産婦人科診療ガイドライン—産科編 2020』では，産科超音波検査を，一般妊婦健診時に行われる「通常超音波検査」と胎児形態異常診断を目的とした「胎児（精密）超音波検査」の 2 種類に分類している。しかしながら，通常超音波検査実施時に，その意図がなくても胎児形態異常が発見されることがあり，広義の出生前診断の一つとなり得ることから，倫理的な配慮が必要である。ここでは，妊婦健診各時期に通常超音波検査で確認すべき項目について述べる。

表1-9 血圧測定の実際の手順

❶ 5 分以上の安静後，座位にて上腕で 1〜2 分間隔，2 回測定し，平均値を採ることを原則とする。2 回目の測定値が 5mmHg 以上低下する場合には安定するまで数回測定する。カフは心臓の高さにあることを確認する。30 分以内のカフェイン含有物の摂取および喫煙は禁止する。
❷ 初回測定時は左右両側で測定し，10mmHg 以上異なる場合には以後は高いほうを採用する。
❸ カフの位置は心臓の高さに保持し，大きさは日本工業規格（JIS）に準拠したものを使用する。カフの長さは上腕周囲径の 80%，幅は少なくとも 40% のものを使用する。
❹ 測定機器は水銀血圧計もしくは同程度の精度を有する自動血圧計とする。コロトコフ法によらない血圧測定法として，カフ・オシロメトリック法がある。
❺ 収縮期血圧よりも 20〜30mmHg 以上までカフ圧を上昇させ測定する。
❻ カフの降圧スピードは 2〜3mmHg/ 秒が望ましい。
❼ 聴診法による測定では収縮期血圧はコロトコフ第Ⅰ音，拡張期血圧はコロトコフ第Ⅴ音を採用する。コロトコフ第Ⅴ音が 0 の場合にはコロトコフ第Ⅳ音も同様に記載する（例：148/84/0mmHg）。
❽ 血圧の診断は，数回測定し安定した時点で診断する。

出典／日本妊娠高血圧学会編：妊娠高血圧症候群の診療指針 2021：Best Practice Guide，メジカルビュー社，2021，p.122.

❶ 着床部位の確認

経腟超音波断層法を用いれば，通常，妊娠 5 週前後には子宮内に胎囊（たいのう）を認める（図1-41）。これが確認できないときには，排卵日の遅れによる妊娠週数のずれ，流産，異所性妊娠などを鑑別する必要がある。

❷ 胎児（胎芽）心拍動の確認，稽留流産の診断

正常妊娠であれば妊娠 7 週頃から胎芽の心拍動が観察可能となり，妊娠 8 週では全例で胎児心拍動が確認される。心拍動が確認されない場合は，稽留流産（けいりゅう）を疑う。

❸ 絨毛性疾患の除外

胞状奇胎（ほうじょうきたい）などの絨毛性疾患（じゅうもうせい）では，子宮内に多数の小囊胞（のうほう）が観察される。胞状奇胎は，適切な治療と管理を行わないと将来の絨毛がんの原因となるため，確認が必要である。

❹ 胎児数の確認と膜性診断

多胎妊娠（たたい）の場合，絨毛膜数，羊膜数がその予後に決定的な影響を与えるが，これらの診断は妊娠初期が適している。子宮内に胎囊が 2 つ確認できる場合は**二絨毛膜双胎**（図1-42a），1 つの胎囊の中に 2 つの胎児が確認できる場合は**一絨毛膜双胎**（図1-42b）と診断される。

❺ 妊娠週数（分娩予定日）決定の補助

妊娠週数，分娩予定日は基本的には最終月経開始初日から算出するが，月経が不規則な女性では排卵日が確定しにくいために，最終月経から計算された妊娠週数と実際の妊娠週数との間に乖離（かいり）が生じる可能性がある。一方，妊娠 8 ～ 10 週の胎児頭殿長（とうでんちょう）（crown-rump length：CRL）（図1-43）は個体差が少なく，在胎週数と 1 対 1 に対応するため，妊娠週数の補正に適している。すなわち，最終月経から算出された妊娠週数と，CRL から得られた妊娠週数の間に 7 日間以上の乖離がある場合は，CRL から得られた妊娠週数および分娩予定日を採用する。

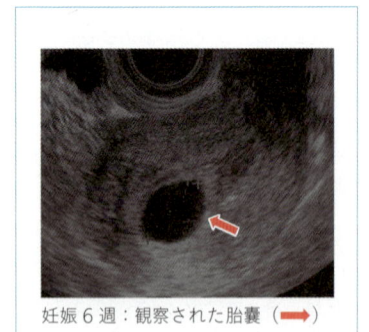

妊娠 6 週：観察された胎囊（➡）

図1-41 経腟超音波断層法検査画像（着床部位）

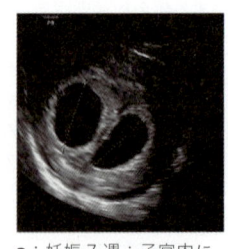 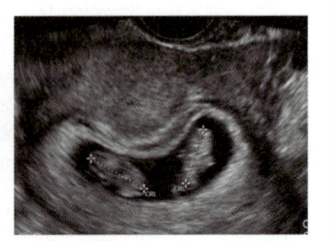

a：妊娠 7 週：子宮内に 2 つの胎囊を認める（二絨毛膜双胎）　　**b**：妊娠 8 週：子宮内に 1 つの胎囊と 2 つの胎児を認める（一絨毛膜双胎）

図1-42 経腟超音波断層法検査画像（双胎）

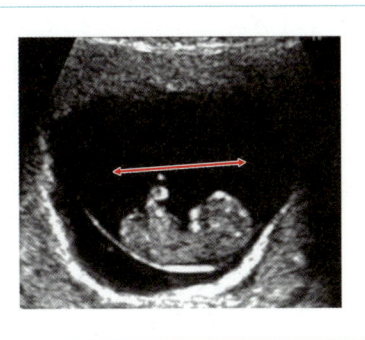

図1-43 胎児頭殿長の測定

❻子宮および付属器異常の有無

　子宮筋腫，卵巣腫瘍などは，妊娠末期になって子宮が増大すると観察が困難になることが多い。したがって，妊娠初期の段階でこれらの異常の有無を確認しておく必要がある。

2 ｜ 妊娠中期・末期

❶臍帯付着部位の確認

　臍帯卵膜付着では臍帯動静脈周囲のワルトン膠質が欠損しているため，陣痛発作時に容易に圧迫されて胎児に著しい虚血を生じることがある。妊娠末期になると臍帯付着部位の同定が困難となることが多いため，妊娠中期に臍帯付着部位を確認しておく。

❷胎盤の位置の評価

　前置胎盤は大量出血により母体死亡の原因となるため，分娩前に超音波検査で胎盤の位置を確認しておくことが必要である。

❸子宮頸管長の測定

　早産は周産期死亡の主要な原因であることから，そのハイリスク群を抽出し厳重な周産期管理を行うことで早産を予防することが重要である。早産リスクを予測する最も有用で客観的な方法が，経腟超音波断層法検査による子宮頸管長の測定であり，妊娠の早い時期からの短縮は早産と密接な関連性が指摘されている（図1-44）。

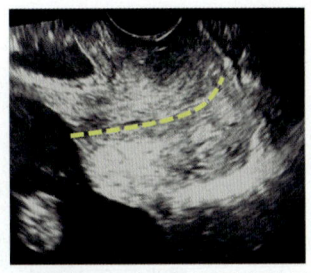 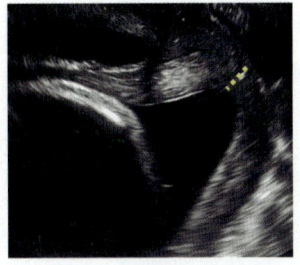

a：短縮していない子宮頸管（子宮頸管長35mm）　　b：短縮した子宮頸管（子宮頸管長7mm）

図1-44　子宮頸管長の測定

第5編

1 妊娠期にある母子の生理と看護

2 分娩期にある母子の生理と看護

3 産褥期にある母子の生理と看護

4 新生児の特徴と生理的変化と看護

付 周産期にある母子の看護の事例

❹胎児発育の評価

胎児発育を評価するために推定胎児体重を測定する。**推定胎児体重**（EFW）は，児頭大横径（BPD），腹囲（AC），大腿骨長（FL）（図1-45）から，日本超音波医学会で定めた計算式 $EFW = 1.07 \times BPD^3 + 0.3 \times AC^2 \times FL$ により算出される。日本人における各種パラメータおよび推定体重の発育曲線を図1-46 に示す。

❺羊水量の推定

羊水は主として胎児尿に由来し，その多寡は胎児胎盤系の様々な病態を反映することから，妊娠中に羊水量を評価することは重要である。羊水量の推定には超音波断層法が最も簡便で実際的であり，定量的な評価法として**羊水ポケット法**（maximal vertical pocket；MVP），または**羊水インデックス法**（amniotic fluid index；AFI）がしばしば用いられる。MVPは胎児から子宮壁までの垂直距離の最大値を測定する方法で，2cm 未満を羊水過少，8cm以上を羊水過多と判定する。AFI は妊娠子宮を臍の上下左右で4等分して超音波のプローブを床に垂直に当て，それぞれの部位の最大深度を足したもので，5cm 未満を羊水過少，25cm 以上を羊水過多と判定する。

▍6. 血液検査，細菌検査など

血算検査，血糖検査，母児感染予防のためのウイルス検査，性器クラミジア検査，B群溶血性レンサ球菌検査などについては，本節 -A「妊婦健康診査の概要」を参照されたい。

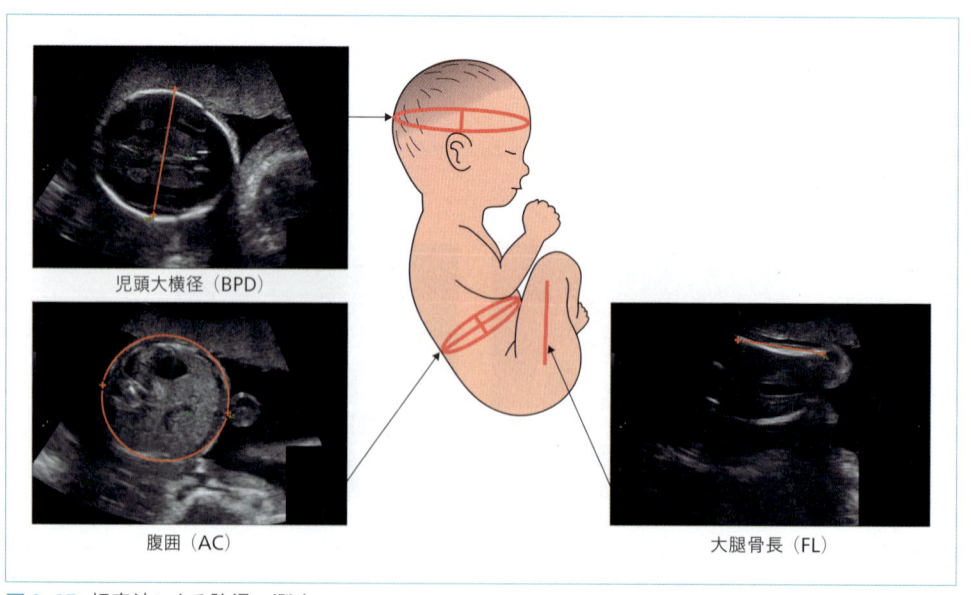

児頭大横径（BPD）

腹囲（AC）

大腿骨長（FL）

図1-45 超音波による胎児の測定

第
5
編

1
妊娠期にある母
子の生理と看護

2
分娩期にある母
子の生理と看護

3
産褥期にある母
子の生理と看護

4
新生児の特徴と
生理的変化と看護

付
周産期にある母
子の看護の事例

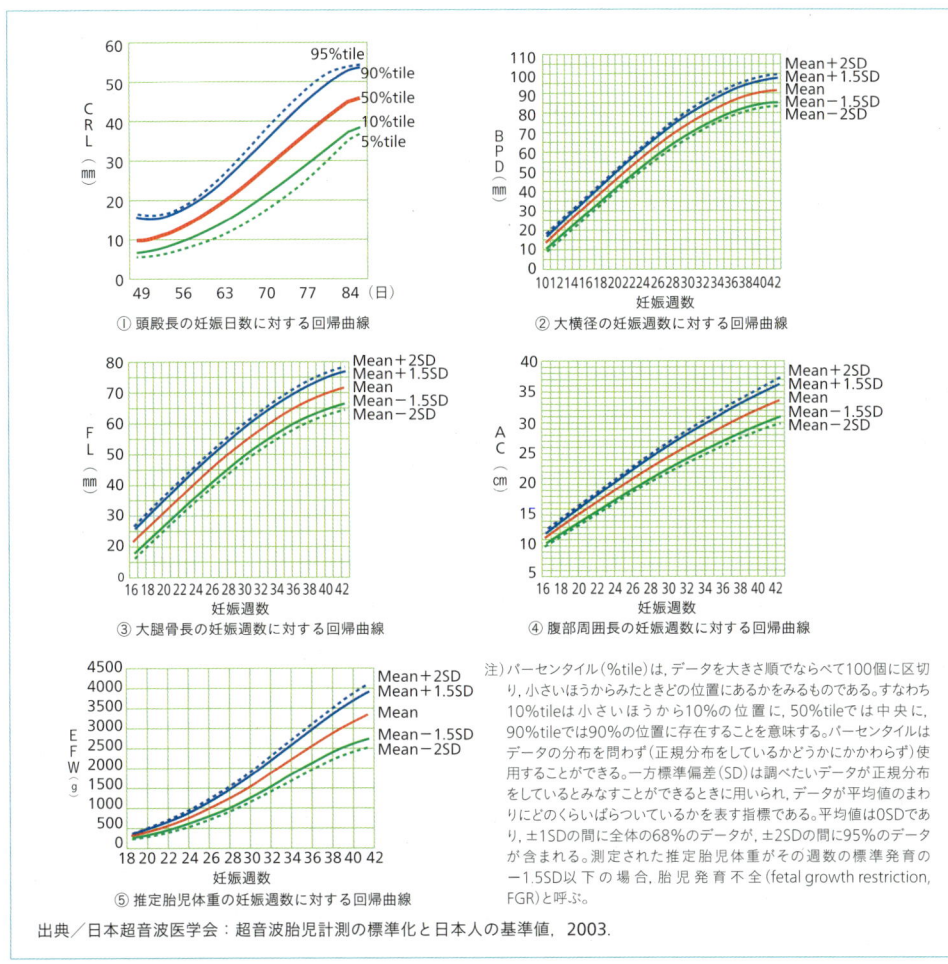

① 頭殿長の妊娠日数に対する回帰曲線

② 大横径の妊娠週数に対する回帰曲線

③ 大腿骨長の妊娠週数に対する回帰曲線

④ 腹部周囲長の妊娠週数に対する回帰曲線

⑤ 推定胎児体重の妊娠週数に対する回帰曲線

注）パーセンタイル（%tile）は, データを大きさ順でならべて100個に区切り, 小さいほうからみたときどの位置にあるかをみるものである。すなわち10%tileは小さいほうから10%の位置に, 50%tileでは中央に, 90%tileでは90%の位置に存在することを意味する。パーセンタイルはデータの分布を問わず（正規分布をしているかどうかにかかわらず）使用することができる。一方標準偏差（SD）は調べたいデータが正規分布をしているとみなすことができるときに用いられ, データが平均値のまわりにどのくらいばらついているかを表す指標である。平均値は0SDであり, ±1SDの間に全体の68%のデータが, ±2SDの間に95%のデータが含まれる。測定された推定胎児体重がその週数の標準発育の−1.5SD以下の場合, 胎児発育不全（fetal growth restriction, FGR）と呼ぶ。

出典／日本超音波医学会：超音波胎児計測の標準化と日本人の基準値, 2003.

図1-46 胎児の発育曲線

E 胎児の健全性・健常性の検査

1. 間欠的胎児心拍数聴取

　胎児生存確認のための最も基本的な検査方法は, 胎児心音を聴取することである。現在は, 母体腹壁から遠い位置に存在する胎児心拍動も検出可能な超音波ドプラ装置が用いられる。連続的に胎児心拍数を記録する胎児心拍陣痛図（後述）と異なり, 定期的に一定期間（数十秒〜数分）胎児心拍数を聴取する方法を**間欠的胎児心拍数聴取**という。

　通常, 胎児の心臓に最も近い母体腹壁上から, 胎児の心臓が存在する方向に向けてドプラプローブを装着したときに最も明瞭に胎児心拍が聴取される。したがって, レオポルド触診法によって胎位, 胎向を確認し, 胎児の心臓が存在すると思われる高さで児背側にプローブを装着すると聴取できることが多い。超音波ドプラ装置では, 連続するドプラ信号

波形の自己相関分析により心拍動間隔を算出し，そこから換算された1分間の心拍数（beat per minute：BPM）が数値表示される。**胎児心拍数**は妊娠5〜6週では80bpm程度，その後徐々に増加し，妊娠10〜11週頃が最も高く170〜180bpmとなる。以降は，妊娠週数の進行とともに徐々に低下し，妊娠末期には平均140bpmとなる。通常，ドプラ装置が用いられる妊娠末期の健常な胎児心拍数は110〜160bpmであり，母体の心拍とは区別できるが，胎児が徐脈の場合や母体が頻脈の場合は，区別が困難なことがある。その場合は，母体の脈拍を触診しながら胎児心音を聴取する。

2. 胎児心拍数陣痛図

　1950年代の後半からイェール（Yale）大学のホン（Hon, E.）らが，胎児心拍数（fetal heart rate：FHR）と子宮収縮（uterine contraction：UC）を連続的に記録する**分娩監視装置**の開発に着手し，1960年代後半から1970年代前半に実用化に至った。導入当初はその名の示すとおり分娩時の使用に限られていたが，1970年代の後半になり，妊娠中の胎児胎盤機能検査用の機器としても有用であることが判明し，分娩前の管理にも利用されるようになった。その後，数々の改良により機器が小型化されるとともに，その性能も飛躍的に向上し，現在の周産期医療において必須のアイテムとなっている（図1-47）。

　FHRはドプラ法で聴取された胎児心拍動の間隔から換算された1分間の心拍数で表示される。UCはそれに伴う妊婦腹部の曲率半径の変化を，腹壁上に固定した圧変換器が感知し，非収縮時からの相対的な値として表示される。本装置ではこのFHRとUCを経時的に記録する点が間欠的胎児心拍数聴取と異なる点であり，この記録チャートを，**胎児心拍数陣痛図**（cardio-tocograph：CTG）とよぶ。このチャートを記録する記録紙の紙送り速度は3cm/分が推奨されている。妊婦管理において本装置を用いる目的は，胎児の健常性を評価するために行う場合と，切迫早産症例においてUCの頻度を客観的に評価する場合の2種類が存在する。

　次に，胎児健常性を評価するためのCTGについて述べる。

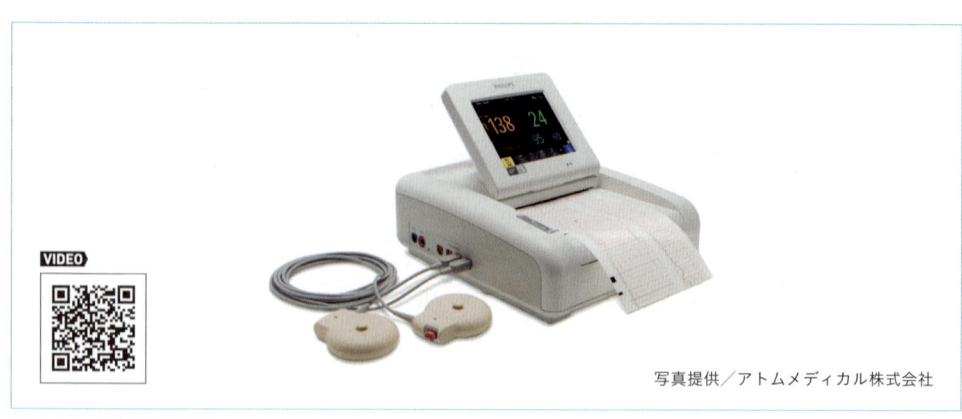

写真提供／アトムメディカル株式会社

図1-47 分娩監視装置

3. ノンストレステスト

　子宮収縮がない状態（ストレスがない状態）で胎児心拍数陣痛図を記録することを**ノンストレステスト**（non-stress test：NST）とよぶ。NST では，妊婦が自覚した胎動を同時に記録する（図 1-48）。FHR は，心臓ペースメーカーの自律収縮頻度，およびそれを修飾する交感神経と副交感神経の緊張のバランスによって決定される。

　CTG の判読に用いられる用語として，胎児心拍数基線，胎児心拍数基線細変動，胎児心拍数一過性変動がある。

1 ｜ 胎児心拍数基線

　胎児心拍数基線（fetal heart rate baseline）（図 1-49）とは，胎児心拍数一過性変動のない

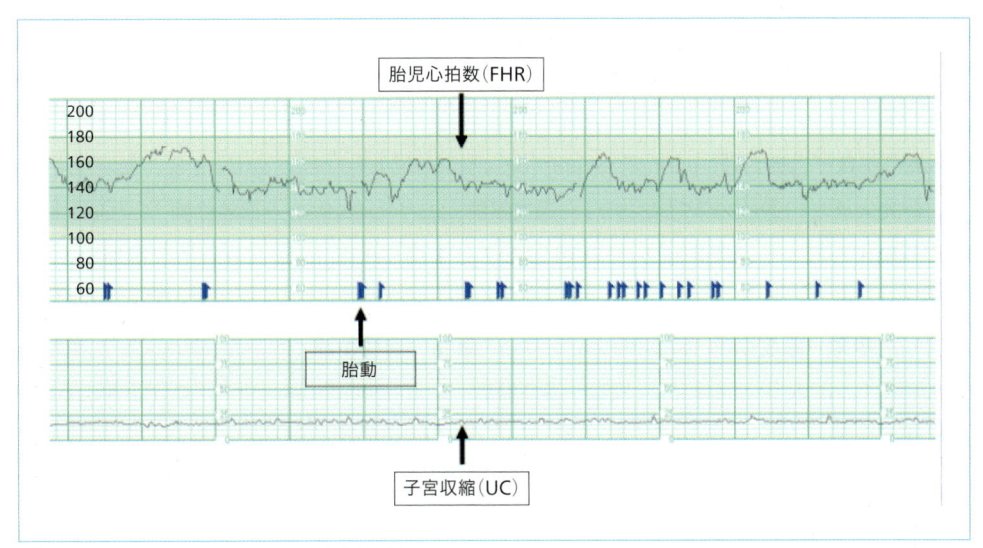

図 1-48 ノンストレステストの CTG 記録例

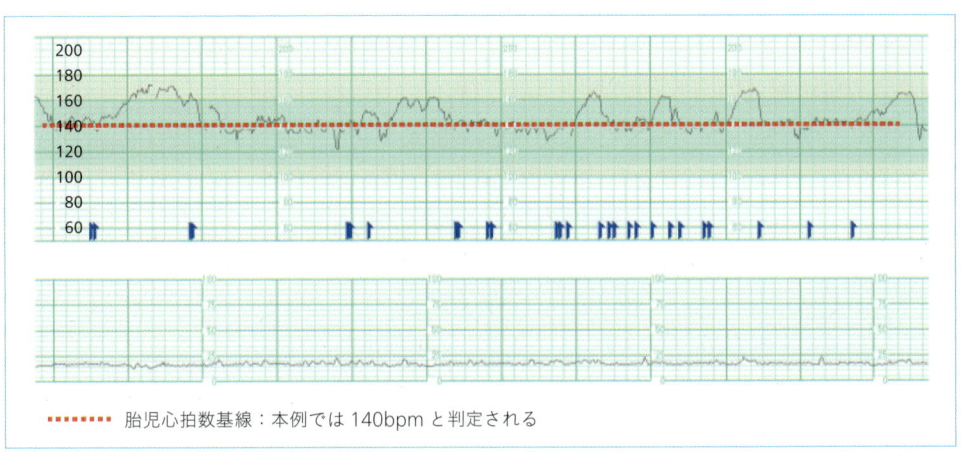

┈┈┈┈┈ 胎児心拍数基線：本例では 140bpm と判定される

図 1-49 CTG における胎児心拍数基線

第5編

1 妊娠期にある母子の生理と看護

2 分娩期にある母子の生理と看護

3 産褥期にある母子の生理と看護

4 新生児の特徴と生理的変化と看護

付 周産期にある母子の看護の事例

部分のおおよその平均心拍数であり，5 の倍数で表す。110 〜 160bpm の場合を**正常脈**（normocardia），160bpm を超える場合を**頻脈**（tachycardia），110bpm 未満の場合を**徐脈**（bradycardia）とよぶ。

2 | 胎児心拍数基線細変動

胎児心拍数基線細変動（fetal heart rate baseline variability）（**図 1-50**）とは，胎児心拍数基線の部分における不規則な細かい心拍数の変動である。胎児心拍数基線細変動が肉眼的に認められない場合を**細変動消失**（undetectable），5bpm 以下の場合を**細変動減少**（minimal），6 〜 25bpm の場合を**細変動中等度**（moderate），26bpm 以上の場合を**細変動増加**（marked）とよぶ。また特殊なものとして，FHR が規則的でなめらかに 1 分間に 2 〜 6 サイクルで 5 〜 15bpm の振幅を有するサインカーブを示す波形があり，これを**サイナソイダルパターン**（sinusoidal pattern）とよぶ。このパターンは重症な胎児貧血で発生することがあるが，ほかの要因で発生することもある。

3 | 胎児心拍数一過性変動

胎児心拍数一過性変動（periodic or episodic change of fetal heart rate）とは，胎児心拍数の比較的大きな一過性の変動であり，**一過性頻脈**（acceleration）と**一過性徐脈**（deceleration）とに分類される。一過性頻脈とは 15 秒以上 2 分未満の 15bpm 以上の心拍数増加を指し，通常胎動に伴って出現することが多い（**図 1-51**）。一過性徐脈は通常子宮収縮に関連して発生し，**早発一過性徐脈**（early deceleration），**遅発一過性徐脈**（late deceleration），**変動一過性徐脈**（variable deceleration），**遷延一過性徐脈**（prolonged deceleration）に分類されるが，その病態生理と診断基準は本編 - 第 2 章 - Ⅱ - K - 1 「胎児心拍数陣痛図の用語」を参照されたい。

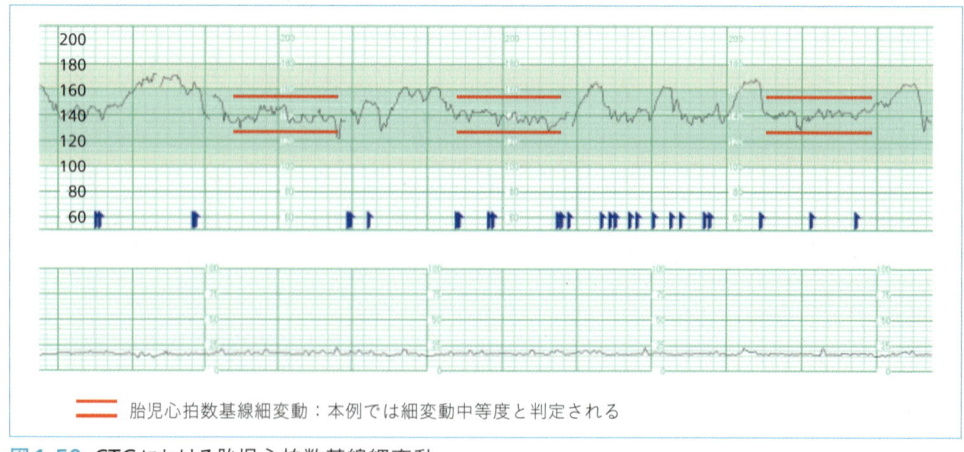

━━━ 胎児心拍数基線細変動：本例では細変動中等度と判定される

図 1-50 CTG における胎児心拍数基線細変動

第5編

1 妊娠期にある母子の生理と看護
2 分娩期にある母子の生理と看護
3 産褥期にある母子の生理と看護
4 新生児の特徴と生理的変化と看護
付 周産期にある母子の看護の事例

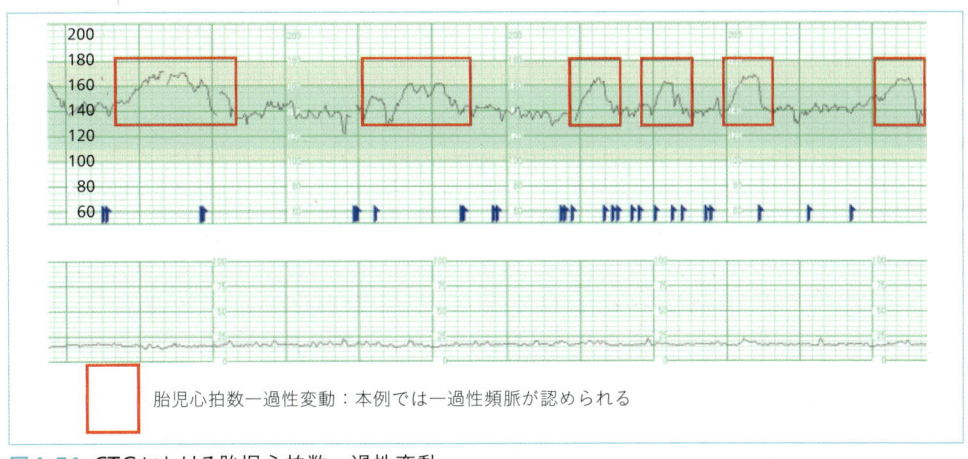

胎児心拍数一過性変動：本例では一過性頻脈が認められる

図1-51 CTGにおける胎児心拍数一過性変動

4. ノンストレステストの実際と判定

　ローリスク妊娠でも，妊娠末期の妊婦健診でNST（ノンストレステスト）を行うことが多いが，胎児の健常性が損なわれる可能性があるハイリスク妊娠では，必要に応じてさらに検査を行う。約40分間の記録中の任意の20分間に一過性頻脈が2回以上認められればreactiveとよび，胎児が健康な状態であると判断してよい。それ以外をnon-reactiveと判定するが，この場合，胎児が不健全な状態（胎児アスフィキシア）であることの正診率は極めて低い（偽陽性率が高い）ことが知られている。胎児心拍数パターンは，胎児の睡眠覚醒周期および妊娠週数による影響を受けるため，その判定に際しては，次に示す胎児の生理的な特徴を理解しておく必要がある。

　胎児も成人と同様に生理的な睡眠覚醒周期が存在し，ノンレム（non-REM）睡眠期では胎動も少なく一過性頻脈も少ない（静止期，resting phase）。したがって，ノンレム睡眠期に検査を開始した場合，それが直ちにnon-reactiveと判断できず，継続してモニタリングを続けると活発な胎動（活動期，active phase）が出現してくることがある（図1-52）。

　前述の静止期と活動期の差は，妊娠週数の進行とともに明瞭になる。すなわち静止期に

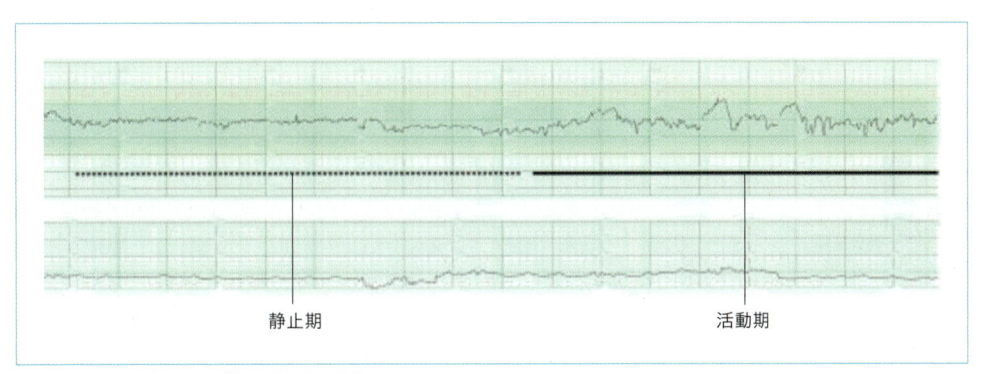

静止期　　　　　　　　　　　　　　　活動期

図1-52 CTGにおける静止期と活動期

おける胎児心拍数基線細変動は妊娠末期に小さくなり，一方，活動期のそれは大きくなる。また，一過性頻脈の振幅も妊娠週数の進行とともに大きくなる。さらに，静止期および活動期の持続時間も妊娠週数とともに長くなるため，分娩予定日近くでは,健常な胎児であっても，一度静止期に入ると 40 分近く一過性頻脈が認められないことがある。

▌ 5. コントラクションストレステスト

子宮収縮は子宮筋層内の血流を減少させ,胎児に低酸素ストレスを負荷することになる。すなわち，子宮収縮がない状態で胎児心拍数パターンを評価する NST に対して，人工的に子宮収縮を引き起こし，胎児にストレスを与えた状態で評価するのが**コントラクションストレステスト**（contraction stress test：CST）である。人工的な子宮収縮を誘発するためにオキシトシンが使われたことから，以前はオキシトシンチャレンジテストとよばれていた。子宮収縮が誘発された状態で，上述の一過性徐脈が出現するか否かをもって胎児の状態を評価するが，胎児に対するリスクがあることから，次に述べるバイオフィジカルプロファイルスコアリングを用いることで，CST を行わない施設が多い。また，陣痛発来を含めて，すでに自発的に子宮収縮を有する場合の胎児心拍数モニタリングは，おのずと CST と同等の意義を有することとなる。

▌ 6. バイオフィジカルプロファイルスコアリング

胎児の健常性を総合的に判定する方法として，**バイオフィジカルプロファイルスコアリング**（biophysical profile scoring：BPS）が用いられている。BPS は超音波断層法を用いて，胎児呼吸様運動，胎動，四肢の運動（筋緊張），羊水量，および NST（CTG における FHR 波形）から判定する（表 1-10）。それぞれの項目で正常であれば 2 点，異常であれば 0 点として，合計 8 点以上であれば正常，6 点が判定保留，4 点以下が異常と判定される。この検査法も妊娠週数，胎児の睡眠，覚醒サイクルの影響を受けるので，繰り返し観察することが必要な場合がある。

表 1-10 バイオフィジカルプロファイルスコアリング（BPS）

項目	正常（2点）	異常（0点）
1. 胎児呼吸様運動	30 分間に 30 秒以上続く運動が 1 回以上	運動なし
2. 胎動	30 分間に 3 回以上の運動（体幹の粗大運動で連続した運動は 1 回と数える）	2 回以下
3. 四肢の運動（筋緊張）	1 回以上の四肢の伸展および屈曲（手の開閉運動も含む）	認めない
4. 羊水量	2cm 以上の羊水ポケットが 1 か所以上	2cm 以下
5. NST	20 分間に一過性頻脈が 2 回以上	2 回未満

第5編

1 妊娠期にある母子の生理と看護

2 分娩期にある母子の生理と看護

3 産褥期にある母子の生理と看護

4 新生児の特徴と生理的変化と看護

付 周産期にある母子の看護の事例

VIII 妊婦・胎児の健康と生活のアセスメント

　妊娠によって，妊婦は胎内で胎児をはぐくむという生理的な変化だけでなく，それに伴って出現する様々な身体的変化に適応をしていくこととなる。胎児の発育に伴い，妊婦が受ける身体的影響は大きく，正常からの逸脱のリスクがあることから，妊婦と胎児の健康を把握し，アセスメントすることが妊娠期の看護において重要である。また，妊娠は，妊婦の心理や妊婦を取り巻く社会にも様々な影響を与える。これらの身体的・心理的・社会的変化に合わせて生活を整え，やがて迎える出産と子どもを迎える準備状況を多角的にアセスメントし，妊婦と家族を支えるサポートにつなげることが必要である。

Ⓐ 身体的アセスメント

　妊婦に対し，妊娠に伴う生殖器（子宮・外陰部・乳房）の変化が順調であるか，正常からの逸脱はないか，胎児の発育が順調であるか，妊娠したことで生じる全身の変化に対し適応ができているか，不快症状はないかについて，身体的アセスメントを行う。妊娠期間をとおして，常に様々な身体的変化が予測されることから，妊娠週数で示される時期に注目した視点と，妊婦一人ひとりの経過に注目した視点をもつことが重要である。経過に注目する際には，妊娠の診断以前の身体的な情報も考慮し，そのことが妊娠による身体的変化にどのように影響を与えるかをアセスメントに加えることが必要である。

1. 生殖器（子宮・外陰部・乳房）の観察

1 子宮・腹部の観察

　子宮は腹腔内にあることから，超音波検査を用いることで詳細な情報を得ることが可能となるが，腹部の視診，問診，触診を行うことでも様々な情報が得られる。

　腹部の視診では，腹部の大きさ，形を観察する。形は，立位の姿勢で腹部がどのくらい前に突き出ているか，その位置は下がっていないかなどを確認する。次に，子宮の増大に伴う腹部の皮膚の変化（妊娠線の有無，着色，乾燥や発疹などの皮膚症状，瘙痒感，搔破痕*，浮腫など）と皮下脂肪の増加の観察と問診を行う。手術創などを認める場合は，情報収集を行う。腹部の触診では，腹壁の厚さや緊張度，子宮の大きさ，形，子宮底の位置，高さ，胎児の位置（胎位，胎向，胎児の各部の位置など），胎動，羊水量などが確認できる。

＊ **搔破痕**：ひっかき傷のことで，腹部の乾燥やかゆみを訴える妊婦も少なくない。妊娠前からアトピー性皮膚炎などの症状がある場合，妊娠により増悪することもあることから，腹部の搔破痕がある場合は，出現時期や程度などの問診を行う。

2 | 外陰部の観察

　外陰部の観察は，医師による内診の際の視診と問診をもとにアセスメントする。妊娠中はエストロゲンの作用によって生理的に膣分泌物（帯下，おりもの）が増加する。カッテージチーズ様の帯下など特徴的な帯下が認められる場合は膣カンジダ，緑色・黄色の悪臭を伴う帯下が認められる場合はトリコモナス症などの感染症が疑われることから，瘙痒感などの自覚症状や外陰部の皮膚症状（発赤，びらんなど）の有無をあわせて確認する。水様性の分泌物が流れる場合は，破水を疑い，確認のための検査が必要となる。このように，分泌物の性状によっては治療を要するものがあるので，アセスメントが重要である。膣分泌物の増加に伴い，おりものシートを使用する妊婦もいるので，使用の有無や交換の頻度についても問診で情報収集を行う。また，妊娠に伴い，外陰部に浮腫や静脈瘤が出現することがあることから，その有無についても観察する。経産婦の場合は，前回の分娩時の会陰切開部分の瘢痕の有無についても確認する。

3 | 乳房の観察

　妊娠に伴い，乳房は乳腺が発育し，脂肪組織が増加して一般的に大きくなり，緊満感を訴える妊婦もいる。乳腺組織の発育について，乳房の形や大きさを視診および問診で確認する（図 1-53）。また，触診で乳房全体の乳腺組織の発達状態や硬結の有無を観察する。分娩後に授乳を行うにあたり，乳頭および乳輪部の形，大きさ，形状は児の吸啜のしやすさに大きく影響を与える。乳頭の直径の平均は，授乳期 15.8±2.4mm というデータの報告がある [16] が，個人差が大きい。また，形状も，比較的児の吸啜が容易な**突出乳頭**のほかに，乳頭が乳輪からほとんど突出しない**扁平乳頭**，乳輪内に乳頭が陥没している**陥没乳頭**，乳頭に溝があり，一見すると 2 分割以上に分かれている**裂状乳頭**などがある。これらから，乳頭の形態および大きさ，長さを視診で観察するとともに，触診で乳頭および乳輪部の柔軟性を観察する。妊娠中期以降，乳頭乳輪部の触診時に初乳の分泌が認められるこ

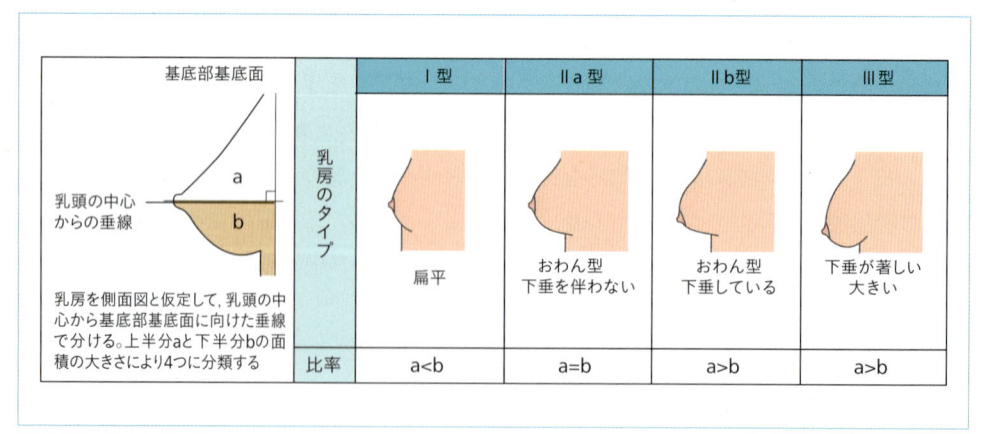

図1-53 乳房の形態

とがあるため，分泌の有無についても観察を行う。なお，乳頭の触診は子宮収縮を誘発することから，早産のリスクがある妊婦においては正期産の時期に入るまで控えるようにする。

2. 胎児の発育

▶ **胎動の認知**　胎児が週数に応じた発育をすることが正常な妊娠経過の必須条件となるが，胎児は子宮内にいるため，直接観察することや計測することはできない。妊婦が胎動を認知できるようになると，胎動の知覚や触知によって，その時点での胎児の生存を確認することができるが，胎児の発育や正常からの逸脱を評価することはできない。胎児の発育は，医師による超音波検査を用いた胎児計測による胎児の推定体重の算出によって推定することができる（本章-Ⅶ-D-5「超音波検査」参照）。胎児の発育は，算出された推定体重が，胎児発育曲線の 10 パーセンタイルから 90 パーセンタイル内であるという妊娠週数に応じた発育であるかという視点と，前回の推定体重からの増加量という妊娠経過に着目した視点でのアセスメントが重要である。

　また，妊婦の胎動の知覚の頻度や，知覚部位の問診は，胎内の胎児の様子を推定する情報の一つとなる。腹部の触診の際，胎児の小部分や，胎動を確認することができる場合もある。触診により，胎児の位置を確認し，胎児心拍の聴取を行うことは胎児の重要なアセスメントの視点であるとともに，妊婦にとっても胎児の発育を実感する機会となる。

▶ **発育の指標**　妊娠 20 〜 23 週では，頭髪がみられ，母体は胎動を知覚できるようになり，胎児心音が腹部より明確に聴取できる。妊娠 24 〜 27 週では，呼吸様運動が認められ，胎児の各部位が触知できる。妊娠 28 〜 31 週では，各臓器の機能はほぼ完成するが皮下脂肪は少なく，皮膚の赤みが強い。妊娠 32 〜 35 週では，皮膚脂肪が発達し，肺サーファクタント（肺表面活性物質）が完成する。妊娠 36 〜 39 週では，成熟児の特徴がみられ，分娩が近づくと児頭が固定してくる。

3. 全身状態の観察

1 　全身の変化に対する適応とマイナートラブル

　妊婦が妊娠に伴う生理的な全身の変化に適応ができているか，姿勢，顔色，生活動作時の様子について，視診と問診から総合的にアセスメントを行う。妊娠による全身の変化から，動作時の息切れ，めまい・立ちくらみを訴えることがある。また，子宮の後部に腹部大動脈と下大静脈が走行しており，子宮の増大により下大静脈が圧迫され，右心房への還流が少なくなることで血圧低下や気分不快，呼吸困難といった症状が出現する**仰臥位低血圧症候群**が起こりやすいことから，診察時の姿勢にも留意することが重要である。ホルモンの変化により，昼間の眠気や夜間の中途覚醒など睡眠変化が生じやすい。妊婦の訴えを聴取するだけでなく，妊娠による変化への適応ができているか系統的に問診をしていくこ

第5編

1 妊娠期にある母子の生理と看護

2 分娩期にある母子の生理と看護

3 産褥期にある母子の生理と看護

4 新生児の特徴と生理的変化と看護

付 周産期にある母子の看護の事例

とが重要である。

　妊娠によるホルモン動態の変化や子宮の増大から，妊娠経過に伴いつわりや便秘，頻尿，腰背部痛などといったマイナートラブルが出現することがある（表1-18参照）。マイナートラブルがいつから出現したか，その程度，症状の変化（妊娠経過に伴い悪化が認められるか否か），日常生活に支障をきたしていないか，対処行動をとっているのかを問診で確認する。また，体重測定値や各種血液検査データについて，基準値からの逸脱がないか確認する。

2 ｜ 下肢の観察

　妊娠経過に伴う子宮の増大により，下肢に浮腫（ふしゅ）や静脈瘤（りゅう）などの症状が出現しやすい。下肢の**浮腫**は，視診と触診で観察を行う。視診は足背部のむくみの程度や，靴下やストッキングの痕で観察する。触診では，下腿の脛骨前面（かたい けいこつ）を母指（ぼし）で圧迫し，圧痕の程度で評価を行う。**静脈瘤**は，下肢の表面から表在静脈が浮き出たような状態を認める。症状が進むと血管蛇行（だこう）や怒張を認め，それに伴う下肢のだるさなどを訴えることがあるので，視診とともに問診を行うようにする。また，下肢に静脈瘤を認める場合，下肢だけでなく外陰部にも生じている可能性があることから，情報収集が必要である。

　こむら返りといわれる，ちょっとした拍子に足がつる症状が，特に妊娠末期に認めやすいことから，問診で詳しく聴取する。妊娠期のこむら返りの原因ははっきりとわかってはいないが，血液循環の悪化やカルシウムの低下などが指摘されていることから，頻回に出現する際は，電解質異常などの検査データを確認する。

Ｂ 心理・社会的アセスメント

　妊娠期を含む周産期のメンタルヘルスの問題は，自殺やネグレクト，子どもの虐待（ぎゃくたい），ひいては，その子どもが成人して次世代の親になるまで様々な影響を与えることが明らかとなっている。複雑な心理・社会的背景から，妊娠がわかっても受診行動につなげることができない未受診妊婦の存在も問題視されている。

　経済的な側面は妊婦の心理的側面に影響を与える。妊娠というライフイベントの心理的影響をとらえるだけでなく，妊婦を取り巻く社会的・文化的背景について情報収集を行い，妊婦の心理・社会にどのように影響を与えているかアセスメントすることが重要となる。また，これまでの妊娠・分娩（ぶんべん）歴やその他病気の既往は，今回の妊娠・分娩の経過に大きな影響を与える。これらの影響を踏まえながらアセスメントを行う。

　妊婦の心理・社会的アセスメントを行う際は，妊婦を理解し，支援していくという姿勢が伝わるよう誠実な態度で臨むことが重要である。妊婦が安心して話ができる環境づくりに努め，家族や他職種との連携を適宜，検討していく。

1. 妊婦の心理

　妊娠に気づいたとき，妊婦の心理は様々で個人差が大きい。子どもが欲しいと思っていた夫婦にとっては待ちに待った妊娠であり，喜びに満ちたものかもしれない。しかし，予期せぬ妊娠の場合は，その受け止めに時間がかかることもある。望んだ妊娠であっても，つわりや妊娠による身体の不調から，想像していたものと違うと感じるなど，その変化に適応するためには，プロセスが必要となる。つわりの症状が強い場合は，こんなはずではなかったと感じ，妊娠が自分の健康をおびやかすことに不安を感じることもある。また，徐々に腹部が増大して妊婦らしい体型に変化していくことについて，ボディイメージの変化を受け入れる必要がある。妊婦の心理については，妊婦自身だけでなく，妊婦のパートナーや家族が妊娠をどのように受け止めているか，妊娠がわかってからパートナーや家族とどのような話をしているか，胎児についてどのように感じているか，妊娠に伴う不安や心配事はないかなど，問診でていねいに聴取し，アセスメントすることが重要である。

　2012（平成24）年に改訂された母子健康手帳には，妊婦の気持ちなどを記入する自由記載欄が設けられている（図1-54）。妊婦に記入を促したうえで，記載がなされているかどうか，記載されている場合はその内容を確認し，アセスメントに活用していく。

　特に，高年妊娠やこれまで流産や死産などの既往がある妊婦などは，妊娠が継続できるかどうかや，胎児の健康について不安を抱えていることがある。必要時，遺伝カウンセラーや臨床心理士など専門職と連携をとりながら，妊婦の心理についてアセスメントを行うことが重要である。

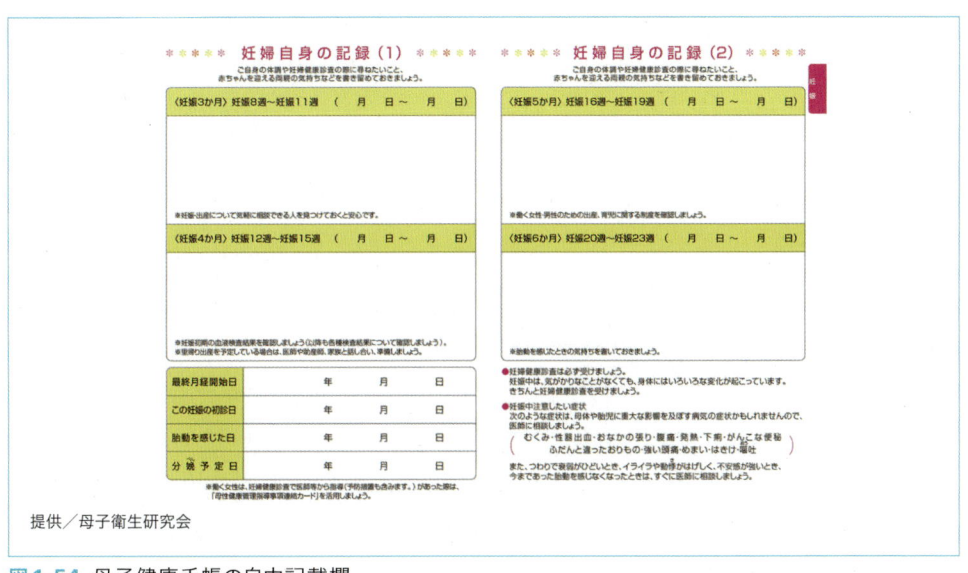

提供／母子衛生研究会

図1-54 母子健康手帳の自由記載欄

第5編

1 妊娠期にある母子の生理と看護

2 分娩期にある母子の生理と看護

3 産褥期にある母子の生理と看護

4 新生児の特徴と生理的変化と看護

5 周産期にある母子の看護の事例

2. 役割と関係性

1 親になる準備

　妊娠期は，親になる準備段階として位置づけられる。妊婦は妊娠をしたことで，母体内のわが子に思いを巡らすと同時に，自分を妊娠した時の母親に思いを巡らせ（親への同一化），親との関係を再構築しながら，親になる準備をしていく。妊婦にとって最も身近な母親役割モデルは妊婦自身の母親（あるいはそれに代わる養育者）であることが多いことから，妊娠したことで妊婦が受けてきた養育体験を振り返ることになる。

　これは，妊婦だけでなく，父親となるパートナーについても同様である。どのような親になりたいと思っているか，母親（父親）のモデルとなる人がいるか，パートナーと親になることについて話し合っているか，問診で確認をしていく。また，腹部をなでる，胎児のことを話すなど，胎児への愛着について，観察を行う。親になるプロセスは，個人差があることから，受容的な態度で聴取をしていくことが重要である。

2 分娩・育児に向けた準備

　分娩・育児に向けた具体的な準備について，妊娠期より聴取していく。分娩に関しては，分娩の場所，バースプラン，入院の時期，入院の方法，家族との連絡方法，里帰りの有無など，分娩に向けて具体的なイメージができているか問診で確認する。分娩に関する知識を確認し，主体的に分娩に臨むために準備をしている内容を聴取する。妊娠 32 週頃には，育児用品の準備や入院の準備ができているか，準備について家族と話し合いができているか確認する。

　また，子どもが生まれてからの家族の生活について，どの程度イメージをしているか，これまでに小さな子どもに接する機会や，子どもの世話をした経験があるか，パートナーとの間で育児について話し合いをしているか，家事を含めた生活の役割分担について話し合っているか，できればパートナーと一緒に情報収集を行うことが望ましい。

3 夫婦関係

　妊娠は夫婦の大きなライフイベントであるが，パートナーの男性は，妊婦のように胎動や妊娠に伴う身体的変化を知覚することがないので，妊婦の身体的変化を見たり，妊婦との会話をとおして少しずつ父親になることを準備していく。

　妊婦健康診査に同行している場合は，パートナーの男性が妊娠経過や胎児に関心をもっているか観察し，アセスメントを行う。同行していない場合は，妊婦をとおして，パートナーが妊娠をどのようにとらえているか，妊婦や妊娠経過の話に関心を払っているか，パートナーと生まれてくる子どもの話や育児について話し合っているか，夫婦関係に変化があるか聴取し，アセスメントしていく。DV（ドメスティック・バイオレンス）は妊娠中にも存

第5編

1 妊娠期にある母子の生理と看護

2 分娩期にある母子の生理と看護

3 産褥期にある母子の生理と看護

4 新生児の特徴と生理的変化と看護

付 周産期にある母子の看護の事例

在し，妊娠によってエスカレートする場合もある。気がかりな点があるときは，妊婦をパートナーから離して，個別に問診を行うなどの配慮が必要である。

4 | 家族の準備状況：サポート資源

第2子以降の妊娠の場合，上の子どもにとって母親の妊娠は，弟または妹となるきょうだいができることとなり，準備が必要となる。経産婦に対しては，上の子どもに今回の妊娠をどのように伝えているか，子どもがどのような反応を示しているか，それに対して妊婦とパートナーはどのように考えているか，不安や心配事はないか，聴取する。また，分娩の際，上の子どもの世話をどのようにしていくか家族内で話し合っているか確認する。

産後のサポートについて，里帰りをするのか，家族に自宅に来てもらうのかなど，具体的な産後の生活のイメージを妊婦と相談しながら聴取していく。特に初産婦は，産後の生活がイメージできないことがある。家事（食事，洗濯，掃除，買い物など），育児をどのように分担していくか，助けてくれる人が近くにいるか，相談できる人が複数いるかなど，妊婦と一緒に考えていくことが重要である。

3. 妊婦の社会的・文化的背景と既往歴

1 | 妊婦の社会的・文化的背景

妊婦の社会的・文化的背景とは，年齢，国籍，宗教，就労状況，経済状態，婚姻状況，家族構成，生活住居環境である。

外国籍の妊婦の場合は，コミュニケーションについて，まず日本語の理解の程度（聞き取りが可能であるか，日本語で書かれている文章を理解することができるかなど）を確認し，母国語の通訳の手配が可能かどうかなどについても検討を行う。宗教は，食事や生活習慣といった日常生活に大きくかかわることから，問診で確認をしていく。就労状況は，職種や仕事内容，勤務時間，通勤方法と通勤時間，職場環境，パートナーや家族の協力態勢，産前休暇の取得予定，育児休業の取得予定（誰が，どのくらいの期間取得するか）など妊娠経過に応じて情報を追加し，アセスメントしていく。

経済状態は，定期的に妊婦健康診査を受診できているか，健康保険の加入状況などから情報収集を行う。経済的な問題を抱えていることが予測される場合は，医療ソーシャルワーカー（MSW）などと連携し，社会資源の活用を含めたアセスメントを行う。婚姻状況に関して，パートナーと未入籍の場合は，入籍の予定があるか，子どもの戸籍をどうするか，養育について話し合っているかなどを確認する。家族構成は，ともに生活をしている家族だけでなく，妊婦およびパートナーの家族など妊娠・分娩・産褥期のサポートなどを視野に入れて問診を行う。生活住居環境は，現在の住居と生活圏，受診のための交通手段，所要時間，近所との関係性，転居の予定などアセスメントのなかで情報を追加していく。

　既往歴に関して，最終月経など今回の妊娠に至る情報，妊娠・分娩歴，病歴を問診で確認する。今回の妊娠に至る情報は，最終月経を聴取するとともに月経周期や，受診に至る経緯と主訴を問診で聴取する。

　妊娠・分娩歴は，今回の妊娠経過や分娩をアセスメントする重要な情報の一つであることから，時期や回数だけでなく，その経過についても確認する。妊婦の基礎情報や妊娠歴などには，プライバシーにかかわるセンシティブな内容が含まれることがある。問診を行う際は，その目的を伝えながら安心できる環境で聴取できるような配慮が必要である。

4. 妊娠期のメンタルヘルス

　妊娠期のうつ病をはじめとするメンタルヘルスの問題が，産後大きな問題に発展する可能性が指摘されている。精神疾患の既往や精神疾患に関連した薬物の服用経験については，一見すると今回の妊娠には関係が薄いとみなされ，未確認のまま分娩を迎えることがある。しかし，妊娠・分娩でそれまで隠されてきたメンタルヘルスの問題が顕在化することがあることから，妊娠中から情報収集と情報提供が重要である。

　これまでに，心の問題で仕事や学校を休んだ経験があるか，それはいつか，その時はどのように対処したか，メンタルヘルスに関する薬を処方されたことはあるか，どのような薬をどのくらい飲んでいたかを確認する。また，現在内服をしているか，メンタルクリニック（心療内科，精神科）などの通院歴はあるか，かかりつけ医がいるか，受診や内服を現在はしていない場合は，いつから受診や内服をしていないか，妊娠について主治医と相談をしているかなどを聴取する。メンタルヘルスの問題は家族への影響が大きいことから，パートナーを含む家族が妊婦のメンタルヘルスの状況を把握しているかなどの情報収集と情報提供を行うことが望ましい。

C 日常生活のアセスメント

　妊娠に伴う身体変化は，妊婦の日常生活に様々な影響をもたらす。また，妊婦の日常生活が胎児や妊婦の健康に影響を与えることから，日常生活のアセスメントは妊娠期の看護において重要である。日常生活は，妊婦の社会的，文化的背景が基盤となっている。これらを踏まえ，妊娠前の生活からどのように変化したか，その変化をどのようにとらえているか，妊婦だけでなく家族の状況も併せて確認していく。

1. 食生活

　現代女性の食生活の現状として，朝食欠食率の増加，適切な食品選択や食事準備のために必要な知識や技術の不足が指摘されている。また，日本人女性は，特にやせ志向が強い

第5編

1 妊娠期にある母子の生理と看護

2 分娩期にある母子の生理と看護

3 産褥期にある母子の生理と看護

4 新生児の特徴と生理的変化と看護

5 周産期にある母子の看護の事例

ことが知られているが，妊婦の「やせ」や妊娠中の少ない体重増加は，低出生体重児の出生リスクを高めることや，胎児期の環境が将来の健康に影響を及ぼすことが指摘されており（Column「DOHaD 説」参照），妊婦の食事と栄養に関してアセスメントを行い，適切な保健指導につなげることが重要である。

　まず，非妊娠時の体格（body mass index；BMI）から，妊婦の栄養状態を確認する。BMIは，妊娠前の体重（kg）を身長（m）の 2 乗で割った計算式で算出する。体格区分をもとに，妊娠中の体重増加指導の目安（表 1-13 参照）が厚生労働省「妊娠前からはじめる妊産婦のための食生活指針」にあり，食事量のアセスメントの指針となる [17]。

　食習慣（回数，時間，量，内容，嗜好）については妊娠前の情報も踏まえて問診で聴取する。食事内容に関しては，外食や市販の物菜などの利用の頻度なども加える。また，妊娠による食生活に関する変化や主訴（悪心・嘔吐，腹部膨満感など），つわりの症状の有無と，それに対する妊婦の対処行動を確認する。

　栄養摂取の視点からは，妊娠期に必要とされるエネルギー摂取量や栄養素に関してどの程度理解しているかを，問診のなかで確認をしていく。「日本人の食事摂取基準（2020 年版）」に示されている妊婦・授乳婦の必要エネルギーと栄養素の付加量を参考に，具体的な食事内容からエネルギー量や栄養素の過不足をアセスメントする。また，必要な栄養素を摂取する目的でサプリメントを利用していることがあることから，情報収集を行う。

2. 排泄

排泄習慣は，個人差があることから，妊娠前の排泄習慣と妊娠による変化，それに伴う自覚症状の有無について問診で確認を行う。

　排尿に関して，妊娠による身体的変化により，尿量は増加する。一方，子宮の増大による血流障害から，浮腫傾向になることで，尿量が減少することも考えられる。また，子宮の増大による膀胱圧迫と骨盤底筋群への影響から，頻尿，残尿感，尿漏れ（尿失禁）などの症状を呈することがある。これらの症状のほとんどは，分娩後，子宮が収縮し小さくなることで軽減されることが多いが，尿漏れについては分娩後も継続することがある。また，

Column　DOHaD説

　胎児期から出生早期にかけての環境，特に低栄養環境が，成人期における生活習慣病のリスク要因となるというのが DOHaD 説（developmental origins of health and disease；胎児プログラミング仮説）である。1986 年にバーカー（Barker）らが発表した論文で注目が集まり，その後の疫学研究で検証がなされてきた概念である [1]。低出生体重児が数十年後の生活習慣病の罹患状況と関連することが日本でも明らかとなっており，近年の出産体重の減少傾向と低出生体重児の増加傾向について，危惧されている。

1）中村幸代：「冷え性」の概念分析，日本看護科学会誌，30（1）：62-71，2010.

尿管の圧迫による尿の貯留と腟分泌物（ちつぶんぴつぶつ）の増加による細菌の繁殖から，尿路感染症のリスクが考えられる。問診で明らかになった情報と関連する情報をつなげてアセスメントすることが重要である。

　排便は，妊娠初期からプロゲステロンによって腸管の運動が抑制されることや，妊娠末期には子宮の増大によって消化管が圧迫されることで便秘傾向となる。排便回数や量，性状習慣について妊娠前と妊娠後の変化を問診で聴取する。また，排便に関連した自覚症状（腹部膨満感，腹痛，肛門（こうもん）からの出血，痔核（じかく），肛門部の痛みなど）についても必要時，情報を収集する。排泄（はいせつ）は話しにくい内容であり，妊婦の QOL にかかわる情報であることから，プライバシーに配慮した情報収集が必要となる。

▌ 3. 活動と休息

1 ▏ 活動（動作，運動，生活習慣）

　活動では，子宮の増大に伴う姿勢の変化や，これまで行ってきた日常生活の活動に影響がないか，妊婦とともに確認をしていく。妊娠による身体変化に適応し，分娩（ぶんべん）に向けた身体的準備をするために，適度な運動をすることが求められる。妊娠前の運動習慣に加え，妊娠したことで妊婦が心がけていることや新たに行っている活動について，妊娠経過を考慮し，無理なく継続できるためのアセスメントを行う。また，活動に関連して，妊婦の服装は動きやすいものであるか，腹部に締めつけがないものであるか，ヒールの高さなどバランスを崩しやすい靴を着用していないかなどを，視診と問診で確認していく。

2 ▏ 休息（睡眠，休息の取り方）

　子宮の増大により，妊婦は仰臥位（ぎょうがい）や腹臥位（ふくがい）で横になることができなくなる。また，妊娠に伴う身体的変化から，睡眠時間の短縮や中途覚醒（かくせい）などが起こり，妊娠前に比べ，睡眠の質が低下することが明らかとなっている。一方で疲れやすく，疲労回復にも時間がかかるようになることから，妊婦の休息に関する情報収集が必要である。顔色，表情，欠伸（あくび）の有無などの視診とともに，睡眠時間，睡眠の変化，起床時間と就寝時間，目覚めたときや入眠時の状況などの睡眠の質（熟睡感があるか，スッキリ目覚めることができるか，すぐに寝入ることができるかなど），満足度とそれに対する妊婦の対処行動（休息をどのように取っているか）について問診を行う。就労している妊婦に関しては，勤務時間内の休息の取り方や通勤方法（電車通勤か，その混雑状況，着座できるかどうか）なども加えて確認していく。その際には，マタニティマークの携帯なども確認するとよい。

　身体的な休息とともに，生活のなかに取り入れているリラクセーション法（アロマセラピー，マッサージ，ヨガ，入浴など）について妊婦が工夫をしていることを確認する。

第5編

1 妊娠期にある母子の生理と看護
2 分娩期にある母子の生理と看護
3 産褥期にある母子の生理と看護
4 新生児の特徴と生理的変化と看護
付 周産期にある母子の看護の事例

4. 清潔

妊娠に伴う変化として，発汗や腟分泌物の増加があるため，皮膚トラブルや感染の予防の観点から清潔を保つことが重要である。一方で妊娠による身体的変化や疲れやすさから，入浴，洗髪に負担を感じることもある。皮膚症状の有無を確認するとともに，清潔行動について聴取する。また，妊娠中，ホルモンの影響や，つわり，食習慣の変化から，歯周病になりやすく，口腔内の清潔を保ちにくい。歯周病や未治療のう歯がないかなど，歯科受診の有無について，確認を行う。

5. 性生活

妊娠中のセクシュアリティおよび性生活については，妊婦だけでなくパートナーの考え方も大きく影響する。子宮や胎児への影響に対する心配など，パートナーとの間でも相違が生じることが多い。性生活に関して，性生活の有無，頻度，妊婦の考え方や心配事，性生活について夫婦間でコミュニケーションがとれているかなどアセスメントを行う。

6. 嗜好品 (たばこ, アルコール, カフェイン)

たばこ，アルコール，カフェインといった嗜好品について，胎児への影響が指摘されている。一般的に喫煙率は減少傾向にあり，妊娠中のたばこの害についての知識は広まっていることから，妊娠前から喫煙していない，もしくは妊娠を機に喫煙をやめることが多い。このような背景のなか，妊娠しても喫煙を続けている妊婦は，たばこの害についての知識が不足している場合や，やめたくてもやめられないという依存症の可能性があるので，妊婦の立場に立った聞き取りの姿勢が重要である。また，受動喫煙の害について注目され，健康増進法の一部を改正する法律（2018［平成30］年法律第78号，2019［平成31］年1月24日より一部施行開始）で受動喫煙の防止を図る措置が定められている。妊婦は家族の喫煙によって受動喫煙に至っている場合もあることから，妊婦の喫煙の習慣（いつからたばこを吸っているか，1日の頻度や本数，どんな時にたばこを吸うことが多いか，妊娠がわかってから喫煙の変化はあるか）とともに，パートナーや同居家族の喫煙についても情報収集を行うことが必要である。

アルコールは少量であっても胎盤を通過し，胎児に影響を及ぼすことが知られており，禁酒することが推奨[18]されていることから，妊娠が判明すると自ら飲酒を控える妊婦もいる。アルコールは，飲酒頻度，アルコールの種類，飲酒量，飲酒行動，習慣など個人差が大きい。妊娠前の飲酒習慣と妊婦の知識や考え方について情報収集を行う。

カフェインは，たばこやアルコールに比べ，日常生活のなかで多くの妊婦が妊娠前より摂取しているが，カフェインの母体や胎児に及ぼす影響についてはあまり知られていない。「妊娠出産される女性とご家族のための助産ガイドライン」では，妊娠中にカフェインを摂取することによる胎児への影響から，妊婦のカフェイン摂取を控えることを推奨してい

る[19]。カフェインは，コーヒーだけでなく，お茶（緑茶，紅茶，ウーロン茶），ココアなどにも含まれていることを知らない妊婦も多いことから，カフェインについての妊婦の知識と摂取量，摂取習慣について情報収集を行う。

IX　妊婦と家族への看護

A　妊婦と家族の健康状態を保持・増進するための看護

妊婦の健康状態は胎児の成長や発育に直接影響を及ぼすことから，妊婦が自己の身体の変化を理解し，それに応じた生活管理の方法を知り行動できるように，妊婦のセルフケア能力を高めるよう援助することが大切である。また妊娠期は，いつもよりも健康への意識が高まっている時期であり，妊婦とその家族にとって健康的な生活を見直す大きなチャンスでもある。このチャンスを最大限に生かしたかかわりが大切である。

1. 食生活

妊婦が健康状態を保持，増進するために適切な栄養を摂取し，望ましい食生活を送ることは重要である。女性は，おなかの中に胎児が宿ることで「自分のため」だけでなく「赤ちゃんのため」という意識が高くなり，妊娠前よりも食生活を見直そうという関心が高まる。また，このような妊婦の食事への意識の高まりは，家族の食生活へも反映されるため，この時期を健康的な生活を見直す好機ととらえて支援することが効果的である。そのためには，妊婦が行動変容に移せるようなアプローチが必要である。単に「バランスのとれた食事をしましょう」といった画一的な助言ではなく，対象者の食事に関する価値観や料理への関心や費やせる時間や経済状況などに合わせた，妊婦自身が「これならできるかも」と思えるような個別性を踏まえたかかわりが重要である。

1　妊婦の望ましい食事摂取基準

妊婦の望ましいエネルギー，栄養素の付加量の基準は，厚生労働省が作成した「日本人の食事摂取基準（2025年版）」に示されており，妊娠各期に付加する必要があるエネルギーや栄養素が示されている（表1-11）。単なるカロリー計算の栄養指導ではなく，ビタミン，ミネラルなどの栄養素をバランス良く摂取し，妊婦が自己の食生活スタイルに取り入れやすい指導を工夫する必要がある。

2　妊婦に必要なエネルギーと各栄養素

栄養素には，三大栄養素である糖質，たんぱく質，脂質のほか，ビタミン，ミネラルが

第
5
編

1
妊娠期にある母
子の生理と看護

2
分娩期にある母
子の生理と看護

3
産褥期にある母
子の生理と看護

4
新生児の特徴と
生理的変化と看護

付
周産期にある母
子の看護の事例

表1-11 妊婦の食事摂取基準

	非妊娠時*1		妊娠期		
	18～29歳	30～49歳	初期	中期	後期
エネルギー(kcal/日)	1950	2050	+50	+250	+450
たんぱく質(g/日)*2	50	50	+0	+5	+25
脂質(%エネルギー)*3	20～30	20～30	20～30		
鉄(mg/日)*2	10.0*5	10.5*5	+2.5	+8.5	
葉酸(μg/日)*2	240	240	+0	+240	
カルシウム(mg/日)*2	650	650	+0		
マグネシウム(mg/日)*2	280	290	+40		
ビタミンB₁(mg/日)*2	0.8	0.9	+0.2		
ビタミンB₂(mg/日)*2	1.2	1.2	+0.3		
ビタミンB₆(mg/日)*2	1.2	1.2	+0.2		
ビタミンB₁₂(μg/日)*4	4.0	4.0	4.0		
ビタミンC(mg/日)*2	100	100	+10		
ビタミンD(μg/日)*4	9.0	9.0	9.0		
ビタミンA(μgRAE/日)*2	650	700	+0		+80

*1：身体活動レベル「ふつう」，*2：推奨量，*3：目標量，*4：目安量，*5：月経ありの推奨量
資料／厚生労働省：「日本人の食事摂取基準（2025年版）」策定検討会報告書，2024.

ある。糖質は，炭水化物に多く含まれるエネルギー源である。糖質1gで4kcalのエネルギーが産生される。炭水化物と食物繊維を総称して糖質とよぶ。たんぱく質も糖質と同様に私たちの生命を維持するエネルギー源である。たんぱく質1gで4kcalのエネルギーが産生される。エネルギー源としてよりも内臓や筋肉などの身体構成成分として重要な栄養素である。脂質もエネルギーであるが，産生されるエネルギーは1g 9kcalで糖質に比べて多く，エネルギーを蓄えるのに適している。またステロイドホルモンや細胞膜の構成成分としても重要である。

　身体を構成するたんぱく質と身体をつくるために必要なエネルギーの糖質や脂質をバランスよく十分に摂取することで生命を維持していくことができるのである。

❶エネルギー　妊娠中に適切な栄養状態を維持するために摂取すべき1日当たりの付加エネルギー量は，妊娠初期は＋50kcal，妊娠中期は＋250kcal，妊娠後期は＋450kcalとされている。たとえば，「ふつう」の身体活動レベルの女性（18～29歳）では，妊娠中期に1日に2200kcal（付加量250kcal），後期に2400kcal（付加量450kcal）のエネルギー摂取が推奨されている。

❷たんぱく質　たんぱく質は，血液や筋肉などをつくるために欠かせない栄養素である。1日当たりのたんぱく質の付加推奨量は，妊娠初期は0gだが，妊娠中期に5g，後期に25gとされている。肉類，魚類，卵，大豆製品などを使った主菜は，必須アミノ酸をバランス良く含んだ良質のたんぱく源となり，様々な種類の食品からたんぱく質を摂取することが望ましい。

❸鉄　1日当たりの鉄の付加推奨量は，妊娠初期に2.5mg，妊娠中期・後期に8.5mgである。食品中に含まれる鉄は，ヘム鉄と非ヘム鉄に分けられる。肉類や魚類に含まれる鉄はヘム

鉄で，腸吸収率が非ヘム鉄に比べて 5 〜 10 倍と高い。穀類，いも類，大豆，野菜などに含まれる鉄は非ヘム鉄で，ヘム鉄に比較すると腸吸収率が落ちる。しかし，ビタミン C や動物性たんぱく質と一緒に摂取すると鉄吸収が促されるとされている。ビタミン B$_{12}$，葉酸は赤血球の形成を助ける。鉄製の鍋やフライパンで調理すると，調理中に鉄が溶け出して鉄分が摂取できる。

❹葉酸　葉酸は，水溶性ビタミン B 群の仲間である。造血に働き，細胞の新生に欠かせない栄養素である。葉酸は，不足することで二分脊椎<ruby>二分脊椎<rt>にぶんせきつい</rt></ruby>などの神経管閉鎖障害の発症リスクが高まるため，厚生労働省は摂取を推奨している。妊娠を計画している女性または可能性がある女性は，このリスクを減らすために，400 μg/ 日の摂取が推奨されている。

　葉酸の摂取推奨量は，成人が 240 μg/ 日，妊婦の付加量は中期・後期で 240 μg で 480 μg/ 日となる。特に妊娠を計画する 2 か月前から妊娠 12 週までの摂取が重要である。葉酸を多く含む食品は，レバー，ほうれん草，グリーンアスパラガス，いちごなどがある。

Column　食事バランスガイド

　厚生労働省は農林水産省と共同で，1 日に「何を」「どれぐらい」食べればよいかの目安をイラストにした「食事バランスガイド」を発表している。「主食」「副菜」「主菜」「牛乳・乳製品」「果物」に分け，目安量の基本単位は「SV（サービング）＝（いく）つ」で表し，水分と運動を主軸に適切な量を摂取することでコマが回るようになっている。

　妊婦への看護においては，カロリー計算重視の指導ではなく，このバランスガイドを活用して，食事の組み合わせや量を具体的に提示すると効果的である。

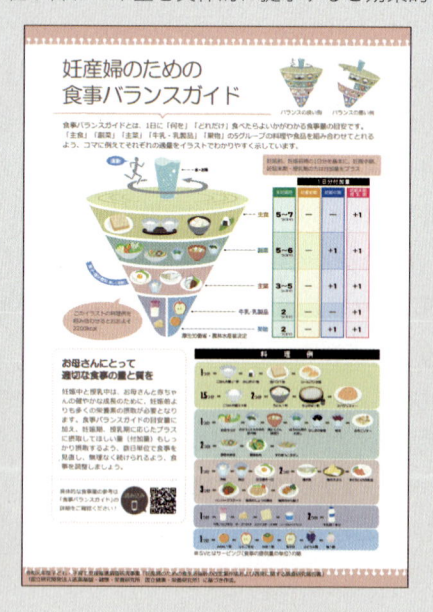

資料／厚生労働省：妊産婦のための食事バランスガイド．https://www.mhlw.go.jp/content/000788598.pdf（最終アクセス日：2022/6/10）

葉酸は，加熱により壊れやすく水に溶けやすいため，調理により損失しやすい。そのため，栄養補助食品（サプリメント）からの摂取も推奨されている。

❺**カルシウム**　妊娠期にはカルシウムの吸収率が上昇するといわれており，カルシウムの付加量は設けられていない。しかし，日本人に不足しやすい栄養素であるため，推奨量を目標にして摂取する必要がある。また，妊娠高血圧症候群などによる胎盤機能低下がある場合は，カルシウムを積極的に摂取する必要がある。カルシウムを多く含む食品は，乳製品，大豆製品，小魚類，海藻，乾物，緑黄色野菜などである。また，たんぱく質とビタミンＤを一緒に摂取すると吸収率がアップする。ビタミンＤを多く含む食品は，干ししいたけ，しらす干し，さけなどである。

❻**マグネシウム**　妊娠中のマグネシウムの欠乏は，胎児の発育遅延や妊娠高血圧症候群との関連も指摘されており，妊娠中は 40mg/ 日の付加量が推奨されている。魚介類，野菜に広く含まれている。大豆や豆腐，納豆などの大豆製品，海藻類，玄米，アーモンド，ごまなどの種子にも多く含まれている。また，リンを多く含む食品である肉類（特にレバー）や加工食品，清涼飲料水を多く摂取すると，マグネシウムの吸収が妨げられ，不足する傾向にあるといわれている。

❼**ビタミンＢ群**　ビタミン B_1，B_2 は，糖質，脂質の代謝に関与し，エネルギーを生み出す過程に必要な栄養素である。エネルギー要求量が増大する妊娠中には，それぞれ付加量が算定されている。ビタミン B_1 を多く含む食品は，豚肉，うなぎ，たらこ，ナッツ類である。ビタミン B_2 を多く含む食品は，納豆，卵，うなぎ，牛乳などがあげられる。

ビタミン B_6 は，たんぱく質の代謝に欠かせない栄養素である。ビタミン B_6 を多く含む食品は，かつお，まぐろ，さんま，バナナ，ナッツ類などである。

ビタミ B_{12} は，葉酸と協力して赤血球が正常に分化するのを助ける作用を担っている。ビタミン B_{12} を多く含む食品は，かき，さんま，あさり，にしんなどである。

3 ｜ 過剰摂取に注意が必要なもの

❶**ビタミンＡ**　ビタミンＡは，上皮細胞，器官の成長や分化に関与するため重要なビタミンである。ビタミンＡは脂溶性ビタミンであるため，体内に蓄積しやすく，過剰摂取になるリスクがある。過剰摂取により胎児に先天異常が増加することが明らかになっている。通常の食事ではビタミンＡの過剰摂取は起こりにくいが，ビタミンＡの含有量が多い栄養機能食品やサプリメントなどの大量服用は避けることが重要である。

❷**魚介類**　魚介類は，良質なたんぱく質や，脳の発育などに効果があるといわれているEPA，DHA などの高度不飽和脂肪酸が，その他の食品に比べ一般的に多く含まれている。また，カルシウムをはじめとする各種のビタミン・ミネラルの摂取源であるなど，健康的な食生活にとって不可欠で優れた栄養特性を有している。

一方で，環境汚染の影響を受けやすい食材でもある。厚生労働省は，「妊婦が注意すべき魚介類の種類とその摂取量の目安」を示しており（2005［平成 17］年・2010［平成 22］年

表1-12 妊婦が注意すべき魚介類の種類とその摂取量の目安

刺身1人前，切身1切れ（それぞれ80g）の摂取量の目安	注意が必要な魚
週に2回まで	キダイ，マカジキ，ユメカサゴ，ミナミマグロ（インドマグロ），ヨシキリザメ，イシイルカ，クロムツ
週に1回まで	キンメダイ，ツチクジラ，メカジキ，クロマグロ（本マグロ），メバチ（メバチマグロ），エッチュウバイカイ，マッコウクジラ
2週間に1回まで（週40g）	コビレゴンドウ
2か月に1回まで（週10g）	バンドウイルカ
特に注意不要	キハダ，ビンナガ，メジマグロ，ツナ缶，サケ，アジ，サバ，イワシ，サンマ，タイ，ブリ，カツオなど

資料／厚生労働省：これからママになるあなたへ：お魚について知ってほしいこと．https://www.mhlw.go.jp/topics/bukyoku/iyaku/syoku-anzen/suigin/dl/051102-2a.pdf （最終アクセス日：2022/6/10）を参考に作成．

改訂），特に水銀濃度について注意喚起している（表1-12）。食物連鎖の上位にある高脂肪の魚は，自然界に存在する水銀を多く蓄積していることが報告されている。水銀濃度の高い魚介類を摂取した妊婦の胎児には先天異常の危険性があるため，摂取量の目安を参考に，魚介類は種類と量に注意してバランス良く摂ることが必要である。

❸ 塩分　日本の食塩摂取量は諸外国に比較して多いといわれている。世界保健機関（WHO）は食塩摂取目標を1日5gとしているが，厚生労働省がまとめた「日本人の食事摂取基準（2025年版）策定検討会報告書」では，18歳以上の男性は1日当たり7.5g未満，女性は1日当たり6.5g未満という目標量が定められている。「令和元年国民健康・栄養調査」の結果では，20歳以上の日本人の成人1日当たりの食塩平均摂取量は，男性で10.9g，女性で9.3gであった。妊婦に対しては，食塩摂取量を6.5g/日未満とすることができるように，うす味の工夫や，塩分の多くなる加工食品の摂取を避けるような保健指導が必要である。

4 ｜ 食品等を介して感染する注意が必要なもの

非加熱肉や汚染された食品等の摂取により感染のリスクの可能性があるものに，トキソプラズマ症やリステリア症がある。トキソプラズマ症については第6編-第1章-Ⅳ-B-1「トキソプラズマ症」参照。

❶ リステリア症

リステリア症は，リステリア・モノサイトゲネスによって引き起こされる食中毒である。リステリア菌は，胎児に垂直感染し，母体，胎児，新生児に悪影響を及ぼす可能性があるため，厚生労働省においても注意が呼びかけられている（図1-55）。日本におけるリステリア感染の発症件数は1年間で95件，発症頻度は人口100万人当たり0.65と報告されており，比較的稀であるが，妊娠中は一般集団と比較して約18倍感染しやすいとの報告があり，注意が必要である[20]。一般には妊娠末期に感染しやすいといわれている。最も多い症状は突然の発熱であるが，3人に1人は感染しても無症状である。症状がみられた妊婦のうち10〜20%が自然流産，50%が早産，10%が子宮内胎児死亡に至ると報告され

第5編

1 妊娠期にある母子の生理と看護
2 分娩期にある母子の生理と看護
3 産褥期にある母子の生理と看護
4 新生児の特徴と生理的変化と看護
付 周産期にある母子の看護の事例

資料／厚生労働省：これからママになるあなたへ　食べ物について知っておいてほしいこと.

図1-55 リステリア菌に対する注意喚起

ている[21]。また新生児感染は，生存し分娩（ぶんべん）に至った児のうち68%に認められ，肺炎，敗血症，髄膜炎（ずいまくえん）が主であり，治療したにもかかわらず24%が死亡，12%に神経学的後遺症を認めるとの報告がある[22]。

　リステリア菌は加熱を必要としない，いわゆるReady-to-eat食品や長期保存食品，チーズなどの乳製品からの感染が問題となる。よって，感染する可能性のある食品になるべく注意するよう指導する必要がある。

①生野菜や果物などは食べる前によく洗う。

②賞味期限内に食べきる。開封後は，期限にかかわらず，なるべく早く食べきる。賞味期限や保存方法を守っていれば，食中毒が発生するほどの菌数にはならない。12%食塩濃度下でも増殖できるので，塩づけ製品についても注意が必要である。

③冷蔵庫を過信しすぎない。4℃以下の低温でも増殖可能なため，冷蔵庫内においても繁殖する。

④生もの，加工済み食品は加熱してから食べる。70℃以上での加熱により死滅するため，加熱後に食べることは感染予防となる。

2. 体重管理

　厚生労働省は，2021（令和3）年に「妊産婦のための食生活指針」を15年ぶりに改訂し，「妊娠前からはじめる妊産婦のための食生活指針～妊娠前から，健康なからだづくりを～」とした。そのなかで，日本肥満学会の判定基準に基づき，体格を「低体重（やせ）」「普通体重」「肥満（1度）」「肥満（2度以上）」と4つに区分し，その体格区分に応じて妊娠全期間をとおしての体重増加指導の目安を示している（表1-13）。また，注意書きとして「個

表 1-13 妊娠中の体重増加指導の目安

妊娠前の体格		体重増加量指導の目安
低体重（やせ）	18.5 未満	12 〜 15kg
普通体重	18.5 以上 25.0 未満	10 〜 13kg
肥満（1度）	25.0 以上 30.0 未満	7 〜 10kg
肥満（2度以上）	30.0 以上	個別対応（上限 5kg までが目安）

注 1）「増加量を厳格に指導する根拠は必ずしも十分ではないと認識し，個人差を考慮したゆるやかな指導を心がける。」
産婦人科診療ガイドラインー産科編 2020 CQ 010 より。
注 2）日本肥満学会の肥満度分類に準じた。
資料／厚生労働省：妊娠前からはじめる妊産婦のための食生活指針；妊娠前から，健康なからだづくりを．2021．p.15.

人差を考慮したゆるやかな指導を心がける」としている。妊娠中の過剰な体重増加は，妊娠合併症のリスクが高まる。しかしながら，妊婦は体重増加について指導を受けることに敏感になっていることが多い。よって，保健指導では体重の数値だけにとらわれないような指導が必要である。また，現代の食生活は多様化が進んでおり，栄養管理が得意な人もいれば，料理が苦手で惣菜を活用している人もいる。妊婦の生活環境やスタイル，食事内容や食事行動などについて情報収集を行い，制限するだけではなく，妊婦が楽しく改善していけるようなアプローチが重要である。

1 やせの女性

20 〜 30 歳の女性でやせの者（BMI < 18.5）の割合が増加している。やせ妊婦においては切迫早産や低出生体重児のリスクが高いとされている。やせ妊婦は，妊娠中の体重増加量と児の出生体重に関連があると報告されている。よって，妊娠中の体重増加が乏しい場合は，体重が適切に増加しているかを経過観察し，十分な栄養摂取ができるよう，早期に介入することが望ましい。しかし，一口に体重増加が乏しいといっても様々な背景や事情を抱えている。太りたくないと摂取量を制限していたり，つわり様の嘔気が持続し栄養摂取が十分にできなかったり，メンタルヘルスの問題を抱えていたりと様々である。その妊婦が置かれた状況や価値観を把握しながら個別的な保健指導が求められる。

2 肥満の女性

日本では，肥満の頻度が約 10％と多くはない。肥満妊婦の妊娠合併症についての報告では，妊娠前 BMI が高ければ高いほど，妊娠高血圧症候群や妊娠糖尿病，巨大児などのリスクが高くなり，帝王切開率も上昇するとされている[23),24)]。日本産科婦人科学会（2021）は，妊娠前 BMI が 25 以上 30 未満（肥満 1 度）の体重増加について，妊娠に伴う合併症を減少させる目的で 7 〜 10kg，また，BMI30 以上（肥満 2 度以上）の体重増加については個別対応（上限 5kg までが目安）としている。指導の際は，食事や運動も含めて健康的な妊娠生活を心がけるように個別的な対応が重要である。

第5編

1 妊娠期にある母子の生理と看護

2 分娩期にある母子の生理と看護

3 産褥期にある母子の生理と看護

4 新生児の特徴と生理的変化と看護

付 周産期にある母子の看護の事例

3 | 母体の低栄養

　1980年代をピークに，平均出生時体重は下降し，低出生体重児の割合も増加している。この背景には，当時と比較して，今日は出産の高齢化や多胎児，極低出生体重児が増加していることなどが考えられるが，妊婦自身が体形の変化を気にして体重を増やさなかったり，体重は増えても必要な栄養素が不足している「妊娠女性の低栄養化現象」が深刻になっていることが原因として大きい。子宮内で胎児が低栄養にさらされると，児が成人した後に生活習慣病を高率で発症することが明らかとなり，「成人病胎児期発症説（fetal origins of adult disease：FOAD）」として注目されている。このため，正しい栄養指導が実施されることが急務である。かつての厳格な体重増加量の制限ではなく，バランスの良い栄養による適切な体重管理への支援が重要である。

3. 活動と休息

1 | 妊娠中の姿勢

　妊娠中は，エストロゲンやプロゲステロン，リラキシンなどのホルモンの影響によって，骨盤内の靱帯が弛緩する。また，妊娠による体重増加および腹部の増大に伴い，身体の重心が前方へ移動するため姿勢が崩れやすい。そのため腰痛や背部痛，こむら返りなどのマイナートラブルを生じやすい。よって妊娠期は，意識的に姿勢を整えるように指導していく必要がある。妊婦健診や集団指導の機会を活用し，妊婦が意識的に日常生活の姿勢に注意を払い，良い姿勢で過ごすことができるようにする。

　靴は，サンダル，スリッパ，パンプスなどは脱げやすく，転びやすい。足の甲の部分と靴が密着し，ヒール底は広く，高さは3cmぐらいが安定する。フラットシューズは疲れやすい。

❶正しい立位の姿勢

- 両足を肩幅に開く。
- 両足に均等に重心をかける。
- 下腹部を引っ込め，反り腰にならないようにする。
- 顎を引く。
- 首や肩の力を抜く。

❷椅子に腰かけるときの姿勢

　できるだけ深く腰かけ，背筋を伸ばす。柔らか過ぎるソファーや殿部が沈むような椅子は，腹部が圧迫されるため背中にクッションを置くなどして背筋を伸ばす。

❸階段の上り下りの姿勢

　腹部の増大により重心が前方に移動していること，また足下が見えにくいことから，転倒しやすくなっている。前かがみにならないようにゆっくりと重心を片方の足に乗せ，も

う一方の足を動かすようにする。必ず手すりを利用するようにする。

❹ 横になるときの姿勢

柔らかい布団やマットレスは背部や殿部が沈み，反り腰になりやすく腰背部の筋肉が緊張する。そのため，硬いマットレスや布団のほうが望ましい。シムス位は，腰背部，腹部に負担がかからず休息に適した姿勢である。

2 | 妊娠中の運動

妊娠期は運動不足になりがちである。妊娠中のマイナートラブル症状の緩和，体重コントロール，体力維持・向上，ストレス解消，仲間づくりや情報交換の機会として，運動は意義がある。妊娠期に適した運動としては，有酸素運動，かつ全身運動で楽しく長続きするものであることが望ましい。

妊娠前から行っているスポーツについては，基本的には中止する必要はないが，運動強度は制限をする必要がある（心拍数 150bpm 以下・自覚的運動強度「ややきつい」以下）（表1-14）。運動の頻度は週に 2 〜 5 回，1 回は 60 分以内の運動が推奨されている。競技性の高いもの，腹部に圧迫が加わるもの，瞬発性のもの，転倒の危険があるもの，相手と接触したりするものは避ける。運動の開始時期としては，原則として妊娠 16 週以降で妊娠経過に異常がないことである（表1-15, 16）。運動実施時間は，子宮収縮出現頻度が少ない午前 10 時〜午後 2 時頃が適した時間帯であると考えられている。

表1-14 妊婦の自覚運動強度の目安

運動強度	自覚度	心拍数 (bpm)
20	もうだめ	200
19	非常にきつい	
18	かなりきつい	180
17		
16	きつい	160
15		
14	ややきつい	140
13		
12		120
11	楽に感じる	
10		100
9	かなり楽に感じる	
8		80
7	非常に楽に感じる	
6	安静	60

出典／小野寺孝一，宮下充正：全身持久性運動における主観的強度と客観的強度の対応性：Rating of perceived exertion の観点から，体育学研究，21(4): 191-203, 1976.
厚生労働省運動基準：運動指針の改定に関する検討会報告書，平成 25 年 3 月，https://www.mhlw.go.jp/stf/houdou/2r9852000002xple-att/2r9852000002xpqt.pdf を参考に作成.

表1-15 妊婦スポーツ実施条件

1. 母児の条件
   1) 現在の妊娠が正常で，かつ既往の妊娠に早産や反復する流産がないこと.
   2) 単胎妊娠で胎児の発育に異常が認められないこと.
   3) 妊娠成立後にスポーツを開始する場合は，原則として妊娠 16 週以降で，妊娠経過に異常がないこと.
   4) スポーツの終了時期は，十分なメディカルチェックのもとで特別な異常が認められない場合には，特に制限しない.
2. 環境
   1) 真夏の炎天下に戸外で行うものは避ける.
   2) 陸上のスポーツは，平坦な場所で行うことが望ましい.
3. スポーツ種目
   1) 有酸素運動，かつ全身運動で楽しく長続きするものであることが望ましい.
   2) 妊娠前から行っているスポーツについては，基本的には中止する必要はないが，運動強度は制限する必要がある.
   3) 競技性の高いもの，腹部に圧迫が加わるもの，瞬発性のもの，転倒の危険があるもの，相手と接触したりするものは避ける.
   4) 妊娠 16 週以降では，仰臥位になるような運動は避ける.

出典／越野立夫：妊婦スポーツの安全管理指針，J Nippon Med Sch，70（2）：125，2003.

第
5
編

1
妊娠期にある母
子の生理と看護

2
分娩期にある母
子の生理と看護

3
産褥期にある母
子の生理と看護

4
新生児の特徴と
生理的変化と看護

5
周産期にある母
子の看護の事例

表1-16 妊婦スポーツの禁忌

絶対的禁忌	相対的禁忌
心疾患，破水，早期の陣痛，多胎，出血，前置胎盤，頸管無力症，3回以上の自然流産	高血圧，貧血または他の血液疾患，甲状腺疾患，糖尿病，動悸または不整脈，妊娠末期の骨盤位，極端な肥満，極端なやせ，早産の既往，子宮内発育遅延の既往，妊娠中出血の既往，極端に非活動的な生活習慣

出典／産婦人科部会：妊婦スポーツの安全管理基準，日本臨床スポーツ医学会誌，13：278，2005.

3 | 休息と睡眠

　妊娠による身体的変化，内分泌変化に伴い，妊娠中は疲れやすくその回復にも時間がかかるようになる。そのため，適度な運動と同時に十分な睡眠や休息が必要であり，妊婦は非妊娠時よりも1～1.5時間多めの睡眠時間を確保することが望ましい。妊婦の多くは睡眠の変化を経験する。妊娠初期には，過眠がみられる。昼夜を問わず眠気が強くなる。これは，プロゲステロンの催眠作用および深部体温上昇作用によるものと考えられている。妊娠中期には，睡眠時間が比較的安定することが多い。妊娠末期になると，夜間の中途覚醒や日中の眠気の増強がみられる。

　不眠になる妊婦には，眠れなくても部屋を暗くして横になるだけでも腎臓や子宮への血流が増加し，休息が取れること，昼寝で効率的に睡眠不足を補うことなどを指導する。

4 | 妊娠中の旅行

　妊娠中の旅行は，移動の際の乗り物の振動や長時間の同一姿勢により子宮収縮を誘発することもある。また旅行中に異常が起こった際には，すぐに適切な対応や治療を受けにくいという問題点もある。しかし，日常生活に制約が多くなりがちな妊娠期において，旅行は，気分転換やリフレッシュになることもあり，表1-17にあげる点を踏まえて，同伴者

表1-17 妊娠中の旅行の注意点

- できれば妊娠中期の安定した時期にする。
- 一人旅は勧めない。
- 無理をしない。休息が十分取れるように旅程には余裕をもたせる。疲れや体調の異変を感じたらすぐに休息を取るようにする。
- 連休などの混みやすい時期は避ける。
- 重い荷物を持たない。同伴者に持ってもらうか，キャリーバッグ，宅配便などを利用する。
- からだを冷やさない。冷えはおなかが張りやすくなったり体調不良の原因になったりする。
- 移動は安全な手段でする。混雑している乗り物や，振動の激しい乗り物は避ける。
- 自動車で移動する場合は，別に運転者がいて1～2時間ごとに休憩を取ることが望ましい。
- 飛行機の場合は，トイレに行きやすい通路側の席を選ぶ。また，ロングフライト血栓症（エコノミークラス症候群）のリスクを考慮し，水分を多めに摂るほか，同一体勢を避け，足首を回したり，ふくらはぎのマッサージをしたりするようにする。また，国内便，国際便ともに，妊婦が搭乗する際は分娩予定日の28日以内では医師の診断書が必要であり，7日以内では診断書および医師の同行が必要となる。
- 母子健康手帳・健康保険証を携帯する。
- 旅行前に必ず受診し，問題がないことを確認する。

・肩ベルトは首にかからないように乳房の間を通し，腹部を避けてからだの側面に通す
・腰ベルトはおなかの膨らみを避け，腰骨のできるだけ低い位置に通す

図1-56 妊婦のシートベルトの装着方法

とよく相談したうえで計画するように指導する。

▶ **シートベルトの着用** 日本産科婦人科学会のガイドラインによると，妊娠中のシートベルト着用について妊婦から尋ねられた場合，「斜めベルトは両乳房の間を通し，腰ベルトは恥骨上に置き，いずれのベルトも妊娠子宮を横断しない，という正しい装着により交通事故時の障害を軽減化できると説明する」と明記されている。また，警視庁は2008（平成20）年に「交通の方法に関する教則」を改訂し，「自動車に乗車する妊婦は原則として正しく3点式シートベルトを着用すべきである」と明記している。正しくシートベルトを着用することで，事故時の被害を最小限にできることを指導することが大切である（図1-56）。

5 ｜ 妊婦の勤労

❶勤労による影響

　2022（令和4）年の総務省，労働力調査によれば，日本における女性の就業率は54.2％であり，特に25～44歳の女性の就業率は79.8％で上昇傾向がみられる。有配偶者女性の労働力率も56.0％と上昇している。また，出産退職する女性の割合は減少しており，結婚後も就労を継続しながら，妊娠・出産・育児を経験する女性が増加してきている。勤労妊婦は，非勤労妊婦に比較して流産・早産や低出生体重児となるリスクが高いと分析された調査結果が多いが，いずれも実証性のある結果とはされていない。妊娠経過に問題がなければ就労継続は問題ないが，勤労妊婦は心身ともに相当なストレスがかかる可能性がある。また，仕事と家事の二重負担なども問題となる。

❷勤労妊婦への指導

　勤労している女性が妊娠すると，妊娠の継続と仕事の継続についての調整を行い，職場での理解，配慮を受けられるようにすることが重要である。まず，職種，仕事内容，通勤方法，通勤時間，職場環境，帰宅後のパートナーあるいは家族の協力態勢などを情報収集し，それらの情報に基づいて時間差通勤，勤務時間の短縮などの通勤緩和，休憩時間の確

第5編

1 妊娠期にある母子の生理と看護
2 分娩期にある母子の生理と看護
3 産褥期にある母子の生理と看護
4 新生児の特徴と生理的変化と看護
5 周産期にある母子の看護の事例

資料／厚生労働省：母性健康管理指導事項連絡カード様式．https://www.mhlw.go.jp/content/11900000/000763976.pdf
（最終アクセス日：2022/6/10）

図1-57 母性健康管理指導事項連絡カード

保など職場との調整への助言，家族やパートナーとの役割調整について話し合いをすることを勧（すす）める。妊婦健診の結果，通勤緩和や通勤時間短縮などの必要があると医師が認めた場合，妊婦が事業主に医師の指導内容を明確に伝えるのに有効な「母性健康管理指導事項連絡カード」がある（図1-57）。また母子健康手帳には，「働く女性・男性のための出産，育児に関する制度」のページが設けられている。妊産婦の保護規定のほとんどは，妊産婦自身が申請し請求する必要があるため，内容について情報提供を行い，妊婦自身が活用していけるように支援する必要がある（図1-58）。

❸マタニティマーク

　マタニティマークは，国民運動計画「健やか親子21」推進検討会において，妊娠・出産に関する安全性と快適さの確保を目指し，2006（平成18）年に発表された（図1-59）。マタニティマークは，妊婦が交通機関などを利用する際に身につけ，周囲に妊婦であることを示しやすくするものである。近年，このマークの認知度も上がってきており，妊婦にやさしい環境づくりが推進されている。

4. 排泄

1 排便

　妊娠初期から，プロゲステロンの分泌増加により腸蠕（ぜんどう）動運動が低下する。また，妊娠初

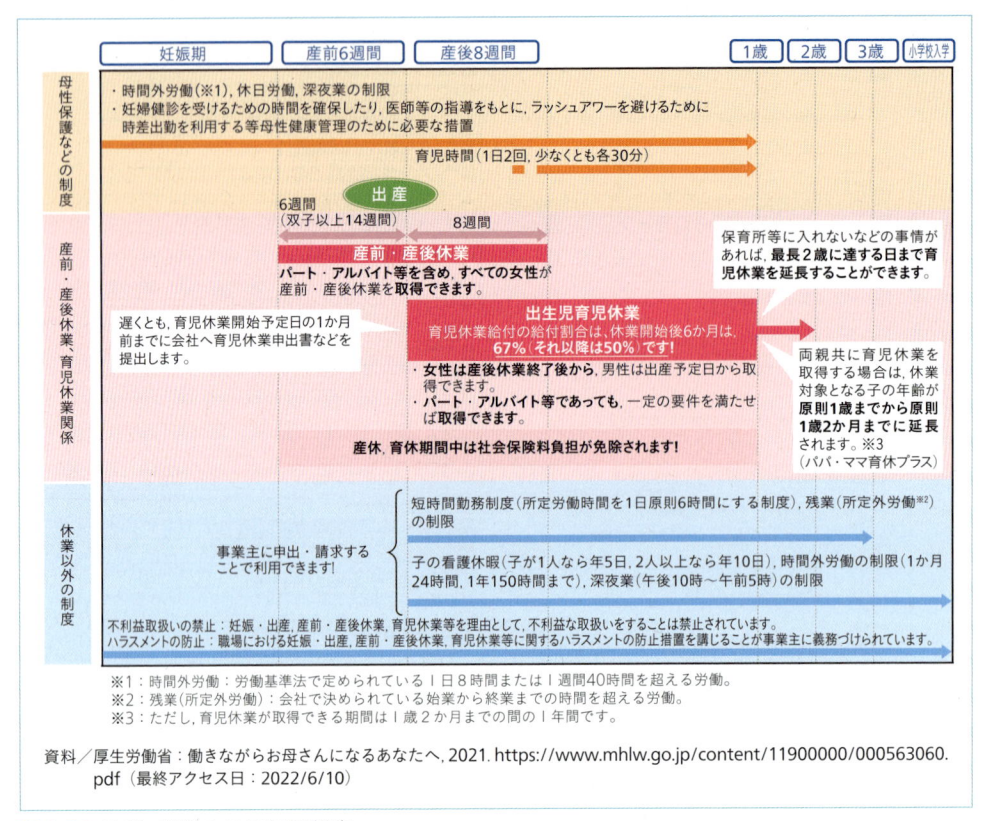

| 妊娠期 | 産前6週間 | 産後8週間 | | 1歳 | 2歳 | 3歳 | 小学校入学 |

母性保護などの制度
・時間外労働(※1), 休日労働, 深夜業の制限
・妊婦健診を受けるための時間を確保したり, 医師等の指導をもとに, ラッシュアワーを避けるために時差出勤を利用する等母性健康管理のために必要な措置

育児時間(1日2回, 少なくとも各30分)

出産

6週間(双子以上14週間)　8週間

産前・産後休業, 育児休業関係

産前・産後休業
パート・アルバイト等を含め, すべての女性が産前・産後休業を取得できます。

遅くとも, 育児休業開始予定日の1か月前までに会社へ育児休業申出書などを提出します。

出生児育児休業
育児休業給付の給付割合は, 休業開始後6か月は, **67%**(それ以降は**50%**)です!
・女性は産後休業終了後から, 男性は出産予定日から取得できます。
・パート・アルバイト等であっても, 一定の要件を満たせば取得できます。

産休, 育休期間中は社会保険料負担が免除されます!

保育所等に入れないなどの事情があれば, 最長2歳に達する日まで育児休業を延長することができます。

両親共に育児休業を取得する場合は, 休業対象となる子の年齢が**原則1歳までから原則1歳2か月までに延長**されます。※3
(パパ・ママ育休プラス)

休業以外の制度
事業主に申出・請求することで利用できます!
短時間勤務制度(所定労働時間を1日原則6時間にする制度), 残業(所定外労働※2)の制限

子の看護休暇(子が1人なら年5日, 2人以上なら年10日), 時間外労働の制限(1か月24時間, 1年150時間まで), 深夜業(午後10時〜午前5時)の制限

不利益取扱いの禁止:妊娠・出産, 産前・産後休業, 育児休業等を理由として, 不利益な取扱いをすることは禁止されています。
ハラスメントの防止:職場における妊娠・出産, 産前・産後休業, 育児休業等に関するハラスメントの防止措置を講じることが事業主に義務づけられています。

※1:時間外労働:労働基準法で定められている1日8時間または1週間40時間を超える労働。
※2:残業(所定外労働):会社で決められている始業から終業までの時間を超える労働。
※3:ただし, 育児休業が取得できる期間は1歳2か月までの間の1年間です。

資料/厚生労働省:働きながらお母さんになるあなたへ, 2021. https://www.mhlw.go.jp/content/11900000/000563060.pdf (最終アクセス日:2022/6/10)

図 1-58 産前・産後の母子保健制度

資料／厚生労働省:マタニティマークについて.

図 1-59 マタニティマーク

期はつわりにより食事の摂取不足や脱水傾向となり, 便秘になりやすい。妊娠末期は, 増大した子宮によって腸管が圧迫されることにより腸蠕動運動が低下し, 腹筋や横隔膜の運動性も減少する。また, 排便の遅延は腸壁からの水分の再吸収が促され, 便が硬くなり, より便秘になりやすい。さらに, 便秘は痔や脱肛の誘因となる。妊娠中は, 身体活動量も減少し, 運動不足となりやすいことも原因の一つである。医師の指示により薬剤の処方は可能であるが, まずは食事と生活習慣を見直し, 症状の改善を図ることが望ましい。

▶ 排便習慣を整えるための支援

• 食事は規則正しく3食摂取する。

- 朝食後に排便習慣がつくように起床時に水分を摂取し，腸蠕動運動を促す。
- 便意を感じたら我慢しないようにする。
- 食物繊維，十分な水分摂取を勧める。
- 腸蠕動運動を活発にするために，散歩などの適度な運動をする。
- ストレス発散を心がける。
- 薬剤の使用に関しては，必ず医師に相談し，症状に適した薬剤を効果的に使用する。

2 | 排尿

　子宮の増大によって，膀胱が圧迫，刺激されることにより尿意は頻回になる。また，プロゲステロンの増加により膀胱壁の緊張性が低下し，膀胱容量の増加や尿管の圧迫・拡大により，尿が貯留しやすく膀胱炎を生じやすい。

▶ **排尿トラブルを予防するための支援**

- 尿意を感じたら，我慢しないで排尿する。
- 帯下が増加し不潔になりやすいため，外陰部の清潔保持に努める。

5. 清潔

　妊娠中は基礎代謝が亢進し，発汗や帯下が増加する。そのため，毎日入浴あるいはシャワー浴をする。入浴時の注意点としては，熱すぎる湯や長湯は避けること，腹部増大により足元が見えにくくなるため，浴室などですべって転倒しないように気をつけることなどを指導する。

1 | 外陰部の清潔

　外陰部は，帯下の増加に伴い不衛生となりやすい。刺激の少ない吸湿性・通気性の良い下着を選び，こまめに交換する。温水洗浄用トイレを利用し，排泄後は外陰部を洗浄するが腟内洗浄は自浄作用を妨げるため行わないよう指導する。おりものシートを使用する場合は，感染の温床となることもあるため，こまめに交換する。腟内の常在菌バランスが崩れてしまうため，シャワーや入浴の際には，石けんで外陰部をこすることは避ける。帯下に色が付いていたり，においがあったりなどの気になる腟分泌物がある場合，瘙痒感がある場合は早めに受診するように指導する。

2 | 口腔内の清潔

　妊娠中は，内分泌機能の変化により，口腔内は粘稠性の高い唾液で覆われ酸性に傾き，つわりなどにより口腔清掃不良のため，う歯が発症しやすくなる。また，歯肉の浮腫や肥大により歯出血しやすくなるため，歯肉炎や歯周炎の発症も増加する。歯肉炎や歯周炎と早産・低出生体重児出生との関連も指摘され，口腔ケアは重要である。つわりが収まる妊娠4〜5か月頃の時期に，妊娠していることを告げたうえで歯科検診を受け，う蝕・歯

周病罹患の有無，リスク判定，正しい口腔清掃の方法と知識を身につけるよう指導する。

6. 妊娠中の性生活

　妊娠中の性生活については，妊婦から尋ねにくいことの一つであるが，看護者のほうから指導のなかで話題にしていくことも必要である。

　従来，妊娠中の性交は流産・早産を誘発し，不潔な性行為は細菌感染による前期破水の原因になるなどの理由により控えたほうがよいと指導されてきた。しかし，妊娠中の性交を制限する明確なエビデンスはない。流産・早産の既往がある，流産・早産の徴候がある，（子宮）頸管無力症などが指摘されている場合は，性交を控えたほうが望ましい。感染症は早産の要因と考えられているため，コンドームの使用が勧められる。

　人間にとって性交は，性器の挿入や単に生殖だけを目的とするのではなく，パートナーとのコミュニケーションの手段の一つである。妊娠中は，内分泌の変化やつわりなどにより性欲が減退したり，性交時に疼痛や不快感が出現したりする場合もある。反対に，生殖器が敏感になっていることから性欲が増す妊婦もいる。パートナーは，妊婦の子宮の増大による体形の変化を見て，おなかの子を守ろうとの意識から保護機能が働き，性欲が減退する場合もある。

　妊娠中は，パートナーとのスキンシップについて改めて話し合う良い機会である。妊娠中の性交について，まずはパートナーと話し合うことが重要である。

7. 妊娠中の嗜好品

1 | 妊娠中の喫煙

　喫煙の健康障害は，広く知られている。妊娠前，妊娠中の喫煙は，胎児の先天異常，発育遅延などの胎児の発育・発達のみならず，流産，早産，死産など妊娠経過にも重大な影響を及ぼす。たばこの煙にはニコチン，一酸化炭素などの有害物質が多く含まれている。ニコチンは，血管を収縮させ，子宮胎盤循環の血液量を減少させ，血流を阻害する。また，一酸化炭素は血液の酸素運搬能を低下させ，体内組織への酸素の放出を阻害するため，胎児は低酸素状態となる。受動喫煙についても同様の影響があると指摘されている。よって，パートナーや同居者の協力（禁煙・分煙）は重要である。

　妊娠中の喫煙による健康障害についての正確な情報提供をし，禁煙に向けた支援を行う。妊婦の禁煙治療にはニコチンガムやニコチンパッチのような禁煙補助薬は使用できないため，カウンセリングが唯一の支援方法である。また，大切なのは妊婦自身の禁煙の意思である。禁煙の必要性については，「できれば禁煙したほうがいいですが……」「本数を減らしてみては……」といった中途半端な言い方はかえって不適切であり，「赤ちゃんと母親の健康のために禁煙が必要」と明確に伝える。カウンセリングをていねいに行い，複数の医療関係者（医師・助産師）でチームを組んで支援することが効果的といわれている。

第
5
編

1
妊娠期にある母
子の生理と看護

2
分娩期にある母
子の生理と看護

3
産褥期にある母
子の生理と看護

4
新生児の特徴と
生理的変化と看護

付
周産期にある母
子の看護の事例

　具体的な禁煙の方法として，行動パターンを変更する，環境を変える，認知のゆがみを正す方法がある。行動のパターンの変更では，ごはんを食べて，なんとなく落ち着いてたばこを吸うという習慣があるのなら，ごはんを食べた後にすぐに歯磨きをして行動パターンを変えるようにしてみる。環境を変える方法では，たばこを吸う人の周囲に近づかないようにする，たばこやライターを処分する，禁煙のお店を選ぶなどがある。認知のゆがみを正す方法では，「たばこは自分にとって必要だから禁煙は無理だ」といった単なる思い込みを，「たばこがなくてもなんとかなるものだ」といった認知に正していくという方法もある。また妊婦にとっては「赤ちゃんのために」という意識が動機を高めるので，おなかの赤ちゃんに「吸ってないよ」と話しかけることを勧めるのもよい。

　喫煙は習慣性があり，強い禁煙の意思を持続させることが必要であるため，常に妊婦を心理的にも支えられる身近な存在として，家族の協力が不可欠である。特に，夫も喫煙者であれば，「禁煙して，妻にも禁煙を勧め，互いに励まし合うことが大切」と伝えることも重要である。

2 ｜ 妊娠中の飲酒

　妊娠中にアルコールを摂取すると，胎盤および臍帯から胎児へ移行し，胎児にとって出生後も持続する身体的障害，行動・学習障害などを引き起こすリスクが高いといわれている。危険とされる飲酒量，飲酒の時期については明らかになっていないが，少量のアルコール摂取でも胎児への影響があることは知られている。妊娠中にアルコールを摂取した母親から生まれた子どもに現れる特徴的な身体的問題，行動・学習上の問題の障害を**胎児性アルコール・スペクトラム障害**（fetal alcohol spectrum disorders：FASD）とよんでいる（**Column**「胎児性アルコール・スペクトラム障害とは」参照）。このような障害が発症した場合の深刻さを考慮すると，妊娠する可能性のある女性や妊娠中の女性には，しっかりと飲酒による害について情報提供したうえで，禁酒を勧めることが大切である。

　具体的な禁酒の方法としては，お酒が冷蔵庫や目につくところに置いてあると，飲みたくなるのは当然であるため，まずお酒を買わないようにすることである。また，お酒に代わる飲み物を見つける，ふだんは買わないような特別感のあるもので代用してみることもよい。飲酒が気分転換やストレス発散に使われているのであれば，趣味を見つけ，それに没頭するようにしてもいいかもしれない。

3 ｜ 妊娠中のカフェイン摂取

　コーヒー，紅茶，緑茶などに含まれるカフェインは，胎盤を容易に通過し，胎盤血流量を低下させる。胎児への影響が少ないカフェインの量として，WHOでは1日300mgまで，イギリスでは1日200mgまでに抑えるよう決められている。1日にコーヒー1〜3杯程度であれば胎児への影響は少ない。コーヒーを1日6〜8杯以上摂取する妊婦では，流産のリスクが高まり，カフェインの大量摂取は，流産や自然死産，低出生体重児の出生頻

度を高めるという報告がある。情報過多のなか，妊婦はカフェイン摂取について過剰に心配していることがある。一方，コーヒー，紅茶，緑茶以外にもカフェインを含有する食品がある。どの食品や飲料にカフェインが多く含まれているのかを妊婦が知ることは重要である。

8. マイナートラブルへの対処

妊娠によるホルモン動態や心身の変化によるマイナートラブルや，腹部増大に伴うマイナートラブルが起こりやすい。これらの症状は多様であり個人差も大きい。妊婦自身が日常生活を主体的に調整しながら，マイナートラブルの予防および軽減のセルフケア能力を高める支援が重要である。また，マイナートラブルのなかには，重篤な合併症の前兆である可能性もあるので，異常との鑑別も大切である（表 1-18）。

Ⓑ 検査時の妊婦の看護

妊婦に苦痛や不快感を与えることなく検査の目的が果たせるように，検査の目的や方法をわかりやすく説明し，プライバシーを配慮した介助が重要である。

1. 内診の介助

内診とは，妊婦の腟内に示指および中指，あるいは器具を挿入して，腟や子宮の状態を観察することをいう。内診は，妊婦にとって羞恥心や不安感，緊張感の強い診察である。妊婦の不安や緊張を和らげ，リラックスして診察を受けられるように，医師，助産師の介助を行う。

1 ┃ 目的

❶妊娠初期　子宮や軟産道の妊娠性の変化を確認し，妊娠経過を妨げる異常や疾患の有無

胎児性アルコール・スペクトラム障害とは

　アルコール依存症の母親から出生した児に現れる特徴的な 3 つの徴候（特徴的な顔貌，発育の遅れ，中枢神経の問題）が 1960 年代末に報告され，「胎児性アルコール症候群（fetal alcohol syndrome；FAS）と命名された。

　その後，様々な調査から，FAS にみられる特徴的な顔貌がみられなくてもアルコールにさらされたことによる中枢神経系の問題（刺激への過反応，知的障害，行動・学習障害，注意力の問題など）を抱えた子どもが注目され，アルコールの影響と思われる障害を総称して，胎児性アルコール・スペクトラム障害（fetal alcohol spectrum disorders；FASD）とよばれるようになっている。

第 5 編

1 子の生理とある母 妊娠期にある母

2 子の生理とある母 分娩期にある母

3 子の生理とある母 産褥期にある母

4 新生児の特徴と生理的変化と看護

付 子の看護の事例 周産期にある母

表 1-18 妊娠中のマイナートラブル

	原因・誘因	症状	鑑別疾患	援助
つわり	明確な原因は不明であるが次のことが考えられる。 • プロゲステロンの作用による食道・胃・腸管の緊張と運動性の低下 • エストロゲンとヒト絨毛性ゴナドトロピン（hCG）の影響 • 精神的影響	妊娠 5 週頃から出現し，妊娠 16 週頃には自然に消失する。朝の起床時や空腹時に強く出ることが多い。 悪心・嘔吐が主症状。食欲不振，胸やけ，嗜好の変化などがみられる。 体重減少は 5％ 以下である。	• 妊娠悪阻 • 脳神経系疾患 • 消化器疾患	〔食事摂取の工夫〕 • 食べたいときに食べられるものを少量ずつ摂取する • 食物を冷やすとのどごしが良くなり摂取しやすい • 起床後すぐに食べられるように枕元にビスケットなどを置いておく 〔ストレス対処や精神的支援〕 • 今後の見通しを伝え不安を軽減 • 夫や家族へ症状などの理解や協力を促すかかわり
便秘	• プロゲステロンによる消化管蠕動運動の抑制や水分再吸収の増加 • つわりによる食生活の変化や摂取量の減少 • 腹部増大による腸管の圧迫 • 運動不足	妊娠初期・末期に生じやすい。	• 痔疾患 • 消化器疾患	• 食物繊維の摂取 • 水分摂取 • 適度な運動 • 起床時に水分摂取し腸管刺激 • 排便リズムを確立 • 必要時緩下剤の使用
頻尿	• 子宮の増大による膀胱の物理的圧迫 • 子宮の増大による尿管の圧迫，拡大による尿の貯留傾向 • プロゲステロンの作用による膀胱平滑筋の弛緩および膀胱容量の増加 • 妊娠末期における児頭圧迫による膀胱刺激	妊娠初期・末期に生じやすい。	• 膀胱炎症状 • 泌尿器系の疾患	• 尿意を感じたら我慢せず排尿を促す • 原因を伝え不安を軽減 • 夜間頻尿がある場合は，睡眠前の水分摂取を控える
痔・脱肛	• プロゲステロンによる静脈壁の弛緩 • 肛門周辺部の静脈うっ血による血流障害 • 便秘 • 増大した子宮による静脈圧の上昇	妊娠末期に生じやすい。 肛門からの出血，疼痛，脱出が主な症状である。		• 便秘を予防する • シャワーや入浴で血液循環を改善する • 冷えないように保温する • 長時間の同一姿勢は血行を妨げるため避ける • 肛門括約筋を鍛える体操をする
浮腫	• ナトリウムの筋肉内，皮膚組織への貯留 • エストロゲンによる水分貯留 • 増大した子宮による下肢静脈血の還流障害	妊娠中期から末期にかけて生じやすい。靴下のゴムの跡が残る，今まではめていた指輪や履いていた靴がきつくなる。手や足を指で押したときにくぼみが残る，手が握りにくい，手足がだるいといった症状である。	• 心疾患，腎疾患，肝疾患 • 深部静脈血栓症 • 妊娠高血圧症候群	• 塩分摂取を控える • 果物や野菜を摂取し，ナトリウムの排出を促す • 下肢を挙上し休息する • 足首の屈伸運動により下肢の静脈還流を改善させる • 着圧ストッキングの着用 • 冷えから来る血流障害の予防のため下半身を冷やさないようにする
腰背部痛	• 子宮の増大や体重増加により重心が前方移動し，反り腰になり腰背部の筋肉の緊張が増強 • エストロゲン・リラキシン・プロゲステロンにより骨盤靱帯が弛緩するため支持力が低下	妊娠末期に生じやすい。 腰部，殿部から大腿部にかけて痛みがみられることが多く，歩行に支障をきたすこともある。	• 整形外科系・泌尿器科系の合併症 • 切迫流早産の症状	• 正しい姿勢について指導する • 長時間の同一姿勢は避ける • かかとの低い靴を履く • 硬めの布団・マットレスを使用する • 骨盤を固定する骨盤ベルトの使用，腰背部のマッサージや温罨法，体操の実施

表 1-18 （つづき）

	原因・誘因	症状	鑑別疾患	援助
下肢の痙攣	● 子宮の増大による下半身の血液循環不良 ● 重心の変化に伴う無理な姿勢をとることの腓腹筋の疲労 ● カルシウム・ビタミンD不足 ● リン酸の過剰摂取	妊娠末期に生じやすい。足を伸ばした時や就寝中，朝方の起床時などに，起こることが多い。一般的に，こむら返り，足がつる，と表現される症状である。		● 下半身のストレッチ体操 ● 下肢を疲れさせない工夫（かかとの低い靴を履く，長時間の歩行を避ける，下肢の挙上，マッサージや保温）をする ● 食生活の改善（リン酸の多い加工食品の過剰摂取を避け，カルシウム，ビタミンDの摂取）を促す ● 痙攣が起きた場合は，痙攣を起こした足をまっすぐ伸ばし，足関節を背屈させるなどして痙攣を起こした筋肉を伸ばす
下肢の静脈瘤	● 血液循環量の増加 ● 増大した子宮の静脈圧迫による血行不良	妊娠末期に生じやすい。		● 静脈還流を促すために弾性ストッキングを着用する ● 横になる場合は，下肢を挙上する

を早期に発見することに重点を置いて内診を行う。初診時には，子宮頸部細胞診を行う。

❷ **妊娠中期** 流早産の予知に重点を置いた内診を行う。

❸ **妊娠末期** 胎児先進部の確認や胎児先進部下降度，子宮頸管展退度など，分娩の準備状態の評価に重点を置いた内診を行う。B群溶血性レンサ球菌（GBS）などの腟分泌検査も行う。

2 | 必要物品（内診の目的に応じて準備する）

● 滅菌手袋（またはゴム手袋），ディスポーザブル内診用シーツ，ティッシュペーパー，パッド，掛け物，ライト
● 内診の目的に応じて：クスコ腟鏡（図 1-60），無鉤長鑷子，綿球，消毒液，洗浄液など

3 | 手順

① 内診の目的と方法を十分に説明し，排尿を済ませてもらう。

② 排尿を済ませたことを確認し，妊婦の氏名を確認する。

③ 下半身の衣類を脱いでもらい，内診台に誘導する。

④ 妊婦が内診台に腰かけたことを確認し，内診台が動き，診察時の体位（砕石位）をとってもらう。

⑤ 羞恥心やプライバシーに配慮し，肌の露出を避けるため，下半身を掛け物で覆う。

⑥ 体位をとった後に，妊婦の腰の位置にカーテンを引き，診察者と顔を合わせない施設が多いが，希望しない妊婦もいるため意向を確認する。

⑦ 全身がリラックスできるように支援する（両下肢の力を抜き，股関節を十分に開く，腰を診察台に密着させるなど）。

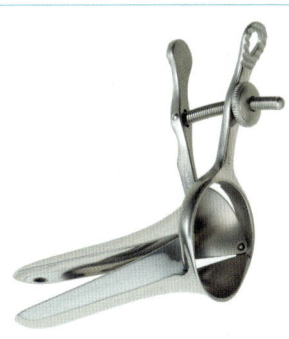

写真提供／株式会社ナミキ・メディカルインストゥルメンツ

図1-60 クスコ腟鏡

⑧診察時は内診台の高さとライトを調節し，必要時に器械類や綿球を渡す。

⑨腟鏡を用いた診察では，冷感刺激によって緊張が生じないように体温程度に温めた腟鏡を準備する。また，腟鏡を挿入しやすいよう，体温程度に温めた生理食塩水または洗浄水で湿らすか，潤滑剤を塗布する。腟鏡を挿入する際は，妊婦に深く息を吐いてもらい全身のリラックスを促す。

⑩診察時は，適宜リラックスを促すように声をかける。診察の進行状況を伝えながら不安を和らげる。

⑪診察終了時，外陰部をティッシュペーパーで拭くか，洗浄水を用いて洗浄し，必要に応じてパッドを当てる。

⑫妊婦をねぎらい診察が終了したことを伝え，内診台をもとの高さに戻し，降りて衣類を整えてもらう。

⑬内診台の昇降時は，妊婦の転落に注意する。また器械類やシーツを取り扱う際は感染防止に十分注意する。

2. 胎児の超音波断層法検査の介助

1 目的と方法

　妊娠の確認や，胎児が正常に発育しているか，健康な状態にあるかどうかを評価するために行う検査である。超音波断層法検査には，経腟法と経腹法がある。経腟法は，特殊なプローブを腟内に挿入して診断する方法で，妊娠初期など診断対象が骨盤内にある場合に有効な診断法である。経腹法は，母体の腹壁上にプローブを置いて診断する方法で，妊娠中期以降の胎児を観察するのに適した診断法である。

2 必要物品

• 超音波断層装置，ゼリー，ティッシュペーパー，枕，掛け物

第5編

1 妊娠期にある母子の生理と看護

2 分娩期にある母子の生理と看護

3 産褥期にある母子の生理と看護

4 新生児の特徴と生理的変化と看護

付 周産期にある母子の看護の事例

- 経腟法の場合：プローブカバー

3 | 手順

❶ 経腟法
①検査の目的と方法を十分に説明し，排尿を済ませてもらう。膀胱（ぼうこう）が空の状態で実施する。

②排尿を済ませたことを確認し，妊婦の氏名を確認し，下半身の衣類を脱いでもらい，内診台に誘導し，砕石位（さいせきい）をとれるように援助する。

③掛け物で下半身の肌の露出を最小限にし，内診台での待ち時間を最小限にする。

④プローブにカバーを装着し，腟内にプローブが入る際は声をかける。

⑤検査実施中は，画像が見やすいように室内を暗くする。

⑥検査終了後，外陰部をティッシュペーパーで拭く。

⑦妊婦をねぎらい，診察が終了したことを伝え，内診台を下げ，衣類を整えるように伝える。内診台から降りる際は，危険がないように介助する。

❷ 経腹法
①検査の目的と方法を十分に説明し，排尿を済ませてもらう。

②診察台に臥床（がしょう）して，腹部を十分に露出してもらう。掛け物を用いて，無駄な肌の露出がないように配慮する。

③検査実施中は，画像が見やすいように室内を暗くする。

④終了後，腹部に付着したゼリーをティッシュペーパーなどで拭きとる。妊婦が起き上がる際にふらつきや転倒がないように介助する。

▌3. 胎児心拍数モニタリングの介助

1 | 目的と方法

　妊娠中，陣痛のない状況で，胎児心拍数を一定時間モニタリングする検査をノンストレステスト（NST）という。胎児の健康状態を判定する試験である。オキシトシンや乳頭刺激により人工的に子宮収縮を起こし，一定のストレスをかけた状態で胎児の予備能力を判定するものをコントラクションストレステスト（CST）という。

2 | 必要物品

　分娩（ぶんべん）監視装置，胎児心拍計・陣痛計（じんつうけい）固定用ベルト，ゼリー，ティッシュペーパー，掛け物

3 | 手順

①検査の目的と方法を十分に説明し，排尿を済ませてもらう。

第5編

1 妊娠期にある母子の生理と看護

2 分娩期にある母子の生理と看護

3 産褥期にある母子の生理と看護

4 新生児の特徴と生理的変化と看護

5 周産期にある母子の看護の事例

②仰臥位低血圧症候群を防止するため，ベッド上ではセミファーラー位をとってもらう。

③腹部を露出してもらい，掛け物を用いて，無駄な露出がないように配慮する。

④下肢を屈曲してもらい，レオポルド触診法により胎位・胎向を確認し，胎児心音の最良聴取部位を確定する。

⑤胎児心拍計・陣痛計をそれぞれ固定するベルト2本を，背中の下を通して準備する。

⑥胎児心拍計にゼリーを塗布し，最良聴取部位に当て，ベルトで固定する。

⑦陣痛計を腹壁の平坦な部分に装着し，ベルトで固定する。

⑧ベルトの締め付けに不快感がないか妊婦に確認する。

⑨記録用紙のスピードを3cm/分とする。

⑩記録用紙の記録速度を調整し，記録開始ボタンを押して，記録を開始する。

⑪腹部が弛緩していることを確認し，陣痛計の波形が0点より少し上になるように設定する。

⑫記録用紙に，氏名，月日，開始時刻など必要な項目を記入する。胎児の睡眠－覚醒サイクルを考慮し，測定は40分間実施する。検査中に胎児心拍計がずれて胎児心拍が聞こえにくくなることがあるため，適宜，部位を確認する。また，妊婦が体位を変えたときは，変えた時点を記録用紙に記入する。

⑬終了後，胎児心拍計と陣痛計を外し，分娩監視装置の電源をオフにする。

⑭腹部に付着したゼリーを拭きとり，衣類を整え，妊婦が起き上がるのを介助する。

C 出産に向けた準備への支援

　出産は，単に子を産むという身体的な営みではなく，性的・心理的・社会的な意味をもつものである。出産に向けた準備への支援は，出産に関する知識の提供，物品の準備，身体的準備だけでなく，親になるための心理的準備の過程を支援することが重要である。よって，妊婦が自らの出産について自主的・主体的に考え準備していけるように支援することが大切である。一方的な保健指導や助言は，妊婦に「専門家の助言や指導に従順に従うことを良しとし，専門家にお任せすればよい」という考え方にさせてしまうおそれがある。よって，出産に向けた準備への支援においては，妊婦が自己の気持ちや考えを述べ，支援する側は主張を理解し共感する環境を提供することで，妊婦が出産を家族と共に人生における大切な体験としてとらえ，出産をどのように迎え，過ごしたいのか，自分たちなりの出産のあり方を考えられるようにすることが重要である。

1. バースプラン

　出産に向けた準備への支援の一つにバースプランがある。**バースプラン**とは，妊婦とその家族が出産およびその後の育児についての要望や希望を提示する出産計画書である。バースプラン立案には，次のような意義がある。

- 妊娠・出産・育児を自らのこととしてとらえ，主体的に向き合えることを助ける。
- パートナーあるいは家族と出産や育児について話し合う機会となる。
- 出産や育児に向かう姿勢や考え方，分娩時のケアやその後の育児上のケアに対する希望や要望をケア提供者と共有し，相互理解を確認することを助ける。

　看護職は，バースプラン立案作成の支援として，妊婦やその家族が出産・育児をイメージしやすいように，陣痛時や分娩時の過ごし方，出産時の処置，産後の過ごし方に対して，どのような考え方や要望をもっているのかを言語化しやすいように支援する。単なる要望や希望を列挙するのではなく，その希望に向けての妊婦自らの準備も欠かせないことも共有していく。その際には，妊婦とその家族の気持ちを傾聴し，疑問や不安があればていねいに対応し，信頼関係を構築することが重要である。また，分娩の安全を最優先し，母児の状態に応じて必要な処置やケアが実践されること，緊急時の処置やケアについての情報提供を十分に行いながら，実現可能性を検討し，妊婦とその家族の希望ができるだけかなえられるように医療者側と調整していくことも重要である。

　出産後に，立案したバースプランをもとに出産体験をどのようにとらえているのかの振り返り（バースレビュー）を促進することも，次に始まる実際の育児への準備として重要である。

冷え性は妊婦によくない

　近年では，女性の5%以上が冷え性であるといわれ，テレビや雑誌などでその対策がよく取り上げられている。冷え性とは「中枢温と末梢温との温度較差がみられ，暖かい環境下でも末梢温の回復が遅い病態であり，多くの場合，冷えの自覚を有している状態」と定義されている[1]。妊婦の冷え症とマイナートラブルとの関連についての研究では，深部温度較差が大きくなれば，冷えの自覚は強まり，冷えの自覚が強まれば，倦怠感，おなかが張りやすい，頭痛，腰痛，イライラ感などの冷えに関連したマイナートラブルが悪化するという報告がある[2]。また冷え性は，食生活や生活スタイルなどと関連があり，食生活，衣類，生活習慣を工夫する指導や助言をすることで冷え性を予防することが必要である。次に具体的な対策をあげる。

1.　からだを冷やす陰性の飲食物は控える（砂糖を多く使用した菓子，冷たい飲み物，トマトやキュウリなどの夏野菜）
2.　からだを温める陽性の飲食物を摂る（根菜類，ねぎ，しょうが，にら，鶏肉，乾物，温かい飲み物）
3.　内くるぶしから指の幅4本分上の三陰交というツボを温める。三陰交が覆われるように靴下，レッグウォーマーを着用する
4.　おなかを冷やさない。腹巻きやひざ掛けを活用する
5.　夏でもシャワーで済まさず，入浴や下半身浴などで湯船につかる

1）中村幸代：「冷え性」の概念分析，日本看護科学学会誌，30（1）：62-71，2010.
2）中村幸代：冷え性のある妊婦の皮膚温の特徴，および日常生活との関連性，日本看護科学学会誌，28（1）：3-11，2008.

第5編

1 妊娠期にある母子の生理と看護

2 分娩期にある母子の生理と看護

3 産褥期にある母子の生理と看護

4 新生児の特徴と生理的変化と看護

5 周産期にある母子の看護の事例

2. 分娩時の産痛や不快症状の緩和方法

　分娩時には，子宮収縮に伴う産痛や分娩進行に伴う様々な不快症状が生じる。これらの症状は産婦に不安や恐怖，ストレス，筋肉の緊張などを生じさせる。緊張は，痛みを引き起こし，痛みは不安を増強させ，不安はさらに大きな緊張を招く（ディック・リード理論）。この「不安—緊張—痛み」のサイクルを絶つことが大切である。緊張を緩和する方法を妊娠中から知り，トレーニングすることで，より主体的な妊婦の取り組みを支援する。

　また，緊張を緩和する対処方法と併せて，分娩開始から，陣痛，子宮口開大，胎児の回旋や下降，分娩の進行に伴う心身の変化などの分娩経過の流れを学習し，分娩前からイメージできるようにしておくことが重要である。

1 弛緩法

　弛緩法とは，筋肉の緊張と弛緩を繰り返すことによって身体をリラックスさせる方法である。「漸進的筋弛緩法」ともよばれる。弛緩法の目的は，次に示す3つである。

①分娩中の筋肉の緊張から生じる軟産道の抵抗を少なくする

②分娩経過中のエネルギーの消費を節約する

③心理的なリラクセーションを促す

　基本動作は，各部位の筋肉に対し，10秒間力を入れ緊張させ，15〜20秒間脱力・弛緩する，を行う。からだの主要な筋肉に対し，この基本動作を順番に繰り返し行っていく。各部位の筋肉が弛緩してくるので，弛緩した状態を体感・体得していく。吐く息に合わせて筋肉を弛緩させ，呼吸に合わせて行っていく。また，パートナーから力が抜けてリラックスできているかを触れてチェックしてもらうことで，より弛緩した状態を体感しやすい（タッチリラックス）。リラックスを促すために音楽やアロマオイルなどを活用すると効果的である。

　おなかの中の赤ちゃんや分娩のことをイメージトレーニングするイメジェリーという方法もある。たとえば，深呼吸をしながら，子宮口が開く様子を自分の好きな花が開花していく様子と重ねてイメージし，実際の陣痛・分娩時にリラックスして乗り切れるようにイメージトレーニングする。

2 呼吸法

　呼吸法とは，陣痛時に呼吸をコントロールすることによって，産痛を緩和する方法である。呼吸法の目的は，次に示す3つである。

①陣痛時における緊張を緩和する

②分娩中に胎児へ十分な酸素を供給する

③娩出力を助ける，あるいは調節する

　呼吸法には，陣痛に合わせて呼吸を調節するラマーズ法*，できるだけリラックスして吐く息に集中するソフロロジー法*，呼吸法とエクササイズで痛みを和らげるリーブ法*な

どがある。

　呼吸法で重要なことは，こうしなければいけない，ということはないということである。すべての努力を手放す感覚が大切である。人は，不安や痛みがあると息を止めがちとなる。そうすると腹筋が緊張し収縮中の子宮を圧迫し，痛みの原因をつくってしまう。陣痛間欠時のリラックスもうまくいかず，緊張が持続すると子宮口は開きにくく，子宮の血流も抑制され，筋肉の痛みの増強や疲労を招くという悪循環に陥る。

　呼吸法の基本は，吐く息に集中し，吸う息よりも 2 倍ぐらい長めにゆったりと息を吐くことである。そして，その呼吸を心地よいと感じ，身体の力を抜くことができていることである。

▎3. 里帰り出産

　里帰り出産とは，本来，妊婦が実家に帰って出産をする慣行のことを言った。しかし近年，家庭分娩がほとんどなくなり施設分娩が大部分を占めるようになり，里帰り出産の概念も変化している。最近は妻の実家そのものではなく，実家の近くの病院や産院で出産し，産後を実家で過ごすことを里帰り出産ということが多くなっている。多くは，妊娠 32 〜 35 週ぐらいで里帰りをし，産後は分娩施設での 1 か月健診を受け，1 〜 2 か月を実家で過ごし自宅に戻る。里帰り出産の割合は，調査地域により異なるが 4 〜 6 割程度と報告されている[25]。

1 ▎里帰り出産のメリット

- 住み慣れた実家で，産前をリラックスして過ごしお産に臨むことができ，実父母から産前，産後の育児や家事のサポートが得られる。ただし妊婦との関係性によっては互いに負担と感じる場合もある。
- 育児経験者の実父母から，身近な育児の先輩として援助や助言を受けられる。
- 実父母が娘や孫の世話をすることは，祖父母としての新たな役割獲得を促す。
- 孫の話題で実父母と娘の夫との関係性が深まる。

2 ▎里帰り出産のデメリット

- 妊娠初期から末期まで経過をみてきた病院と分娩時の病院が異なるため，一貫した健康管理や指導が受けにくい。

---

* **ラマーズ法**：「前もってお産のしくみをよく理解しておけば不安や緊張が緩和する」という，精神予防性無痛分娩の考えに基づく。フランスの産科医ラマーズ（Lamaze, F.）が提唱。

* **ソフロロジー法**：「もうすぐ赤ちゃんに会えることを思い描いて，陣痛を痛みではなく喜びとして積極的に受け止めよう」という考え方に基づき，東洋的な座禅とヨガのスタイルが取り入れられている。1960 年にスペインの精神神経科医カイセド（Caycedo, A.）によって創案。

* **リーブ法**：中国の気功法をもとにした産痛緩和法。リラックスすること（relaxation），イメージすること（imagination），効果的にからだを動かすこと（exercise），しっかり呼吸すること（breathing），これらの頭文字を取ってリーブ（RIEB）法と名付けられた。1990（平成 2）年に橋本明，鮫島浩二が提唱。

第
5
編

1
妊娠期にある母
子の生理と看護

2
分娩期にある母
子の生理と看護

3
産褥期にある母
子の生理と看護

4
新生児の特徴と
生理的変化と看護

5
周産期にある母
子の看護の事例

- 転院によって，分娩施設の医師やスタッフとなじめないまま，出産を迎えてしまうことも少なくない。
- 実家が遠方であると夫の立会い出産が難しい場合がある。また何か異常が生じた場合，夫が不在であることは迅速な意思決定などの対応に不都合が生じやすい。
- 家族が分離して過ごすことは，新たな父親役割獲得，役割調整が遅れやすい。
- 実家の両親に依存しやすく，自宅に戻った時の生活への適応がしづらい。

3 │ 支援のポイント

里帰り出産は，核家族化が進んだ現代において，初めて母親になる女性に対する身体的・心理的な支援システムである。母親になる女性の，産後の育児や家事の負担を軽減するとともに，母親になるための種々のスキルや心構えを，すでに愛着関係が成立している自分の母親から伝授され，獲得するという人類社会の長い伝統であるともいわれる[26]。里帰り出産においては妊婦とその家族に必要な情報を提供することで，里帰り出産を適切に決定できるよう，また，里帰り出産のデメリットを補うことができるように支援する。具体的な内容を次に述べる。

①里帰り先の出産施設の情報収集をする。可能であれば里帰り前に，妊娠中期にも受診をする。里帰り先でも妊娠経過の共有につながる。

②里帰り先の出産施設に妊娠経過についての紹介状を持たせる。里帰りしたらなるべく早く受診するように指導する。

③里帰りのタイミングは移動が負担とならないよう妊娠35週までには帰省するように指導する。荷物は事前に送り，身軽に移動できるようにする，移動の手段は疲労を考慮して無理のない旅程とするよう指導する。飛行機を利用する場合は，航空会社が設ける妊婦の搭乗規定に目を通しておく。会社によって規定は少し異なるが，原則として妊娠36週以降は医師の診断書が必要である。出産予定日の7日以内は医師の同伴が必要である。

④夫との帰省中の連絡方法を確認する。帰省中は夫とこまめに連絡をとり，赤ちゃんとの新しい生活の情報共有をする。

⑤産後困らないように実家での育児や生活の準備も進めておく。

D 育児に向けた準備への支援

近年，核家族化と超少子化が進み，家族や地域社会との関係性が希薄化してきており，育児がしづらい社会になっている。また，現代の親たちは，過去に乳幼児と触れ合ったり，世話をしたりした機会が少なく，他者が育児をしている場面を見たことも少ない。そのため，親になるということはどういうことか，子どもを迎え育てていくことは，どのような楽しみや困難があるのか，子どもとどのように接していくのか，子どもはどのような反応

をするのか，自分はどのような親になりたいと考えているのかなど，より現実的にイメージが描けるようにしておく支援が重要である。

1. 育児に関する知識・技術

育児は，子どもを産んだら自然にできるようになるものではなく，学習によって身につけていくものである。育児への準備は，妊娠期から始まっている。

妊娠期において育児に関する知識や技術を提供する目的は，それを習得してもらうことではなく，産後の子どもの生活がより現実的に具体的にイメージできるようにしていくことである。その支援としては，次のことがあげられる。

- 夫婦で育児についての考え方や価値観を話し合い，共有することを促す。
- 母親学級や両親学級の沐浴やおむつ交換などの育児技術では，人形を用いて行うことで，実際の新生児の大きさや重さの実感ができるようにする。また，育児技術や方法だけでなく，新生児の生まれながらにしてもっている能力について情報提供し，児への関心を高める。
- 育児で戸惑いやすいこと，たとえば新生児の泣きについてその対処方法，新生児の排泄パターンや睡眠パターンを指導し，新生児との生活のイメージ化を図る。

2. 育児用品の準備

育児用品の準備は，育児を具体的にイメージするのに有効である。夫婦で話し合いながら，自分たちの生活環境に合うものを選択していくことを勧める。新生児期に必要な育児用品の例を表 1-19 にあげる。これらはすべてが必要というものではない。また，レンタルやリースするなどの入手方法もあり，個々人の生活スタイル，経済状況も考慮しながら準備する。児の成長とともに必要なものは変化する。あれもこれもと欲しくなりがちであるが，必要最小限にしておくことも準備のポイントである。

3. 母乳育児への準備

妊娠期に行う母乳育児支援は，WHO が提唱した母乳育児成功のための 10 か条（2018年改訂）に「母乳育児の重要性とその方法について，妊娠中の女性およびその家族と話し合う」とある。母乳育児の利点および欠点を説明し，それを踏まえて母乳育児を行うかの検討を，疑問点や不安点を十分に話し合いながら行って支援する。母乳育児を選択できない，あるいは選択しない妊婦もあり，その場合も十分な情報提供をし，その決定を尊重し，妊婦の背景やニーズ，心の状態に合わせた配慮や支援も必要である。

母乳育児への意思を確認後，母乳育児を希望する妊婦に対して，妊娠期からできる乳房ケアについて指導し，セルフケアを促す。

表1-19 新生児期に必要な育児用品

種類	物品名		数	ポイント
衣類	短肌着		4〜5枚	吸湿性の良い綿100%のもの。縫い目やタグが外側にあり児の肌にあたらないようになっている
	長肌着		4〜5枚	
	ベビー服		2枚	裾がゆったりとして動きやすいもの。伸縮性に富む素材がよい
	おくるみ		1〜2枚	保温目的。バスタオルでも代用可
	おむつ		布：30〜40組 紙：新生児サイズ 1か月分	布おむつは吸水性にすぐれたドビー織がよい。紙おむつは，新生児の成長に合わせて適切なサイズを選択
	おむつカバー		4〜5枚	布おむつの場合に使用。ウール，綿と化繊などがある。足の動きを妨げないもの
衛生用品	おしりふき		1パック	新生児用のもの。脱脂綿を湯で濡らして代用可
	綿棒		1パック	新生児用のもの
沐浴用品	ベビーバス		1つ	衣装ケースでも代用可。レンタルもある。様々なタイプがあるので生活スタイルに合わせて選択
	湯温計		1つ	あれば便利
	沐浴布		1枚	ガーゼ，薄いタオルでも代用可
	石けん		1つ	低刺激の赤ちゃん用のもの。固形，液状，泡タイプのものがある
	ガーゼハンカチ		10枚	沐浴以外にも使用するため多めに準備
	バスタオル		2〜3枚	吸水性の良い肌触りの良いもの
寝具	布団セット		1セット	敷布団は固めのもの
	綿毛布		1枚	バスタオルでも代用可

表1-19（つづき）

種類	物品名		数	ポイント
寝具	ベビーベッド		1台	必要に応じて準備
授乳用品	哺乳びん		1本	母乳分泌状況を確認してからでも準備可能
	乳首		1個	
	哺乳びんブラシ		1個	ミルクかすがとれ，すみずみまで洗えるもの
	消毒用品		1セット	薬液タイプ，電子レンジタイプなどがある
その他	チャイルドシート		1台	退院時から着用する。レンタルもあり
	体温計		1個	大人用でも可
	爪切り		1個	赤ちゃん用のもの

1 | 乳房のケア

❶乳房・乳頭の観察

　妊娠中に，看護者によって乳房・乳頭の観察を行う。その目的は，母乳育児の可否を判断するためではなく，母親が母乳育児への自信をもつこと，また乳がんなどの異常の早期発見のために行う。乳房の視診，触診を行いながら，乳房の形，乳輪部の状態（形，大きさ，柔らかさ，長さ，伸展性），乳頭の状態（形，大きさ，水疱・亀裂・出血の有無や状態），乳汁の分泌の有無などを観察する。また，陥没乳頭であっても多くの場合は産褥早期の授乳開始，適切なポジショニングやラッチオン（吸着）の支援によって母乳育児は可能である。乳頭矯正のための産前の乳頭マッサージや器具の使用は，母乳育児の確立への効果としてのエビデンスは示されていない。

❷乳房の支持

　妊娠に伴い乳房は増大する。増大した乳房を支持するために，乳房を圧迫しないように乳房の変化に合わせたブラジャーの選択が必要である。

❸乳房・乳頭の手入れ

　妊娠中期に入ると，初乳がごく少量分泌される。粘稠性が高いため，そのままにしてお

くと乾燥して垢となり，乳口をふさいでしまう。また乳垢は，乳頭亀裂の原因にもなる。通常，妊娠 20 週頃から，入浴時に乳房・乳頭を優しくよく洗うようにする。石けんでこすり洗うことは避けるようにする。乳垢がある場合は，コットンにオイル（オリーブオイル，ワセリン，ベビーオイル，乳液，ハンドクリームなど無香料のものであればどれでもよい）をたっぷり含ませ乳頭に貼り，ラップで覆い，皮膚を柔らかくして垢を取り除きやすくしてから拭き取る方法を指導する。

4. 育児環境の準備

1 産後のサポート

　厚生労働省では，妊産婦等が抱える妊娠・出産や子育てに関する悩み等について，助産師等の専門家または子育て経験者やシニア世代等の相談しやすい「話し相手」等による相談支援を行い，家庭や地域での妊産婦等の孤立感の解消を図ることを目的とする産前・産後サポート事業を行っている。また，退院直後の母子に対して，心身のケアや育児のサポート等を行い，産後も安心して子育てができる支援体制を確保する目的で産後ケア事業が展開されている。産後のサポート態勢についても，妊娠中から準備・検討しておくように指導する必要がある。産後のサポート資源として，どのようなものを必要としているのか，利用しようとしているのかを情報収集する。そのサポート資源として，産後ケア施設，医療機関，保育施設，民間のサービスなどの社会的な資源やサービスなどの情報提供も必要に応じて行う。

　妊娠・出産・育児を取り巻く環境の変化によって，求められるニーズが多様化していくなか，産後のサポート資源も多様化し，増えている。具体的な例を次に示す。

- **産前・産後支援ヘルパー**：産前・産後の育児や家事の支援が必要な家庭に，ヘルパーが訪問し，支援する。自治体や委託事業者が実施している。
- **家事代行**：家事を訪問スタッフが代行する。
- **産後ケア施設**：母親と児が一緒に過ごせる宿泊型ケア施設で，産後の育児支援を目的とする。看護師や助産師，臨床心理士などの専門職が，24 時間体制でケアを行う。
- **産後ドゥーラ**：ドゥーラは「ほかの女性を支援する，経験豊かな女性」という意味であり，産後間もない母親の家事手伝いや話し相手，児の世話についてのアドバイスなど，母親に継続的に寄り添い，支援する。
- **新生児訪問**：原則として生後 4 か月までの乳児がいるすべての家庭を，助産師，保健師が訪問する。主に自治体が行っている。

　もちろん，産後のサポート態勢を整えるうえで，夫婦での役割分担についての再調整や祖父母など，他の家族メンバーとの調整も重要である。

2 | 児の睡眠環境

　睡眠は，児の身体の発育や認知機能の発達に影響を及ぼすといわれている。質の良い睡眠を確保できるように，児の睡眠環境を整えることは重要である。また，新生児期から睡眠の習慣づけを意識して整えることは，夜泣きや寝しぶりなどの児の睡眠トラブルの予防になる。

❶寝室の環境

・適度な室温・湿度にする。

　極端に暑い，寒いなどがなく，大人にとっても心地よく眠れる環境であれば，室温・湿度を厳密に調整する必要はない。エアコンや扇風機の風が，直接，児にあたらないように注意する必要がある。赤ちゃんは大人よりも暑がりといわれている。児の背中に手を入れて，汗でじっとりしているのは着せすぎの徴候である。

・騒音が聞こえない，静かな環境にする。

　音は，睡眠中も脳に届くといわれている。家族が夜遅くに帰宅したり，煌々（こうこう）と明かりを照らしていたり，大音量でテレビを点（つ）けている部屋では，赤ちゃんが落ち着いて眠るのは難しい。昼寝の際も，テレビやラジオは消して，できるだけ静かにするのがよい。

・照明は消して，部屋を暗くする。

　子どもは，大人以上に光刺激に敏感であるといわれている。生後3〜4か月までの赤ちゃんには，いったん対象を注視すると目が離せなくなるという「強制注視」という傾向があるため，夜間に光刺激が入ると眠りを妨げるといわれている。天井の常夜灯は，できるだけ消すようにして，お世話のときのみ，手元が見える程度の明かりをつけるような工夫が必要である。

・いつも同じ場所に寝かせるようにする。

　基本的に，昼寝も夜間の睡眠場所も同じ場所であることが望ましい。「ここは眠る場所」という認識がつき，児の安心感につながる。

・朝はしっかり太陽の光を浴びさせる。

　昼夜の区別をつけていくため，また，質の良い睡眠には脳への朝の光刺激が重要といわれている。朝は，カーテンを開け，光刺激で脳の覚醒（かくせい）を促す必要がある。

❷授乳と睡眠の関連づけ

　寝かしつけのために授乳を繰り返すことで，様々な弊害が生じることが報告されている[27)〜29)]。

　授乳と睡眠が関連づいてしまうと，「おっぱいをもらわないと眠れない」という習慣づけができてしまい，夜泣きや寝しぶりの要因になるとの報告がある。そのような習慣づけにならないためのポイントを次に示す。

第
5
編

1
妊娠期にある母
子の生理と看護

2
分娩期にある母
子の生理と看護

3
産褥期にある母
子の生理と看護

4
新生児の特徴と
生理的変化と看護

5
周産期にある母
子の看護の事例

- 朝はしっかりと覚醒させて，授乳する。
- 生後数週間したら，昼間の授乳後はすぐに眠らせずしばらく目覚めさせておく（遊びを入れる）。
- 生後数週間は，授乳しながらの寝かしつけを避ける（深く睡眠する前に布団に寝かせる）。

❸ 乳幼児突然死症候群（SIDS）の予防のための睡眠環境

　乳幼児突然死症候群（SIDS：Sudden Infant Death Syndrome）とは，主に1歳未満の子どもに発生し，突然死をもたらす症候群で，「それまでの健康状態および既往歴からその死亡が予想できず，しかも死亡状況調査および解剖検査によってもその原因が同定されない」ものと定義されている。日本では，年間100名前後の子どもが乳幼児突然死症候群で亡くなっていると報告されている[30]。SIDSを予防する睡眠環境として，厚生労働省および米国小児科学会（the American Academy of Pediatrics：AAP）は次のような啓発を行っている。

- うつぶせ寝は避ける。
- 柔らかい寝具の使用を避ける。
- 部屋を暖めすぎない。
- たばこの煙を浴びる環境は避ける。

Ⓔ 家族役割の再調整への支援

　妊娠・出産を経て新しい家族メンバーを迎えるときは，各家族メンバーに新たな役割が生じ，役割の再調整が必要となってくる。また，家族の関係性や生活スタイル，生活パターンも変化する。この妊娠・出産による生活や役割における変化に適応できるように，産前から家族メンバー間で，しっかりとコミュニケーションをとり話し合うように促すことが重要である。

1. 家族間役割の変化への支援

1 夫婦間の役割の再調整

　妊娠期は，腹部の増大やそれに伴う不快症状の出現などで生活行動の制限が加わり，家族メンバーのサポートが必要となる。出産後は，新生児中心の生活パターンに変化する。昼夜問わず2〜3時間おきの授乳を中心とした生活になる。その育児の合間に家事も行う必要がある。そのため，家事に関する分担役割の再調整，育児による生活パターンやリズムの修正が必要である。この産後の生活の変化をできるだけ具体的にイメージできるように情報提供，助言を行いながら，夫婦が産後の家事・育児の役割分担の再調整について話し合う機会を促すことが重要である。

2 | 父親役割の獲得

　父親役割獲得の過程は，本質的には母親役割獲得の過程と違いがなく，児との相互作用を通じて子どもへの絆を形成しながら，父親となる役割への自覚が芽生え発達していくといわれている。しかし，女性に比べて，父親は妊娠期に胎動などを体感できないために親としての実感を得るのはやや遅く，多くは出産後に子どもと対面してからであるといわれている。父親役割を獲得するための支援として，次のような援助があげられる。

- 妊婦健診に同行し，超音波検査画像を見せ，視覚的に動く胎児に出会う機会を提供する。また，児心音を聞いたりすることを促す。
- 胎児がもち備えている能力について情報提供をする。
- 普段の生活のなかで，妊婦のおなかに触れて胎動を感じたり，胎児に話しかけたりすることを促す。
- 両親学級への自主的参加や，育児用品の準備を妊婦と共に進めることを促す。
- 小さな子どもと接触する機会を設定する。
- ほかの父親を観察したり，先輩の父親の経験談を聞いたりすることを促す。
- 仕事や社会活動の調整を促す。
- 家計の財政計画を見直すことを促す。

3 | きょうだい役割

　上の子にとって，新たなきょうだいの誕生は，お兄ちゃんまたはお姉ちゃんとして成長する役割課題がある。そしてこの役割獲得過程において，様々なストレスを経験する。母親の分娩入院による分離，それに伴う急激な生活の変化や制限からくるストレス，これまで母親の関心や愛情を独り占めできた上の子にとっては，お兄ちゃん／お姉ちゃんだからと我慢を強いられる場面などで，新生児に対する嫉妬心を感じるなどのストレスがある。これらのストレスによって，赤ちゃん返りといわれる退行現象を示すこともあれば，身体的な反応となって現れることもある。

　上の子が，自分にきょうだいができることを受け入れるために，妊娠中からふだんの生活のかかわりのなかで対応していくことが必要である。具体的な支援の例を次にあげる。

- 上の子に，きょうだいがおなかの中にいて，赤ちゃんが生まれることを説明するように母親に促す。
  - (例) 一緒におなかに触れながら，「赤ちゃんが生まれるんだよ。楽しみだね」と話す。
    妊娠や出産，あるいはお兄ちゃん／お姉ちゃんになる絵本の読み聞かせをする。
    人形を使ってお話をして，赤ちゃんが生まれることを説明する。
- 上の子に対する愛情を十分に伝えながら，おなかの中の子どもに対して関心や愛着が形成されるようなかかわり方について助言する。上の子も赤ちゃんの頃があり，現在は，お兄ちゃん／お姉ちゃんとして成長していることの理解を上の子に促す。
  - (例) 上の子が赤ちゃんの時に授乳や沐浴をしてもらったり抱っこしてもらったりしている写真を見せながら「〇〇ちゃんもこんなにかわいい赤ちゃんだったんだよ。でもこんなに大きくなってえらくなったね」と話す。
    胎動を一緒に触らせて感じさせる。

妊婦健診に連れて行き，児心音を聞かせたり，超音波画像で児を見せたりする。
育児物品の準備を一緒にする。

- 上の子の退行現象をしっかりと受け止めてあげる必要性や，退行現象は自然な発達の過程であり，子どもの心が健全な証拠であることを説明する。
  （例）退行現象の具体的行動について情報提供する。具体的行動とは，おもらしをする，赤ちゃん言葉を使う，指しゃぶりを始める，ミルクを哺乳びんで飲みたがる，ごはんを食べさせてもらいたがる，自分で服の脱ぎ着をしなくなるなど，今までできていたことができなくなる，などがある。
  親には，退行現象は自我の芽生えの重要な発達過程であることを説明する。自我の芽生えとは，これまで母親と一体だったような感覚から，「独立した個」であることの自覚が芽生えていくことであり，そうしたときに，一体感の減少に比例して不安感が増すことで，逆戻りした行動が生じるのである。
- 母親が分娩入院中，上の子のストレスができるだけ最小限になるようにする方法を示す。
  （例）上の子とのスキンシップをできるだけ多くもつようにする。
  入院中の面会を多くする。
  退院時は，父親が新生児を抱くようにすると，母親は上の子と手をつないで歩くことができ，母親の注意が自分に向けられていることを感じ，大切にされていることを実感できる。

2. 夫婦関係の再調整への支援

　初めての子どもが誕生することで，夫婦はこれまでの2人だけの関係から親へと移行する。この時期は夫婦関係の危機とされ，夫婦の親密性や満足度が低下するといわれている。夫婦2人だけの関係に，子どもとの親子の関係を加えるという関係の再調整が必要である。その過程で夫婦は，親になるために共に成長していくことの必要性に気づき，双方が親になることを受け入れようとする姿勢をもつようになるといわれている。よって，妊娠期から夫婦の関係性を再調整することは，親になる準備への重要なプロセスである。

　妊娠・出産により，これまでの生活と比べて，夫婦それぞれの生活行動は規制を受け，生活パターンや生活リズムが変化する。また子どもの誕生後は，育児という新たな役割が生じ，家事も増加する。さらには経済的負担も増える。もし，産前に抱いていた子どもや夫あるいは自分自身に対する期待と産後の実際の生活とギャップがあった場合，夫婦関係は悪化することが予測される。このようなことから，産後も夫婦関係を良好に維持するためには，夫婦で具体的にどのような出産・育児をイメージするか，妻は夫に対して，夫は妻に対して，それぞれの期待に対してどのように応え調整することが可能かなどを，双方の思いや考えを十分なコミュニケーションのもとで共有しておくことが重要である。

　夫婦間のコミュニケーション方法として，アサーティブ・コミュニケーションが効果的であるといわれている。アサーティブ・コミュニケーションとは，互いの思いや考えをしっかりと聴き尊重し，自分自身の意見をしっかりと言語化し相手に伝えることである。そして互いへの感謝，ねぎらいの気持ちも忘れず，しっかりと言語化して伝えることも重要である。言わなくても察してもらえるであろうという，日本特有の「察する文化」とは異なるアプローチであるが，夫婦の関係性を再調整し，再構築していくために，これまでのコ

ミュニケーションのあり方を変えていく支援も重要である。

文献

1) 日本産科婦人科学会編：産科婦人科用語集・用語解説集, 改訂第 4 版, 日本産科婦人科学会, 2018, p.263, 288
2) 厚生労働統計協会：国民衛生の動向 2023/2024, 70（9）, 2023.
3) Holmes, TH, Rahe RH：The Social readjustment rating scale, J. Psychosom, Res., 11：213-218, 1967.
4) ルヴァ・ルービン著, 新藤幸恵, 後藤桂子訳：ルヴァ・ルービン母性論；母性の主観的体験, 医学書院, 1997, p.102.
5) Grussu P, et al.：Profile of Mood States and Parental Attitudes in Motherhood；Comparing Women with Planning and Unplanned Pregnancies, Birth, 32（2）：107-114, 2005.
6) 盛山幸子, 島田三恵子：妊娠先行結婚と妊婦の対児感情・母親役割取得・夫婦関係との関連, 日本助産学会誌, 22（2）：222-232, 2008.
7) 中村康香：妊娠経過における妊娠の受容を高める看護援助の効果；快適さの体験に焦点を当てた看護介入を行なって, 日本母性看護学会誌, 8（1）：1-8, 2008.
8) Friedoman, M.M.：Family Nursing, Theory and Practice, Appleton & Lange, 1992, p.9.
9) Wright, L. M., et al.: Beliefs-The Heart of Healing in Families and Illness, Basic Books, 1996, p.45.
10) Hanson SMH, et al.: Family Health Care Nursing；Theory, Practice & Research, 3rd ed, FA Davis Company, 2005.
11) Kaakinen JR, et al.: Family Health Care Nursing：Theory, Practice & Research, 4th ed, FA Davis Company, 2010.
12) 前掲 10）
13) ジェイ・ベルスキー, ジョン・ケリー著, 安次嶺佳子訳：子どもをもつと夫婦に何が起こるか, 草思社, 1995, p.24-29.
14) 前掲 4）, p.11-12.
15) 小林康江：当事者の自信を支える看護；産後 1 ～ 2 カ月の母親が「できる」と思えることを支える看護, 家族看護, 65：65-69, 2007.
16) Ramsay, DT, et al.：natomy of the lactating human breast redefined with ultrasound imaging, Journal of Anatomy, 206（6）：525-534, 2005.
17) 厚生労働省：妊娠前からはじめる妊産婦のための食生活指針～妊娠前から, 健康なからだづくりを～解説要領. https://www.mhlw.go.jp/content/000776926.pdf（最終アクセス日：2022/6/10）
18) 日本助産学会編：妊娠出産される女性とご家族のための助産ガイドライン 2021 年度, 日本助産学会, 2021, p.9.
19) 前掲 18）, p.10.
20) 五十君靜信, 奥谷晶子：日本国内におけるリステリア症発生状況の調査, 獣医疫学雑誌, 1：51-54, 2003.
21) Mitko, M, et al.：Listeriosis during pregnancy, Archives Gynecology and Obstetrics, 296（2）：143-152, 2017.
22) Eleftherios M, et al.：Listeriosis During Pregnancy, A Case Series and Review of 222 Cases. Medicine, 81：260-269, 2002.
23) Weiss, J. L., et al.: Obesity, obstetric complications and cesarean delivery rate--a population-based screening study, Am J Obstet Gynecol, 190(4):1091-1097, 2004.
24) Li, C., et al.: Joint and Independent Associations of Gestational Weight Gain and Pre-Pregnancy Body Mass Index with Outcomes of Pregnancy in Chinese Women: A Retrospective Cohort Study, PLoS One, 10(8), 2015.
25) 環境省：子どもの健康と環境に関する全国調査（エコチル調査）集計データの紹介, 2014. https://www.env.go.jp/chemi/ceh/material/seminar130122_3.pdf（最終アクセス日：2022/6/10）
26) 小林由希子, 陳省仁：出産に関わる里帰りと養育性形成, 北海道大学大学院教育学研究院紀要, 106：119-134, 2008.
27) Hiscock, H., Wake, M.：Randomized controlled trial of behavioural infant sleep intervention to improve infant sleep and maternal mood. Br Med J., 324（7345）：1062-6, 2002.
28) Hiscock, H, et al.：Improving infant sleep and maternal mental health: a cluster randomized trial, Arch Dis Child, 92：952-8, 2007.
29) Matthey, S., Speyer, J.：Changes in unsettled infant sleep and maternal mood following admission to a parent craft residential unit, Early Hum Dev., 84：623, 2008.
30) 厚生労働省：乳幼児突然死症候群（SIDS）診断ガイドライン（第 2 版）, 2012. https://www.mhlw.go.jp/bunya/kodomo/pdf/sids_guideline.pdf（最終アクセス日：2022/6/10）

参考文献

・ 池ノ上克, 他編：NEW エッセンシャル産科学・婦人科学, 第 3 版, 医歯薬出版, 2004.
・ 岡野禎治：周産期とメンタルヘルス, 臨床婦人科産科, 71（6）：500-505, 2017.
・ カール・ジョーンズ著, 清水ルイーズ監訳, 河合蘭訳：改版　お産のイメジェリー；心の出産準備, メディカ出版, 1997.
・ 北川眞理子, 内山和美編, 生田克夫医学監：今日の助産；マタニティサイクルの助産診断・実践課程, 改訂第 3 版, 南江堂, 2013.
・ クラウス, ケネル著, 竹内徹, 他訳：親と子のきずな, 医学書院, 1985.
・ 厚生省：児童家庭局長通知 934 号（平成 8 年 11 月 20 日）「母性・乳幼児に対する健康診査及び保健指導の実施について」.
・ 厚生労働省：雇児母発 1216 第 2 号（平成 28 年 12 月 16 日）「要支援児童等（特定妊婦を含む）の情報提供に係る保健・医療・福祉・教育等の連携の一層の推進について」.
・ 厚生労働省：母子健康手帳の任意記載事項様式について（子発 1222 第 1 号）, 2017.
・ 厚生労働省：「妊婦に対する健康診査についての望ましい基準」厚生労働省告示第 226 号（平成 27 年 3 月 31 日）.
・ 厚生労働省：受動喫煙対策. https://www.mhlw.go.jp/stf/seisakunitsuite/bunya/0000189195.html（最終アクセス日：2022/6/10）
・ 厚生労働省：「日本人の食事摂取基準（2025 年版）」策定検討会報告書, 2024.
・ ドナ&ロジャー・ユイ著, 梅原祐良, 梅津ジーン訳：赤ちゃんを亡くした両親への援助, メディカ出版, 1992, p.207.
・ 日本産科婦人科学会・日本産婦人科医会編・監：産婦人科診療ガイドライン；産科編 2020, 日本産科婦人科学会, 2020.
・ 日本助産師会編：おまごのほん, 日本助産師会出版, 2013.

- 日本妊娠高血圧学会編：妊娠高血圧症候群の診療指針 2015；Best Practice Guide，メジカルビュー社，2015，p.52-53.
- 永田雅子：妊娠・出産・子育てをめぐるこころのケア；親と子の出会いからはじまる周産期精神保健，別冊発達 32，ミネルヴァ書房，2016.
- 福岡秀興：新しい成人病（生活習慣病）の発症概念；成人病胎児期発症説，京府医大誌，118（8）：501-514，2009.
- 母子衛生研究会編：妊娠・育児期間中の禁煙啓発事業事業報告書平成 20 年度，2009，p.17．http://kodomo-kenkou.com/tabako/default/file_download/276（最終アクセス日：2022/6/10）
- 堀内成子総編：エビデンスをもとに答える妊産婦・授乳婦の疑問 92，南江堂，2015.
- 吉沢豊予子，鈴木幸子編著：マタニティアセスメントガイド，新訂第 4 版，真興交易㈱医書出版部，2016.
- 吉田敬子，他監：妊娠中から始めるメンタルヘルスケア；多職種で使う 3 つの質問票，日本評論社，2017.
- R.Rubin 著，新藤幸恵，後藤桂子訳：ルヴァ・ルービン母性論；母性の主観的体験，医学書院，1997，p.74-78,103,104-105.
- Cote AM, et al.：Diagnostic accuracy of urinary spot protein: creatinine ratio for proteinuria in hypertensive pregnant women；systematic review，BMJ, 336:1003-1006, 2008.
- Kinsey CB, Hupcey JE：State of the science of maternal-infant bonding；a principle-based concept analysis，Midwifery, 29（12）：1314-1320, 2013.
- K.L. Schumacher, A.I. Meleis：Transition; A Central Concept in Nursing, Journal of Nursing Scholarship., 26（2）：121-124，1994.
- Masayo Matsuzaki, et al.：Factors related to the continuation of employment during pregnancy among Japanese women，JJNS, 8（2）：153-162，2011.
- Mizuki Takegata, et al.：Aetiological relationships between factors associated with postnatal traumatic symptoms among Japanese primiparas and multiparas; A longitudinal study，Midwifery, 44：4-23，2017.
- N.Chick, A.I. Meleis：Transition: A Nursing Concern, In P.L Chinn（ED.），Nursing research Methodology; Issues and Implementation, An Aspen Publication, 1986, p.244-246.
- Paulson JF, Bazemore SD：Prenatal and postpartum depression in fathers and its association with maternal depression；a meta-analysis, JAMA, 303（19）：1961-1969, 2010.
- Walsh J.：Definitions matter；if maternal-fetal relationships are not attachment, what are they? Archives of Women's Mental Health, 13（5）：449-451，2010.

第2章

分娩期にある母子の生理と看護

この章では

● 正常な分娩の流れとメカニズムを理解する。
● 産痛の伝達経路と無痛分娩について理解する。
● 分娩期を妊娠期からの連続としてとらえ，分娩期ケアに必要な情報を述べることができる。
● 分娩が産婦およびその家族に及ぼす身体的・心理的・社会的な影響を知り，アセスメントすることができる。
● 産婦が満足した分娩となるよう，基本的な看護を学ぶ。

I　分娩期とは

A　分娩期の定義

1. 分娩とは

　妊娠により子宮腔内に生じた胎児とその付属物（胎盤，卵膜，羊水）が，母体外に排出されることを，分娩と称する。ただし，一般的には，胎児が生存可能な週数に至り娩出される場合を「分娩」と称し，それ以前に子宮内容物が排出されることを「流産」と称する。

2. 分娩の分類

1　分娩の時期による分類

　分娩の時期により，それぞれ呼称がある（表2-1）。すなわち，妊娠22週未満に子宮内容物が子宮外に排出されることを流産といい，さらに流産は，妊娠12週未満の早期流産と妊娠12週以降21週6日までの後期流産に分類される。

　妊娠22週以降の排出が一般的な分娩とよばれるが，妊娠22週0日以降36週6日までの分娩が早産，妊娠37週0日から妊娠41週6日までが正期産とよばれ，妊娠42週0日以降の分娩は過期産とよばれる。

表2-1　妊娠週数による分娩（流産）の表現

流産											後期流産			
早期流産											後期流産			
		妊娠第2か月				妊娠第3か月				妊娠第4か月				
2週0日～6日	3週0日～6日	4週0日～6日	5週0日～6日	6週0日～6日	7週0日～6日	8週0日～6日	9週0日～6日	10週0日～6日	11週0日～6日	12週0日～6日	13週0日～6日	14週0日～6日	15週0日～6日

							早産							
							早期早産							
妊娠第5か月				妊娠第6か月				妊娠第7か月				妊娠第8か月		
16週0日～6日	17週0日～6日	18週0日～6日	19週0日～6日	20週0日～6日	21週0日～6日	22週0日～6日	23週0日～6日	24週0日～6日	25週0日～6日	26週0日～6日	27週0日～6日	28週0日～6日	29週0日～6日

							正期産				過期産			
		後期早産												
		妊娠第9か月				妊娠第10か月				妊娠第11か月				
30週0日～6日	31週0日～6日	32週0日～6日	33週0日～6日	34週0日～6日	35週0日～6日	36週0日～6日	37週0日～6日	38週0日～6日	39週0日～6日	40週0日～6日	41週0日～6日	42週0日～6日	43週0日～6日

第
5
編

妊娠期にある母
子の生理と看護

2
分娩期にある母
子の生理と看護

産褥期にある母
子の生理と看護

新生児の特徴と
生理的変化と看護

付
周産期にある母
子の看護の事例

また，**早産**は妊娠 32 週で区切り，妊娠 22 週 0 日～ 31 週 6 日を**早期早産**，32 週 0 日～ 36 週 6 日を**後期早産**というよび方がある。一方，WHO（世界保健機関）は早産を細かく分類し，22 週 0 日～ 27 週 6 日を**超早産**，28 週 0 日～ 31 週 6 日を**極早産**，32 週 0 日～ 33 週 6 日を**中期早産**，34 週 0 日～ 36 週 6 日を**後期早産**と定義している。

胎児が生存した状態で娩出される場合を**生産**といい，死亡した状態で娩出される場合を**死産**とよぶ。

2 │ 娩出される胎児の数による分類

娩出される胎児の数が 1 人の場合を**単胎**といい，2 人以上の場合を**多胎**という。多胎において児が 2 人の場合を**双胎**，3 人の場合を**三胎**（品胎ともよぶ），4 人の場合を**四胎**とよぶ。ヒトの妊娠では単胎が基本である。多胎の頻度についてヘリン（Hellin）の法則があり，$1/80^{n-1}$（n は胎児の数）である。たとえば，双胎は約 1/80，三胎は約 1/6400 となるが，生殖補助医療の応用により，多胎の頻度は実際にはこの割合よりも高くなっている。

Ⓑ 分娩の3要素

分娩が順調に進行するために考慮すべき要因が 3 つあり，これを**分娩の 3 要素**という。分娩の 3 要素は，**産道，娩出力，娩出物**（胎児および胎児付属物）である。

1. 産道

産道は骨産道と軟産道に分類される。**骨産道**は骨盤であり，**軟産道**は子宮下節，子宮頸管，腟からなる。

1 │ 骨産道

骨盤は左右の寛骨，仙骨，尾骨からなり，上方が漏斗状に開いた筒状の構造をもっている。寛骨は腸骨，恥骨，坐骨からなる。骨盤の上方に浅く開いた部分を大骨盤とよび，下方の筒状の部分を小骨盤とよぶ。この小骨盤が骨産道に当たる部位である。

女性型骨盤は，入口面では横径が縦径よりも長く，出口面では縦径が横径よりも長くなっており，正常分娩における児頭の回旋はこのような骨盤の形状に沿って進行する。図 2-1 に骨盤の矢状断面を示したが，いくつかの径線が設定されている。仙骨の岬角から恥骨結合の上端に引かれる径線が解剖学的真結合線，仙骨の岬角と恥骨結合の最短距離を結ぶ径線が産科学的真結合線である。第 2 仙骨と第 3 仙骨の間と恥骨結合後面を結ぶ径線を**骨盤濶前後径**とよび，仙骨下端と恥骨結合下端を結んだ径線を**骨盤峡前後径**とよぶ。また，尾骨下端と恥骨結合下端を結ぶ経線を**骨盤出口前後径**とよび，各径線の中点を結んだ線を**骨盤軸（骨盤誘導線）**とよぶ。これらは，X 線骨盤計測にて計測する。

女性の骨盤では，上記の各径線における面に特徴がある。すなわち，入口面では横径が

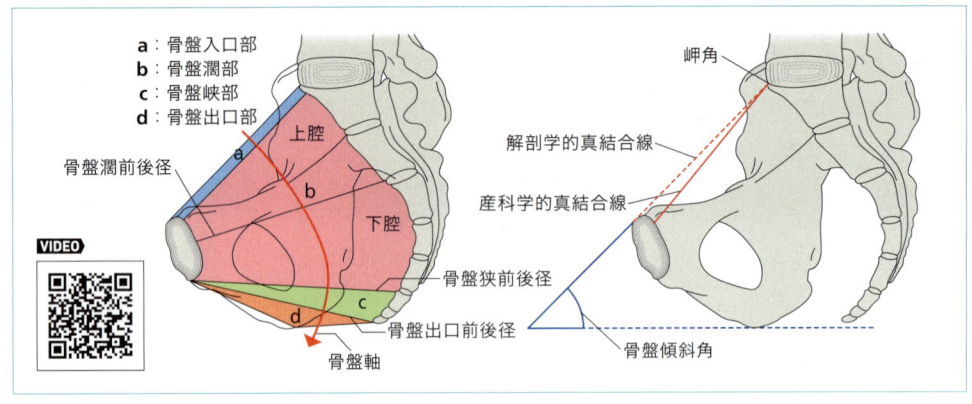

図2-1 骨盤の矢状断面図

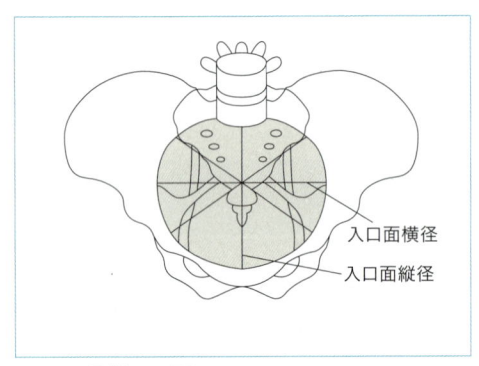

図2-2 骨盤入口面

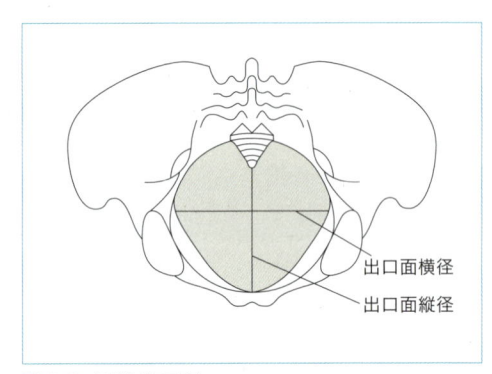

図2-3 骨盤出口面

縦径よりも長くなり（図2-2），濶部平面では横径と縦径は同じくらいの長さであり，面積は最も広くなっている。一方，骨盤出口面では縦径が横径よりも長くなっている（図2-3）。このような入口面，濶部平面，出口面の形状は，正常分娩経過における児頭の回旋と関係している。

2 │ 軟産道

軟産道は子宮下節，子宮頸管，腟により構成される。非妊娠時の子宮（図1-24 参照）は，子宮体部，子宮峡部，子宮頸部，子宮腟部に区分され，子宮体部と子宮峡部の接点が**解剖学的内子宮口**であり，子宮峡部と子宮頸部の接点が**組織学的内子宮口**である。妊娠すると子宮峡部は伸展し子宮下節となり，非妊娠時の組織学的内子宮口が妊娠時の内子宮口となる。このため，組織学的内子宮口は**産科学的内子宮口**ともよばれる。

非妊娠時の子宮体部は妊娠時には子宮上節を形成し，この子宮上節の筋組織は収縮力をもち陣痛発来に関与するが，子宮下節は陣痛発来には関与せず軟産道の一部となる。

分娩進行につれ，これらの軟産道は筒状となる。胎児娩出において，子宮下節（子宮峡部）はほとんど抵抗とならないが，子宮頸管は大きな抵抗となることがある。特に初産婦では，子宮頸管の抵抗が強く分娩進行の妨げとなることがある。「軟産道強靱」と称されること

第5編

1 妊娠期にある母子の生理と看護

2 分娩期にある母子の生理と看護

3 産褥期にある母子の生理と看護

4 新生児の特徴と生理的変化と看護

付 周産期にある母子の看護の事例

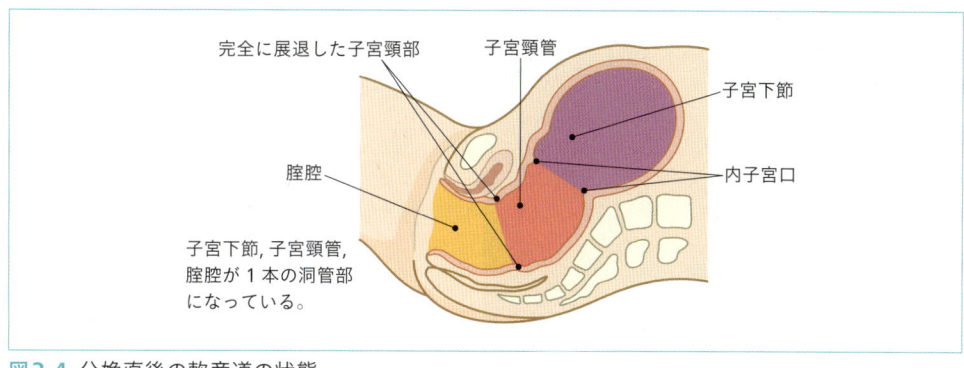

図2-4 分娩直後の軟産道の状態

があるが，これは主に子宮頸管の抵抗によるものである。分娩が進行し，胎児娩出の時には子宮下節，子宮頸管，腟腔は1本の管（通過管）となる（図2-4）。

3 | 骨産道評価のためのX線骨盤計測

骨産道の大きさ，形態などが適正かどうかを判断するための検査としてX線骨盤撮影法がある。図2-5に示したような方法で骨盤入口面，骨盤矢状断面を撮影する。骨盤入口

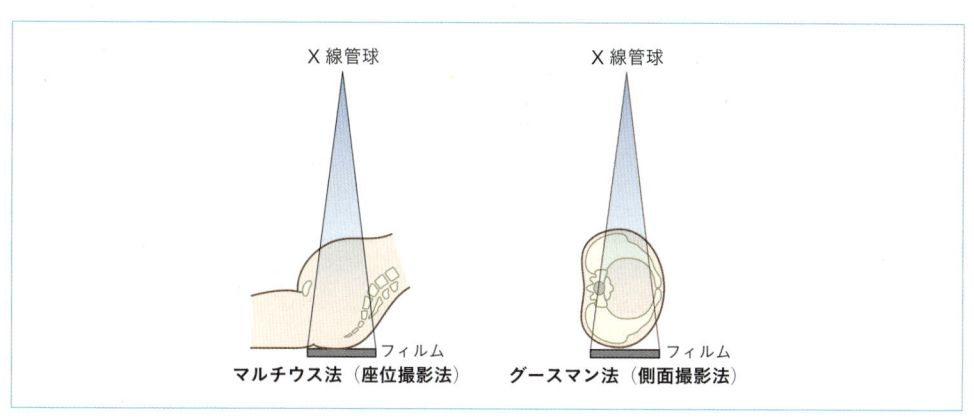

図2-5 骨盤X線撮影法

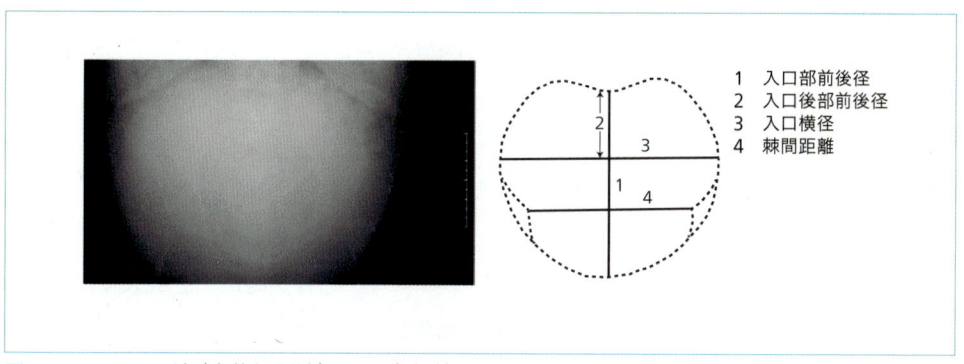

1 入口部前後径
2 入口後部前後径
3 入口横径
4 棘間距離

図2-6 マルチウス法（座位撮影法）による各径線

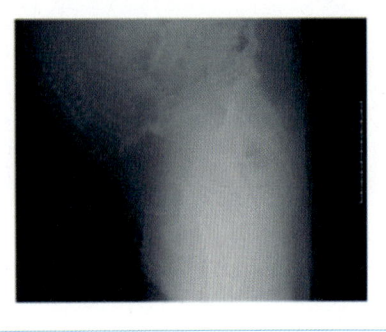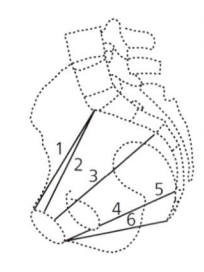

1 真結合線
2 最小前後径
3 潤部前後径
4 峡部前後径
5 峡部後部前後径
6 出口部前後径

図2-7 グースマン法（側面撮影法）による各径線

面を撮影する方法をマルチウス（Martius）法（座位撮影法，図2-6），骨盤矢状断面を撮影する方法をグースマン（Guthmann）法（側面撮影法，図2-7）とよぶ。

2. 娩出力

娩出力とは胎児とその付属物を子宮外に娩出させる力のことであり，陣痛と腹圧からなる。

1 陣痛

陣痛とは，不随意に反復して起こる子宮筋の収縮であり，子宮内容物を子宮外へ娩出するための主たる力となる。陣痛は，子宮上節（体部）の筋組織の収縮に由来する。

❶ 陣痛の種類

（1）妊娠陣痛

妊娠中に起こる不規則な子宮収縮で，胎児娩出には関与しないものである。分娩予定日が近づくにつれ，頻回，かつ強くなり，次に述べる分娩陣痛の開始と間違われることがあるが，やがて休止する。これを**前駆陣痛**（前陣痛）ともよぶ。

（2）分娩陣痛

分娩期に起こる陣痛をいう。時期により区別し，分娩第1期（開口期）の陣痛を**開口陣痛**，分娩第2期（娩出期）の陣痛を**娩出陣痛**，分娩第3期（後産期）の陣痛を**後産陣痛**とよぶ。

（3）後陣痛

後陣痛は産褥期に不規則に起こる子宮収縮であり，これにより子宮の復古が促される。時に強い疼痛として感じることがあり，特に経産婦に強く認められることがある。俗に「後腹」とよばれるものである。

❷ 陣痛の特徴

陣痛は収縮と休止を交互に繰り返すもので，持続的な子宮筋の収縮ではない。陣痛時の子宮筋の収縮を**陣痛発作**とよび，休止期（発作と発作の間）を**陣痛間欠**とよぶ。陣痛発作の開始から次の陣痛発作の開始までの時間を**陣痛周期**という。

陣痛発作は3期に分類でき，陣痛進行期（上昇期），極期，退行期（下降期）とよばれる。

第5編

1 妊娠期にある母子の生理と看護
2 分娩期にある母子の生理と看護
3 産褥期にある母子の生理と看護
4 新生児の特徴と生理的変化と看護
付 周産期にある母子の看護の事例

表2-2 陣痛の強さの表現法（陣痛周期による表現法）

	子宮口	4〜6cm	7〜8cm	9〜10cm	分娩第2期
陣痛周期	平均	3分	2分30秒	2分	2分
	過強	1分30秒以内	1分以内	1分以内	1分以内
	微弱	6分30秒以上	6分以上	4分以上	初産4分以上 経産3分30秒以上

陣痛は子宮頸部にあるフランケンホイゼル神経叢の支配を受け，不随意に生じる。

陣痛の強さは原則として，子宮内圧により表現される。子宮口の開大が4〜6cmでは40mmHg，7〜8cmでは45mmHg，9cm〜分娩第2期では50mmHgが子宮内圧の平均値とされる。ただし，実際の分娩管理では子宮内圧を測定することはほとんどなく，陣痛周期により適切な陣痛かどうかが判断される（表2-2）。

2 | 腹圧

腹圧とは，腹壁の筋肉，横隔膜の筋肉が協力して収縮することにより腹腔内圧を上昇させることをいう。この圧は子宮体部に作用して，胎児の娩出を助けることとなる。腹圧は横紋筋である腹壁や横隔膜の筋肉の収縮によるものであり，本来は随意性に生じるものである。しかし，分娩が進行し胎児の先進部が軟産道を強く圧排するようになると，陣痛発作に伴い不随意に（反射的に）生じるようになる。胎児娩出間際になり，胎児先進部が陰裂を通過する頃には，陣痛に伴い不随意に腹圧が加わるが，これを**共圧陣痛**とよぶ。

3. 娩出物（胎児および胎児付属物）

1 | 胎児—児頭の構造

正常分娩においては，児頭の回旋機転が重要であり，その把握のためには児頭の構造を理解することが必要である。新生児では頭蓋骨が癒合しておらず，各骨の境界に**縫合**があり，縫合と縫合の交点に泉門がある（図2-8）。矢状縫合，前頭縫合，左右の冠状縫合の交点が**大泉門**であり，矢状縫合と左右のラムダ縫合（人字縫合）の交点が**小泉門**である。

正常分娩機転において，児頭は後述の屈（曲）胎勢となり，後頭部が先進することになるが，屈（曲）胎勢であることの診断には，内診により小泉門を触知することが重要である。

図2-8に児頭を側方から見た構造を示しているが，大泉門と後頭結節の下方を結んだ径線を小斜径といい，この周径を小斜径周囲という。小斜径周囲面は児頭の断面としては最も面積が小さい。正常分娩では，児頭が屈（曲）胎勢をとることにより，小斜径周囲で産道を通過することになり，スムーズな分娩進行が期待できる。屈（曲）胎勢が不十分な場合，図2-8の前後径（眉間と後頭結節を結んだ径線）周囲，大斜径（頤［おとがい，あご］と頭頂部を結んだ径線）周囲で進行することになり，反屈胎勢とよばれ，異常分娩となる。

上記のように，新生児では頭蓋骨の各骨片が癒合しておらず，狭い産道を通過する際に，

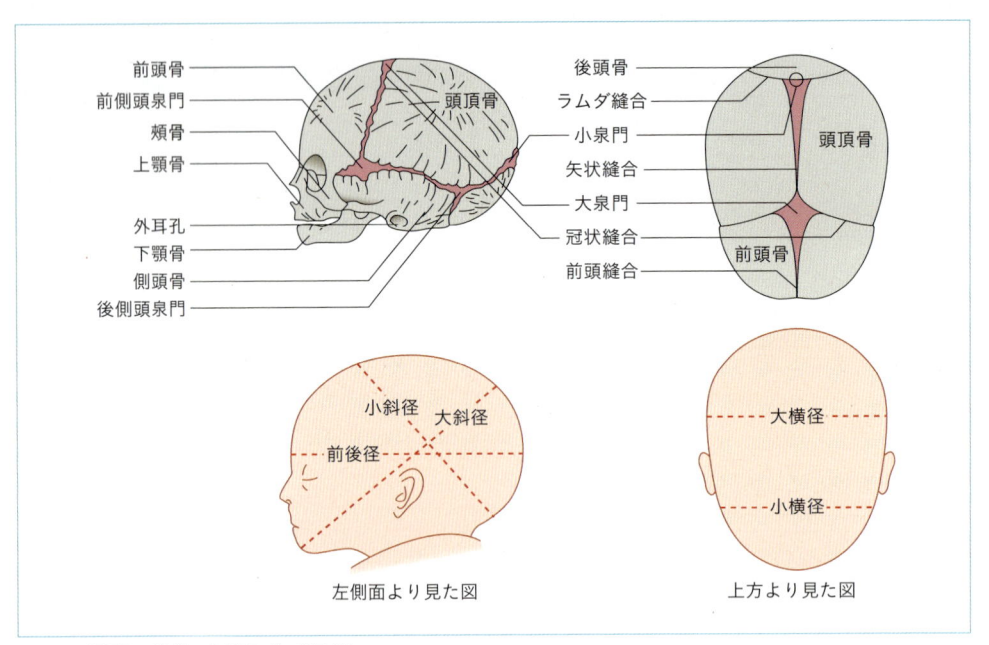

図2-8 児頭の構造, 泉門および径線

骨と骨が, 縫合部, 泉門部などで重積し, 周径を小さくするように作用する。これを児頭の**応形機能**といい, 屈（曲）胎勢をとり分娩が進行する場合, 児頭は後頭部方向に伸び, 「長頭蓋」とよばれる変形が認められるが, これは生理的変化である。

2 │ 胎児─胎位, 胎向, 胎勢

　正常分娩を考える場合, 胎児の状態が重要であり, 児の胎位, 胎向, 胎勢を考慮する必要がある。

❶胎位

　胎児の縦軸と母体の縦軸が一致している場合を**縦位**という。縦位のうち, 先進部位が頭部である場合を**頭位**, 先進部位が殿部（骨盤部）である場合を**骨盤位**という。胎児の縦軸と母体の縦軸が直交する場合を**横位**という（図1-37 参照）。また, 縦位と横位の中間的な場合を**斜位**という。

❷胎向

　縦位の場合に, 胎児の背中が母体の左右どちらを向いているかで分けるが, これを胎向という。胎児の背中が母体の左側を向いている場合を**第1胎向**といい, 母体の右側を向いている場合を**第2胎向**という。また, 第1胎向, 第2胎向いずれにおいても, 児背が母体の腹側を向いている場合を第1分類, 児背が母体の背側を向いている場合を第2分類という（図2-9）。横位または斜位では, 胎児の頭が母体の左にある場合を第1胎向, 右にある場合を第2胎向という。

　なお, 胎向の概念はドイツ産科学に由来するものであり, アメリカ産科学にはない概念

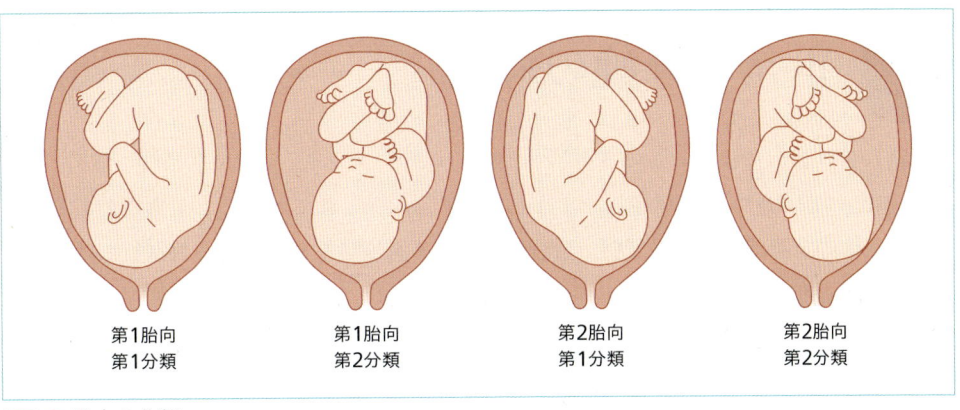

| 第1胎向 第1分類 | 第1胎向 第2分類 | 第2胎向 第1分類 | 第2胎向 第2分類 |

図2-9 胎向の分類

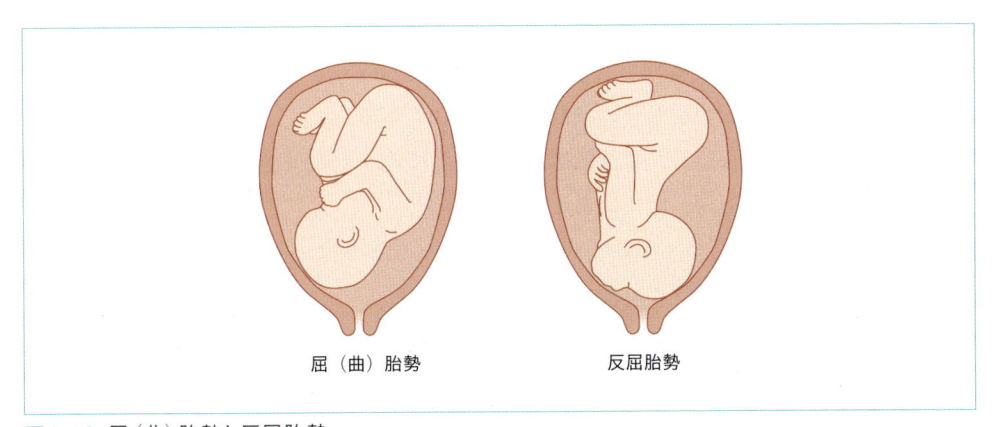

屈（曲）胎勢　　　　　反屈胎勢

図2-10 屈（曲）胎勢と反屈胎勢

である。現在，日本の産科診療では，第1胎向，第2胎向という表現が一般的に用いられている。

❸胎勢

胎勢とは頭位において胎児の 頤 部（あご）と胸部との接触の状態を示す。頤部が胸部に強く接触している状態が「**屈（曲）胎勢**」であり，頤部が胸部から離れ，のけ反るような状態になった場合を「**反屈胎勢**」という（図2-10）。

3 ｜ 胎児付属物

胎児付属物で分娩に影響を与えるものは胎盤であり，その付着位置が問題となる。通常，胎盤は子宮上節（非妊娠時の子宮体部）に付着するが，下節に付着が及んでも多くは正常である（常位胎盤）。胎盤が主に子宮下節に付着し，胎盤辺縁と産科学的内子宮口の距離が2cm以下の場合を**低置胎盤**，胎盤が内子宮口を覆う場合を**前置胎盤**といい，異常妊娠となる。

II 正常な分娩の経過

　正常な分娩進行には，分娩の3要素（①産道［骨産道・軟産道］，②娩出力［陣痛・腹圧］，③娩出物［胎児・胎児付属物］）が関与し，これらのバランスがとれていることが重要である。加えて，母体の全身状態や精神状態，分娩にかかわる医療者や家族も，分娩進行に関与する重要な因子となる。

A 分娩の前徴

　分娩が近づくと，母体に様々な変化を認める。頻度の高いものを次にあげる。
- 腹部緊満感（子宮収縮）の増加：前（駆）陣痛
- 子宮口の開大による出血混じりの粘液性の分泌物：産徴
- 上腹部のすっきりした感じ，食欲増進：胎児下降に伴う胃の圧迫軽減
- 頻尿，残尿感：児頭下降，固定による膀胱の圧迫
- 恥骨痛：児頭による圧迫やホルモン（リラキシン）の影響による恥骨結合の緩みで発生

　これらの変化は，主に胎児の骨盤内への下降や子宮頸管の開大が原因となるが，程度には個人差があり，必ずしも全例にみられるわけではない。

1. 前（駆）陣痛

　前（駆）陣痛は，妊娠末期の，間隔や持続時間が不規則で弱い子宮収縮を指す。子宮下節を伸展させ子宮頸管を熟化させる効果があるが，間隔が規則的な分娩陣痛に移行する場合と，収縮が収まる場合がある。

2. 頸管粘液栓と産徴

　妊娠中は，**頸管粘液栓**（子宮頸管内の粘稠度の高い粘液のかたまり）が子宮口の蓋の役割をしている。頸管粘液栓は，子宮口の開大に伴い頸管粘液などと混ざって外に出る。

　内子宮口が開く際に卵膜との間にずれが生じて出血し，頸管粘液と混ざって出てくる分泌物を**産徴**という。一般には「**おしるし**」とよばれることが多い。産徴があってもすぐに陣痛が始まるとは限らない。また，産徴なしに分娩が開始することもある。

B 分娩開始（陣痛発来）

　陣痛は子宮口の開大を伴う規則的な子宮収縮で，通常は痛みを伴う。陣痛周期が10分以内，あるいは1時間に6回以上の規則的な子宮収縮の開始をもって**分娩開始**（陣痛発来）とする。臨床的には前（駆）陣痛と分娩陣痛の区別が難しい場合も多く，分娩開始時期の

決定が難しい症例では，経過のなかで時間をさかのぼって決めることもある。

1. 子宮頸管熟化の評価法

　子宮頸管は分娩が近づくと児頭の圧迫により展退・軟化し，これを**子宮頸管熟化**という。子宮頸管の熟化は，①頸管開大度，②展退度，③児頭の位置（先進部の高さ），④頸管の硬さ，⑤子宮口の位置，の5つの指標による**ビショップスコア**を用いて評価し，合計9点以上になると分娩開始は数日以内と推定される。初産婦は内子宮口側から子宮口の開大が始まり，分娩開始の数週間前から児頭の固定が起こるのに対し，経産婦は外子宮口側から開大が始まり，分娩開始近くになって児頭の固定が起こる。

❶**頸管開大度**　頸管内の最狭部位の直径で，cmの単位で示す。

❷**展退度**　子宮頸管の上下端間の距離を，展退を認めないときの長さ（約3cm）の何％が消失したかで表現する（図2-11）。約3cmの長さが触れる場合を0％，内診上，頸管がすべて消失して，体部との境界がなくなった状態を100％とする。

❸**児頭の位置（先進部の高さ）**　児頭の位置（下降度）の評価はデ・リー（De Lee）のステーション（Station，以下St）法で行う。骨盤腔内の左右の坐骨棘を結ぶ線（坐骨棘間線）をSt 0，あるいはSp 0（Spは坐骨棘，ischiadic spineの略）とし，そこから児頭の先進部までの距離をcmで表し，坐骨棘を結ぶ線より上方を−（マイナス），下方を＋（プラス）とする（図2-12）。

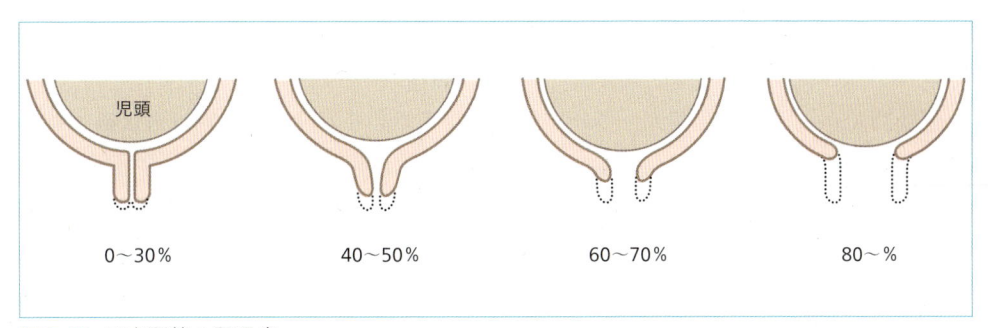

0〜30％　　　40〜50％　　　60〜70％　　　80〜％

図2-11　子宮頸管の展退度

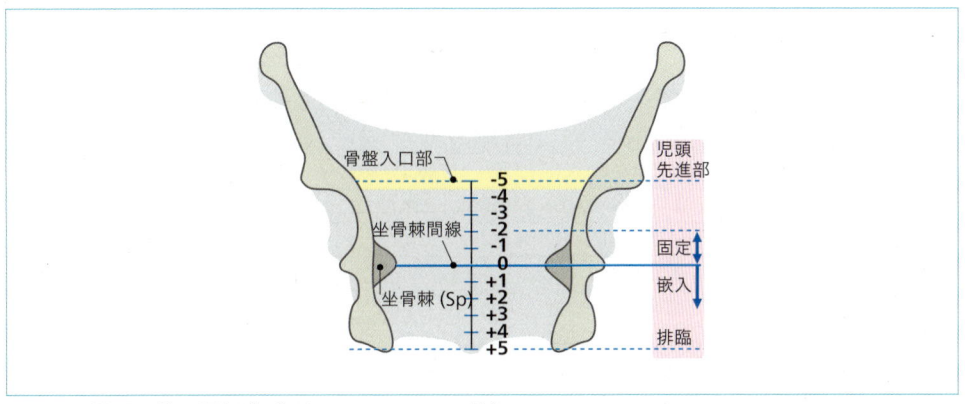

図2-12　児頭下降の評価（デ・リーのステーション法）

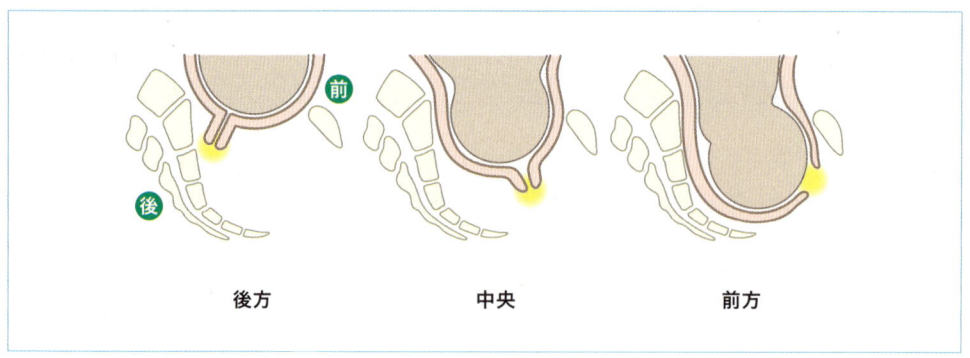

後方　　　　　中央　　　　　前方

図2-13 子宮口の位置

骨盤入口部はおよそ St−5 に相当し，排臨時の先進部は St+5 に相当する。

❹**頸管の硬さ**　頸管の硬さの評価で，鼻翼状に触知される場合を「硬」，口唇状に触れる場合を「中」，軟らかいマシュマロ状に触れる場合を「軟」とする。

❺**子宮口の位置**　外子宮口と腟軸の位置関係で表し，外子宮口が仙骨側にある場合が後方，恥骨側にある場合は前方，その間にあるものを中央と表現する（図 2-13）。

C 分娩時期

1. 第1期（開口期）

　分娩開始から子宮口全開大（10cm）までの期間であり，分娩第 1 期は**潜伏期**（latent phase）と**活動期**（active phase）に分かれる。潜伏期には頸管の展退が進み（子宮口開大度 4 ～ 6cm），子宮口が 6cm 以上に開大すると活動期に入り，加速度的に子宮口の開大が進む（表 2-3）。陣痛発来から分娩までの平均所要時間は，初産婦で 12 ～ 15 時間，経産婦で 6 ～ 8 時間である。分娩第 1 期が分娩所要時間に最も影響し，平均所要時間は初産婦で 10 ～ 12 時間，経産婦で 4 ～ 6 時間である（表 2-4）。

表2-3 分娩経過中の所見

	陣痛開始前	分娩第1期		分娩第2期			分娩第3期
		潜伏期	活動期	娩出期			胎盤娩出
陣痛	前陣痛	開口期陣痛		娩出期陣痛			後産期陣痛
子宮口開大度	～ 3cm	4～ 6cm	6cm～全開大	全開大			
Station	− 3～− 2	− 2～− 1	0～＋3	＋4	＋5		
児頭	浮動～固定	固定	嵌入		排臨・発露	娩出	
児頭回旋		第 1 回旋	第 2 回旋		第 3 回旋	第 4 回旋	
児頭回旋位置		入口部	濶部	峡部	出口部		
矢状縫合の向き		横径	斜径	縦径		横径	
破水	前期破水	早期破水		適時破水	遅滞破水		

第
5
編

1
妊娠期にある母
子の生理と看護

2
分娩期にある母
子の生理と看護

3
産褥期にある母
子の生理と看護

4
新生児の特徴と
生理的変化と看護

付
周産期にある母
子の看護の事例

表2-4 平均分娩所要時間

	第1期	第2期	第3期	合計
初産婦	10〜12 時間	1〜2 時間	15〜30 分	12〜15 時間
経産婦	4〜6 時間	0.5〜1 時間	10〜20 分	6〜8 時間

初産婦の所要時間は経産婦の約2倍である。

表2-5 正常陣痛の強さと周期

子宮口開大度	子宮内圧	陣痛周期	陣痛発作持続時間
4〜6cm	40mmHg	3 分	70 秒
7〜8cm	45mmHg	2 分 30 秒	70 秒
9〜10cm（娩出期）	50mmHg	2 分	60 秒

　軟産道は，頸管の開大，展退が進むとともに頸管が軟化し，前方に移動する。陣痛は分娩進行に伴い周期が短縮し，子宮収縮が増強する（表 2-5）。

　胎児の娩出方向である骨盤誘導線は前方に彎曲しており，さらに骨盤腔内の広さや形状も変化するため，胎児は，児頭の回旋運動や応形機能を利用して，その形状を骨盤腔に適合させながら骨盤内を下降する。

2. 第2期（娩出期）

　子宮口全開大から胎児娩出までの期間であり，初産婦で 1〜2 時間，経産婦で 30 分〜1 時間程度である。

　軟産道の変化は，子宮口全開大後にさらに児頭の下降が進むことで，腟や骨盤底筋群が伸展する。その後，会陰が引き伸ばされ肛門が開き，児頭は**排臨・発露**となる。骨産道も仙腸関節の弛緩によりわずかではあるが広がり，骨盤出口部の縦径も広がる。

　分娩第 2 期の陣痛は娩出期陣痛といわれ，陣痛周期が約 2 分間隔で，子宮収縮もさらに強さを増す。さらに児頭が下降すると，陣痛発作と同時に**努責**（不随意な腹圧）が出現する**共圧陣痛**となり，胎児娩出に向けて娩出力が増す。

3. 第3期（後産期）

　胎児娩出から胎盤娩出までの期間であり，分娩第 3 期終了をもって分娩終了となる。分娩第 3 期の所要時間は初産婦で 15〜30 分，経産婦で 10〜20 分程度である。分娩第 3 期は産後異常出血への注意が重要となる。

　胎児娩出の 5〜15 分後に軽い子宮収縮（後産期陣痛）が起こり，胎盤が剝離して娩出となる。胎盤剝離面からの出血は子宮筋の収縮により止血され，正常の場合，子宮底は臍下 2〜3 横指で硬く触れる。

＊　　　　＊　　　　＊

　分娩時期は上記の第 1〜第 3 期であるが，胎盤娩出後から 2 時間までの時期を第 4 期*

＊ 第 4 期：分娩第 4 期という言葉は，臨床的には使われていない表現であり，分娩時期としては適切ではないとされる場合もある。

と称する場合がある。胎盤娩出後も，弛緩出血や裂傷からの出血，血腫形成（けっしゅ）などの異常が起こるので注意が必要である。

　この時期には不規則な子宮収縮（後陣痛（こうじんつう））を認める。一般的に，経産婦のほうが後陣痛を強く感じることが多い。

D 破水

　破水とは，胎児を包む卵膜が破れ，羊水（ようすい）が流出することを指す。妊娠・分娩（ぶんべん）の経過のなかで自然に破水する場合（自然破水）と，人工的に破水させる場合（人工破膜または人工破水）がある。破水は起こるタイミングによって，前期破水，早期破水，適時破水，遅滞破水に分類される（表2-3参照）。破水後に長時間が経過すると，羊水量減少に伴う臍帯因子（さいたい）による胎児心拍数異常の出現や，腟（ちつ）から子宮に細菌が上行感染（じょうこう）し，絨毛膜羊膜炎（じゅうもうまくようまくえん）のリスクが高まるため注意が必要となる。

1. タイミングによる自然破水の分類

❶ **前期破水**　陣痛発来前の破水を，**前期破水**という。前期破水は妊娠中のどの時期でも起こる可能性があり，早産期に起こる場合もある。

❷ **早期破水**　陣痛発来後で子宮口が全開大となる前の破水を，**早期破水**という。

❸ **適時破水**　陣痛発来後で子宮口が全開大となってからの破水を，**適時破水**という。

❹ **遅滞破水**　子宮口全開大後で胎児先進部が骨盤腔内（くう）に深く進入した時点でも破水が起こらない状態を，**遅滞破水**という。未破水で卵膜に覆われたまま娩出される胎児を**幸帽児**（こうぼうじ）（被膜児）といい，早産児の分娩などでみられることがある。

2. 完全破水（低位破水）と高位破水

　卵膜が破れて胎児の先進部を直接確認できる場合を，**完全破水**（低位破水）という。これに対し，子宮口から離れた位置で卵膜が破れる場合を，**高位破水**といい，羊水流出が視診で確認されるか，破水の検査で陽性となったが卵膜が保たれている場合に診断される。

3. 人工破膜

　分娩経過のなかで，意図的に卵膜を破り破水させることを**人工破膜**（人工破水）という。陣痛増強促進効果を期待して行う場合や，遅滞破水の場合に行う。

E 児頭の浮動・下降・進入・固定・嵌入

　妊娠中の児頭は**浮動**の状態にあるが，妊娠末期になると，前陣痛などの影響により児頭の**下降**が始まる。その後，児頭が小骨盤腔内に**進入**し，児頭の最大周囲径が骨盤入口部ま

第
5
編

1
妊娠期にある母
子の生理と看護

2
分娩期にある母
子の生理と看護

3
産褥期にある母
子の生理と看護

4
新生児の特徴と
生理的変化と看護

付
周産期にある母
子の看護の事例

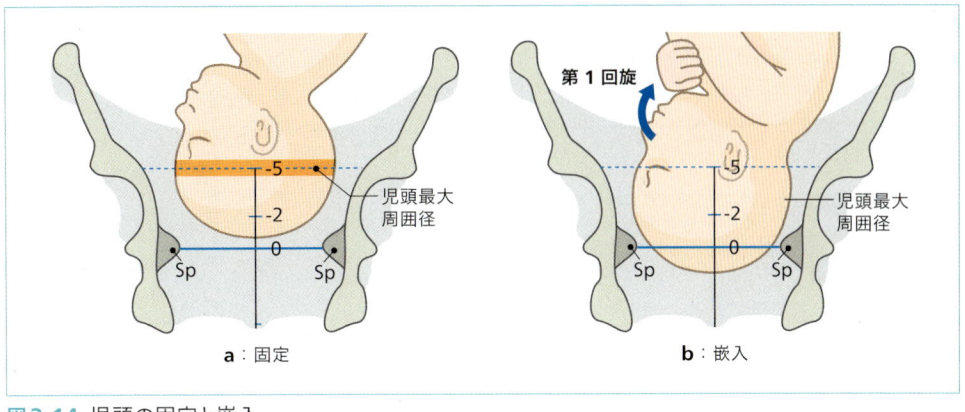

第1回旋

児頭最大
周囲径

児頭最大
周囲径

Sp　Sp

Sp　Sp

−5

−5

−2

−2

0

0

a：固定

b：嵌入

図2-14 児頭の固定と嵌入

で下降し移動性がなくなった状態を**固定**という。この時の児頭先進部は Sp − 2 〜 − 1 に存在する（図2-14a）。

　児頭固定後に，第1回旋を経て児頭最大周囲径（正常の回旋では小斜径）が骨盤入口部より下降した状態を**嵌入**という。この時の先進部は，Sp 0 より下降した状態にある（図2-14b）。

F 回旋

　児頭は，4回の回旋運動をしながら産道を下降し通過する。骨盤内では第1回旋と第2回旋を行い，出口部で第3回旋と第4回旋を行う（図2-15）。

1 第1回旋（首の前屈）

　分娩開始後，胎児は自然とあごを引き，前屈した屈位をとり小泉門が先進する。これを第1回旋といい，児頭は小斜径周囲（最も面積の小さい児頭断面）で通過可能となる。骨盤入口部では児頭の矢状縫合は母体の骨盤横径と一致している。第1回旋により，屈位の状態は第3回旋開始時まで維持される。

2 第2回旋（先進部の内旋）

　骨盤入口部は横長の楕円形なのに対して骨盤出口部は縦長の楕円形であるため，骨盤入口部では，児頭の長軸となる矢状縫合を骨盤横径に一致させて通過した後，骨盤腔内で児頭の先進部（通常は後頭）が母体の前方側（恥骨側）に90度内旋しながら骨盤出口部まで下降する。これを第2回旋といい，矢状縫合は横径から縦径に一致するように変化する。第2回旋が終わる頃には子宮口は全開大する。

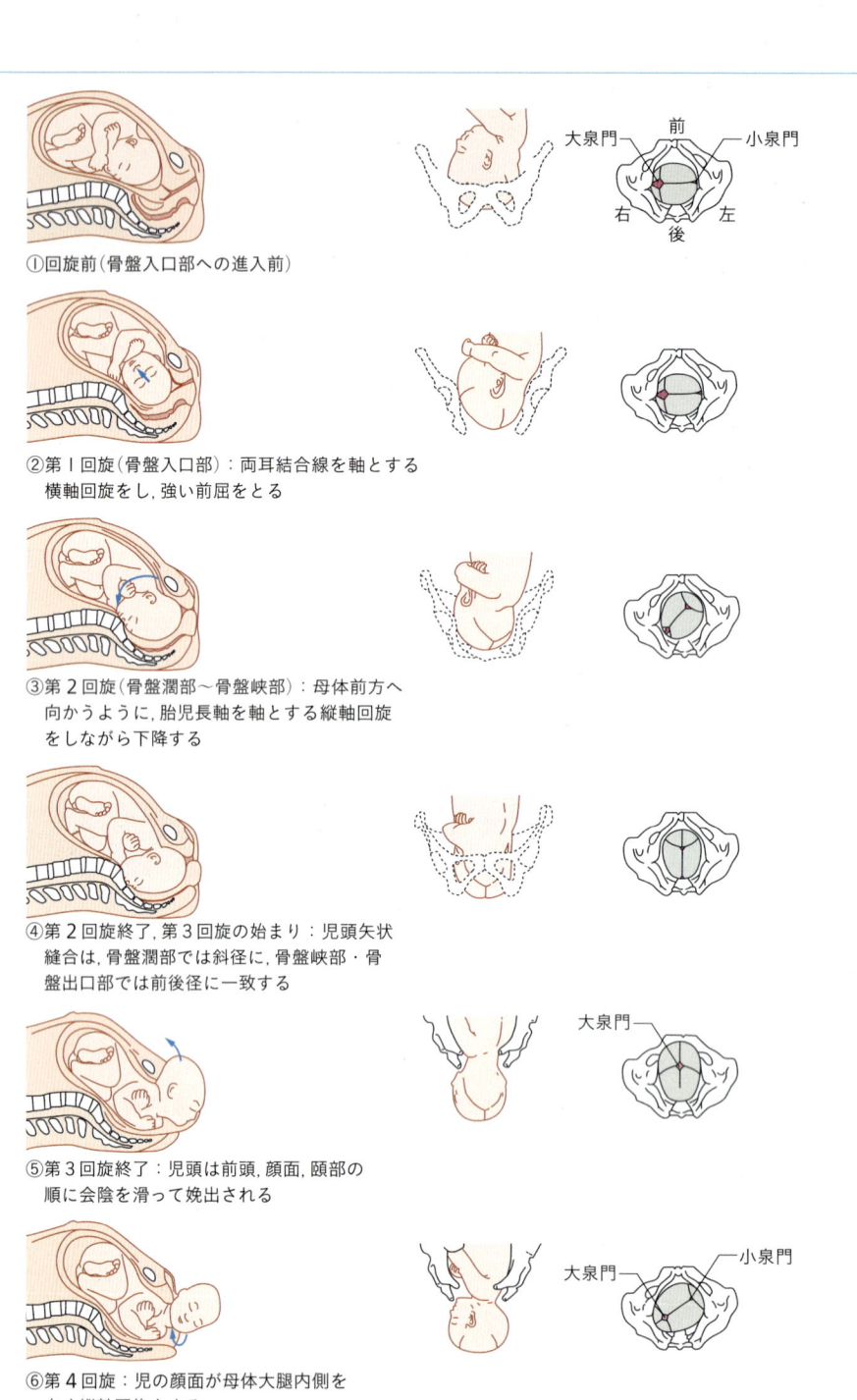

①回旋前（骨盤入口部への進入前）

②第1回旋（骨盤入口部）：両耳結合線を軸とする
　横軸回旋をし，強い前屈をとる

③第2回旋（骨盤濶部〜骨盤峡部）：母体前方へ
　向かうように，胎児長軸を軸とする縦軸回旋
　をしながら下降する

④第2回旋終了，第3回旋の始まり：児頭矢状
　縫合は，骨盤濶部では斜径に，骨盤峡部・骨
　盤出口部では前後径に一致する

⑤第3回旋終了：児頭は前頭，顔面，頤部の
　順に会陰を滑って娩出される

⑥第4回旋：児の顔面が母体大腿内側を
　向く縦軸回旋をする

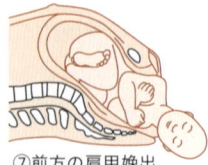

⑦前方の肩甲娩出

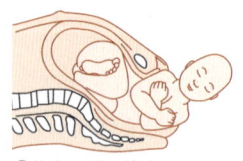

⑧後方の肩甲娩出

図2-15 児頭の回旋と下降および矢状縫合の向きの関係

第5編

1　妊娠期にある母子の生理と看護

2　分娩期にある母子の生理と看護

3　産褥期にある母子の生理と看護

4　新生児の特徴と生理的変化と看護

付　周産期にある母子の看護の事例

3 | 第3回旋（首の背屈）

　児頭が骨盤出口部から娩出される際に起こる回旋である。胎児の後頭結節が恥骨結合を超える際に，恥骨結合下縁を支点にして首の背屈が起こり，児頭は骨盤誘導線に沿って前頭部，顔面，頤（あごの先端）の順に娩出される。これを第3回旋といい，第1回旋と逆の動きとなる。第3回旋時には，児頭の矢状縫合は母体の骨盤縦径と一致している。

4 | 第4回旋（先進部の外旋）

　肩甲娩出に必要な回旋である。児頭の娩出に引き続き体幹の下降が起こる。その際に児頭の長軸（矢状縫合）と肩の長軸が直交しているため，肩の長軸が骨盤縦径に一致する方向に90度回旋する。これを第4回旋といい，第2回旋と逆方向（先進部が分娩開始前の位置に戻る方向）に外旋する。

Ｇ　児頭の変形，変化

1. 応形機能

　児頭は産道通過を容易にするために，産道の圧迫により産道の形状に合わせて変形する。この現象を，応形機能という。一般には骨盤に進入する方向に先進部が延長し，これと直角の方向に短縮する。前方後頭位分娩では，後頭部が延長するように変形して**長頭蓋**となる（図2-16）。

　このような児頭の変形は，胎児の頭蓋骨の化骨が未完成で軟らかく，骨重積を形成するためである。児頭の変形は出生後2～3日，遅くとも1週間程度で消失する。

2. 骨重積

　胎児の頭蓋骨の縫合は離開しているため，分娩時には産道の圧迫により各頭蓋骨が互い

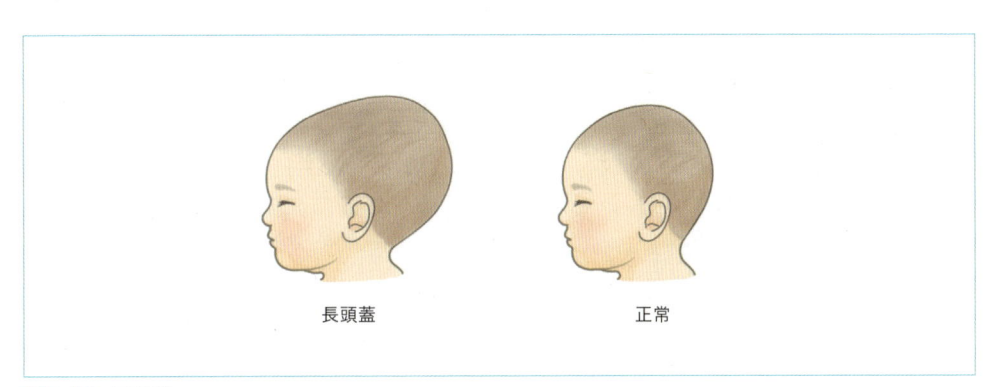

長頭蓋　　　　　　　正常

図2-16　長頭蓋

に移動し重なり合う。これを**骨重積**という（図 2-17）。頭位分娩では，前方（母体恥骨側）にある頭頂骨が後方（母体仙骨側）の頭頂骨の上方に重なる。つまり，第 1 胎向の場合は右頭頂骨が，第 2 胎向の場合は左頭頂骨が上方に重なる。

3. 産瘤

児頭の先進部が主として子宮口に圧迫されて，その一部に境界不明瞭なうっ滞性の浮腫を生じることがあり，これを**産瘤**という（図 2-18）。産瘤は応形機能や骨重積のように分娩進行を容易にするための変化ではないが，分娩の影響としてしばしば生じる。

産瘤は，頭位分娩の際には頭部に，骨盤位分娩では殿部に生じる。可動性があり触ると軟らかく，色調は赤紫色で，点状出血を伴う場合もある。分娩直後に著明であるが，出生後 24 〜 36 時間前後で消失する。産瘤は皮下組織に発生するので，縫合や泉門を超えて形成される。

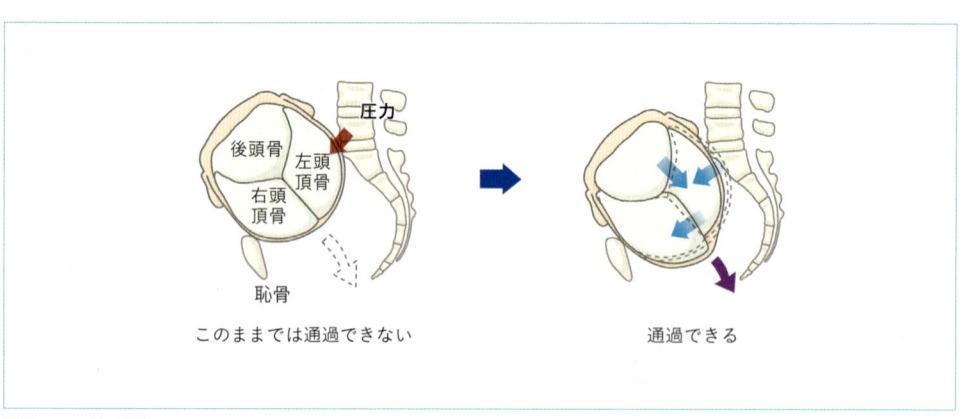

図 2-17 骨重積

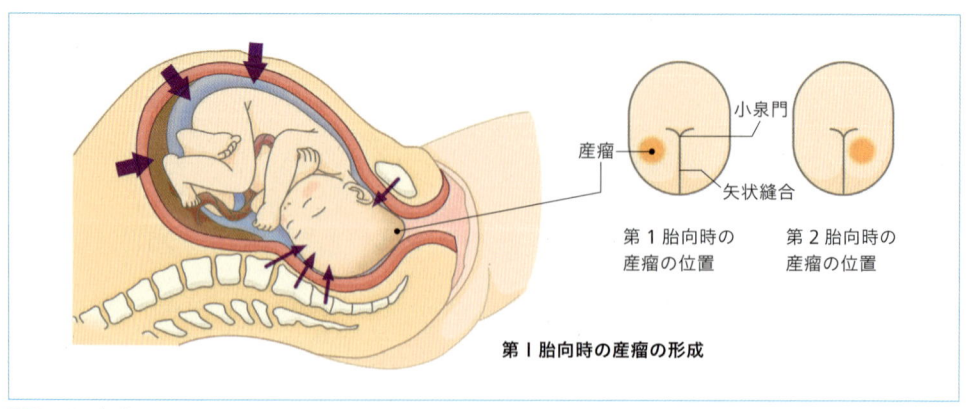

図 2-18 産瘤

第
5
編

1
妊娠期にある母
子の生理と看護

2
分娩期にある母
子の生理と看護

3
産褥期にある母
子の生理と看護

4
新生児の特徴と
生理的変化と看護

付
周産期にある母
子の看護の事例

Ⓗ 胎児の娩出

1 排臨

　分娩第2期に，陣痛に伴って児頭が陰裂から見え隠れする状態を，**排臨**という。陣痛発作時には陰裂の間から児頭が観察され，陣痛間欠時には児頭が膣内に後退し陰裂が閉じる。

2 発露

　排臨後にさらに児頭の下降が進むと，陣痛間欠時にも児頭が膣内に後退することなく陰裂の間から観察されるようになる。この状態を**発露**という。

Ⓘ 胎盤娩出

　胎児娩出後は，胎盤付着部の子宮筋の収縮に伴い，子宮壁と胎盤の間にずれが生じ，脱落膜の海綿層で胎盤が剝離する。胎盤は自然に剝離し娩出されるが，分娩第3期の出血を減らす目的で，臍帯を軽く牽引して積極的に胎盤娩出を行うことも多い。通常は，下記の胎盤剝離徴候を2つ確認できれば胎盤剝離が起こっていると判断できる。胎盤や卵膜の遺残があると，分娩時異常出血の原因となるため，胎盤娩出後には，娩出された胎盤と卵膜に欠損がないかを確認する。

1. 胎盤剝離徴候（図2-19）

❶ **アールフェルド（Ahlfeld）徴候**　胎盤が剝離し下降するにつれて，膣外に下垂した臍帯が下降する。臍帯を挟鉗したコッヘルなどが下降することで判断できる。

❷ **キュストネル（Küstner）徴候**　恥骨結合上縁部を腹壁から圧迫した時，臍帯が膣内へ後退すれば胎盤は剝離しておらず，逆に臍帯が下垂すれば胎盤は剝離している。

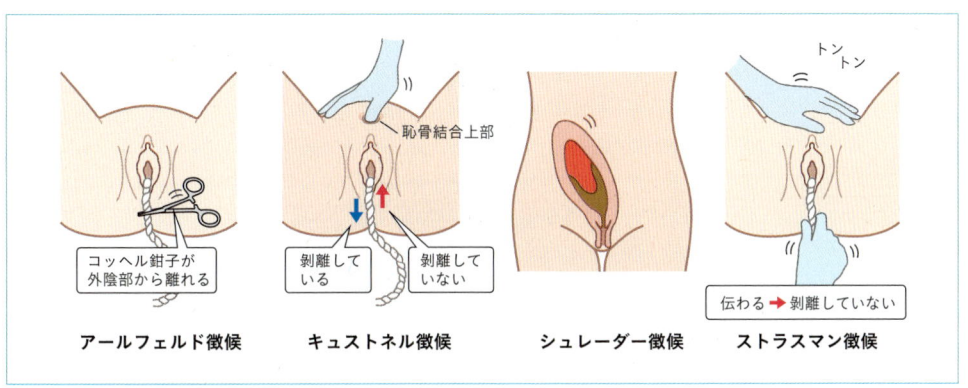

図2-19 胎盤剝離徴候

❸ シュレーダー（Schröder）徴候　胎盤剝離前には球状を呈していた子宮体部が，剝離後は少し幅が狭くなり，子宮底が上昇しかつ右傾する。

❹ ストラスマン（Strassmann）徴候　一方の手の 2 指の間に臍帯をはさみ，もう一方の手で子宮底を軽く叩くと，この衝動が 2 指の間の臍帯に伝われば胎盤は剝離しておらず，これを感じなければ剝離している。

2. 胎盤娩出方法

　分娩第 3 期の出血量を減らす目的で行われる胎盤娩出法として，**ブラント-アンドリュース（Brandt-Andrews）胎盤圧出法**がある[1]。一方の手で臍帯をゆっくり牽引しながら，他方の手で腹壁の上から子宮体部を後方（母体の背側）斜め上（子宮底側）方向に圧迫する（図2-20）。正常分娩で胎盤剝離徴候が認められた段階の早期から行う。また，自然経過で胎盤剝離徴候を認めない場合にも最初に試みる方法である。

3. 胎盤娩出様式

　胎盤娩出様式は次の 3 つに分類される。

❶ シュルツェ様式　胎盤の中央部から剝離が始まり胎盤後血腫を形成し，胎盤母体面および卵膜で血腫を包み込むようにしながら，胎盤胎児面から娩出される。この様式をシュルツェ（Schultze）様式という（図 2-21a）。全分娩の 70 ～ 80% がシュルツェ様式で胎盤娩出される。

❷ ダンカン様式　胎盤の下縁（腟に近い辺縁）から胎盤剝離が始まり，剝離が胎盤中央部に進展する。胎盤後血腫は先に排出され，胎盤は母体面を先頭に娩出される。この様式をダンカン（Duncan）様式という（図 2-21b）。全分娩の 20 ～ 30% がダンカン様式で胎盤娩出される。

❸ 混合様式　胎盤の辺縁から娩出されるため，一部は母体面で娩出するが，残りは胎児面で娩出される。この様式を混合様式といい，ゲスナー（Gessner）様式ともいう。

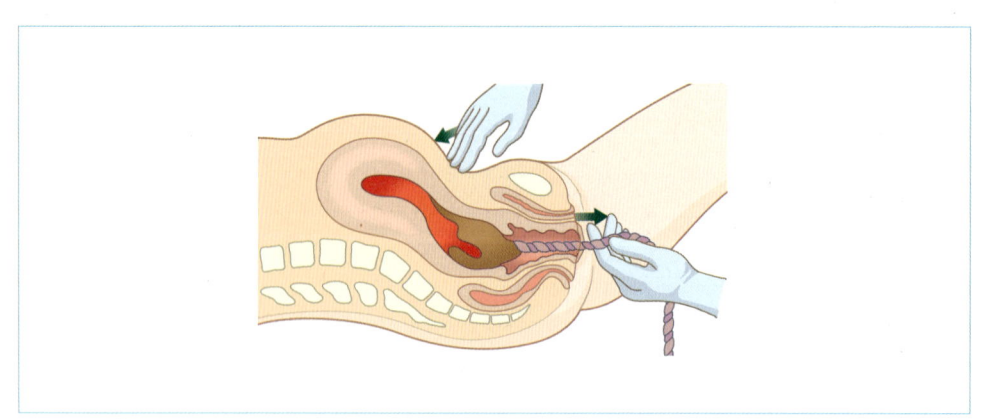

図2-20　ブラント-アンドリュース胎盤圧出法

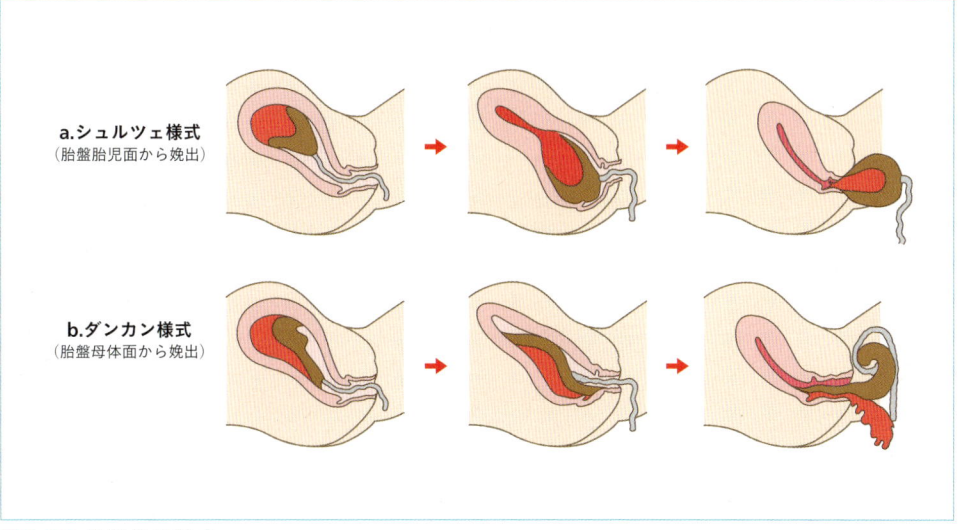

図2-21 胎盤娩出様式

a.シュルツェ様式
（胎盤胎児面から娩出）

b.ダンカン様式
（胎盤母体面から娩出）

第5編

1 妊娠期にある母子の生理と看護

2 分娩期にある母子の生理と看護

3 産褥期にある母子の生理と看護

新生児の特徴と生理的変化と看護

村 周産期にある母子の看護の事例

J 産痛の機序と緩和

産痛とは，分娩時の子宮収縮（陣痛），軟産道開大，骨盤壁や骨盤底の圧迫，子宮下部や会陰の伸展などによって生じる下腹部痛や腰痛の疼痛を総称したものである。また，産痛の程度は分娩の難易にもよるが個人差も大きく，一般的に神経質な人，不安緊張の強い人は痛みを強く訴える。産痛を理解するには，一般的な痛みの種類である体性痛と内臓痛に関して理解しておく必要がある。

体性痛は鋭く激しい痛みであり，どこが痛いかの局在が明確である。皮膚や粘膜に由来する表面痛と，筋肉・腱・関節・骨膜に由来する深部痛に分類される。内臓痛はどこが痛いのかはっきりせず，広く曖昧な痛みとして感じる。

1. 産痛の機序

分娩第1期の痛みは，主に子宮筋の収縮による虚血や子宮体下部および子宮頸部の機械的拡張に伴う内臓痛である。これらの痛みは，子宮神経叢を介して第10胸椎〜第1腰椎のレベルで脊髄を通って大脳に伝達される（図2-22）。内臓痛を伝える神経は自律神経と並走するため，痛みとともに悪心や低血圧，発汗といった自律神経症状を伴うことがある。

分娩第2期の痛みは，腟円蓋周囲の骨盤や結合組織の拡張や牽引と，骨盤底や外陰部の拡張による体性痛である。これらの痛みは，第2〜4仙骨のレベルで脊髄を通って大脳に伝達される。

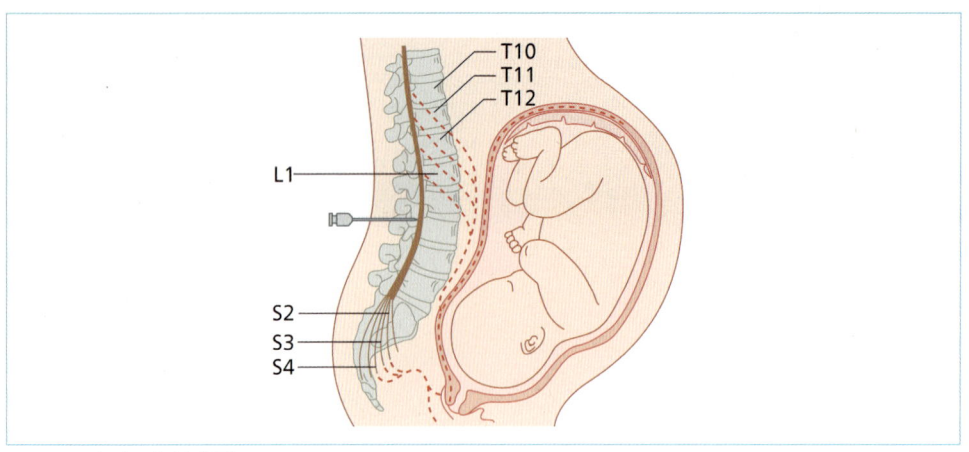

図2-22 産痛の伝達経路

2. 産痛の緩和と無痛分娩・和痛分娩

分娩期のケアとして，産痛の緩和は非常に重要である。産痛の緩和には，薬物を用いない対症的な方法と，薬物による鎮痛が存在する。医療者は様々な産痛緩和法を熟知して，それを実施する場合は安全面にも配慮する。また，産婦やその家族がそのメリットやデメリットについて理解したうえで選択できるようにする。

和痛分娩という言葉を耳にすることがあるが，**無痛分娩**と基本的には大きな違いはなく，両方の言葉の違いは医学的に明確な定義はされていない。

3. 薬物を用いない産痛緩和

リード（Read, D.）の理論では，分娩時の不安や恐怖が緊張を引き起こし，それにより痛みが増強すると考えられている。この悪循環を改善させるために，自由姿勢・体位変換や歩行，呼吸法，温罨法，入浴，マッサージ，指圧，鍼，アロマセラピーなどで副交感神経を刺激し，リラックスして血行を促進することで筋緊張がとれて産痛緩和につながる[2), 3)]。

また，メルザック（Melzack, R.）とウォール（Wall, P. D.）の提唱したゲートコントロール説では，痛みの刺激は脊髄にあるゲートが開くと脳に伝わり，痛みと認識するが，ゲートを閉じれば伝わらないとしている[4)]。つまり，末梢から脊髄後根への刺激入力パターンを変化させることによって疼痛コントロールは可能と考えられている。具体的には，痛い部分をマッサージや指圧をして，痛みの刺激入力パターンを変化させることによって痛みが緩和すると考えられている。

4. 薬物を用いる産痛緩和

硬膜外麻酔などを用いた無痛分娩（麻酔分娩）は，薬物を用いる産痛緩和の代表的な方法である。無痛分娩の麻酔方法としては次の方法がある。

第5編

1 妊娠期にある母子の生理と看護

2 分娩期にある母子の生理と看護

3 産褥期にある母子の生理と看護

4 新生児の特徴と生理的変化と看護

付 周産期にある母子の看護の事例

▶ **硬膜外麻酔**　無痛分娩の麻酔として多く採用されている方法の一つで，海外では一般的な無痛分娩方法として認知されている。脊椎硬膜外腔にカテーテルを挿入・留置し，麻酔薬を注入する。

▶ **脊髄クモ膜下麻酔**　脊髄クモ膜下腔に麻酔薬を注入する方法で，帝王切開時の麻酔としては一般的である。確実性が高くスピーディーな麻酔効果が期待できるが，持続投与ができず持続性・調節性はない。硬膜外麻酔と併用することが多い。

▶ **静脈麻酔，吸入麻酔**　静脈麻酔は静脈から麻酔薬を投与し，吸入麻酔は麻酔薬を吸入させる方法である。これらの方法は簡便ではあるが，無痛の確実性は高くない。呼吸抑制のリスクがあるため呼吸管理が可能な状況で行う必要があり，胎児にも麻酔効果が現れ眠ったままで出生する（sleeping baby）可能性もある。

▶ **陰部神経麻酔**　分娩第2期の痛みは陰部神経を介して脊髄に伝達されるため，坐骨棘近くの陰部神経根部を経腟的に局所麻酔薬を投与してブロックすることにより，会陰部領域の鎮痛と骨盤底筋群の弛緩を同時に得ることができる。

Ⓚ 胎児心拍数モニタリング

　胎児心拍数陣痛図（cardiotocogram：CTG）は，胎児心拍数を経時観察するドプラー超音波と，子宮収縮や胎動を経時観察する圧センサーの2つのトランスデューサーを腹部に装着して描出される2つの波形を評価する（図2-23）。子宮収縮がない状態で評価を行うノンストレステスト（non-stress test：NST）と，子宮収縮がある状態で評価を行うコントラクションストレステスト（contraction stress test：CST）がある。

　胎児心拍数陣痛図の波形を判読するうえでは，①胎児心拍数基線，②胎児心拍数基線細変動，③一過性頻脈の有無，④一過性徐脈の有無とその分類，の順番で評価する。また，胎児心拍数波形の評価以外にも，⑤患者リスク（基礎疾患の有無や破水の有無，使用中の薬剤の影響など），⑥子宮収縮の頻度，に注意する。

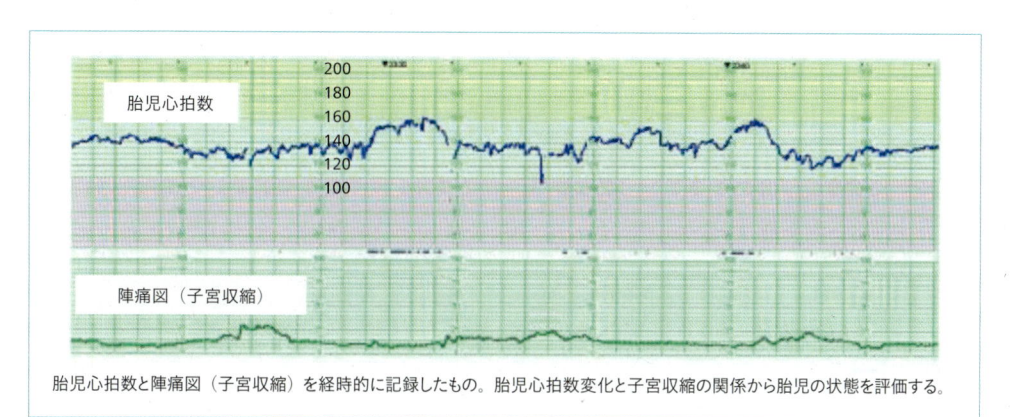

胎児心拍数と陣痛図（子宮収縮）を経時的に記録したもの。胎児心拍数変化と子宮収縮の関係から胎児の状態を評価する。

図2-23 胎児心拍数陣痛図

日本では，分娩中の胎児心拍数モニタリングの評価に波形分類が用いられる。波形分類を行うために，上記のうち胎児心拍数基線，胎児心拍数基線細変動，一過性徐脈の有無とその分類に注目する必要がある。分類の判定を図2-24に，対応は表2-6に示す。

　①基線が正常，②基線細変動が正常，③一過性頻脈が存在，④一過性徐脈を認めない，をすべて満たす波形を「reassuring fetal heart rate pattern」（安心できる胎児心拍数パターン）といい，波形分類のレベル1に相当する。この場合，胎児の状態は良好と判断され，このような胎児の状態を「reassuring fetal status」（安心できる胎児状態）と表現する。

　胎児機能不全は，波形分類のレベル3～5に相当する。特にレベル5は重度胎児機能不全の可能性が高く，急速遂娩（緊急帝王切開，または吸引・鉗子分娩）が必要となる。しかし，胎児機能不全は幅広い病態を意味しており，胎児の状態も様々で胎児心拍数パターンも多岐にわたるため，胎児心拍数モニタリングによる胎児機能不全の診断は，特異度が低く偽陽性率が高い。すなわち，胎児機能不全と診断されて急速遂娩になっても，児が元気に出生することは稀ではない。胎児機能不全の英語表記が「non-reassuring fetal status; NRFS」（安心できない胎児状態）という幅広い概念で称される所以である。

　どのくらいの間隔で胎児心拍数の確認を行うのが適正かは，多くの研究がなされているが画一化された見解はない。日本の『産婦人科診療ガイドライン—産科編2020』におい

a　基線細変動正常例

| 一過性徐脈 | なし | 早発 | 変動 | | 遅発 | | 遷延 | |
心拍数基線			軽度	高度	軽度	高度	軽度	高度
正常脈	1	2	2	3	3	3	3	4
頻脈	2	2	3	3	3	4	3	4
徐脈	3	3	3	4	4	4	4	4
徐脈（<80）	4	4						

b　基線細変動減少例

| 一過性徐脈 | なし | 早発 | 変動 | | 遅発 | | 遷延 | |
心拍数基線			軽度	高度	軽度	高度	軽度	高度
正常脈	2	3	4	4	3*	4	4	5
頻脈	3	3	4	4	4	4	4	5
徐脈	4	4	4	5	5	5	5	5
徐脈（<80）	5	5	5	5	5	5		

3*正常脈＋軽度遅発一過性徐脈：健常胎児においても比較的頻繁に認められるので「3」とする。ただし，背景に胎児発育不全や胎盤異常などがある場合は「4」とする。

c　基線細変動消失例

| 一過性徐脈 | なし | 早発 | 変動 | | 遅発 | | 遷延 | |
心拍数基線			軽度	高度	軽度	高度	軽度	高度
心拍数基線にかかわらず	4	5	5	5	5	5	5	5

*薬剤投与や胎児異常など特別な誘因がある場合は個別に判断する。
*心拍数基線が徐脈（高度を含む）の場合は一過性徐脈のない症例も"5"と判定する。

d　基線細変動増加例

| 一過性徐脈 | なし | 早発 | 変動 | | 遅発 | | 遷延 | |
心拍数基線			軽度	高度	軽度	高度	軽度	高度
心拍数基線にかかわらず	2	2	3	3	3	4	3	4

*心拍数基線が明らかに徐脈と判定される症例では，表aの徐脈（高度を含む）に準じる。

e　サイナソイダルパターン

| 一過性徐脈 | なし | 早発 | 変動 | | 遅発 | | 遷延 | |
心拍数基線			軽度	高度	軽度	高度	軽度	高度
心拍数基線にかかわらず	4	4	4	4	5	5	5	5

付記：
i. 用語の定義は日本産科婦人科学会55巻8月号周産期委員会報告による（末尾参照）。
ii. ここでサイナソイダルパターンと定義する波形はiの定義に加えて以下を満たすものとする。
　①持続時間に関して10分以上。
　②なめらかなサインカーブとはshort term variabilityが消失もしくは著しく減少している。
　③一過性頻脈を伴わない。
iii. 一過性徐脈はそれぞれ軽度と高度に分類し，以下のものを高度，それ以外を軽度とする。
　◇遅発一過性徐脈：基線から最下点までの拍数低下が15bpm以上
　◇変動一過性徐脈：最下点が70bpm未満で持続時間が30秒以上，または最下点が70bpm以上80bpm未満で持続時間が60秒以上
　◇遷延一過性徐脈：最下点が80bpm未満
iv. 一過性徐脈の開始は心拍数の下降が肉眼で明瞭に認識できる点とし，終了は基線と判定できる安定した心拍数の持続が始まる点とする。心拍数の最下点は一連の繋がりをもつ一過性徐脈の中の最も低い心拍数とするが，心拍数の下降の緩急を解読するときは最初のボトムを最下点として時間を計測する。

出典／日本産科婦人科学会，日本産婦人科医会編・監：産婦人科診療ガイドライン；産科編2020，日本産婦人科学会，2020．p.229-230.

図2-24 胎児心拍数波形分類の判定

第5編

1 妊娠期にある母子の生理と看護

2 分娩期にある母子の生理と看護

3 産褥期にある母子の生理と看護

4 新生児の特徴と生理的変化と看護

付 周産期にある母子の看護の事例

表2-6 胎児心拍数波形分類に基づく対応と処置（主に32週以降症例に関して）

波形レベル	対応と処置	
	医師	助産師※
1	A：経過観察	A：経過観察
2	A：経過観察 または B：監視の強化，保存的処置の施行および原因検索	B：連続監視，医師に報告する。
3	B：監視の強化，保存的処置の施行および原因検索 または C：保存的処置の施行および原因検索，急速遂娩の準備	B：連続監視，医師に報告する。 または C：連続監視，医師の立ち会いを要請，急速遂娩の準備
4	C：保存的処置の施行および原因検索，急速遂娩の準備 または D：急速遂娩の実行，新生児蘇生の準備	C：連続監視，医師の立ち会いを要請，急速遂娩の準備 または D：急速遂娩の実行，新生児蘇生の準備
5	D：急速遂娩の実行，新生児蘇生の準備	D：急速遂娩の実行，新生児蘇生の準備

〈保存的処置の内容〉
一般的処置：体位変換，酸素投与，輸液，陣痛促進薬注入速度の調節・停止など
場合による処置：人工羊水注入，刺激による一過性頻脈の誘発，子宮収縮抑制薬の投与など
※：医療機関における助産師の対応と処置を示し，助産所におけるものではない

出典／日本産科婦人科学会，日本産婦人科医会編・監：産婦人科診療ガイドライン；産科編2020，日本産科婦人科学会，2020，p.231.

ては，次のとおり記載されている[5]。

- 分娩第1期（入院時を含め）には，分娩監視装置を一定時間（20分以上）装着してモニタリングを記録する。
- レベル1ならば，次の分娩監視装置使用までの一定時間（6時間以内）は間欠的胎児心拍聴取（15～90分ごと）で監視を行う。ただし，分娩第1期を通じて連続モニタリングを行ってもよい。
- 分娩第2期は，連続的モニタリングを行うことを推奨する。

1. 胎児心拍数陣痛図の用語

1 胎児心拍数基線（基線）

　胎児心拍数基線は10分間の区間の平均胎児心拍数で，5の倍数で表現する。基線は一過性変動部分や基線細変動増加の部分は除外し，2分間以上持続している部分で判断する。正常は110～160bpmであり，110bpm未満を**徐脈**，160bpm以上を**頻脈**という（図2-25）。

2 胎児心拍数基線細変動（基線細変動）

　胎児心拍数基線細変動は，基線が判読可能な部分で評価する。基線細変動は，基線の細かい変動で，基線の振幅を評価して4段階に分類する（図2-26）。

　基線細変動の減少や消失は，胎児の低酸素血症やアシドーシス状態の可能性があり，注意を要する。そのほか，睡眠サイクル，中枢神経に作用する薬剤（モルヒネやマグネシウム製

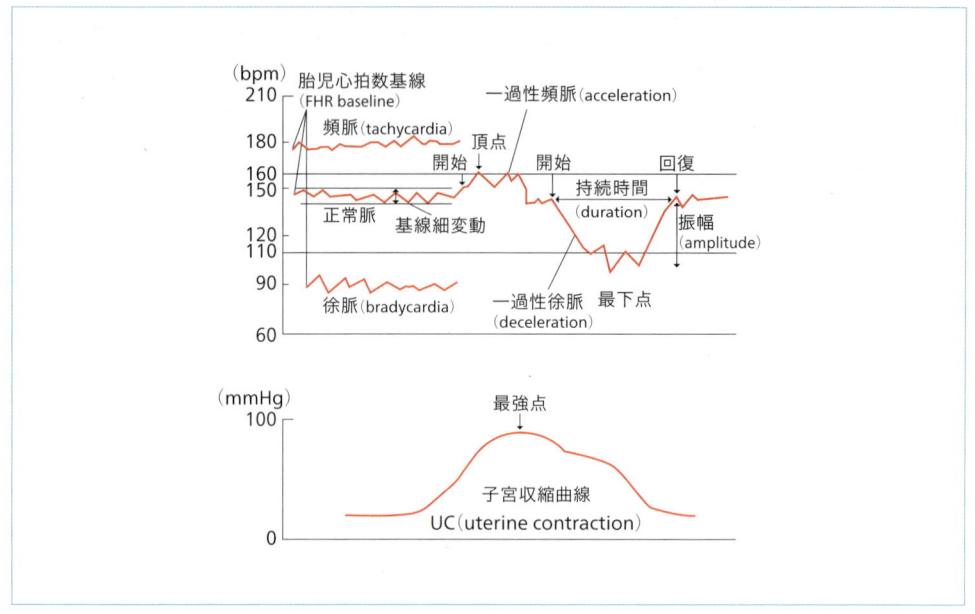

図2-25 胎児心拍数陣痛図における胎児心拍数基線, 用語, 定義

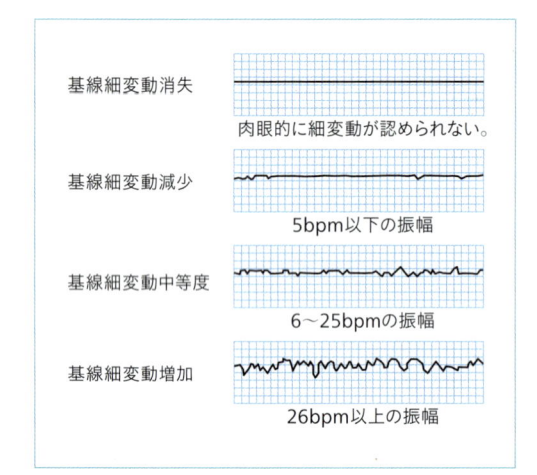

図2-26 基線細変動の分類

表2-7 胎児心拍数一過性変動の分類

分類		波形	
一過性頻脈		FHR	
		UC	
一過性徐脈	早発一過性徐脈	FHR	一致
		UC	
	遅発一過性徐脈	FHR	遅れる
		UC	
	変動一過性徐脈	FHR	
		UC	
	遷延一過性徐脈	FHR	
		UC	

FHR：胎児心拍数, UC：子宮収縮

剤など), 胎児の未熟性（特に妊娠 28 週未満）でも基線細変動の減少がみられる。

3 ｜ 胎児心拍数一過性変動

　一過性変動には一過性頻脈と一過性徐脈が含まれる（表2-7）。

❶一過性頻脈

　15 秒以上 2 分未満で 15bpm 以上の心拍数増加を指す。一過性頻脈の多くは胎児への刺激や胎動によるもので, 出現時には胎児の状態は良好と判断できる。

❷一過性徐脈

　一過性徐脈の代表的な変動パターンを表2-7 に, その原因を図2-27 に示す。一過性徐脈

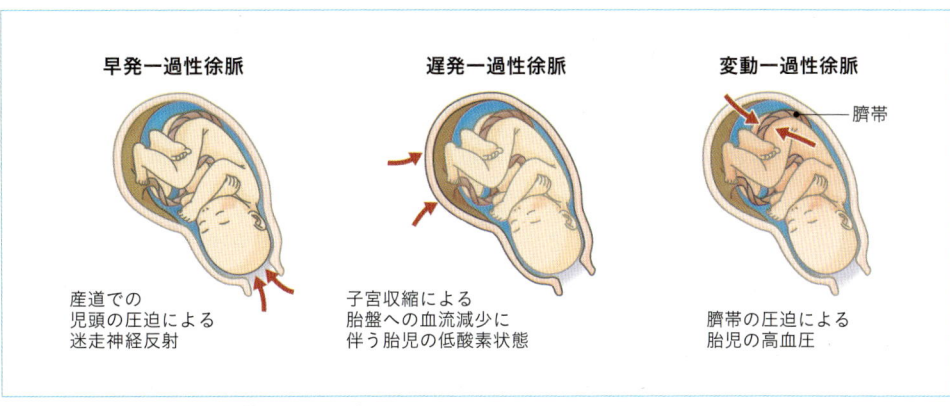

図2-27 胎児心拍数一過性徐脈の発生原因

は，心拍数の減少が急峻であるか緩やかであるかにより，肉眼的に区別することを基本とする。その判断が困難な場合は，心拍数減少の開始から最下点に至るまでに要する時間を参考とし，両者の境界を30秒とする。対応する子宮収縮がある場合には，次の4つに分類する。対応する子宮収縮がない場合でも，変動一過性徐脈と遷延一過性徐脈は判読する（図2-28）。

- **早発一過性徐脈**：徐脈の開始から回復まで15秒以上2分未満で，子宮収縮に伴って心拍数が緩やかに減少して緩やかに回復し，徐脈の最下点が子宮収縮の最強点とおおむね一致している。児頭の圧迫による生理的な迷走神経反射が原因とされている。

- **遅発一過性徐脈**：徐脈の開始から回復まで15秒以上2分未満で，子宮収縮に伴って心拍数が緩やかに減少して緩やかに回復し，徐脈の最下点が子宮収縮の最強点より遅れている。基線から最下点までの心拍数低下が15bpm未満を軽度遅発一過性徐脈，15bpm以上を高度遅発一過性徐脈とする。子宮収縮による胎盤への血流減少に伴い胎児の酸素分圧の急激な低下が発生し，化学受容体を介した迷走神経の賦活が原因とされている。

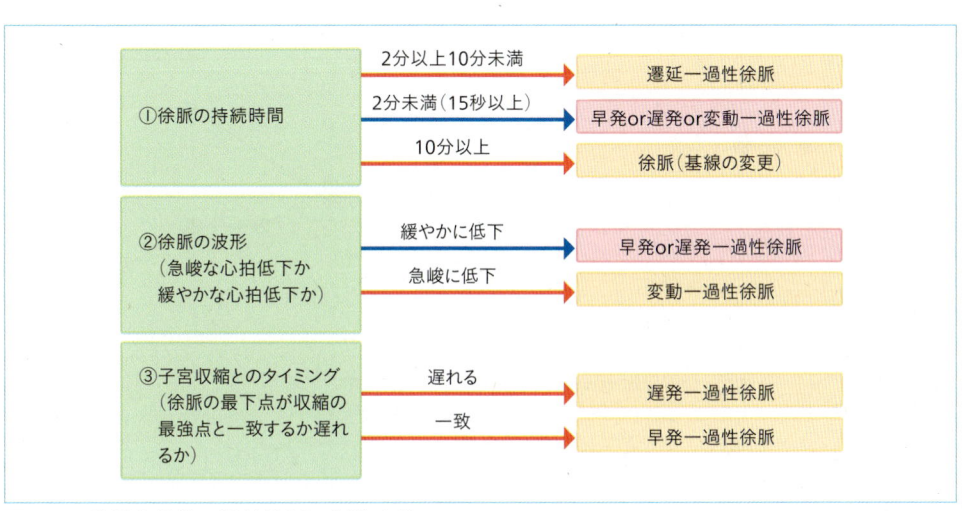

図2-28 胎児心拍数一過性徐脈の判読方法

II 正常な分娩の経過 133

- **変動一過性徐脈**：徐脈の開始から回復まで 15 秒以上 2 分未満で，直前の心拍数より 15bpm 以上の減少が急峻（きゅうしゅん）に起こる波形をいう。子宮収縮に伴って発生する場合は一定の形をとらず，下降度や持続時間は子宮収縮ごとに変動することが多い。最下点が 70bpm 未満で持続時間が 30 秒以上，もしくは最下点が 70bpm 以上 80bpm 未満で持続時間が 60 秒以上の場合を，高度変動一過性徐脈とする。臍帯（さいたい）の強い圧迫により胎児が急激に高血圧となった際の，圧受容体を介した迷走神経の賦活が原因とされている。
- **遷延一過性徐脈**：徐脈の開始から回復まで 2 分以上 10 分未満で，直前の心拍数より 15bpm 以上の減少が起こる場合，心拍数減少が緩やかか急峻かにかかわらず，遷延一過性徐脈という。胎児の低酸素血症やアシドーシス状態，内診や急激な分娩（ぶんべん）進行などの児頭刺激，臍帯圧迫や臍帯脱出，過強陣痛や常位胎盤早期剝離（はくり）などの過剰な子宮収縮など様々な理由で生じるため，原因の鑑別が重要である。なお，10 分以上の心拍数減少の持続は，基線の変化とする。

Ⓛ 分娩の評価

　分娩経過が順調か否かの評価には，分娩経過図（**パルトグラム**）（**図 2-29**）が広く用いられる。パルトグラムは子宮口の開大度，児頭の下降度，陣痛発作の時間，陣痛間欠の時間，胎児心拍数，回旋，母体のバイタルサインなどの分娩進行状況を記録するものである。一般的にこれまでは，分娩進行の評価基準として横軸に分娩経過時間，縦軸に子宮口の開大度と児頭の下降度を記録してフリードマン（Friedman）曲線（**図 2-30**）と比較してきたが[6]，

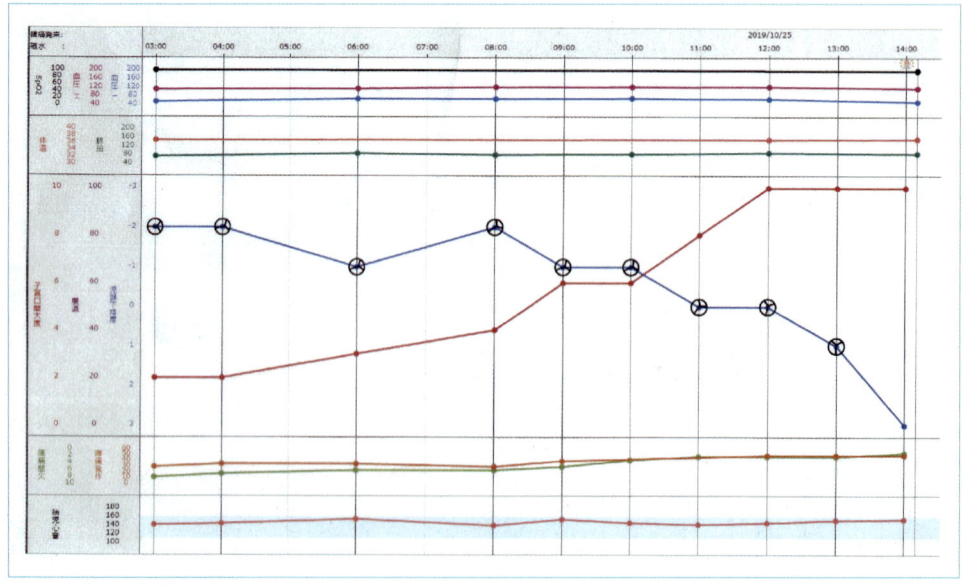

図 2-29 パルトグラム（例）

第5編

1 妊娠期にある母子の生理と看護

2 分娩期にある母子の生理と看護

3 産褥期にある母子の生理と看護

4 新生児の特徴と生理的変化と看護

IV 周産期にある母子の看護の事例

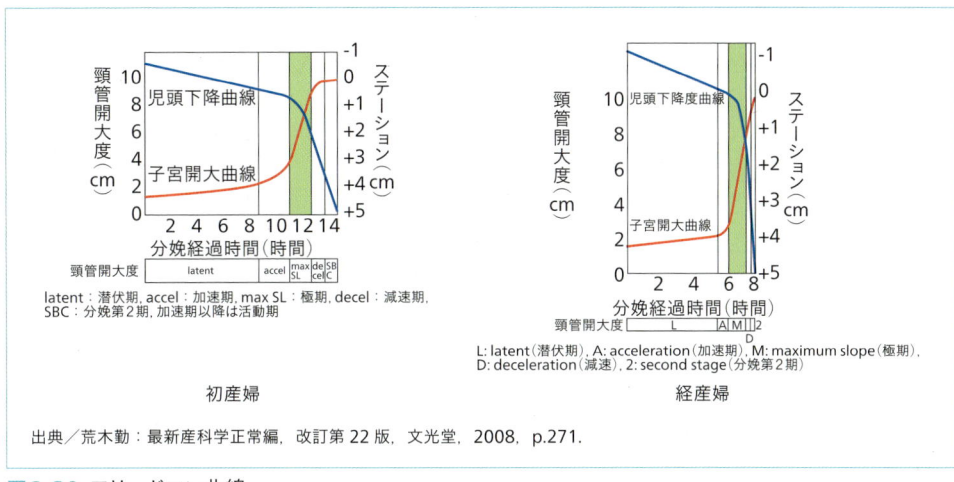

出典／荒木勤：最新産科学正常編，改訂第22版，文光堂，2008，p.271.

図2-30 フリードマン曲線

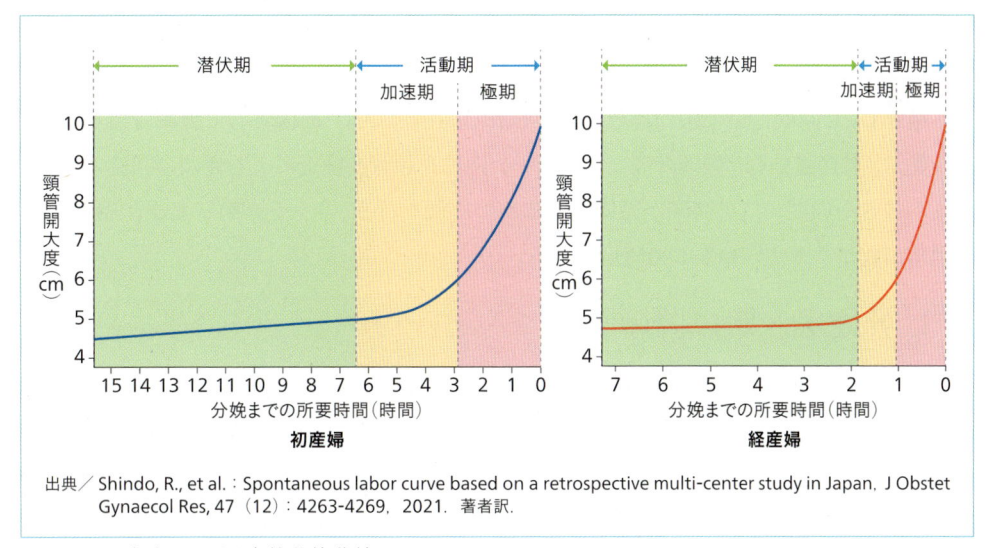

出典／Shindo, R., et al.：Spontaneous labor curve based on a retrospective multi-center study in Japan，J Obstet Gynaecol Res, 47（12）：4263-4269，2021. 著者訳.

図2-31 日本人における自然分娩曲線

1950年代に開発されたものであるため，当時とは妊産婦の体格や生活習慣，分娩管理方法も変化しており，実際の分娩進行はフリードマン曲線より遅延することも多い[7], [8]。このため，日本でも評価基準となる分娩経過曲線の見直しが行われており，2021（令和3）年には日本人における自然分娩曲線（図2-31）の報告がされている[9]。

　これらの分娩曲線は分娩進行の判断基準の一つにはなるが，分娩経過は個人差が大きいため，最終的には症例ごとに分娩の3要素に加え，母体や胎児の状態を踏まえた経過の評価を行うことが重要となる。

1. 分娩第1期の評価

　陣痛発作と陣痛間欠には個人差があり，分娩の時期によっても変化するため，陣痛の評

価は非常に重要である。同時に子宮口の開大・展退の程度・児頭の下降状態を評価することで，分娩の3要素を意識した経過観察を行う。前陣痛か分娩陣痛かの判断や，潜伏期か活動期かの判断は非常に大切である。

　前述の日本人における自然分娩曲線の研究では，子宮口開大5cm未満を潜伏期，5cm以上を活動期と判断することの妥当性が報告されている[10]。潜伏期では，母児の健康状態に異常を認めなければ，遅延していても病的意義は少ないと判断し，基本的には待機的な管理とする。

　分娩第1期は分娩経過のなかで最も長い時間を要するため，大きな身体的変化や心理的変化を起こす時期でもある。経過が長くなると産婦は不安や恐怖を強く感じやすくなるため，産婦の精神的・身体的な安定を図り，分娩の進行に向けた産婦や家族の支援が必要となる。

▌2. 分娩第2期の評価

　分娩第2期においては，児頭が順調に下降することが重要なポイントである。分娩第2期が遷延し，2時間で最小限の進行しかみられない場合には，原因として児頭骨盤不均衡，回旋異常，軟産道強靭，微弱陣痛などを疑い，内診や超音波検査による児頭の回旋の評価，陣痛の強さや周期・持続時間が適切であるかの評価を行う（**表 2-5** 参照）。また，胎児心拍数異常が起こりやすいのもこの時期である。

▌3. 分娩第3期以降の評価

　分娩第3期以降は，分娩時異常出血を起こさずに分娩を終了することが重要となる。弛緩出血や裂傷からの出血，血腫形成などに注意が必要である。分娩30分後，1時間後，2時間後にバイタルサイン，子宮収縮の状態，子宮底の位置，異常出血の有無，外陰部の腫脹や疼痛などの観察を行い，異常の早期発見に努める。1時間に50g以上の出血は異常徴候と判断する。外出血がなくてもバイタルサインの異常を認める場合は，血腫や後腹膜腔への出血も考慮する。

Ⅲ 産婦・胎児と家族の健康のアセスメント

　分娩期は妊娠期から続く一連の期間であり，分娩期にある女性を理解するためには，分娩期の情報だけでなく，妊娠前からの基礎的な情報，妊娠経過，そして現在の状態を把握したうえでのアセスメントが必要となる。

　産婦の分娩体験は，その後の育児をとおして母子とその家族の人生に影響を与えるといわれるほど重要な出来事である。産婦が「自らの力で産んだ」と思えるような主体的な分娩体験となるよう，産婦を理解し，尊重したケアを行う必要がある。分娩は産婦の妊娠前

の状態や妊娠経過の影響を受けるため，それらの情報を適切に，かつ素早く収集し，的確なアセスメントからケアにつなげることが，より良い看護を実践する一助となる。

A 基礎的情報収集

周産期の看護ケアは，妊娠期から分娩期までを継続して同じ看護師・助産師または看護チームが担当する**継続ケア**が望まれるが，妊婦健康診査を受ける外来と，分娩のために入院する病棟では，担当者が異なる場合がある。継続ケアが行われる場合には，産婦のことをよく把握した看護師・助産師が産婦をケアすることができる。しかしそうでない場合は，産婦が入院してきたら，基礎情報，妊娠経過，および現在の情報を短期間で収集しなければならない。そのため，どこに何の情報があるのかを把握し，優先順位の高い項目から情報を収集する必要がある。

1. 入院前の情報収集

1 | 基礎的情報

❶ 産婦の基礎的情報

妊娠・分娩および今後の育児に影響する要因について，妊娠前と妊娠中の状態を把握し，**外来診療録**に記録する。入院前に確認しておくべき基礎的情報と，それぞれのリスクとなる可能性のある因子を表2-8に示す。

❷ バースプラン

バースプランとは，分娩中や入院中に産婦がどのように過ごしたいか，やりたいこと（リラックスできる音楽を聴く，アロマを使う，母乳育児がしたいなど）や，やりたくないこと（できるだけ会陰切開したくないなど）の好みや計画を書いた書類である。妊娠中にバースプランを記載してもらい，そのプランが可能であるか，あるいは，それを叶えるために産婦自身も行

表2-8 入院前に確認しておく基礎的情報

情報	リスクとなる可能性のある因子
年齢	20歳未満または35歳以上
職業	妊娠経過に影響する職場環境や動作（長時間の同一姿勢，胎児に影響する環境や薬品の使用など）
家族歴	高血圧，糖尿病，遺伝性疾患，実母・姉妹の妊娠分娩時の異常や40歳未満の突然死（事故を除く）
既往歴・現病歴	内科・外科・神経疾患，感染症（性感染症を含む），服薬，子宮頸部円錐切除の既往，子宮筋腫の診断歴と手術歴
産科歴	過去の妊娠・分娩時の異常（帝王切開，切迫流早産，早産，妊娠糖尿病，妊娠高血圧症候群，分娩時大量出血，重症仮死児の出産，多胎など），不妊治療
身長	150cm未満
体格	非妊娠時BMI18.5未満または25以上
嗜好品・喫煙	喫煙，飲酒，薬物の使用
社会的状態	特定妊婦，DVを受けた疑いなど

うべきセルフケアについて確認する。バースプランに従って環境や物品を整える必要がある場合は，その準備をする。また，分娩時に立ち会ってほしい人や，遠慮してほしい人がいる場合は，その調整をする必要がある。

❸ 家族の情報

出産や育児は，産婦だけで行うことではなく，家族の出来事である。家族は出産や育児に大きく影響するため，妊娠期から情報を収集するとともに，分娩期にスムーズに確認することができるように記録しておく。

家族構成，家族の健康状態や遺伝性疾患の有無，婚姻形態，パートナーの年齢・職業，里帰り分娩か，パートナー以外のキーパーソンの有無などについて情報を収集する。特に分娩期においては，立ち会う家族が分娩経過に影響することもあるため，家族の分娩に対する知識（産前教育の参加の有無）や，産婦と家族の関係性にも注意を払う必要がある。

2 ｜ 妊娠経過と現在の状態

❶ 妊婦健康診査からの情報

妊娠経過は，外来診療録からの情報収集とともに，里帰り分娩の場合は，前医の紹介状からも把握することができる。妊婦健康診査の記録から確認する情報を表 2-9 に示す。

前述の産婦の基礎的情報に加え，妊婦健康診査における血圧・尿糖・尿たんぱく・浮腫，体重増加量，検査データ（感染症，貧血の有無など），腹囲・子宮底長，胎児の発育状態，胎児付属物の状態を確認する。最終の妊婦健康診査から胎児の推定体重と内診所見を確認しておくと，その後の分娩進行の予測を行うことができる。

初診時における妊娠週数と分娩予定日の決定方法も確認しておく。月経周期が整順であれば最終月経初日が妊娠 0 週 0 日となるが，排卵日や受精日が明確な場合は，その日を妊娠 2 週 0 日とする。これらが不明の場合は超音波検査で胎児を計測して妊娠週数を推定する。妊娠 9 〜 12 週での頭殿長（CRL）が最も誤差が小さい。それ以降は児頭大横径（BPD）や大腿骨長（FL）から予定日を推測する。もし 20 週を超えていた場合は胎児発育のばらつきが大きく，分娩予定日に誤差が生じる場合がある。また，妊婦健診の受診回数が，通常の 14 〜 15 回より極端に少ない場合や，初診時の妊娠週数が遅い場合には，信頼関係ができた段階でプライバシーに配慮しながら，受診が遅くなったり，回数が少ない理由を確認することも必要である。

表 2-9 妊婦健康診査の記録から確認する情報

母体の健康状態	妊婦健康診査における血圧・尿糖・尿たんぱく・浮腫の変化，体重増加量，切迫流早産などの妊娠経過
検査データ	赤血球数，Hb 値，Ht 値，血小板数，白血球数，血液凝固系検査，耐糖能検査，抗体価，感染症検査，出生前診断（実施していれば）など
胎児の発育状態	胎児発育状態（超音波検査による胎児計測，腹囲と子宮底長の測定）NST，CST，BPS*
胎児付属物	超音波検査による胎盤の位置，羊水量，臍帯巻絡・臍帯下垂の有無

* NST，胎児呼吸様運動，胎動，胎児の筋緊張，羊水量の 5 項目で胎児の健康状態を評価する。

第5編

1 妊娠期にある母子の生理と看護

2 分娩期にある母子の生理と看護

3 産褥期にある母子の生理と看護

4 新生児の特徴と生理的変化と看護

5 周産期にある母子の看護の事例

❷ 現在の状態

産婦が来院する際には，まずは電話で分娩施設に連絡することが多い。電話連絡が必要な状態は，陣痛発来，破水，産徴・出血，胎動減少などがあり，どのようなときに電話をするのかは，あらかじめ妊娠期の保健指導で説明しておく。産婦から電話があったら，どのような症状があるのか，陣痛間欠と陣痛発作の時間，痛みの場所と程度，破水と出血の有無，胎動の有無について情報収集する。

来院を判断した際は，産婦の居場所から分娩施設までの交通手段や所要時間を確認する。破水の場合は破水時間と羊水の色を聞き，羊水の流出を防ぐために移動の車の中でなるべく横になって来るように説明する。経産婦の場合は，上の子どもの準備をしたり預けたりする時間を要する場合もあるので，それを含めた所要時間を確認する。

電話の様子から，分娩がかなり進行している状態での来院となりそうな場合は，すぐに分娩ができるように準備を整えておく。また，現在の妊娠週数や最終の胎児の推定体重を確認し，37週に満たない場合や，推定体重が週数に比較して小さい場合（−1.5SD未満）など，必要時は緊急の準備を整え，NICU（新生児集中治療室）などの関係部署に連絡しておく。

2. 来院時の情報収集

1 基礎的情報

来院時には氏名と妊娠週数・分娩予定日を確認し，母子健康手帳と外来診療録とを合わせて，基礎的情報や妊娠経過を確認する。陣痛周期や産婦の表情・様子から分娩進行状況を推測し，どの情報から収集するか優先順位を考える。まだ余裕がある状況であれば，分娩進行状態と母子の健康を確認したうえで，産婦と家族の背景，妊娠経過，分娩歴・既往歴，出産や育児への気持ちなどを系統的に問診していく。分娩が切迫している状況であれば，胎児心拍数や出血の有無など，安全に分娩するために必要な情報を収集しながら分娩の準備を進め，その他の情報は分娩終了後に収集する。

破水で来院した場合は，流出している羊水の観察とともに，体温や脈拍などの感染徴候の有無と胎児の健康状態を確認する。GBS（B群溶血性レンサ球菌）の保菌がある場合には，抗菌薬の投与が必要となる。また，産婦の表情や態度から，分娩に対する不安などがないかを観察する。

母子健康手帳には，妊婦自身で記載するページもあり，日常生活でのストレスや妊娠・分娩への不安，仕事や住居の環境，父親・母親それぞれの育児休業期間，妊娠期の気持ちなどを書くことができる（図2-32）。どの程度記載されているか，またその内容を確認することで，産婦の背景や，分娩と育児への準備状態を推察することができる。

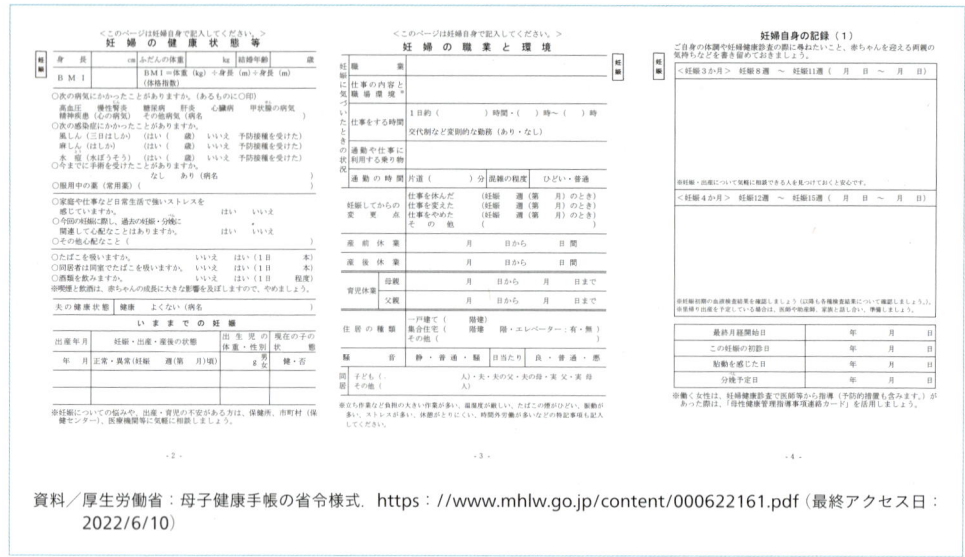

資料／厚生労働省：母子健康手帳の省令様式. https：//www.mhlw.go.jp/content/000622161.pdf（最終アクセス日：2022/6/10）

図2-32 母子健康手帳（妊婦自身で記載するページ）

2 | 分娩進行状況

　分娩（ぶんべん）進行には，分娩の3要素である産道（さんどう）（骨産道・軟産道），娩出力（べんしゅつ）（陣痛・腹圧），娩出物（胎児とその付属物）が影響する。陣痛開始前から，子宮収縮（前駆陣痛）や児頭の下降が起こっており，児頭下降の症状として，膀胱（ぼうこう）の圧迫に伴う頻尿，恥骨（ちこつ）痛，産徴などが起こる。それらの症状がいつ頃から続いているかも確認する。

❶ 産道（骨産道・軟産道）

　産道は，分娩時に胎児とその付属物が排出される通路であり，骨盤で形成される**骨産道**とこれを覆う**軟産道**に分かれる。分娩進行状況は，内診による軟産道の変化によって観察することができる。内診時には，子宮口の開大度，子宮頸管（けいかん）の展退度，頸管の硬度，子宮口の位置に加え，児頭の高さの5項目を測定して得点化する。これを**ビショップスコア**という（**表2-10** 参照）。初産婦では9点，経産婦では7点以上で頸管が成熟していると判断する。入院時に行う内診では，これらの所見を妊婦健康診査の最終所見と比べ，分娩が進行しているかを確認する。また，内診時には，ビショップスコア以外にも外陰部の状態（浮腫（ふしゅ），静脈瘤（りゅう）など），出血，腟・会陰（えいん）の進展性，破水の有無と羊水の観察，胎胞の形成，児頭の回旋状態の情報を得る。ただし，内診は羞恥（しゅうち）心（しん）や苦痛を感じる診察であり，内診を行うのは必要最低限にする。

❷ 娩出力（陣痛・腹圧）

　陣痛の測定は，分娩監視装置を装着して観察する方法と，実際に腹壁を触って子宮の硬さを観察する触診がある。

　分娩監視装置は，腹壁に圧トランスデューサーを装着する外側法と，子宮内にセンサーを挿入する内側法がある。内側法は，子宮内圧を直接測定できる利点があるが，子宮内に

センサーを挿入する必要があるため，実際に使用することは少ない。圧トランスデューサーによる外側法は，ベルトで固定するため簡便であるが，腹壁の厚さやベルトの固定方法，圧トランスデューサーの場所などにより，誤差が生じる。そのため，分娩監視装置（外側法）による観察時には，触診による測定も必ず行うようにする。装着方法は，妊娠期に行うノンストレステスト（NST）と同様であるが，陣痛間欠時に装着し，産婦の安楽に配慮する。

触診は，腹部上に手掌を当て，子宮筋の収縮の強さ，持続時間（陣痛発作），間隔（陣痛間欠）を観察するが，持続時間は，強さの4/5の時点をとる（図2-33）。陣痛発作の際には，産婦の表情や呼吸の状態，痛みの部位，肛門への圧迫感なども同時に観察する。

❸ 胎児とその付属物

胎児の推定体重や児頭の大きさ，姿勢は，分娩進行に影響する。胎児の推定体重は，入院時の妊娠週数と，最後の妊婦健康診査での胎児の推定体重，腹囲，子宮底長から推測する。経産婦の場合，前回の子どもの出生体重より今回の出生体重が小さいと予測される場合は，分娩進行が早くなる可能性がある。また，骨盤への胎児の第2分類（児背が母体の後方に向かっている状態）での進入や不正軸進入の場合は，分娩所要時間が長くなる可能性が大きい（第6編-第2章-II-B「回旋進入の異常」参照）。胎児がどのような姿勢で子宮内にいるのかは，妊婦健康診査による所見，レオポルド触診法，胎児心拍の聴取部位から観察することができる。

胎児の下降は，内診による児頭下降度や，レオポルド触診法や胎児心音の聴取部位の変化による外診で知ることができる。内診時には，児頭下降度に加えて児頭の縫合や泉門を触知することにより，回旋状態を把握することができる。レオポルド触診法では，第1段から第4段までの手技のうち，特に第4段により胎児の骨盤内への嵌入状況を観察する（本編-第1章-VI「妊娠の診断」参照）。

また，胎児が下降すると第1回旋から第2回旋へと姿勢を変えるため（本章-II-F「回旋」参照），胎児心音が聴取できる部位により，胎児の位置と高さを推測することができる。分娩開始時は，頭位の場合，臍と上前腸骨棘を結んだ中央の部位で胎児心音を聴取できるが，分娩が進行するにつれ，恥骨上へと移動する（図2-34）。

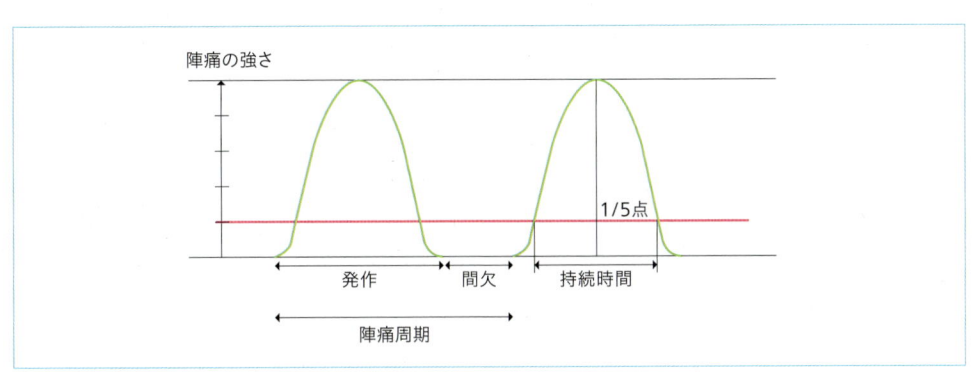

図2-33 陣痛の測定と陣痛周期

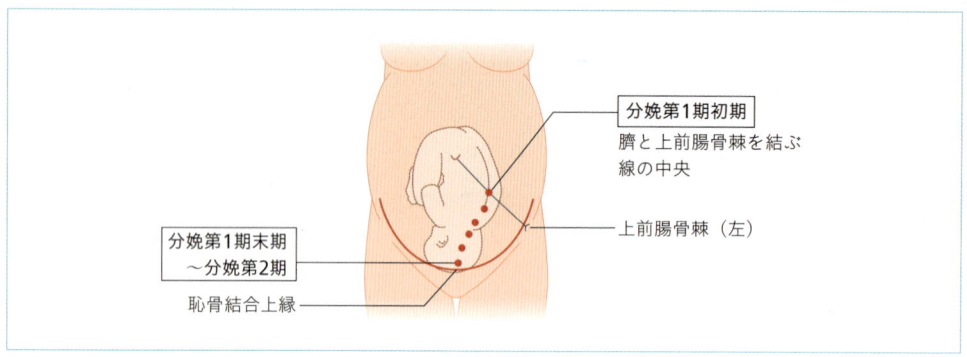

図2-34 胎児心音聴取部位の移動（第1頭位）

ラベル：
- 分娩第1期初期：臍と上前腸骨棘を結ぶ線の中央
- 上前腸骨棘（左）
- 分娩第1期末期〜分娩第2期
- 恥骨結合上縁

また，破水後は，急に分娩が進行することがあるため，破水の有無と，内診時には，胎胞の有無，胎児の回旋（児頭の矢状縫合と小泉門・大泉門）を確認する。

3 産婦・胎児の健康状態

❶産婦の健康状態

陣痛が開始すると，産婦の全身にも特有の変化があるため，来院時にはバイタルサインなどに正常範囲からの逸脱がないかを確認する。

❷胎児の健康状態

子宮が収縮すると胎盤の血流が変化し，また，児頭の下降により圧迫されることから，胎児にストレスを与える。来院時には20分以上の**胎児心拍数モニタリング**を行い，陣痛曲線と胎児心音の曲線から胎児の健康状態を評価する（本章-Ⅱ-K「胎児心拍数モニタリング」参照）。また，必要に応じて超音波検査が行われ，推定体重の計測や児頭の下降度，胎位・胎向・胎勢，羊水量などを確認する。破水している場合には，羊水の色，量，においを観察する。

▌3. 問診時の情報収集

問診は，プライバシーの保護に留意し，陣痛の状態をみながら間欠期に質問する。来院前にあらかじめ外来診療録から情報収集用紙（表2-10）に情報を整理し，診療録に記載されている情報でも，妊娠週数（分娩予定日）や妊婦健診で言われている注意事項，経産婦であれば前回の分娩での異常の有無など，重要な項目は問診で産婦本人から直接確認する。

分娩が切迫し，陣痛間隔が短くなっている場合は，必要な情報から簡潔に情報を収集する。優先順位が高い情報として，分娩進行を判断するための問診から行う。陣痛開始時刻と，現在の陣痛発作時間，間欠時間，産痛の強さ，痛みの場所，児頭の圧迫感，破水，出血を確認する。

問診の途中で陣痛が起こった場合は問診をいったん中止し，表情や息づかい，声の様子から痛みの様子を観察する。緊張や不安が強い産婦の場合，触診による腹部の張りと，産

表2-10 情報収集用紙（例）

氏名				年齢 　　　歳	初診日 　年　　　月　　　日

分娩予定日 　　　年　　　　月　　　　日	職業	血液型　　　Rh

産科歴

年　　月	妊娠週数	分娩様式と状況	性別	体重	健・否	産後の状況・栄養方法
	週	正常・鉗子・吸引・帝王切開		g		
	週	正常・鉗子・吸引・帝王切開		g		
	週	正常・鉗子・吸引・帝王切開		g		

家族構成（同居の家族）・家族歴	パートナーの状況
	年齢　　歳　血液型　　型　Rh ＋ －
	職業
	健康状態
	生活習慣
	喫煙　　　　　　　□なし　□あり（　　本／日）
	パートナーの喫煙　□なし　□あり（　　本／日）
	飲酒　　　　　　　□なし　□あり（頻度　　　量　　　）

今回の妊娠経過	体格および身体の状況
最終月経　　　年　　月　　　日から　　　　日間	身長　　　cm
つわり症状　　年　　月　　　日ごろ	非妊娠時体重　　kg　非妊娠時BMI
胎動初覚　　　年　　月　　　日ごろ（　　週　　日）	**既往歴**
貧血　　　　　　　無・有（　　　　　　　）	常用薬　　　□なし　□あり（　　　　　）
妊娠高血圧症候群　無・有（　　　　　　　）	アレルギー　□なし　□あり（　　　　　）
妊娠糖尿病　　　　無・有（　　　　　　　）	**月経歴**
その他の異常　　　無・有（　　　　　　　）	初経年齢　　歳　月経周期　　　日型（整・不整）

検査

WBC	Wa-R	ALTA	耐糖機能検査
RBC	トキソプラズマ	HIV	子宮頸部細胞診
Hb	風疹	GBS	
Ht	HBs抗原	クラミジア	
PLT	HCV	不規則抗体	

乳房に関する事項　観察日（　　月　　日，　　週　　日）

乳房タイプ　Ⅰ・Ⅱa・Ⅱb・Ⅲ	乳腺の発育状態　右（　　　）左（　　　）
乳頭　右　（正常・裂状・扁平・陥没）	乳輪部の状態　　右（　　　）左（　　　）
左　（正常・裂状・扁平・陥没）	副乳の有無　　　右（　　　）左（　　　）
乳頭部の進展性　右（　　　）左（　　　）	初乳の分泌　　　右（　　　）左（　　　）

入院時の所見

陣痛発来　無・有（　月　日　時　分）	ビショップスコア　　　点

発作　　秒　間欠　　分		点数	0	1	2	3
破水　　　無・有（　月　日　時　分）		開大度（cm）	0	1～2	3～4	5～6
羊水混濁　無・有（色　　量　　）		展退度（％）	0～30	40～50	60～70	80～
出血　　　無・有（色　　量　　）		児頭位置	－3	－2	－1～0	＋1～
体温		頸部硬度	硬	中	軟	
脈拍		子宮口位置	後方	中央	前方	
血圧						
腹囲						
子宮底						

婦が感じる陣痛の程度に差があることがある。緊張により陣痛発作時の痛みをより強く感じているかもしれない場合は，産婦の訴えと陣痛の程度が一致しているかを確認し，呼吸法とリラクセーションを促す。

　また，産婦の基本的ニーズを判断するための問診の内容として，最終の食事時間と内容，最終の排尿・排便時間と量，睡眠の状況，入浴やシャワー浴を行ったかを確認する。

　分娩までに余裕がある場合は，母子健康手帳からの情報も含めながら，産婦の日常生活，住居，家族構成やサポートの状況，緊急時の連絡先，入院において不安なこと，母乳育児への希望，バースプランに追加すること，家族の分娩への立ち会い希望などを確認する。

4. 分娩経過の診断に必要な情報

　来院時に確認した分娩進行状況を基に，分娩の3要素の変化を中心に観察する。これら分娩経過の情報は，**分娩経過図**（**パルトグラム**）に記録することが多い。パルトグラムは，分娩の進行状況が一目でわかるグラフ形式のものが多い。陣痛発作，間欠，内診所見やその他の産婦と胎児の状況，アセスメントと実施したケアが，経時的に記録できる（図2-35）。

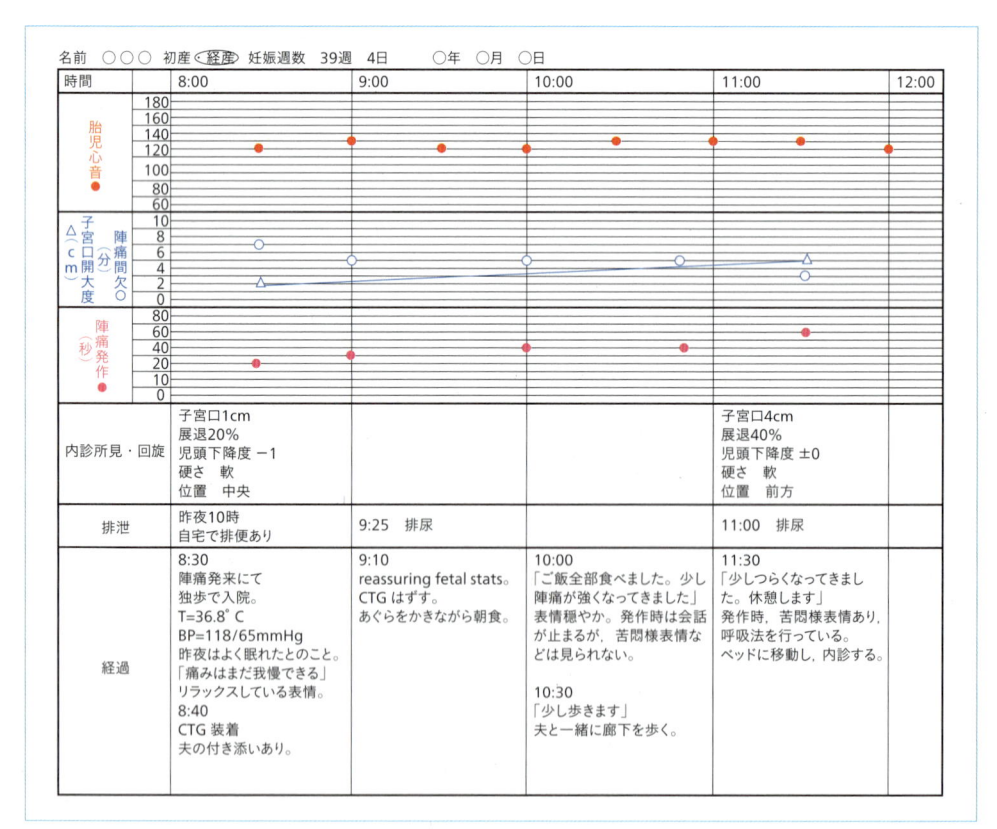

図2-35 パルトグラム（例）

第5編

妊娠期にある母子の生理と看護 1
分娩期にある母子の生理と看護 2
産褥期にある母子の生理と看護 3
新生児の特徴と生理的変化と看護 4
周産期にある母子の看護の事例 5

B 身体的アセスメント

1. 産婦の健康状態

産婦の健康状態の観察は，分娩開始後は 2 時間ごと，または必要に応じてさらに頻回に行う（表 2-11）。

❶ **体温**　分娩中は体温が軽度上昇するが，感染がなければ 38℃を超えることはない。破水している場合には，感染徴候として体温の上昇がないか定期的に観察する。

❷ **血圧**　子宮収縮に伴い血圧は上昇する。大幅な血圧上昇は**子癇発作**や脳内出血などを引き起こすこともあるため，血圧が上昇する傾向がみられたら，頻回に血圧を観察し，必要時医師に報告する。また，頭痛，視覚異常，上腹部痛などの症状に注意する。測定は陣痛間欠時に行う。一方，増大した子宮が下大静脈を圧迫することにより，**仰臥位低血圧症候群**を起こすことがある。左側臥位にし，再度血圧を測定する。

❸ **脈拍**　脈拍は特に陣痛発作時に増加し，間欠期には戻る。もし大量の出血があった場合は，**ショックインデックス**（shock index：SI）を測定する。

❹ **呼吸**　分娩中の呼吸数は一般的に増加する。不安の強い産婦は過呼吸になる傾向があり，陣痛発作が強くなるとさらに呼吸数が増す。不適切な呼吸法や陣痛による過呼吸で，過呼吸症候群になり，しびれ，呼吸困難，頻脈などを生じることがある。間欠期には深呼吸を行い，通常の呼吸に戻すように促す。

❺ **消化器系**　子宮の圧迫による胃の挙上と食道括約筋の働きの低下により，胃内容物が逆流しやすいため，悪心や嘔吐をきたすことがある。

❻ **泌尿器系**　膀胱は子宮下部と恥骨の間に位置し，膀胱が充満すると，児頭の下降を妨げるため，定期的に排尿を促す必要がある。一方で，児頭が下降すると膀胱は変形し，尿道は延長するため，児頭が下降すると排尿が困難となる。分娩中は腎機能が亢進し，尿量が増加するが，陣痛により発汗が増えると，減少することもある。

2. 分娩経過と進行時のアセスメント

入院時の分娩経過の診断を基に，その後の分娩進行のアセスメントを行っていく。その

表 2-11　産婦の健康状態の観察

体温	子宮収縮に伴う筋肉労作により体温が上昇するが，発汗もあり，0.1～ 0.2℃の上昇となる。破水による入院の際は，感染の確認のため特に注意して測定する。
心拍出量	心拍出量は 15～ 20％増加する。
血圧	陣痛発作時の血圧が 5～ 10mmHg 程度上昇する。
脈拍	陣痛発作時に脈拍は軽度増加する。間欠時には戻る。
呼吸	分娩中は一般的に呼吸数が増加する。陣痛発作時には呼吸数は不規則となって減少し，間欠時には増加する。
消化器系	分娩が開始すると交感神経が優位になり，消化管運動や消化吸収機能が低下する。
泌尿器系	発汗によって水分が消失すると，濃縮尿となる。

際，陣痛周期や内診所見をパルトグラムに記録し，自然分娩曲線と対比する。

　内診を行った場合には，ビショップスコアの各項目と点数，矢状縫合や泉門の向き，破水や出血の有無を観察し，記録する。子宮頸管が 5 〜 6cm 開大するまでの潜伏期は，ゆっくりであっても分娩の進行を認めれば，積極的な医療介入は行わない。分娩第 1 期潜伏期の標準的な所要時間は確立されておらず，産婦によって個人差が大きい。しかし，子宮口開大度 5cm 〜全開大までの所要時間は，初産では 12 時間，経産では 10 時間を超えないのが一般的である。

　一方で，内診は産婦に羞恥心や苦痛を与え，感染の原因ともなるため，頻回には行わない。そのため，陣痛の発作時間・間欠時間・強さ，分娩進行に伴う産婦の訴えや外診の所見を観察し，その変化により分娩進行をアセスメントする。児頭の下降に伴い，産痛部位の下降，外陰部への圧迫感や灼熱感，コントロールできない努責感を訴えるようになる。また，胎児心音の最適聴取部位の下降，陣痛発作時の外陰部の膨隆，肛門部の抵抗感，肛門の哆開，腟腔の哆開，粘稠性血性分泌物の排出が観察できるようになる。

▍3. 陣痛時のアセスメント

　陣痛発作時は，子宮筋の収縮に伴い，子宮壁が硬くなり，母体の腹壁側に隆起される。また，子宮下部が伸展し，子宮体は延長する。陣痛発作時には子宮底に手を当て，収縮の強さ（硬さ），陣痛発作時間を測定し，そのときの分娩進行の状況にとって適切な陣痛の強さであるかをアセスメントする。また，陣痛発作時は子宮壁の収縮に伴い，胎盤血流量が減少する。さらに胎児が母体の下方に押され，児頭が圧迫を受けたり，臍帯の位置によっては，子宮壁と胎児に挟まれて臍帯圧迫が起こることがある。陣痛発作時およびその直後には胎児心拍に注意し，徐脈がみられた場合には，どのタイプの徐脈か，またレベルを判読して医師・助産師に報告する。

　分娩進行に影響を及ぼす因子として，不安や緊張，エネルギー不足，排泄，姿勢と運動がある。産婦が緊張して，からだが硬直していたり，間欠期にまで力が入っていないかを観察し，必要時は看護師や助産師ができる限りそばにいて，呼吸法やリラックスを促すことが必要である。また，陣痛のために食事が摂れない場合には，エネルギー不足のために子宮収縮が弱くなり，悪循環となる。産婦が摂取しやすいものを一緒に考え，間欠期に摂取できるように支援する。排泄については，膀胱が充満している場合には，トイレ歩行が可能かを判断し，必要時は支援する。児頭の下降が遅い場合には，骨盤を広げる姿勢や，重力で胎児を下降させる姿勢をとらせる。不正軸進入の場合は，四つ這いまたは膝胸位が有効である。

▍4. 胎児の健康状態

　分娩時は，子宮収縮によるストレスが胎児に大きく影響を及ぼす。子宮収縮は，児頭の圧迫や胎盤機能，臍帯圧迫をとおして胎児心拍数に影響を与えることから，胎児心拍数モ

第
5
編

1
妊娠期にある母
子の生理と看護

2
分娩期にある母
子の生理と看護

3
産褥期にある母
子の生理と看護

4
新生児の特徴と
生理的変化と看護

付
周産期にある母
子の看護の事例

ニタリングによる**連続的胎児心拍聴取**によって，胎児の健康状態を推測することができる。胎児心拍数モニタリングを装着した際は，装着して何回かの陣痛発作時には付き添い，触診を行って，子宮収縮時に正しく陣痛計が振れているか，また，正しく胎児心拍を聴取できているかを確認する。分娩監視装置は 20 分以上装着して記録する。

胎児心拍数モニタリングはレベル 1（正常波形）〜レベル 5（高度異常波形）までに分類され，その後の対応・処置の指針が出されている（本章-Ⅱ-K「胎児心拍数モニタリング」参照）。レベル 1 であれば，次の分娩監視装置使用までの一定時間（6 時間以内）は，15 〜 90 分ごとの間欠的胎児心拍聴取を行う。通常は，陣痛が弱い時には 1 時間に 1 回，分娩が進行するにつれて 1 時間に 2 〜 3 回，活動期に入れば 15 分に 1 回の心音聴取を行う。また，分娩第 2 期に入ると，持続してモニタリングを行う分娩施設が多いが，持続モニタリングを行わない場合は，陣痛ごとに胎児心拍を聴取し，徐脈がないかを確認する。

ただし，子宮収縮薬投与中や母体が発熱しているなど必要時は，胎児の状態が良好でも連続モニタリングを行う。胎児心拍数モニタリングの評価は，判読の訓練を受けた医師，助産師，看護師が行うことが勧められている。

遅発一過性徐脈や遷延一過性徐脈の有無を確認するため，間欠的胎児心拍聴取は，陣痛発作の終了後に**ドプラー胎児心拍計**を用いて聴取する。

5. 胎児付属物の観察

破水感があった場合は，すぐに医師・助産師に報告し，**BTB 試薬**などによる腟内の pH の確認と，羊水の色・量・性状を観察する。破水があると，腟内の pH は弱酸性から弱アルカリ性に変化する。また，妊娠末期の羊水は，胎児の皮膚からの剝離物が混ざって乳白色であるが，胎児が低酸素状態になると羊水中に胎便が排出され，子宮内で羊水と混ざって淡緑色になり，羊水混濁となる。

超音波検査による羊水量の評価として，**羊水インデックス**（amniotic fluid index：AFI）が 5cm 未満あるいは**羊水ポケット** 2cm 未満の場合に，羊水過少と診断される。羊水が少ないと臍帯を圧迫する可能性が高くなり，徐脈を引き起こす原因となる。

破水した場合には，臍帯脱出による徐脈がないかを確認するため，できるだけ早く胎児心拍の聴取を行う。羊水流出が持続している場合は臥位または骨盤高位にし，羊水とともに臍帯が下垂してくるのを防ぐ。その後は，上行性感染がないか，体温，羊水の色，胎児心拍数（頻脈）などを観察する。

C 心理・社会的アセスメント

1. 産婦の分娩各期の心理状態

分娩期の産婦の健康状態が妊娠期から連続していることと同様に，心理状態においても

妊娠期の心の状態が分娩期に影響する。妊娠が判明したときの受け止めや，パートナーやそのほかの家族の反応，自身の描く母親像，および胎児への気持ちについて把握し，分娩や母親になることへの準備が整っているのかをアセスメントする。出産準備教育の受講の有無やバースプランの有無と内容，分娩（ぶんべん）およびその対処法への知識について確認し，出産への不安がないかを情報収集する。

1 ｜ 分娩第1期の心理状態とアセスメント

分娩が近づくと，子どもの誕生を待ちわびる期待感と，分娩への不安と緊張が生じ，多くの産婦は相反する感情をもつ状態になる。分娩に対する不安や恐怖感が強い場合は，陣痛（じん）が開始するとからだが硬直し，それによってさらに陣痛の痛みを強く感じたり，自己コントロールが低下し，分娩への不安がさらに強くなったりするという連鎖が起こる。この現象は，リード（Read, D.）の**恐怖－緊張－痛みの理論**（本章-IV-B-3-2「精神的な痛みを和らげる」参照）で説明されており，この悪循環を起こさないためには，妊娠期から恐怖や不安を除いておくことが必要である。また，不安や恐怖によって交感神経系が過度に刺激されると，カテコールアミンが過剰に分泌（ぶんぴつ）され，子宮収縮が妨げられて微弱陣痛となる。あらかじめ妊娠中の保健指導で，分娩経過やその時々に起こりやすいこと，また，各時期の過ごし方を説明しておくことで，分娩期の不安が軽減される。

分娩第1期は，陣痛が規則的に10分間隔になってから子宮口が全開大になるまでの期間である。平均的な所要時間は，初産婦で約12時間，経産婦で約6時間であるが，個人差が大きい。その期間に，潜伏期，加速期，極期，減速期が含まれ，それぞれの時期によって産痛の間隔，程度，場所などが異なり，心理的にも大きく変化する。

❶潜伏期

子宮口3〜4cmまでの頃，陣痛が開始して最初の期間である。妊娠経過に問題のないローリスクの産婦で，破水や出血，胎動の減少など，気になる症状がなければ，自宅でリラックスして過ごすことも可能である。自宅で安心して過ごせるように，どのような状態になれば病院に連絡をするのか，また，分娩を進めるための自宅での過ごし方について説明しておく。入浴やシャワー浴をしておくと，からだを清潔にし，からだが温まり，リラックスを促すこともできる。また，いつでも来院できるように荷物を準備し，病院までの移動手段の確保を確認する。経産婦であれば，上の子どもをみてくれる人へ連絡するように勧（す）める。

入院する時期は，妊娠経過や産婦の症状，環境（居住地と病院との距離，病院に付き添う家族の状況など），また分娩施設によって異なる。入院後は，環境の変化による不安が起こることもある。産婦の表情や言動から不安の程度を確認し，リラックスして過ごせるように環境を整えることが大切である。また夜間の陣痛発来であれば，横になり，間欠期にはできるだけ眠ることができるように環境を整え，疲労しないようにケアを行う。

❷加速期・極期

子宮口5cmから急速に子宮口が開大する加速期は，徐々に陣痛間欠が短く，発作が長

くなり，痛みも強くなってくるが，間欠時には会話や食事をしたり，分娩を進めるためにスクワットや階段昇降などからだを動かしたりすることができる。産婦が疲労して第1期が遷延しないよう，食事によるエネルギー摂取や，からだを動かして分娩を進めることが重要である。産婦が分娩に対して前向きにとらえることができているか確認し，分娩を進める支援を行う。

　陣痛が徐々に強くなる頃に，呼吸法や弛緩法などうまく対処できると，分娩のストレスに適応することができる。この時期の陣痛への対処法や発作時の表情などを観察し，産婦が産痛をコントロールできないと感じる前に，看護師，助産師がそばに付き添い，呼吸法やリラクセーションを促すタッチング，産痛緩和を行うことが重要である。

　子宮口6cmからの極期になると児頭も下降してくるため，産痛の場所や種類も変化し，産婦は徐々に余裕がなくなってくる。水分やエネルギーの補給，排泄，清潔などのセルフケア行動を自ら行うのが難しくなってくる。また，孤独感や不安が増し，だれかがそばにいることを望むようになる。看護師・助産師はできるだけ産婦に付き添い，産婦に合った呼吸法や姿勢などの対処法を探す。対処法が効果的に機能すれば，徐々に強くなる陣痛を乗り越えることができ，産婦が主体的な気持ちで出産に向かうことができる。

　子宮口が約9cmから全開大になる頃，開大のスピードが遅くなる時期がある。児頭の下降により排便感が強くなり，自然な努責が止められなくなる。産痛や努責感の増強により会話も少なくなる。これまでの対処法ではコントロールできなくなり，自己効力感が低下する場合もある。分娩経過のなかで最もつらい時期であり，看護師・助産師はそばを離れず産痛緩和を行い，努責感への対処や呼吸法を支援する。また，できている対処行動を称賛し，励ます。

　この時期に，産婦が眠気を感じたり，意識がもうろうとしたりする独特な心理状態になることがある。産婦と胎児の健康状態を確認したうえで，産婦の眠気を邪魔しないように，環境を整える。

2 ｜ 分娩第2期の心理状態とアセスメント

　分娩第2期は，子宮口全開から胎児娩出までであり，平均所要時間は初産婦で約1時間，経産婦で30分程度である。分娩のために姿勢を整えたり，児を受けるシーツを敷くなどの準備を整えるなかで，産婦は分娩の終わりが見えてきたことへの安堵を感じたり，児に会える期待感をもつ。しかし初産婦にとっては，子宮口全開大からまだ1時間程度かかるため，早くから努責をかけて疲れることにならないように促すことも必要である。児頭が骨盤内の狭い部分を通過するため，間欠期には深呼吸して胎児への酸素供給を増やし，胎児心音に注意する。

　分娩第2期に努責する場合は，力が**骨盤誘導線**に沿って効果的に働く体勢や，最も子宮収縮の強い時に合わせて力を入れるタイミングが重要であるが，この時に分娩の恐怖でパニックになってしまうと，うまく努責をかけられないことがある。また，骨盤に児頭が嵌

入し，強い努責感が続くため，陣痛間欠期がわからなくなることがある。子宮収縮が収まってもまだ努責を続けている場合は，今は間欠期であり，深呼吸をして力を抜くように促す。看護師・助産師は，産婦に寄り添い，落ち着かせ，触診で子宮収縮を観察しながら，はっきりとわかりやすい言葉で説明する必要がある。

3 | 分娩第3期の心理状態とアセスメント

　分娩第3期は，胎児の娩出直後から胎盤が娩出されるまでの時期である。児が娩出されると，これまでの陣痛の痛みがなくなり，分娩が終わったという安堵感や解放感で満たされる。児の娩出直後，産婦は児に対して関心を向け，健康状態や児に対する周囲の雰囲気に敏感になっている時期である。児の元気な泣き声や周囲からの祝福の言葉で，安堵感や達成感，周囲への感謝の気持ちなどを抱く。胎盤を娩出する際に，気持ち悪さや軽い努責感が起こることがある。深呼吸し，リラックスすることを促す。

　一方，児の状態が悪かったり，外表の形態異常などがみられたりしたときは，児とすぐに対面ができない場合がある。産婦は児の状態を知りたいと考えるが，最初の説明がその後の母子の絆形成にも影響するため，不用意に状況を話さないようにする。看護師が焦らないように落ち着いて，産婦に寄り添うように心がける。

　胎盤娩出後から2時間までのこの時期には，児と対面し，幸福感で満たされる時期である。この時に，出産に対する否定的な反応や自尊感情が低い言動，児に対する無関心な態度などがみられる場合は，産婦の話を傾聴する必要がある。想像していた分娩との違いや，分娩時の医療介入への誤解や拒否感，あるいは自責の念や羞恥心がある場合は，その後もわだかまりになる場合がある。出産に立ち会った看護師・助産師が一緒に出産体験を振り返る**バースレビュー**を行い，医療介入の理由や目的をわかりやすく説明し，誤解があれば修正を行う。分娩時に起因するPTSD（バーストラウマ）があった場合は，傾聴することで早期発見や軽減につなげることができる。また，産婦が分娩後に分娩時の行動などで，「騒いで恥ずかしい」「腕をつかんで申しわけない」などと言う場合がある。産婦ががんばっ

表2-12　早期母子接触の適応基準，中止基準

	母親	児
適応基準	● 本人が「早期母子接触」を実施する意思がある ● バイタルサインが安定している ● 疲労困憊していない ● 医師，助産師が不適切と認めていない	● 胎児機能不全がなかった ● 新生児仮死がない（1分・5分 のアプガースコアが8点以上） ● 正期産新生児である ● 低出生体重児でない ● 医師，助産師，看護師が不適切と認めていない
中止基準	● 傾眠傾向 ● 医師，助産師が不適切と判断する	● 呼吸障害（無呼吸，あえぎ呼吸を含む）がある ● SpO_2：90％未満となる ● ぐったりし活気に乏しい ● 睡眠状態となる ● 医師，助産師，看護師が不適切と判断する

出典／日本周産期・新生児医学会理事会内「早期母子接触」ワーキンググループ：「早期母子接触」実施の留意点，2012. https://www.jspnm.com/sbsv13_8.pdf（最終アクセス日：2022/6/10）を参考に作成.

第
5
編

1
妊娠期にある母
子の生理と看護

2
分娩期にある母
子の生理と看護

3
産褥期にある母
子の生理と看護

4
新生児の特徴と
生理的変化と看護

付
周産期にある母
子の看護の事例

て出産したことを称賛し，出産体験の意味づけや再構築をしていく必要がある。

　一方，出生した新生児は覚醒している時期であり，児のアプガースコアが良く，異常が
なければ，**早期母子接触**をする良い時期である。母子共に急変しやすい時期であるため，
母体の出血や意識状態，児の呼吸状態や皮膚色などを常に観察しながら，早期母子接触の
ケアを行う（表 2-12）。

2. 家族の心理・社会的状態

　家族にとって分娩は，新しい家族が増える重要な出来事である。妊娠前の家族がどのよ
うな関係や役割であったか，また妊娠中にどのような変化があったかを把握し，家族の再
構築を支援していく。また，家族においても分娩施設はなじみの少ない環境であり，不安
や緊張を感じることが多い。入院時には家族が居心地の良いようにオリエンテーションを
行い，安心して付き添えるように環境を整える。

　もし家族がいったん病院から離れる場合は，連絡先を確認し，産婦に変化があればすぐ
に連絡ができるようにしておく。

1 ｜ 父親の心理・社会的状態

　パートナーの男性が分娩に立ち会うと父性意識が早くにめばえ，父子の絆形成がはぐく
まれるといわれるが，実際に立ち会うか否かは夫婦で決定することである。多くは妊娠期
に話し合われるが，稀に夫婦の意見が異なる場合がある。パートナーが立ち会い希望でも，
産婦が立ち会いを希望しない場合には，分娩時に最終的な気持ちを確認したうえで，産婦
の意思を尊重する。一方，その逆の場合には，パートナーの意思も尊重したうえで産婦の
気持ちを伝え，無理のない範囲でできる限りそばにいられるように支援する。

　パートナーが分娩に立ち会う際に，陣痛に耐える産婦に何もできず，無力感を抱いてし
まうことがある。パートナーに支援してほしいことや，そばにいるだけでも産婦は心強い
ことを伝え，パートナーが分娩室で過ごしやすいように環境を整える。また，医療介入が
必要になった場合や，イメージと異なる分娩であった場合に，医療に関して不信感を抱く
ことがある。出生前教育への参加の有無や，分娩に対する知識を確認し，もし分娩進行や
ケアに不安がある場合は，安心できるように説明する。

　パートナーが待合室で待っている場合や，仕事などで病院に来られない場合には分娩後
に連絡し，児の性別や出生時刻，出生体重，母子の健康状態を説明する。

2 ｜ きょうだいの心理・社会的状態

　上の子どもの，分娩や生まれてくる児への反応は，その子どもの年齢や発達段階，理解
度によって異なる。入院中は母親不在の生活を送ることになるため，理解度に合わせて弟
や妹が生まれることを説明しておくよう，妊娠期から伝えておく。

　上の子どもが分娩に立ち会う場合には，母親のおなかの中に弟や妹がいることや，分娩

についてわかりやすく説明しておき，可能であれば妊婦健康診査に同行させて，医療者や分娩施設に慣れさせておくとよい。また，分娩第1期に子どもが飽きてしまう場合があるので，その対処法を考えておくように産婦に説明しておく。

3 | 祖父母やそのほかの家族の心理・社会的状態

分娩時に祖父母やそのほかの家族がどの程度来院するかは，個々の家族や，分娩施設の面会制限などによっても異なる。子どもが生まれることは，その家族にとっては非常に重要な出来事であり，心配も多い。家族観は，それぞれの家族によって異なり，また家族のなかでも，世代によって異なることがある。大人数の家族が来院する家庭もあるが，分娩中の産婦の心理は繊細であり，家族への気遣いや気兼ねがあると緊張から分娩が滞ることもあるため，産婦の意向を中心に分娩室の人的環境を整える。

また，分娩時に付き添う家族の言動や雰囲気によって，分娩進行や分娩を取り巻く環境が変わってしまうことがある。家族が心配し過ぎたり，盛り上がり過ぎると，産婦が焦ったり，疲労したりしてしまう可能性がある。分娩に立ち会う家族にも，分娩経過やその過ごし方について情報を提供する必要がある。

D 日常生活のアセスメント

1. 食事と栄養

分娩は，数時間あるいは十数時間の経過のなかで多量のエネルギーが消費され，低血糖による微弱陣痛や，水分摂取不足による脱水が起こる可能性もある。分娩進行とともに食事摂取が難しくなることがあるため，食事制限がない場合は，摂取できるときにしておくよう，説明する。食事や水分が摂取できているか，また，排尿の状況から脱水になっていないかを観察し，分娩進行への影響をアセスメントすることが必要である。

分娩が進行すると，陣痛の状態によって摂取したいものや摂取できるものが変化する。また，エネルギー不足になるとカロリー摂取が必要であるが，陣痛が強く頻回になると，甘味の強いものや固形のものが摂取しにくくなる。さっぱりしたゼリーやアイスクリームなどののどごしの良いものや，チョコレートなど少量でも高カロリーのものなど，どのようなものが摂取しやすく，効果的にエネルギーを回復しやすいかを，産婦に確認しながら摂取してもらう。

帝王切開の可能性が考えられる場合には，水分や食事の摂取が制限・禁忌となる場合があるので，児心音の状態などを確認しながら，栄養摂取を検討する。

2. 排泄

産道の前に膀胱，後ろに直腸があるため，排尿と排便は分娩進行に影響し，また分娩進

行が排尿と排便に影響することもある。パルトグラムには排泄の時間も記録し、排尿は2〜3時間ごとに行うように促す。特に点滴が入っている場合には、飲水量が少なくても、膀胱が充満していないか注意する。また膀胱が充満していても尿意を感じないことがあるため、恥骨結合上縁から下腹部を視診・触診し、膀胱が充満していないかを確認する。トイレまで歩行する際には、陣痛周期を確認し、間欠期の間にトイレまでの歩行が行えるよう支援する。

排便については、入院時に最終排便の時期と量、性状を確認する。妊娠中はホルモンの影響で便秘に傾くが、分娩時には子宮収縮により直腸が刺激を受けやすく、排便が促される傾向にある。

児頭が下降すると神経を圧迫し、排便感と同じ感覚が起こる。分娩が間近になった時に排便に行きたいと訴えた場合には、児頭の下降度を確認する。産婦がトイレに入る際は、プライバシーに配慮しながら、トイレ内の産婦の様子をうかがい、安全に配慮する。

3. 活動と休息

分娩進行のためには活動が必要で、分娩第1期の階段昇降やスクワットなどは、重力の力を借りて児頭の下降を促したり、あぐらを組むことで骨盤が広がり、児頭の骨盤内への嵌入を促したりすることができる。

一方で、子宮は筋肉でできており、子宮収縮は多くのエネルギーを要する。疲労により微弱陣痛となり、遷延分娩へとつながることがある。前駆陣痛が続いて何日も緊張していた産婦や、陣痛が弱くなったり不規則になったり、まだ長くかかると予測されるなどの場合は、活動よりも、いったん休息してエネルギーを蓄えることが必要な場合もある。

陣痛開始の時刻や、その後の経過により、分娩進行を促すための活動と、体力の消耗を最小限にするための効果的な休息とのバランスを考えた支援を行う。

4. 清潔

陣痛が強くなると、清潔を保つセルフケアを行うことが難しくなる一方、発汗により、更衣や清拭、シャワー浴が必要なときがある。産婦のニーズと分娩進行の程度により、どのような保清が良いかアセスメントし、産婦が動けない場合には清潔が保てるようケア計画を立てる。

未破水であれば、シャワーや入浴は気分転換やリラックスを促すことができ、産婦の緊張もほぐすことができる。特に入浴は陣痛緩和の効果もあるので、可能であれば入浴を勧める。一方、破水後は、膣からの上行感染を防ぐため入浴やシャワー浴は禁止とし、約3時間ごとの排尿のたびにパッドを交換し、外陰部の保清に努める。外陰部の保清は、微温湯による洗浄や、清浄綿での清拭を行うことが多いが、陣痛の状態や産婦の様子によって、どの方法が良いか考慮する。

陣痛により、嘔吐する場合がある。口腔内の清潔について観察し、歯磨きやうがいが必

第5編

1 妊娠期にある母子の生理と看護

2 分娩期にある母子の生理と看護

3 産褥期にある母子の生理と看護

4 新生児の特徴と生理的変化と看護

付 周産期にある母子の看護の事例

要か，また洗面所への移動が可能か，ベッドサイドでの支援が必要かを検討する。

産婦・胎児と家族の看護

Ⓐ 産婦・胎児と家族の看護の目的

　出産は，産婦と家族にとって，その後の育児や生活に大きな影響を与える重要なライフイベントである。出産が人生のターニングポイントとなるようなポジティブな体験となる一方，子どもへの愛着や育児行動に深刻な影響を及ぼすネガティブな体験となることもある。出産が産婦と家族にとってポジティブな体験になるために，分娩期には質の高いケアの提供が非常に重要であるといえる。産婦と家族が，満足できる，納得できる出産体験となるように支援する。看護者は，重要なライフイベントにかかわるという認識と責任をもって産婦や家族と接する必要がある。

　出産は，重要なライフイベントではあるが，女性や家族にとっては，妊娠，分娩，産後，育児と人生における流れのなかの一コマであり，分娩の体験が独立して存在するわけではない。つまり，女性にとっては，妊娠に至るまでの思いがあり，妊娠中の生活があり，そのなかで喜び，時には苦しみや悲しみがあり，そして出産が訪れ，子どもとの生活が始まる。出産はこのような文脈のなかにあることを覚えておくことが大切である。

　出産の体験は，産婦と家族によってそれぞれ異なっており，一つとして同じものはない。看護においては，産婦と家族のこれまでの歩みや状況を理解し，個々の体験を尊重することが第一に重要である。分娩進行やリスクを適切にアセスメントし，産婦・胎児の安全と安心を守りながら，産婦と家族にとってより良い出産体験となるよう支援することが看護の目的である。

Ⓑ 産婦の看護のポイント

1. 産婦の気持ち, 意思, 希望を尊重する

1 ｜ 産婦の気持ちを傾聴する

　産婦の看護で最も大事なのは，産婦の話を傾聴し，共感することである。まず，産婦がどのような経験をしているのか，どのように感じているのか，どうしたいと思っているのか，それを誠実に聴くことである。産婦は，様々な思いを抱いている。妊娠したことに喜びを感じている人もいれば，迷いや不安，時には恐怖をもっている人もいる。産婦が「赤

第5編

1
妊娠期にある母
子の生理と看護

2
分娩期にある母
子の生理と看護

3
産褥期にある母
子の生理と看護

4
新生児の特徴と
生理的変化と看護

付
周産期にある母
子の看護の事例

ちゃんに会えてうれしいはず」「陣痛はつらいはず」と決めつけず，産婦の声を聴いてみることが大切である。無理に気持ちを聞き出す必要はないが，産婦の発する声に耳を傾ける姿勢が欠かせない。産婦の気持ちを誠実に聴く人の存在そのものが，産婦の助けとなる。

傾聴するときのポイントは，産婦の言葉をそのまま受け止め，批判しないことである。看護者の基準で判断をしないこと，それは良い，悪いといった判断をしないで産婦の話を聴く。次に，産婦の経験していること，気持ちや思い，そして行動を一連の流れとして聴くように努めることである。それによって，産婦の理解を深めることができる。さらに，産婦の言葉，つまり言っていることに加え，目線や表情など非言語的な表現を含め注意深く聴くことが大切である。

看護者は，産婦に指導をしなくてはいけない，ケアをしなくてはいけないというように，何かをしなくてはならないと思い込んでいる場合が往々にしてある。分娩進行の急な変化が起こり，看護者自身が焦って先走った行動をしてしまうこともある。ケアをする前に，産婦のそばにいて，産婦が何を思い，何を考え，どうしたいと思っているのかなど気持ちを聴くことこそがケアの第一歩であることを念頭に置く。

2 | 産婦に共感する

産婦の言葉を傾聴し，そして「共感すること」は産婦のケアに最も重要である。傾聴と共感は，どちらかのみではなく，両方ともが必要である。共感は，賛成や同情とは異なっており，「産婦に積極的な関心を寄せ，その産婦自身の視点を通してどのように世界をみているかを理解しようと努力すること」と定義される[11]。ここでは，産婦のことを理解しようと尊重する態度が何よりも重要であることが示されている。そして，共感のスキルとして，相手を理解したことを伝えるために，「聞き返し（reflective listening）」（相手の意味するところを認識して伝え返すスキル）が用いられる。この際，言語的な共感，たとえば「何をやっても分娩が進まないので，イライラしてしまったのですね」といった言葉だけではなく，看護者の表情，姿勢，声の強弱，アイコンタクトなどの非言語的な表現も共感に含

表2-13 産婦への対応の悪い例

- 産婦の意思を尊重せずに，看護者個人の価値観を押しつける。
  「陣痛は我慢すべきものです」「夫立ち会い分娩にしなさい」

- 安易な励ましや気休めを言う。
  「心配しなくても大丈夫です」「出産のことは早く忘れて，元気を出してください」

- ほかの人と比較する。産婦の経験を過小評価する。
  「もっと長くかかる人と比べたら，あなたの場合は大したことありません」「世の中にはもっと大変なお産の人もいますよ」

- 看護者が主導権を握って，物事を進めようとする。
  「私に任せなさい」「私が何とかしてあげます」

まれる。傾聴と共感によって，産婦が「看護者に理解された。受け入れられた」と感じられることで，安心したり，落ち着けたり，力がわいてきたりすることが知られている。一方，産婦が不安になる，理解されていない，尊重されていないと感じるような対応をしないよう注意を払う。産婦への対応の悪い例を表 2-13 に示す。

2. 意思決定への支援

陣痛が周期的に起こり，産痛が伴うなかであっても，産婦と家族は様々な意思決定を迫られることがある。たとえば，陣痛促進薬を使用するかしないか，会陰切開をするかしないかなど，医学的な必要性が優先されることもあるが，実施することによるリスクと利益を説明したうえで，納得して意思決定ができるように支援する。納得をしたうえでの決定は，最終的に出産の満足度にも関連する。さらに，出産に対する満足度は，その後の育児に対して肯定的な影響を及ぼす。

1 | バースプランに沿ったケア

バースプランとは，妊娠中に，出産に関する計画や希望する介入（治療・ケア）または避けたい介入について，医療者や支援者に示し伝えることである。分娩場所（たとえば，院内助産で出産したい），分娩中に立ち会ってほしい人，分娩中の過ごし方，産痛に対する対処法，できるだけ自然な分娩がしたい，会陰切開は避けたい，生まれたらすぐに赤ちゃんを抱っこしたい，硬膜外麻酔を使って和痛してほしいなどがあげられる。バースプランの作成にあたっては，適切な知識，正しい情報の提供をし，産婦と家族で十分相談し，そして医療者と共に検討する機会をもつ。バースプランは様々な状況や思いを考慮し，作成されている。分娩時には，このバースプランに沿ったケア，尊重したケアを提供する。時に，会陰切開はしたくないというプランがあっても，胎児機能不全など医学的な適応がある場合は，母子の安全が優先される。その場合にも，産婦と家族への説明と同意は重要である。バースプランに沿ったケアが提供されることは，産婦の意思を尊重することとなり，満足度の高い出産体験の構築につながる。

最近では，バースプランは，希望する介入や避けたい介入についてチェックするためだけではなく，出産時のパートナーシップ（医療者と産婦の信頼関係やコミュニケーションの促進）を築き，共有意思決定（shared decision making）の手段として活用する試みがある。表 2-14 に，バースプランについて話し合うために活用できるツール「パートナーシップ・プランニング」を示す。このツールを用いて，医療者は，産婦の価値観や希望に関する会話を引き出すことができる。

さらに，出産後には，**バースレビュー**という出産の振り返りが一つのケアとして行われる。バースプランで計画したが，実際にはプランと違った処置が行われた場合，産後のバースレビューにおいて，産婦の気持ちを聴きながら，なぜその処置が行われたのか，その結果何が起こったのかなどを説明していく。産婦の希望が果たせなかった場合，気持ちが無視

第
5
編

1
妊娠期にある母
子の生理と看護

2
分娩期にある母
子の生理と看護

3
産褥期にある母
子の生理と看護

4
新生児の特徴と
生理的変化と看護

付
周産期にある母
子の看護の事例

表2-14 バースプランについて話し合うためのツール「パートナーシップ・プランニング」

価値観	産婦の中心的な価値観，出産のゴールは何か？ 産婦の恐怖・脅威となるものは何か？ 分娩経過において，産婦にとって最も重要なことは何か？
環境	分娩中に，産婦が一緒にいてほしいのはだれか？ 産婦が心強く，そしてリラックスするために役立つものは何か？
心地よさ	産婦自身の心地よさやサポートに向けて，産婦が活用したいと思っているものは何か？
介入（治療・ケア）	産婦が望む，または望まない介入で，特定されるものはあるか？　それは，なぜか？
選択肢	もし陣痛が進まなかった場合，産婦はどのように介入の希望を伝えるのか？
回復	出産直後において産婦は新生児とどのようにかかわりたいか？　分娩直後のボンディング（絆づくり），授乳，ケアに関する希望は何か？

出典／DeBaets, A. M.:From birth plan to birth partnership；enhancing communication in childbirth, Am J Obstet, Jan, 216(1): 31. e1-31. e4. 2017. を参考に作成.

された，納得いかないといった思いは，産婦のなかにわだかまりとして残り，それが育児や次回の妊娠・出産に影響することがある。

　バースプランによって計画や希望を産婦の意思として示したものの，分娩中に気持ちが変わることもある。産婦や家族の気持ちは常に変化していることを念頭に置くことも重要である。バースプランをはじめ産婦の計画や希望は，一度決めたことでも変更できることを伝え，産婦に寄り添う姿勢をもつ。

2　"自分で産む"主体性を引き出すケア

　意思決定への支援は，産婦が自分で決めて行動することを促す，後押しをする支援ともいえる。妊娠，出産に続く，育児においては，母親が自分の健康に加えて，子どもや家族の健康に向けて，自ら情報を収集し考え，決定または選択して，行動することが要求される。自分で意思決定することは容易でない場合もある。日本において，現在でもジェンダーバイアス（男女の役割について固定観念をもつこと）が根深く存在し，「夫より3歩下がって」「奥ゆかしい」といった女性がよしとされ，女性が自ら自分の意思で行動することは望ましくないと考えられている現状もいまだある。夫に従うことをよしとされていた場合，自己決定の機会は極めて少ないことが予測され，妊娠，出産についても，自分で決める，自分で産むといった主体性が発揮されないことが危惧される。

　産婦の主体性を引き出すケアとして重要なものの一つが，**意思決定支援**である。適切な情報を提供し，自分が決めてよいということを伝え，産婦の決定を尊重すること，意思決定のプロセスにおいて看護者は産婦に寄り添うことが大切なケアであると考えられる。大きな決定よりも，小さなことに対する産婦の意思決定の機会をつくることから始めていく。

▎3. 産婦の痛みや苦痛を和らげる

　産痛の緩和に向けてのケアは，分娩期において重要なケアの一つである。産婦の痛みや苦痛は，身体的なものだけではなく，精神的なものもあり，時に両者が存在する。産婦の痛みや苦痛を和らげることは，出産体験を肯定的にとらえ，満足し納得した体験とするた

めにも重視される。ここでは，身体的な痛みや苦痛を和らげるケア，そして精神的な痛みや苦痛を和らげるケアを紹介する。

1 身体的な痛みや苦痛を和らげる

産痛とは，子宮収縮に伴う痛みであるため，ほとんどの産婦が経験するものであるといえる。しかし，疼痛の閾値が，個々人によって異なることは周知の事実である。たとえば，分娩が進行し子宮口が全開大になっても「まったく痛くないです」と話す産婦もいれば，子宮口の開大が 1cm で異常がない状態であっても「痛みが我慢できません」と訴える産婦もいる。産痛は，分娩進行に伴って頻度が増し，強くなる場合が多いが，必ずしもそうではないことを認識する必要がある。また，分娩が進行し，陣痛がありながらも「気持ちいい」と話す産婦もいる。産痛には，様々な要因が複雑に関与し，産痛の状況は異なっていると考えられる。産痛の意味や意義については，議論のあるところである。しかし，正常な分娩の場合は，できるだけ産婦の力を十分発揮できるような環境を整え，生理的な現象として分娩が進行するようケアをすることは，看護の視点として必須である。

復習のため産痛の発生機序を概説すると，分娩第 1 期の産痛は，第 1 に子宮収縮による子宮筋の虚血が起こり，カルシウム，ブラジキニン，ヒスタミン，セロトニンなどが放出されることによる。第 2 に，子宮収縮によって子宮下部や頸部の伸展が起こり，機械受容器が刺激され求心性のインパルスが発生する。このインパルスは，子宮の内臓感覚神経を経由して，最終的には脊髄の T10 〜 L1 に達する。分娩第 2 期では，会陰部が引き伸ばされることによる痛みであり，体性感覚神経である陰部神経から仙骨神経 S2 〜 S4 に伝わる。

産痛の程度は，様々な要因によって異なることがわかっている。産痛に対する大脳皮質での反応では，痛みに対する認識，恐怖や不安の程度，年齢，過去の経験が関与している。これらの要因は，出産に対する準備や教育，分娩期のサポートにより除去したり，軽減したりすることが可能である。痛みに対する生理的反応としては，ストレスホルモン（コルチゾール）の放出や交感神経系の反応が起こる。これらは，分娩中に酸素消費量の増加や過換気，血圧上昇（心拍出量の増加や血管抵抗性の増大），消化器系では消化・吸収の遅延といった症状を引き起こす（図 2-36）。

実際に，産婦が産痛を感じる部位を図 2-37 に示す。分娩の進行に伴い，産痛の部位が変化することがわかる。

❶産痛を和らげるための具体的なケア

（1）産痛部位の指圧やマッサージ

背部，腰部，下肢など産痛部位周辺への指圧やマッサージは，痛みを和らげる効果が期待できる（図 2-38）。これらのケアは，鍼灸師などでなくても，助産師，看護師，家族，産婦自身も十分活用することが可能である。指圧の部位について，臨床的には，陣痛時に腰椎の左右外側や骨盤の腸骨稜周辺を親指で指圧すると痛みが緩和する場合がある。指圧

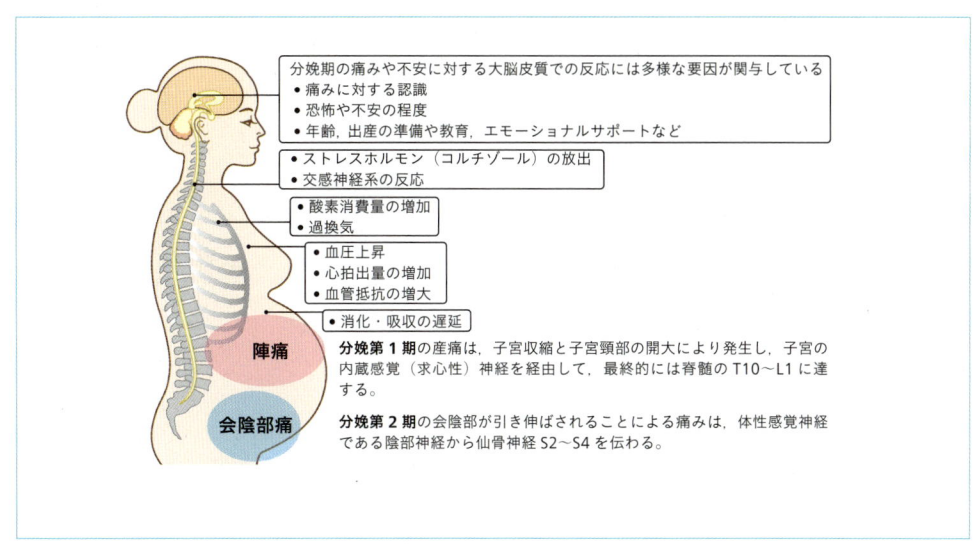

図2-36 産痛の発生（神経），関連する要因，生理的な反応

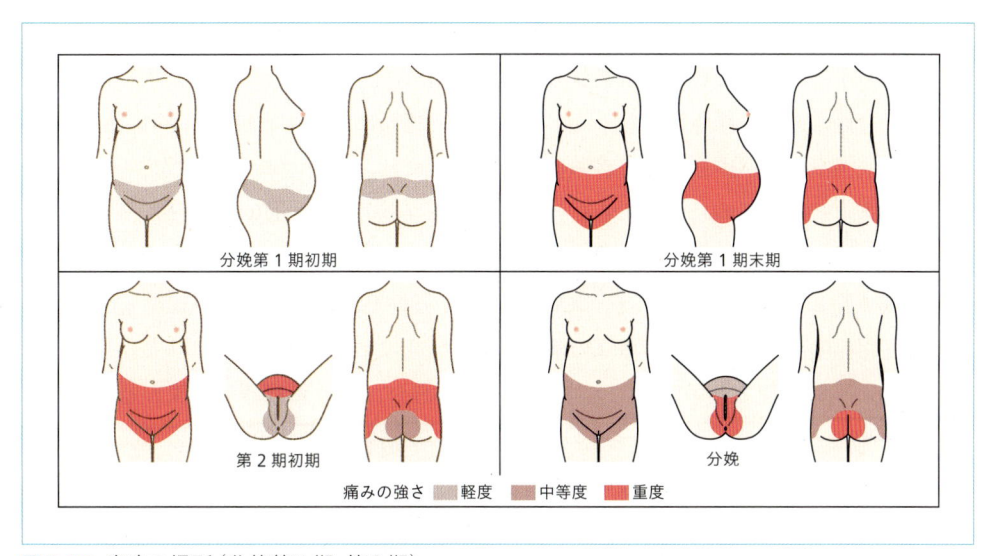

図2-37 産痛の場所（分娩第1期，第2期）

の部位や強さは，産婦の希望を聞きながら，ほどよい強さで行うとよい。また，三陰交（足の内果の骨から指4本分上）への指圧が産痛のスコアを有意に減少させるとの研究結果も報告されている[12]。

　マッサージも産痛緩和に役立つ。分娩第1期，第2期の全般にわたって，産痛の程度を低減し，さらに産婦の不安を和らげ，自己コントロール感（セルフケア）を高める効果が示されている[13]。マッサージの具体的な方法としては，手掌全体を使って，背部，腰部，下肢など，痛みがある部分を産婦の呼吸に合わせてゆっくりとさする。そうすることで，痛みは和らぐ場合が多い。マッサージは，「強くさすったほうがよい」「優しくさすったほうがよい」など，強さ，そして部位は産婦によって異なり，しかもこれらは分娩の進行に

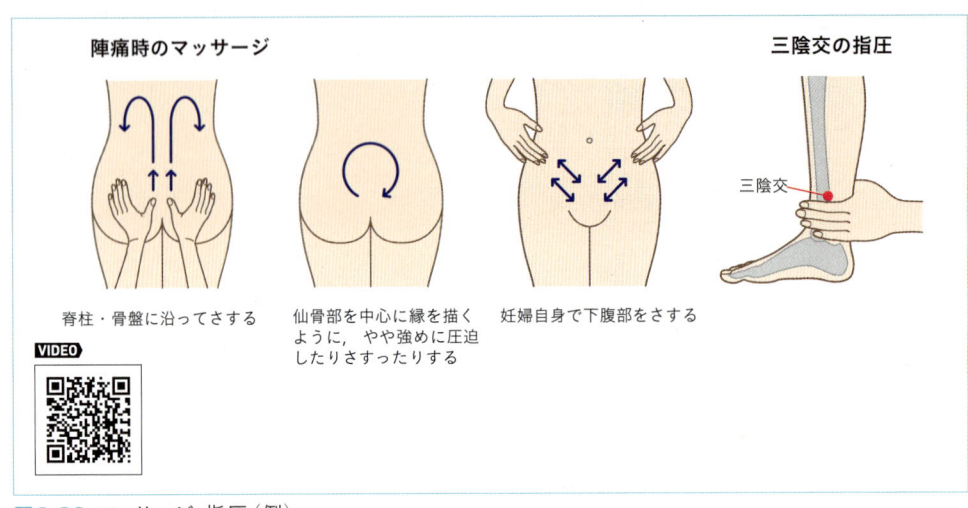

図2-38 マッサージ, 指圧（例）

よって変化する。産婦によっては,「触れてほしくない」という場合もあるため, 必ず産婦の気持ちを確認しながら行う必要がある。

また, 分娩の進行に伴い児頭が下降してくると, 児頭によって直腸が押され, 肛門部の周囲に不快感や痛みが生じることがある。その場合には, 看護者が手で肛門部を圧迫したり, テニスボールで圧迫したりすることで不快感や痛みの緩和の助けになる。

（2）お湯につかる

分娩第1期にお湯につかること（入浴など）で, 分娩第1期所要時間が短縮し, 硬膜外麻酔の使用頻度が減少するなど産痛の緩和効果が研究によって検証されている。特に, 分娩第1期の早い時期より子宮口開大 5cm 以上のほうが, より産痛緩和効果が認められている[14]。産痛緩和の選択肢となり得るので, 産婦に情報提供するとよい。同研究では, お湯につかることで, 生後5分後のアプガースコア, 新生児感染, NICU への入院に差はないことが報告されているが, 多くの医療施設では破水後にお湯につかることは勧められていない。

お湯につかることが難しい場合は, **温熱用パック**（湯たんぽなど）でおなかや腰を温めることも産痛緩和の一つの選択肢である。**温熱用パック**の使用は, 分娩第1期, 2期における産痛を減らし, さらに分娩第2期所要時間を短縮する効果も示されている[15]。お湯につかる, **温熱用パック**でおなかや腰を温めるなど, 温めることは産婦にとって利益が期待できそうだが, 低温やけどなどのリスクも危惧されるため, 十分な観察のうえ実施する。

（3）その他の産痛緩和方法

産痛緩和のためのその他の方法として, アロマセラピー, リラクセーション技法, ヨガ, 音楽, マインドフルネスなどがある。これらの有効性については, 現在検討されている。産婦の嗜好に合わせ, 1つだけでなく, 組み合わせての活用を考慮してもよい。

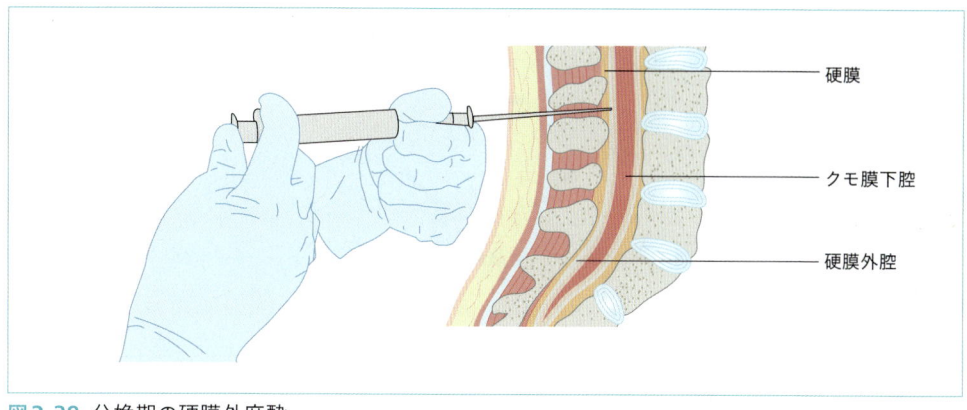

図2-39 分娩期の硬膜外麻酔

❷硬膜外麻酔の効果とリスク

産痛の緩和のために，**硬膜外麻酔**（図2-39）が用いられることがある。産痛は，分娩第1期はT10〜L1，第2期ではS2〜S4に伝わるため，これらの神経を麻酔薬でブロックすることができる。硬膜外麻酔は，第3と第4腰椎の間より穿刺し，硬膜外針を用いてカテーテルを挿入し，硬膜外腔に麻酔薬を注入する方法である。高い産痛緩和効果が得られ，産痛緩和に対する満足度も高いことが明らかにされている。しかし，血圧の低下，運動神経障害，発熱，産後尿閉に加え，分娩第2期の遷延やオキシトシンによる陣痛促進の増加などがリスクとしてある[16]。妊娠中には，これらの情報を提供し，リスクと利益を検討し，硬膜外麻酔の使用についての意思決定を支援する必要がある。

分娩期において硬膜外麻酔を使用した産婦への看護として特に重要なのは，合併症や副反応の早期発見である。硬膜外麻酔の合併症としては，クモ膜下への誤注入（全脊髄クモ膜下麻酔），そして血管内誤注入または過量投与による局所麻酔薬中毒である。これらの症状に関する観察を適時に行うことが看護者の重要な役割である。血圧，脈拍数，酸素飽和度の測定，合併症の症状（下肢運動不能，耳鳴りや舌のしびれ，放散痛など），胎児心拍数のモニタリングを行う。分娩第1期には適切な体位の保持や定期的な導尿，分娩第2期には努責のサポートなどの重要なケアがある。通常は飲食禁止となるが，飲水は可能である場合もある。

2 精神的な痛みや苦痛を和らげる

分娩中に産婦は，身体的な痛みのほかに，精神的な痛みや苦痛が生じることがある。また，精神的な痛みや苦痛は，産痛の程度に関与することがあることが知られている。例として，「リードの恐怖−緊張−痛みの理論」（図2-40）を示す。分娩に対する恐怖感や不安が強いと，身体の緊張を引き起こす。緊張するとさらに痛みが増し，不安や恐怖も強くなるという悪循環を示している。このように，身体的な痛みと精神的な状態は関連している。

産婦の精神的な痛みや苦痛には，様々な要因が考えられる。子どもの頃に受けた虐待や

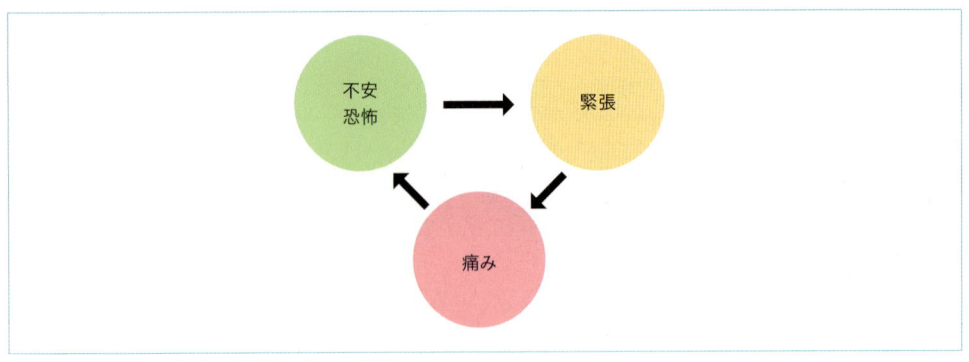

図2-40 リードの恐怖－緊張－痛みの理論

性暴力，前回の出産時のトラウマといった過去の体験，家族内の暴力や不和，医療者への不信感，分娩時の孤独などは，精神的な痛みや苦痛の増強因子となる。分娩時の精神的な痛みや苦痛は，その後のメンタルヘルス，そして育児に深刻な影響を及ぼすことが危惧される。また，次回の妊娠や出産の体験への影響も推測される。

❶妊娠期からの支援

看護では，精神的な痛みや苦痛の要因については，妊娠期に解決または改善するための支援を行うことが重要である。過去の体験については，妊婦のほうから医療者に打ち明けることへのハードルは高く，容易ではない場合も多い。妊娠期からの両者の信頼関係を築くことは，解決の第一歩になる。信頼関係を構築するためには，妊婦との継続的なかかわり，そして産婦のニーズに合わせた支援が基盤となる。

❷分娩期のケア

また，分娩期においては，産婦が安心して，出産に集中できる環境を整えることも重要である。産婦のニーズに合わせ，快適な環境，たとえば適切な室温や湿度が保たれているか，身体的な不快感はないか，プライバシーが守られているかを確認する。分娩期の産婦は，環境条件に対しての感受性が高まっており，温度，音響，香り，空間，視覚条件が産婦の感覚に影響を与えることが指摘されている[17]。これらを産婦の好みに合わせて整えていくことが大切である。音響では産婦の好きな BGM を流したり，香りでは安心できる香油を選び枕元に置いたりしておく。空間は，狭いスペースのほうが落ち着く，うす暗いほうが安心できるなど，産婦にとって心地よい環境をつくる。そして看護者は，これらに対する産婦の好みやニーズは変化することを念頭に置き，産婦に一つ一つ確認しながら，柔軟に対応する必要がある。

物的な環境と同時に，人的な環境も重要である。だれに一緒にいてほしいかは，産婦が決めることである。バースプランにおいて家族出産（夫や子どもの立ち会い出産）を希望していた産婦が，実際分娩が始まってみると，逆に気を遣ってしまい集中できないこともある。その場合には，家族には自然な形で分娩室から出てもらう場合もある。産婦が安心して，出産に集中できる環境づくりが優先される。どうしたいかを遠慮なく言ってよいことを，

第5編

1 妊娠期にある母子の生理と看護
2 分娩期にある母子の生理と看護
3 産褥期にある母子の生理と看護
4 新生児の特徴と生理的変化と看護
5 周産期にある母子の看護の事例

産婦に伝えておくことも欠かせない。

▶ **事例**　産婦の精神的および身体的な痛みや苦痛，そしてケアの関連を示す例としてパニックになった産婦の状況の事例[18] を示す。産婦は，想定していなかった突然の陣痛の増強によって「とにかくつらい」「自分の手には負えない」「先が見えないことへの強い不安」などの気持ちをもっていた。そして，パニックを引き起こしたもう一つの要因は，産婦と援助者とのズレであった。具体的には，産婦がやってほしいと思っていることを助産師がしてくれなかったり，産婦がしてほしくないことをされたりして我慢している様子がうかがえた。このようなズレは，産婦に大きな混乱を引き起こし，パニック状態を強めていた。さらに，この時助産師は，パニックになった産婦が「われを忘れていた」「コミュニケーションがとれない」と認識していたが，産婦はパニック状態にありながらも，助産師の言っていたことやまわりの様子をよくわかっていたことが語られた。このように，産婦の痛みや苦痛は，援助者の認識のズレや不適切な対応によって増強することを忘れてはならない。

4. 円滑な分娩進行を促すケア

　産婦の分娩進行および胎児を含めた健康状態のアセスメントに基づき，産婦の力が十分に発揮され，分娩進行の円滑な進行を促すケアを提供する必要がある。

1 ┃ 産婦の体位・姿勢

　分娩進行における胎児の回旋で学んだように，胎児は狭い骨盤腔を回旋しながら下降してくる。産婦がからだを動かすことは，胎児の回旋を促すことに関与する。歩いたり，腰

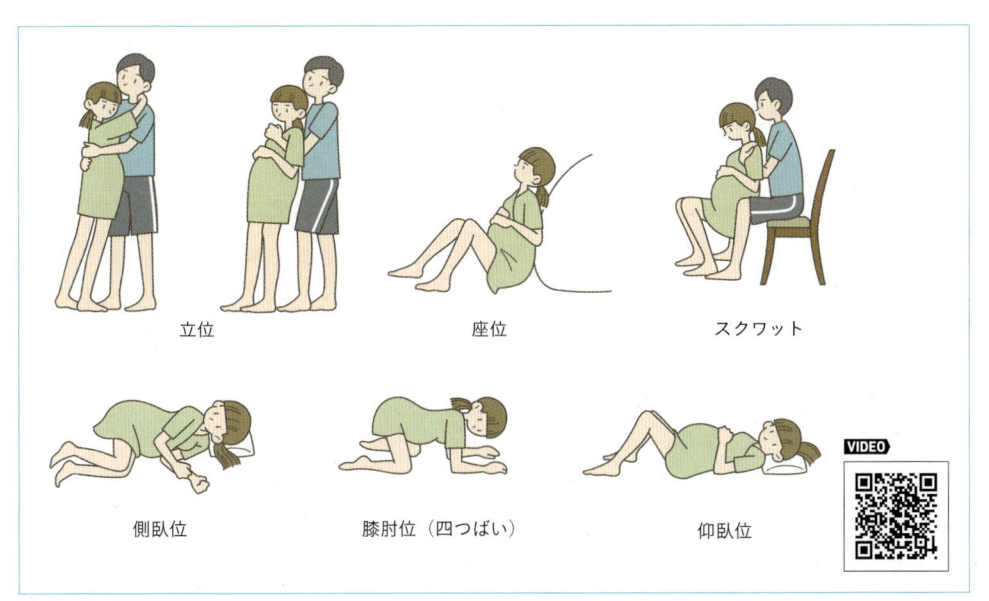

立位　　　　　　　　座位　　　　　　　　スクワット

側臥位　　　　　膝肘位（四つばい）　　　　仰臥位

VIDEO

図2-41 様々な産婦の姿勢

を動かしたり，立ったり，座ったりと，産婦の気持ちや希望を聞きながら，体位や姿勢を変えていくとよい。体位や姿勢を変えることは，産痛の緩和にも役立つことが多い。また，膀胱充満を避けることは，胎児の回旋や下降を促すことにつながる。したがって，特に分娩第1期においては，定期的に（約2〜3時間おき），トイレへの歩行を促すことも勧められる。図2-41に様々な産婦の姿勢を示した。陣痛発作時に動くことが難しくても，間欠時は立ったり，歩いたりすることもできる。分娩期に夫や家族の助けを得ることは，出産体験の共有により，絆を深めることにつながる。産婦がからだを動かすときには，パートナーや家族と共に支えるようにするとよい。

2 体力温存のためのケア

スムーズな分娩の進行を促すために，からだを動かすことは重要であるが，時に産婦の疲労が蓄積し，体力を消耗してしまうことがある。体力を消耗する前に，温存するケアが重要であろう。体力の維持のためには，まず眠れるときに眠っておくことである。前駆陣痛や分娩第1期が始まったばかりの時は，夜間であれば，できるだけ横になって眠るよう勧める。さらに，子宮口が全開大し第2期に入った後，陣痛の周期が3分であっても，間欠時には眠るよう勧めることもある。休むことはリラックスにつながることも多く，分娩進行にはよい影響を与える。

食事については，食べられる時に食べられるものを食べておく必要性を伝えておく。分娩はマラソンにたとえられるように，分娩中も食事を摂りエネルギーを補給する必要がある。おにぎり，サンドイッチなど簡単に食べられるもの，ヨーグルト，ゼリー，アイスクリームなどのど越しのよいものを産婦の好みに合わせて選ぶとよい。分娩中は，産痛に対する生理的な反応として交感神経が優位となる結果，消化・吸収が遅くなる。それにより，悪心や嘔吐は，3割程度の産婦に起こる。消化・吸収がよい食事（食物繊維や脂質が少なく，軟らかく調理したもの）が望ましい。

分娩期には，水分摂取が必須である。脱水を起こさないよう十分に注意する必要がある。食欲がない，食事ができない場合でも，水分摂取は積極的に勧める。水以外でも，スポーツドリンク，ジュースなど産婦が飲みやすいものを選ぶ。陣痛の間に，少量ずつでも摂取できるようにする。コップなどからは飲みにくいため，ストローを準備しておくとよい。

3 呼吸法と努責のかけ方

陣痛発作時においては，産婦自身のリズムで，呼吸法をするとよい。たとえば，「フーフー」と息を吐くことを意識すると，過換気を防止することもできる。この時期には，この呼吸法と決まった呼吸法をしなくてはいけないということはなく，陣痛時に少しでも楽な気持ちになれること，出産に集中できることが大切である。さらに，気持ちを落ち着け，緊張を解く方法としての呼吸法が使える。出産という未知の体験に臨むとき，または前回の出産での不安や恐怖がよみがえってくるとき，深呼吸することで緊張を解くことができる。

第5編

1 妊娠期にある母子の生理と看護

2 分娩期にある母子の生理と看護

3 産褥期にある母子の生理と看護

4 新生児の特徴と生理的変化と看護

付 周産期にある母子の看護の事例

息を止めずに呼吸を続けることは，胎児の健康状態にも良い影響がある。分娩第1期の努責は，頸管裂傷や頸管浮腫，早期破水，胎児へのストレスの原因となるため，勧めない。

また，分娩第2期には，陣痛に合わせて努責することで娩出力が高まる。児頭が下降してくると，直腸が圧迫され，排便時のように自然に努責をかけることができる。その際は，産婦の自然な努責感を大切にする。長く努責を続けると，息を止めることになるため，努責を短くする必要がある場合がある。児頭の下降が悪いときは，マックロバーツの体位で強く努責する場合もある（図2-42）。その際，努責の前後での深呼吸を促すようにする。

4 | 異常の予防・早期発見

分娩期には，産婦と胎児に正常からの逸脱が起こることが少なくない。産婦と胎児の健康状態の継続的なアセスメントは欠かせない。産婦の陣痛や産痛，破水，性器出血，バイタルサイン，胎児心拍数陣痛図から異常を早期発見することは，分娩期の重要なケアである。さらに，このような異常を予防することは容易ではないが，大切な視点である。

5. 母子の愛着形成の促進に向けてのケア

母子の愛着形成を促すケアは，妊娠期から始まっている。特に，分娩期は，母子の愛着をより深めるための貴重な機会と考えられる。児娩出直後の**早期母子接触**（early skin-to-skin contact）（図2-43）は，母親となった産婦の児に対するボンディング（絆）を強める効果があることが報告されている[19]。早期母子接触は，「出生後早期から母子が直接肌を触れ合い互いに五感を通して交流」することであり[20]，親子がはぐくみ合う大切な時間でもある。早期母子接触は，その後の母乳育児の成功にも関与することも明らかになっている。ただし，生後早期は，呼吸や循環の適応過程にあり不安定な時期でもある。そのため，母子の健康状態をアセスメントしたうえで，医療者の十分な観察のもと実施する必要がある。

図2-42 マックロバーツの体位

図2-43 早期母子接触

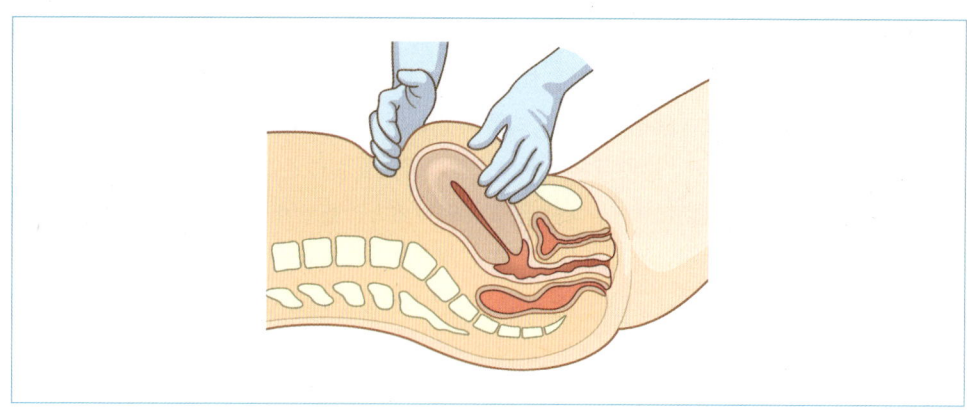

図2-44 子宮底マッサージ

6. 分娩直後の産婦へのケア

分娩直後のケアで重要なのは，第1に分娩を終えた産婦に敬意を払い，ねぎらうことである。産婦にとって，達成感を伴う満足する出産となることもあるが，思い描いていた出産とはならないこともある。分娩中に異常が起こり，緊急帝王切開になることも珍しくない。しかし，どのようなときも，産婦の思いを聴きながら産婦の気持ちをねぎらうことは欠かせない。2つ目は，母子が安心して心地よく過ごせるように環境を整えることである。分娩後は，産婦のからだを拭くなど清潔を保つと同時に，からだが冷えないように注意を払う。安楽で安全な体位を保持し，新生児や家族とのゆったりとした時間が過ごせるように配慮する。3つ目は，子宮収縮，会陰損傷の観察を行い，回復を促進するケアの実施である。子宮収縮の促進が必要な時には，子宮底のマッサージ（図2-44）を行うことがある。また，早期離床も子宮収縮を促す。産後の初回歩行の時には，バイタルサインを測定し異常がなくても，血圧の下降など急激に変化する場合があるため，必ず看護者が付き添う。

C 産婦の家族の看護のポイント

1. 家族のための出産準備

出産は，家族にとっても，新たな家族を迎える重要なライフイベントである。出産，さらにその後の育児が家族にとって成長の機会になるためには，準備が必要であるといえる。妊婦健康診査に上の子どもが同席したり，家族で出産準備クラスに参加したりすることが出産に向けての準備となる。例として，家族のための出産準備クラスを紹介する。

このクラスは，上の子どもが妊娠や出産について学ぶことを目的としている。本物の新生児に近い赤ちゃん人形を抱っこし，赤ちゃんの特徴，赤ちゃんと自分の違いを知ること，胎児の成長や胎盤を理解するための紙芝居，出産のプロセスをイメージできるような人形

第5編

1 妊娠期にある母子の生理と看護

2 分娩期にある母子の生理と看護

3 産褥期にある母子の生理と看護

4 新生児の特徴と生理的変化と看護

付 周産期にある母子の看護の事例

図2-45　家族のための出産準備クラスの様子

図2-46　家族出産

劇（人形を使っての出産劇）などのプログラムで，子どもたちが楽しんで出産について学べるクラスが企画されている（図2-45）。このようなクラスへの参加をとおして，上の子を含めた家族が出産に向けて会うための準備をすることが望ましい。

2. 家族出産

　パートナー，上の子どもと共に出産を迎える家族出産（図2-46）を希望する産婦が増えている。パートナーの出産への参加は可能としている医療施設が多いが，上の子どもの参加は約45%程度となっている[21]。家族で出産体験を共有することは，新しく家族となる子どもを家族全員で迎え，絆を深める機会となる。

　助産師へのインタビューにおいて，家族出産を支援する際は，日常生活の延長としてのお産をサポートすることが重要であることが述べられている[22]。出産中も，家族が緊張せず，日常のように過ごせるよう配慮する。その家族らしさを尊重することも大切である。また，新しい命の誕生を家族が成長する機会とするために，家族の絆を強め，新しい家族役割への移行を助けること，お産が家族にとってよいスタートとなるようにサポートすることが重要である。これらのケアは，分娩期のみで成り立つものではなく，妊娠期からの一貫したかかわりが必要である。すべてのケアは，「家族全体をはぐくむ」ために実施されている。

文献

1) Herman A, Weinraub Z, et al.: Dynamic ultrasonographic imaging of the third stage of labor; New perspective into third stage mechanism, Am J Obstet Gynecol, 168: 1469-1496, 1993.
2) Dick-Read G.: Natural childbirth, William Heinemann, 1933.
3) Dick-Read G.: Childbirth without fear, William Heinemann, 1942.
4) Melzack R, Wall PD.: Pain mechanisms；a new theory, Science, 150: 971-979, 1965.
5) 日本産科婦人科学会，日本産婦人科医会編・監：産婦人科診療ガイドライン；産科編 2020, 日本産科婦人科学会，2020.
6) Friedman EA: Labor; Clinical Evaluation and Management, 2nd ed, Appleton-Century-Crofts, 1978.
7) Zhang J, et al.: Contemporary patterns of spontaneous labor with normal neonatal outcomes, Obstet Gynecol, 116: 1281-1287, 2010.
8) Suzuki R, et al.: Evaluation of the labor curve in nulliparous Japanese women, Am J Obstet Gynecol, 203: 226.e1-e6, 2010.
9) Shindo, R., et al.：Spontaneous labor curve based on a retrospective multi-center study in Japan，J Obstet Gynaecol Res, 47（12）：4263-4269, 2021.

10) 前掲 9).

11) 北田雅子, 磯村毅：医療スタッフのための動機づけ面接法；逆引き MI 学習帳, 医歯薬出版, 2016, p.88-91.

12) Lee MK, et. al.：Effects of SP6 acupressure on labor pain and length of delivery time in women during labor., J Altern Complement Med., 10（6）：959-65, 2004.

13) Smith CA, et al.：Massage, reflexology and other manual methods for pain management in labour., Cochrane Database Syst Rev, 3:CD009290, 2018.

14) Cluett ER, et al.：Immersion in water during labour and birth, Cochrane Database Syst Rev, 16（5）：CD000111, 2018.

15) 前掲 13).

16) Anim-Somuah M, et al.：Epidural versus non-epidural or no analgesia for pain management in labour, Cochrane Database Syst Rev, 5:CD000331, 2018.

17) M. H. クラウス, 他著, 竹内徹, 永島すえみ監訳：ザ・ドゥーラ・ブック；短く・楽で・自然なお産の鍵を握る女性, メディカ出版, 2006.

18) 湊谷経子, 他：パニック状態になった産婦の出産体験；その体験に含まれる要素と要因, 日本助産学会誌, 10（1）：8-19, 1996.

19) Moore ER, et al.：Early skin-to-skin contact for mothers and their healthy newborn infants, Cochrane Database Syst Rev, 11:CD003519, 2016.

20) 日本周産期・新生児医学会：「早期母子接触」実施の留意点, 2012. https://www.jspnm.com/sbsv13_8.pdf （最終アクセス日：2022/6/10）

21) 白井希, 片岡弥恵子：東京都における子どもが参加する出産の現状, 聖路加看護大学紀要, 37：1-5, 2011.

22) 小野友貴奈：出産の場面における家族に向けた助産ケア, 2012 年度聖路加看護大学大学院課題研究, 2013.

参考文献

・ DeBaets AM.：From birth plan to birth partnership: enhancing communication in childbirth, Am J Obstet Gynecol, 216（1）：31.e1-31.e4, 2017.

第 3 章

産褥期にある母子の
生理と看護

この章では

- 妊娠中に生じた母体の変化が復古していく生理的過程を理解する。
- 分娩後の身体的変化について理解する。
- 分娩後の身体的変化や心理的適応状態から褥婦の健康状態のアセスメントについて理解する。
- 母親になることを支える看護について理解する。
- 移行期にある家族への看護について理解する。
- 分娩後の月経再開について理解し，家族計画の視点を学ぶ。

I 正常な産褥期の経過

A 産褥期の定義

　産褥期とは，分娩終了直後から始まり，妊娠・分娩により生じた全身および性器の解剖学的変化，さらに機能的変化が，妊娠前の状態に戻る（復古）までの期間をいう。復古に要する期間は臓器によって異なるが，6〜8週間である。ただし，復古は解剖学的および機能的変化のすべてが妊娠前の状態に戻ることをいうのではなく，一部に恒久的変化を残す。

　産褥期の生理的変化の特徴として，退行性変化（子宮復古や悪露排出など）と進行性変化（乳汁分泌の開始など）の二者が共存することがあげられる。前者は妊娠中に増大した臓器が妊娠前の状態に縮小したり，機能的に亢進した臓器が妊娠前の状態に戻るという変化であり，反対に後者は妊娠前に比べて臓器が増大したり，機能が亢進するという変化である。

B 産褥期の身体的特徴

1. 子宮復古

1 ｜ 子宮体部の変化

❶ 子宮底の下降・上昇

　子宮は妊娠により大きさ，重さともに著しく増加するが，分娩が終了すると，急速に収縮して縮小し，子宮底は下降する（図 3-1）。これは主として，個々の子宮筋線維細胞のサイズの縮小によるものと考えられている。筋組織は主に脂肪変性あるいは硝子様変性を起こしたのち吸収される。脂肪組織は消失し，結合組織も萎縮するが，やや増加した状態で

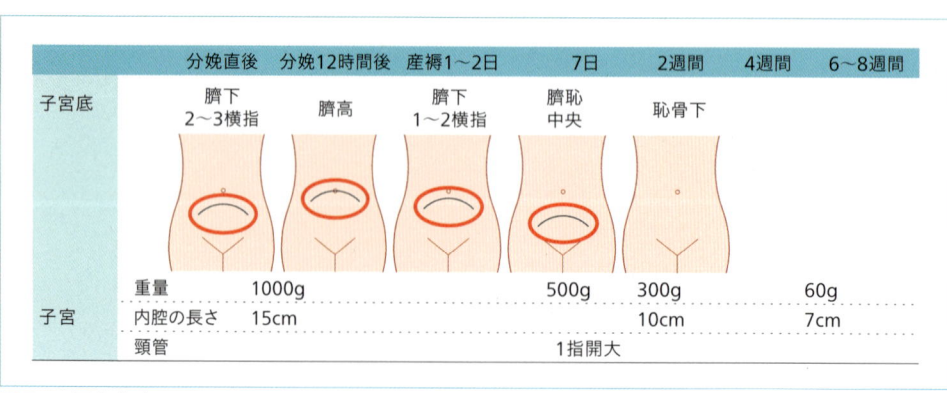

図 3-1　子宮復古

第
5
編

1
妊娠期にある母
子の生理と看護

2
分娩期にある母
子の生理と看護

3
産褥期にある母
子の生理と看護

4
新生児の特徴と
生理的変化と看護

付
周産期にある母
子の看護の事例

残るため，経産婦の子宮壁は未産婦に比べ，やや肥厚している。

分娩直後に子宮底は臍下 2 〜 3 横指（恥骨結合上縁から 10 〜 12cm）まで低下するが，その後上昇し，12 時間後に臍高かそれ以上に達する。この原因は，主として膀胱の充満による子宮の上方牽引であり（膀胱内尿量 100mL ごとに子宮底は 1cm 上昇），ほかに骨盤底筋群の緊張回復による子宮下垂の改善，子宮腔内・腟内の凝血の貯留などによる。

その後，子宮底は産褥日数とともに下降し，産褥 1 〜 2 日には臍下 1 〜 2 横指，3 日には臍下 2 〜 3 横指，すなわち分娩直後の高さとなる。産褥 5 日には臍高と恥骨結合上縁のほぼ中央に，産褥 10 〜 14 日で子宮底は恥骨下に隠れて腹壁からは触れなくなり，約 6 〜 8 週間で妊娠前の大きさにまで縮小する。

❷子宮の大きさの変化

子宮内腔の長さは，分娩直後は約 15cm，2 週間後に 10cm，6 週間後に 7cm と変化する。また，分娩直後の子宮重量は約 1000g であるが，1 週間後約 500g，2 週間後約 300g，3 週間後約 250g となり，6 〜 8 週間後には約 60g と，ほぼ妊娠前の重量となる。

産褥数日の間，子宮収縮による子宮体部の変化に伴い，下腹部痛がみられる。比較的規則正しく反復するため**後陣痛**（after pain）とよばれる。子宮復古を促進する生理的現象である。初産婦より経産婦に強く，授乳により増強される。多胎，羊水過多症でも強い。分娩当日が最も強く，2 〜 4 日後まで続くことがある。

2 ｜ 子宮内腔の変化

分娩直後，胎盤と卵膜が剝離すると，直ちに子宮壁が収縮し，内腔はおよそ半分以下の表面積まで縮小する。子宮内面全体には創傷ができ，特に胎盤剝離面は粗く凹凸不整となるが，この子宮収縮により子宮筋層内の血管は絞扼され，さらに血栓形成により止血される。胎盤剝離部の残存組織（脱落膜海綿層）は凝固壊死に陥り，その崩壊物は血液・リンパ液・粘膜その他の創傷分泌物と混じり，悪露として排出される。6 〜 8 日後には内膜の新生がみられ，3 〜 4 週後に正常内膜が再生されるが，胎盤剝離面では 6 週以降である。

3 ｜ 子宮頸部の変化

子宮頸部は分娩時に弛緩伸展して通過管となるため，分娩直後に明瞭な腟部をみることはできない。しかし子宮下部の復古は子宮体部に比べて早く，分娩数時間で開始する。分娩直後の頸管は，幅が広く壁が薄く不整形であるが，急速に縮小して分娩 12 時間後にはかなり明瞭となり，子宮口は 2 〜 3 指を通じる程度となる。その後産褥期間中，しだいに閉鎖し，3 日後で 1 指を通じる程度となる。4 〜 6 週後にはほぼ復古は完了し，子宮口は閉鎖する。

外子宮口は一般に横裂し，未産婦とは異なる形となる。分娩後，子宮頸管には粘膜欠損，斑状出血，裂傷などが観察され，粘膜が再生し完全に治癒するまでには 1 〜 2 週間を要する。裂傷は瘢痕化して残るため，経腟分娩をした産婦と，未産婦あるいは帝王切開によ

る経産婦とを区別することができる。

　産褥期に子宮，腟より排出される分泌物を総称して**悪露**とよぶ。子宮内腔からの分泌物を主とするが，これに頸管，腟，会陰の創面からの分泌物が混じったものである。成分は血液成分，リンパ液で，脱落した組織・細胞などを含む。悪露は産褥の経過とともに次のように変化する。

　産褥2日頃までの悪露は**赤色悪露**（血性悪露）とよばれる。大部分が胎盤剝離面よりの血液（その他脱落した細胞など）によるものである。通常，凝血は混じらない。

　産褥3日頃からの悪露は**褐色悪露**とよばれる。これは胎盤剝離面よりの血液成分が減少し，血色素が破壊されて褐色調に変色するためである。1週間くらい続く。

　産褥7日頃以降は赤血球成分がさらに減少し，白血球が増加する。黄白色のクリーム状となり**黄色悪露**となる。これは2〜3週間続く。

　産褥14日頃以降，透明な分泌液となり（**白色悪露**），産褥4〜6週間後に完全に消失する。褥婦によっては産褥1か月でも淡褐色の悪露を認めることがしばしばあり，ただちに異常とはいえない。

　悪露の総量は500〜1000gと考えられる。授乳している褥婦のほうが授乳していない褥婦よりも少なく，また，子宮収縮薬の投与によっても減少する。

　産褥3〜4週では，血栓の剝離により再び血性となることがある。悪露は一般ににおいはほとんどなく，悪臭は化膿性悪露のときにみられるが，直ちに重症感染を意味するものではない。

2. 乳房の変化

1 | 乳腺の発達とホルモンの関与

　乳房は，乳腺とその周囲の脂肪組織から構成されている。**乳腺**は樹枝状に15〜20個の乳腺葉に分けられ，それぞれの乳腺葉は1本の乳管で乳頭に開口している（図3-2）。妊娠時には胎盤より多量のエストロゲンとプロゲステロンが分泌され，これらの作用により乳腺組織（乳管と乳腺葉）は増殖する。

　妊娠中期には，プロゲステロンの増加に伴って腺房の形成発達がさらに促進される。妊娠末期になると，胎盤からのエストロゲン，プロゲステロン，ヒト胎盤性ラクトーゲン（human placental lactogen：hPL）の分泌が著しく増加し，母体の下垂体から分泌される下垂体性プロラクチンの増加も加わり，多数の終末腺房が生じ，腺細胞には初乳が充満するようになる。しかし妊娠中は，大量のエストロゲンやプロゲステロンが，乳腺のプロラクチンおよび副腎皮質ホルモンの作用を抑制するため，乳汁分泌は起こらない。

　分娩が終了し，胎盤が排出されると，血中のエストロゲンやプロゲステロンが急激に減

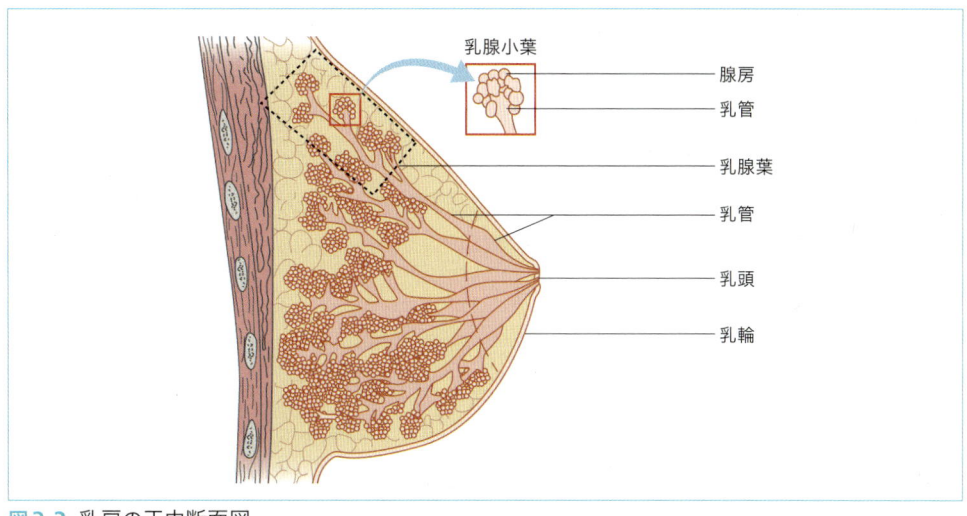

第5編

1 妊娠期にある母子の生理と看護

2 分娩期にある母子の生理と看護

3 産褥期にある母子の生理と看護

4 新生児の特徴と生理的変化と看護

付 周産期にある母子の看護の事例

図3-2 乳房の正中断面図

少し，乳腺におけるプロラクチン受容体のブロックが解除されるため，プロラクチンの作用が主体となり乳汁分泌が開始する。また，副腎皮質ホルモン，インスリン，甲状腺ホルモンなどの関与も知られている。

2 乳汁分泌のしくみ

乳汁が乳頭から分泌されるためには，乳汁の産生，分泌，排出のメカニズムが必要である。

乳汁分泌の機序には，乳汁分泌を行うプロラクチンと，乳汁の排出を促すオキシトシンの2つのホルモンが関与している。

児が乳頭に吸着することにより乳頭が刺激されると，下垂体前葉からプロラクチンが放出され，乳汁分泌が促進される。また，乳頭刺激が視床下部に伝達されることにより下垂体後葉からオキシトシンが分泌され，乳汁が排出される。オキシトシンはプロラクチンの分泌にも促進的な作用を有することから，乳汁の排出だけでなく分泌にも間接的に関与している。乳汁分泌が開始した後，乳汁の産生と分泌が維持されるには，適当な間隔による授乳とプロラクチン，オキシトシンの継続的な分泌が必要である。

乳汁生成の経過には次の3段階がある。

❶乳汁生成Ⅰ期（Lactogenesis Ⅰ）　妊娠16週頃〜産後2日目は，乳汁産生が開始する時期である。プロラクチンの刺激によって，分泌細胞における乳汁生成が行われる。初産婦では産褥2〜3日後，経産婦では産褥1〜2日頃から乳汁分泌が促進され，乳房の緊満感が出現する。乳房の緊満感は，乳房への血流増加や乳腺内圧の上昇，リンパのうっ滞から浮腫が生じることによって両側性に起こり，腫脹や熱感，痛みは乳房全体に生じる。

❷乳汁生成Ⅱ期（Lactogenesis Ⅱ）　産後3〜8日目は，乳汁の分泌量が急激に増加する時期である。胎盤の娩出によって，血中のプロゲステロン・エストロゲンの濃度が低下することにより引き起こされる。

❸**乳汁生成Ⅲ期（Lactogenesis Ⅲ）**　産後9日目以降は，乳汁分泌が確立し，維持される時期である。乳腺の局所における制御によって，乳量に応じて乳汁が産生される。

　分娩後はできるだけ早期に授乳を確立する。出産後すぐに新生児に乳頭を吸啜させてもよい。乳房マッサージなどによる血液循環促進や，残乳の排出による乳房圧抑制によっても乳汁分泌は促される。また，精神的ストレスや創痛などによって，乳汁分泌が抑制されることがある。

3 ｜ 乳汁の成分とその変化

　乳汁は炭水化物，たんぱく質，脂肪およびミネラルの懸濁液で，浸透圧が血漿と等しい。成分は食生活の相違により，地域差，個人差があり，季節によっても変化するといわれている。主としてたんぱく質，炭水化物（乳糖），脂肪，電解質，ミネラルから構成される。脂肪は新生児のエネルギーの重要な成分であり，エネルギーのうち40〜50%を脂肪から摂取する。たんぱく質はラクトアルブミン，ラクトグロブリン，カゼインが含まれる。たんぱく質の所要量は，成人が体重1kgに対して約1gなのに対して，新生児では2.6〜2.7gと多い。乳汁の成分や性状は，分泌時期により変化する（表3-1）。

❶**初乳**

　産後2〜3日に乳腺から最初に分泌される乳汁を，**初乳**という。混濁した黄色で粘稠度が高く，量は多くない。たんぱく質と塩類を多く含み，脂肪，糖質は成乳に比し少量である。免疫グロブリン（特に分泌型IgA）や補体，ラクトフェリン，ラクトペルオキシダーゼ，リソソームなどの免疫物質が豊富で，さらにマクロファージやリンパ球などの免疫担当細胞やインターロイキン-6などのサイトカインが多く含まれている。これらは新生児の消化管における吸収機能を助けるだけでなく，未熟な児の小腸に留まり，病原性のある腸内細菌の感染から児を守るのに有効であると考えられている。

❷**移行乳，成乳**

　乳汁は新生児の発育状況に伴い，日ごとに変化する。産後3〜4日（乳汁生成Ⅱ期）になると，乳房に乳汁が充満するために乳房緊満感が生じるようになる。この時期の乳汁を**移行乳**とよび，産後14日を過ぎた頃から分泌される乳汁を，**成乳**とよぶ。成乳は白色，漿

表3-1　初乳，移行乳，成乳および牛乳の成分の比較

成分	人乳（100g）			牛乳（100g）
	初乳　1〜5日	移行乳　6〜13日	成乳　14日以降	
熱　量（kcal）	58	74	71	69
全固形分（g/dL）	12.8	13.6	12.4	12.7
たんぱく質（g）	2.7	1.6	1.2	3.3
乳糖（g）	5.3	6.6	7.0	4.8
脂肪（g）	2.9	3.6	3.8	3.7
灰分（g）	0.33	0.24	0.21	0.72

出典／Macy, I. G. et al.: The composition of milk: Publication 254, National Academy of Science, National Research Council, 1953. を参考に作成.

液性で，初乳に比べ脂肪，糖質，エネルギーが増加し，たんぱく質と塩類は減少する。成乳の役割は新生児に水分と栄養分を与えることにあり，組織は約 88% の水分と 12% の固形分からなっている。

4 | 乳腺炎

乳汁の排出が不十分なことが原因で生じる乳腺炎を**うっ滞性乳腺炎**という。また，主として乳頭から乳管を経由する細菌感染が原因で生じる乳腺炎を**感染性乳腺炎**という。

❶うっ滞性乳腺炎

産褥 3〜4 日にみられ，乳房の緊満，硬結，圧痛，軽度の発赤がみられる。発熱を伴ったり，腋窩リンパ節が腫大し疼痛を認めることもある。乳管の開口が不十分なために乳汁がうっ滞することで生じる。治療は，乳房，乳頭のマッサージにより乳管の開通を図り，積極的に授乳，搾乳を行う。

❷感染性乳腺炎

産褥 2〜6 週に起こりやすい。乳房に硬結，熱感，発赤，疼痛がみられ，発熱や腋窩リンパ節の腫脹を伴うことが多い。炎症が進むと膿瘍を形成し，波動を触知することもある。通常は片側性である。乳頭亀裂部位などから入った細菌が乳頭，乳管を経て乳腺内に至り，化膿性炎症をきたしたものである。治療は抗菌薬と消炎酵素薬による保存療法を基本とするが，膿瘍形成が起こった場合には切開排膿する。重症例に対しては乳汁分泌を抑制する。

3. 生殖器の変化

1 | 腟の変化

分娩により過度に伸展した腟壁は徐々に回復し，4 週間後にはほぼ分娩前の状態に戻る。しかし，分娩前に比し腟腔はやや広く，腟壁は平滑となる。腟粘膜の肥厚，頸管粘膜の産生，その他エストロゲンに依存する変化は，授乳褥婦のほうが遅れる。断裂した処女膜は原形を留めず，処女膜痕（hymenal caruncles）となって輪状の痕跡を残す。

2 | 外陰部の変化

分娩後には腫脹がみられるが速やかに消退し，陰裂も 24 時間後には閉鎖する。会陰裂傷や会陰切開創は 1〜2 週で治癒するが，瘢痕を残す場合がある。

4. 全身の変化

1 | 体重

分娩により母体の体重は平均 5.5kg 減少する。これは主に，児・胎盤の排出と羊水の流

出（4.5kg）および生理的出血（1.0kg）によるものである。産褥期にはさらに約 3 〜 4kg の体重減少が認められる。これは，尿量増加，発汗，乳汁などによって妊娠中に増加した循環血液量（1.5kg）や組織液（1.5kg）の減少によるものである。産褥 6 週間でしだいに減少し，妊娠前の状態に復する。しかし，妊娠中に増加した母体貯蔵脂肪（2 〜 3kg）の減少は個人差が大きく，乳汁分泌量や母体の運動量，食事摂取量などによって異なる。

2 | 体温

正常産褥でも，産後 4 日目頃までは体温が 37.5℃程度に一過性に上昇することがある。これは，分娩や授乳の影響によるものと考えられる。しかし，38.0℃以上の発熱が認められる場合は感染症（産褥熱，尿路や乳腺など）を疑い，原因を検索する。

3 | 循環器系

▶ 脈拍　分娩時一過性に頻脈となるが，分娩後は正常に回復する。しかしやや不安定で，軽度の運動や感情の変化によっても変動しやすい。

▶ 血圧　分娩中に上昇した血圧は，分娩後は正常に回復する。

▶ 心拍出量　分娩後は 1 回拍出量が約 20% 減少する。産褥 2 週間で，妊娠 38 週時に観察された最大心拍出量と比較して約 28% の低下が認められる。

4 | 血液

▶ 血液凝固　妊娠末期から血液凝固能は非常に亢進し，産褥 1 週間は維持される。産褥 2 週目に入ると低下し始め，さらに 7 〜 10 日の間に徐々に妊娠前の正常なレベルまで戻る。線溶活性は分娩中に低下し始め，産褥 1 日目に最低となる。しかし，産褥 3 〜 4 日目には正常なレベルまで回復する。

▶ 血液量　妊娠中は血液量が 40 〜 50% 増加する。血漿成分が増え，ヘマトクリット値の低い水血症の状態であり，分娩による失血から母体を保護する役割を果たしている。分娩後血液量は分娩直後からの尿量増加とともに減少し始め，産褥 3 週までに妊娠前の約 4L に戻る。

▶ 造血機能　妊娠中に赤血球は約 30% 増加するが，分娩に際して約 15% の減少が認められるため，産褥期には妊娠前に比較して約 15% の増加が認められる。分娩時の出血は急激に起こるため，直ちに網状赤血球の増加（産褥 4 日目に最大値を示す）およびエリスロポエチンの上昇が認められる。

白血球は分娩中に著しく増加し，分娩後 24 時間以内の白血球数は約 2 万/μL 以上と高値を示すこともある。分画では顆粒球が増加する。産褥 1 週間は引き続いて増加し，その後産褥 1 〜 2 週間で妊娠前の値となる。

血小板は妊娠中不変であるか，もしくは軽度低下する。分娩時の出血によって減少するが，産褥期の出血に備えて，その後増加する。

1
妊娠期にある母
子の生理と看護

2
分娩期にある母
子の生理と看護

3
産褥期にある母
子の生理と看護

4
新生児の特徴と
生理的変化と看護

付
周産期にある母
子の看護の事例

5 | 呼吸器系

妊娠末期には，増大した子宮が横隔膜を挙上するため，機能的残気量が低下し，1回換気量が増加する。分娩後は子宮収縮に伴い横隔膜が下降するため，速やかに非妊娠時の状態に戻る。機能的残気量は増加し，肺活量が減少する。分時最大呼吸器量も減少するが，呼吸数はほとんど変化がみられない。

6 | 消化器系

分娩後は食欲低下と口渇を訴える傾向にあるが，回復は早い。また便秘傾向になる例が多く，硬便による排便痛や会陰創縫合部痛の原因となることがある。

7 | 泌尿器系

妊娠中は糸球体濾過率および腎血液流量が増加しているが，産褥6週までに非妊娠時の値まで減少する。腎盂や尿管は妊娠子宮により圧迫され，肥大し拡張しているが，これも産褥2～8週間以内に自然回復する。

分娩後24時間以内は膀胱粘膜が浮腫状を呈しており，尿の過度充満や，膀胱の不完全な収縮による残尿量の増加がしばしばみられる。その後，心房性利尿ペプチドの分泌が亢進し，エストロゲンが消退するため一時的に尿量が増加し，1日量が1500～2000mLに達することがある。分娩後1～2日間は，約半数に軽度のたんぱく尿が認められる。ラクトース，白血球，赤血球などを含むことも多い。

産褥早期には，排尿困難，尿閉，尿失禁といった膀胱機能障害がよくみられる。これは，分娩時に膀胱，尿道が過度に圧迫されるため，膀胱の収縮力が低下し，分娩後一過性に膀胱が弛緩することによる。分娩第2期遷延などで多い。また，分娩後は妊娠子宮による圧迫が消失し，膀胱容量が増大することも原因と考えられる。そのほか，会陰部の疼痛によるもの，硬膜外麻酔による無痛分娩によるものも多い。いずれの場合も一過性のものであり，数日間で自然治癒するが，導尿が必要となることも多い。

8 | 性周期

分娩終了後は，しばらく無月経の状態が続く。非授乳婦では，分娩後平均約60日で月経が再開する。授乳婦では，授乳停止後6週間以内に90%が月経再開する。また，授乳中でも産褥3か月で33%が月経再開する。初発排卵は，非授乳婦では平均約80日頃であり，約1/3に月経再来前に排卵がみられており，月経再来をみないで妊娠することもある。

産褥期後半には，下垂体・性腺などの機能は正常化に向かうが，まだ回復は不十分であり，時に無排卵性子宮出血を起こす。その後，視床下部―下垂体機能，周期性をもった性機能が回復し，産褥期は終了する。

C 褥婦と家族の心理・社会的変化

1. 褥婦の心理的変化

　女性は初めての子どもを妊娠するまで，一人の人間としての自己，社会の一員としての自己，あるいは妻，娘などの役割に伴う自己など，多様な側面を抱えて生きている。自らの胎内に新しい命を宿すことにより，母親としての新しい自己を自覚すると同時に，「役割の変化」を経験することになる。

▶ **マタニティブルーズ**　何らかの変化を経験するとき，大半の人は少なからず不安を感じ，変化を完全に楽しむということはない。愛する人と結婚し，妻になって新生活が始まるとき，あるいは待ち望んだ子どもが生まれ，母親になるときなど，その人にとって良いと思われる変化であってもプラスの感情のみを抱くとは限らない。出産後，役割の変化や育児に伴う疲労などの諸要因が相まって，生理的変化である**マタニティブルーズ**を生じることがある。これは産褥3〜10日に発症する，一過性の軽い抑うつ状態であり，産褥婦の30〜50%でみられる。主な症状は，涙もろさ，憂うつ，過剰な情動，変化しやすい気分であり，通常2週間ほどで自然に消失する軽度なものである。生理的現象であるため治療は要さない。いわゆる「疾病^{しっぺい}」として扱われる，産後うつ病や**産褥期精神障害^{さんじょく}**とは区別される。

▶ **期待と現実とのギャップ**　核家族化が進み，地域とのかかわりが以前と比べて希薄になった現代において，幼い子どもと接する機会が少なく，わが子を出産するまで新生児にかかわったことのない女性も少なくない。妊娠して初めて，医療機関や地域の保健所が開催する母親学級や両親学級を通じて知識を得ることもある。自らの経験や正確な知識量が圧倒的に少ない一方で，メディアやネットを通じて様々な情報を得ることが可能であるため，不適切な情報で妊産褥婦が混乱することのないように注意する必要がある。特に産褥期に急な役割変化を体験している際は，不安の結果として，古い役割のポジティブな側面と，新しい役割のネガティブな側面にばかり考えが傾きやすい。誤った情報に振り回されることで不必要に心配したり，逆に不適切な期待を抱いて現実とのギャップに苦しんだりすることがある。

　産後の生活は，1日24時間が新生児のペースで進行する。これまで自分の楽しみのために使っていた時間はほとんど取れず，また，睡眠を十分に取り疲労を回復させることもできないため，肉体的疲労は蓄積する一方である。産前に思い描いていた「新生児との幸せな生活」とはかけ離れた現実を体験したとき，「こんなはずではなかった」「ほかの母親とは異なり私だけ苦労が多いのではないか」と思い悩む母親も多い。

▶ **産後の役割変化**　産前に子どもや育児に関する正しい知識を提供するだけでなく，産後に一時的に失わざるを得ない役割があるという現実についても，あらかじめ知らせておくことは重要である。そして新生児中心の生活を続けていくなかで，過去の役割のポジティ

ブな面を失ったことを少しずつ認め，それを受け入れ，同時に新しい役割のポジティブな面を見つけ，これまでとは違った新たな楽しみを見つけることで，急激な役割の変化に少しずつ順応していく。

▶ 母子相互作用　児の受容や児への愛着は，妊娠期から出産をとおして形成されるが，産褥期には，生後すぐから始まる母子相互作用を通じて，しだいに促進される。毎日繰り返される授乳やおむつ交換，沐浴（もくよく）など多様なかかわりをとおして，母親は子どもを見つめ，子どもに触ることでわが子であるという実感がもてるようになり，子どもを受容するようになる。子どもは密接に世話をしてくれる母親に対して，しがみつく，泣く，微笑む，後を追う，といった特別な情緒的反応を示すようになる。このような母子相互作用のなかで母親としての気持ちを強め，子どもをかわいいと思う気持ち，愛着が少しずつ増していく。出産直後にすべての母親がわが子をかわいい，愛（いと）おしいと思うわけではないし，すぐに愛着がわかなくても異常ではない。

2. 家族の心理的変化

　周産期は，母親と同様に父親にとっても親としての成長のプロセスであるといえる。子どもとのかかわりのなかで関係性が形成され，「父親」という新しい役割を体験することになる。役割の変化については母親と同様，必ずしもプラスの感情を抱くだけではなく，不安や責任感が精神的負担となることもある。

　また，これまでの妻との2人だけの生活は一変し，夫婦としての形態にも様々な変化が生じる。母親の関心は必然的に生まれたばかりのわが子へと向かうため，父親は疎外感を感じたり，自分が取り残されたように感じて抑うつ的となることがある。互いの役割について抱いている期待がずれて，夫婦間の不和につながることもある。母親は1日の時間のほぼすべてを子どもの世話に当て，家事をする時間や気持ちの余裕もなくなるほどである。産前から意思疎通が不良な夫婦では，ゆっくりと時間を取って話し合う機会の得づらい産後に，自然と関係性が改善することは考えにくい。相手に求めていることを産前から十分に話し合い，互いへの期待が妥当なものであるかを検証し，満足できる結果が得られるまで期待を修正し，歩み寄っておくことは重要である。

　また産褥期は，母親が対人関係上の孤独に陥りやすい。互いの両親が遠く離れて暮らし，近所に親しく付き合う隣人もおらず，日中はほぼ1人で育児をするという母親は多く，1日のなかで会話をした大人は仕事から帰宅した夫のみ，ということも珍しくない。児の誕生により，新しい課題に対する適応と変化が求められるこの時期に，互いにとって心地良く，意図することが正しく伝わる良好なコミュニケーションが果たす役割は大きく，安定した家族の再組織化には欠かせない。

3. 社会的支援

　子どもが生まれたその瞬間から，母となった女性には1日24時間，絶え間なく母親と

しての行動が求められる。産前に十分に準備をしていたとしても，実際に新生児を前に初めて体験する授乳，おむつ替え，沐浴といった行動を直ちに上手にこなすことは難しい。産褥早期は母児共に不慣れであり，母親としての行動に関する知識も少ない。育児に対しての困難感は子どもの気質や母親の乳汁分泌状態によっても左右され，産褥期の母親としての行動が必ずしも自分の思い描いたとおりに順調に進むとは限らない。したがって，医師や助産師などの専門家からの指導や助言，または夫や実母，義母といった家族，友人・知人などの周囲のサポート，これらが得られない場合は第三者による公的・民間サポートなどを，十分得ることが非常に重要である。産前からあらかじめ具体的なサポートを依頼しておいたり，得られる支援の情報を調査しておいたりするとよい。サポートなしに1人ですべての育児を行うことは不可能に近く，サポート源を多く用意しておくことは，不安を解消し，精神的安定を図ることにも役立つ。

　サポートが受けられなかったり，受けられたとしても母親の欲求に応じたものでなかったり，支援者の能力不足やタイミングの悪さなどがある場合は，母親のストレス要因となる。また，母親としての責任感が強く，人に頼むことに罪悪感を抱いたり，自立心が強く，人に依頼することが苦手であったりする女性も多い。何事も完璧を目指す，まじめで几帳面な性質の女性もいる。このような人々は，1人ですべての育児を抱え込み疲労困憊してしまうことがあるため注意する。母親としてすべきと思うことに優先順位をつけ，優先性の低いものを切り捨てたり，断ったり，人に依頼することは重要である。他人に嫌悪感を与えずにさわやかに自己主張したり，断ったりすることは苦手とする人が多いが，繰り返しの練習で習得し得る技術であり，簡単なレベルのものから常時練習しておくとよい。

Ⅱ　褥婦の健康と生活のアセスメント

　産褥期の褥婦は出産という大役を終えて心身共に疲労した状態であり，身体的には妊娠前の状態に復古しつつあり，母乳を分泌するために新しいホルモン環境下にある。社会心理的には育児技術を取得して母親として適応していく過程であり，看護ケアを進めていく際には，今，褥婦がどのような状態にあるのかを査定して計画的に進めていくことが大切である。産褥期に必要な情報とその意味，何のためにその情報が必要なのかを考えるアセスメントは，看護の方向性を示すものとして重要である。産後に必要な情報とアセスメントの視点について表 3-2 にまとめ，以降に詳細を述べる。

表3-2 産後に必要な情報とアセスメントの視点

	情報	具体的内容	アセスメントの視点
基礎的情報	非妊娠時の健康情報	年齢	• 妊娠・出産に適した時期か（20～35歳）
		職業	• 仕事をしているか（常勤・非常勤） • 仕事内容は産後に影響しないか，産後の仕事への復帰予定
		既往歴	• 罹患した病気は完治しているか，後遺症はないか • 妊娠・分娩により増悪する疾患はないか • 産後の治療は必要か • 治療薬の母乳への移行はないか
	過去の妊娠・分娩歴	これまでの妊娠・分娩の経験	• 育児経験があるか • 死産や流産の経験はないか
		これまでの妊娠・分娩の経過	• 妊娠分娩経過で異常はなかったか • 産後の経過は順調であったか • 母乳分泌は良かったか，産後何か月まで母乳で育てたか • 育児休業を取得したか
		子どもの健康状態	• 子どもは何人か，何歳か，健康か • 健診や予防接種を受けているか
	今回の妊娠・分娩の経過	妊娠中の状態	• 妊婦健診は定期的であったか • 産後に影響する妊娠中の問題はなかったか • 保健指導に対する取り組みは良かったか • 母親学級を受けたか • バースプランをもっていたか • 胎児に関心を示していたか • 育児準備は整っていたか
		分娩中の状態	• 分娩経過は異常がなかったか • 産後の身体回復に影響はないか • 家族は児を受け入れる準備をしているか
		児の健康状態	• 児に外見上の問題や異常はないか • 家族が受け入れる状態であるか
身体的アセスメント	全身状態	体温・脈拍・呼吸	• 体温・頻脈・呼吸は生理的範囲か
		血圧・Hb・Ht	• 血圧 120/80mmHg を超えないか，Hb11g/dL・Ht33% 以上か
		CRP・白血球・赤血球・血沈	• 上昇していないか • 感染の徴候はないか
		顔色・疲労感	• 顔色が蒼白ではないか，活気はあるか
		体重減少・浮腫	• 体重減少は平均的（6kg）か • 体重増加や浮腫はないか
	子宮復古	子宮底の高さ	• 子宮底の高さ・長さは産後日数に応じているか
		悪露の状態	• 悪露の変化は産後日数に応じているか
		後陣痛	• 後陣痛は自制可能か
	分娩による損傷の状態	会陰部	• 会陰部・縫合部の浮腫，血腫，発赤はないか
		肛門部	• 脱肛・痔はないか。痛みはないか
		恥骨・腹直筋離開	• 恥骨部の痛み，腹直筋にたるみや溝はないか
	母乳育児の状況・栄養法	乳房・乳頭の形態	• 乳房の型は何型か（Ⅰa型，Ⅰb型，Ⅱ型，Ⅲ型） • 乳頭の形態は正常か（乳頭の長さ1.5cm） • 乳頭・乳輪は柔らかく吸いつきやすいか
		乳汁の産生と分泌	• 乳房は緊満しているか • 乳輪部を圧迫すると乳汁が排出されるか • 乳管の開口数は何本か • 授乳後に乳房緊満は軽減しているか • 乳汁量は産後日数に応じているか

表3-2 （つづき①）

	情報	具体的内容	アセスメントの視点
心理社会的アセスメント	褥婦と家族の心理社会的状態	褥婦の心理社会的状態	・母親としての適応過程のどの段階か ・抑うつ気分が2週目以上続いていないか ・スクリーニングの得点が正常範囲か ・マタニティブルーズの症状はないか ・育児に必要以上の不安がないか
		夫（パートナー）との関係	・夫と連絡をとり合っているか ・児の話題がはずんでいるか ・スキンシップがとれているか
		新生児との関係	・愛着や絆の形成ができているか ・児との接触を楽しそうにしているか ・児に声かけしているか
		家族との関係	・家族が増えることによる互いの役割調整ができているか ・上の子に対する声かけ配慮がされているか
	育児準備	育児プランの有無と修正	・児の1日の生活サイクルがわかり，児の状態に応じて計画を変更し，工夫しているか
		育児技術の取得状況	・児が発するサインに気づくことができるか ・児の観察，沐浴，衣類の着脱，おむつ交換などの育児技術が身についているか
		授乳技術の取得状況	・発育に応じた哺乳量や回数がわかっているか ・児の空腹のサインがわかっているか ・授乳しやすい姿勢，抱き方，含ませ方ができるか ・搾乳，児の満足した状態，哺乳量不足の見分け方を知っているか
		退院後の環境	・退院後の生活環境に即した児の養育が考えられているか
日常生活のアセスメント	食事と栄養	食欲・食事摂取量	・食欲があるか ・食事の摂取量は産褥期に必要な栄養が摂取できているか ・産褥期に付加が必要な栄養に関する知識があり，栄養のバランスや量を考えて摂っているか ・食事時間を確保しているか
		食材や味つけ	・食材，調理法，味つけを工夫しているか ・体調に応じた食事の摂り方を工夫しているか
		嗜好品・補助食品	・嗜好品や栄養補助食品の使い方はよいか
	排泄	尿	・分娩後の自然排尿はあったか ・排尿時の痛みや残尿感はないか ・尿回数は適切か
		便	・産後の排便はあったか ・残便感・腹部膨満はないか ・便秘していないか
	活動と休息	運動と休息	・日数に応じた運動と休息がとれているか ・日数に応じた体操や軽い運動を行っているか ・リラクセーションを取り入れているか，休息を十分にとっているか
		睡眠	・児の夜間授乳に伴った睡眠がとれているか ・熟睡感があるか ・夜間授乳後に入眠しやすい方法をもっているか，睡眠不足ではないか ・不眠の訴えはないか，浅い眠りではないか ・睡眠を阻害する因子はないか
		疲労	・分娩時間が長く疲れていないか ・夜間の分娩で眠っていないのではないか ・後陣痛や会陰部の痛みで睡眠不足ではないか

第 5 編

1 妊娠期にある母子の生理と看護

2 分娩期にある母子の生理と看護

3 産褥期にある母子の生理と看護

4 新生児の特徴と生理的変化と看護

付 周産期にある母子の看護の事例

表3-2 （つづき②）

	情報	具体的内容	アセスメントの視点
日常生活のアセスメント	活動と休息	活動	• 分娩後に離床がスムーズであったか • 自身のセルフケアができているか • 児の世話がどの程度できているか • 離床後の日常生活の程度はどれくらいか • 生活活動が出産前に復帰しているか
	清潔	外陰部	• 産褥パッドの交換は3時間ごとか • 排尿・排便後は前から後ろに拭いているか
		口腔	• 食後に歯磨き・うがいをしているか • 口臭はないか
		皮膚	• シャワーを毎日しているか • 洗髪をしているか，爪は短く清潔か
		衣類	• 衣類は洗濯しているか，寝衣は清潔か

Ⓐ 基礎的情報収集

1. 非妊娠時の健康情報

1 年齢

　子どもを養育するのに適した年齢は，身体的にも精神的にも成熟した大人であり，また体力的に高齢でなく出産・育児がスムーズにできる年齢が望ましい。若年もしくは高齢での出産である場合は，産後の回復においても考慮する必要がある。日本においては20歳未満を**若年妊娠**，35歳以降の初産を**高年初産**としている。

2 職業の有無と内容

　職業の有無と，ある場合はその種類と常勤か非常勤かについて確認する。健康保険法第101条により，出産育児一時金の支給がある。被保険者または被扶養者に対して妊娠85日以上の出産（妊娠4か月以上）の場合に給付される。1児ごとに42万円（産科医療保障制度の掛け金：1万6000円含む）。健康保険法第102条による出産手当金は，仕事をしていて出産後も仕事に復帰する女性が対象になる。

　事業所によっては，退職後も対象とする場合もある。予定日以前42日（多胎の場合は98日）と出産後56日までの間の標準報酬日額の2/3が支給される。

3 既往歴

　これまでに罹患した病気について，それは完治しているのか，それとも後遺症があるのか，また，妊娠・分娩により増悪する疾患であれば，産後の身体の回復にも影響する。産後継続して薬剤を服用する場合には，母乳への移行や母体への影響を査定する。

2. 過去の妊娠・分娩歴

1 これまでの妊娠・分娩の経験の有無

　妊娠・分娩・育児の経験の有無は，産後の生活指導や育児指導を行ううえで必要な情報である。初妊・初産である場合は，すべてが初めての体験になる。また，不妊治療の有無についても情報収集する。

2 過去の妊娠・分娩・産褥の時期と，その経過および子どもの健康状態

　これまでの妊娠・分娩・産褥について，時期や分娩様式，それに伴う産後の経過や育児の状況について情報収集して，今回の産後の回復や育児に影響する要因を明らかにしておく。また，過去の産褥期に経験した心身の回復の程度や母乳育児への姿勢，育児方針などは，今回の育児への支援に必要な情報となる。

3. 今回の妊娠・分娩の経過

1 妊娠の状況

　今回の妊娠は自然妊娠か，計画的妊娠か，不妊治療後の妊娠か。不妊治療後であれば，体外受精なのかなど治療経緯も確認しておく。その際，不妊治療していたことを話したくない場合もあるので配慮する。

2 妊娠経過

　産後の経過に影響を及ぼす妊娠期の健康状態を把握する。初診の時期，定期的な健診を受診していたか，保健指導を受けた内容や，良いお産に向けての取り組み，出産準備クラスの受講状況，妊娠期の生活状況，育児への思い，胎児に対する思い，バースプランの内容やそのための努力などの情報を得て，産後の育児への姿勢や親としての準備状況を判断する。児の名前をつけていたか，胎児へ語りかけていたかなどから，児への愛着の形成状態を査定する。

3 分娩の経過

　現在の産褥経過に影響する分娩の状況，分娩様式，分娩所要時間，出血量などは，褥婦の疲労度や産後の動静を考慮するのに必要である。帝王切開の場合は，予定帝王切開なのか，緊急帝王切開なのか，そのことをどのように受け止めているのか，褥婦と家族との分娩の受け止めの違いや満足度などを査定する。今回の妊娠・分娩の状況とそれに対する褥婦の受け止めについては，バースプランやバースレビュー（本章 - Ⅲ -G「バースレビュー」参照）により情報を得る。

第
5
編

1
妊娠期にある母
子の生理と看護

2
分娩期にある母
子の生理と看護

3
産褥期にある母
子の生理と看護

4
新生児の特徴と
生理的変化と看護

付
周産期にある母
子の看護の事例

B 身体的アセスメント

1. 全身状態

全身状態が産褥日数に応じて生理的範囲にあるかどうかを査定する。産後の全身の変化について表3-3に示す。

体温は37.5℃未満か。脈拍は生理的範囲（60〜90回/分）か。呼吸は生理的範囲（12〜18回/分）か。体温の上昇（38℃以上の発熱）あるいは頻脈は感染の徴候を示し，頻脈は出血量が多い場合にもみられる。血圧は120/80mmHg未満を目標とする*。Hbが11g/dL以上，Ht 33%以上で，顔色良好かどうかで貧血の有無が判断できる。血圧や血液検査結果，血色素やHtは，褥婦の日常生活や育児を進めていくうえで重要な情報であり，高血圧や貧血がある場合は，活動範囲を考慮する。浮腫は生理的範囲であり，体重減少が生理的範囲であるか否かで腎機能について判断できる。腹直筋の離開がなく，恥骨部痛がないかどうか，歩行状態や腰痛などから分娩による腹筋のたるみ，骨盤のゆがみをみる。CRP・白

表3-3 産後の全身の変化

観察項目	産後の特徴
体温	・分娩直後は筋肉動作，体液損失，興奮などにより上昇するが，24時間以内に平熱となる ・37.5℃以上は軽度の感染を示す
脈拍	・分娩直後は不安定で頻脈になりやすい ・母体循環機能の変化，腹腔内圧の急激な下降による副交感神経の刺激のため，稀に一過性徐脈がみられる ・頻脈は出血，感染，疲労，心不全徴候を示す
血圧	・分娩後1時間以内は一定しない ・産後一時的に上昇するが，その後は非妊娠時に戻る ・稀に4日目頃に軽度の上昇，一過性の血管拡張がみられる
呼吸	・横隔膜運動が自由になるため，呼気が深くなり肺活量が増加する
尿	・産褥早期は尿量が増加（1500〜2500mL/日）する ・稀に0〜2日目に尿たんぱくがみられる ・児頭の末梢神経や尿道括約筋の圧迫のため尿意減少する ・尿閉を起こす尿量の減少は妊娠高血圧症候群，疲労の強い場合でみられ，3日目以降のたんぱく尿は妊娠高血圧症候群，尿路感染症でみられる。頻尿は膀胱炎も考慮する
便	・産褥1〜2日目は食物摂取量の減少，腸壁の緊張の低下，運動不足，会陰部の創痛のため排便障害が生じる ・便秘になりやすく，子宮収縮を妨げる
体重	・分娩直後は胎児と付属物の娩出，尿量の増加，発汗，悪露の排出により平均4〜5kg減少する。産褥初期に体重減少が少ない場合は，浮腫と食事摂取過多が考えられる
血液	・分娩時脱水傾向により濃縮していた血液は，ヘモグロビン量，赤血球数が1〜4日に最低値になり，その後回復する ・白血球は分娩開始とともに増加し，産褥1か月くらいで正常となる。産褥時の貧血は分娩時の出血量，年齢，分娩回数，妊娠中の貧血の程度などにより異なる

出典／日本助産診断実践学会編：マタニティ診断ガイドブック，第6版，医学書院，2020，p.126．一部改変．

* 『産婦人科診療ガイドライン；産科編2020』では，診察室血圧値140/90mmHg以上（家庭血圧値135/85mmHg以上）を高血圧と判断するとしているが，ここでは『高血圧治療ガイドライン2019』の正常血圧値を参考に120/80mmHg未満を目標とした。

血球・赤血球沈降速度により，感染や炎症の存在を把握することができるが，産褥早期には正常な経過であっても，これらの値が上昇することがあるので，ほかの症状と併せて判断する。

　ほかに，血栓に関連する凝固系の検査や肝臓・腎臓の機能についても，検査で把握できる。恥骨離開，脱肛，腹直筋の離開，下肢浮腫，妊娠高血圧症候群，貧血，静脈塞栓症，深部静脈血栓症，尿路感染症などがみられるときは，医師の診察を必要とする。

2. 子宮復古の状態

　産褥日数に応じて，内性器と外性器が生理的範囲にあるかどうかを査定する。子宮底の長さ（高さ）と硬度が産褥日数に応じているか，悪露の量と性状が産褥日数に応じているかをみて，子宮内膜の回復状態をみる。子宮底が柔らかく，子宮底が高い場合，赤色悪露が続いている場合は子宮収縮不良と考える（表3-4）。悪露の量が増え，化膿性で悪臭がある場合は子宮内膜の感染が疑われ，発熱などの症状があれば子宮内感染を疑う（表3-5）。

3. 分娩による損傷の状態

　会陰部の浮腫，血腫，発赤の有無をみる。会陰裂傷や会陰切開による縫合術を受けてい

表3-4　子宮底の高さと長さ

産褥日数	子宮底の高さ	子宮底の長さ（恥骨結合上縁）
胎盤娩出直後	臍下2〜3横指	10〜12cm
分娩後12時間	臍高〜臍上1〜2横指	15cm
産褥　1〜2日	臍下1〜2横指	12〜13cm
3日	臍下2〜3横指	10〜12cm
4日	臍高と恥骨結合上縁の中央	9〜10cm
5日	恥骨結合上縁上3横指	8〜10cm
6日	恥骨結合上縁上2横指	7〜8cm
7〜9日	恥骨結合上に少し触れる	6〜9cm
10〜14日	腹壁上からまったく触れない	—

表3-5　悪露の変化

産後日数	悪露の名称	色	性状	量
0〜2日	赤色（血性）悪露 純血性	暗赤色	血液が主 流動性 アルカリ性	分娩時 100〜300g 0日 100〜200g 1日 50〜100g 2日 30〜40g
3〜4日	褐色悪露	肉汁様色	血液成分減少 中性Hbが変色	20〜30g
5〜6日	赤褐色悪露	暗褐色	白血球混入 酵素の作用で褐色	10〜20g
7〜13日	黄色悪露	黄褐色〜クリーム色	膿球，剥離上皮 漿液性滲出液 白血球，弱酸性	10g
14〜42日	白色悪露	白色・透明分泌液	子宮腺分泌物が主 28日で消失	少々

る場合は，縫合部の発赤，浮腫，滲出液の有無や縫合状態を観察する。血腫が腟内にできていることもあるので注意する。外陰部痛や血腫がみられる場合は，医師の診断と治療が必要である。

肛門部は，児頭に圧迫されることにより骨盤内血流が緩徐になり，うっ血することで痔核や脱肛が起きやすい。外陰部や肛門部の痛みがあると，スムーズに歩行ができず，児の授乳のための座位もとりにくくなるので産後の回復が遅れ，育児にも影響するので，痛みを緩和する対応が必要となる。

ほかに骨盤のゆがみ，恥骨の離開，腹筋のたるみなどがないか観察し，時には産後の身体を戻すためのベルトの着用や整体療法が必要な場合もある。

4. 母乳育児の状況，栄養法

産後は胎盤が排出されることにより，エストロゲンとプロゲステロンの分泌が減少することにより，抑制されていたプロラクチンの作用（プロラクチン結合能）が高まり，乳腺に作用して母乳の分泌が開始する（図3-3）。

母乳育児を進めるためには，乳房の変化や乳汁の分泌量の変化を把握する。

1 | 乳房・乳頭の形態

乳房の形態は，乳頭を中心として上・下に分け，上・下の比率によってⅠ～Ⅲ型に分類される（図1-53参照）。大きさや型を把握することで，乳汁分泌を予測でき，児の授乳しやすい姿勢・児の抱き方を助言できる。

乳頭・乳輪の柔らかさや乳頭の形・大きさは，児が直接乳頭をくわえることができ，吸

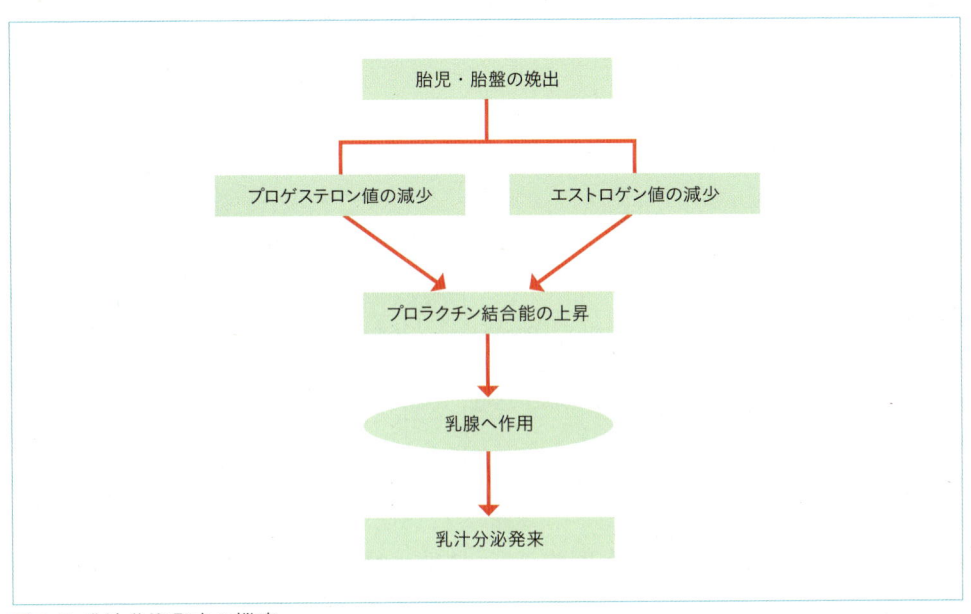

図3-3 乳汁分泌発来の機序

表3-6 乳頭の形態

分類	内容
①正常乳頭	乳頸部から乳頭先端の長さが 1.5cm くらいのもの
②過長乳頭	乳頸部から乳頭先端の長さが 1.5cm 以上のもの
③球状乳頭	乳頸が細く，乳頭が丸いもの
④巨大乳頭	乳頭の直径が 2.0cm 以上のもの
⑤裂状乳頭	乳頭先端部が上下左右に裂けている，または口唇様になっているもの
⑥小乳頭	乳房の大きさに対して乳輪や乳頸が細く，乳頭も小さいもの，直径 1.0cm 以下
⑦扁平乳頭	乳頸部から乳頭先端までの長さが 0.5cm 以下のもの
⑧短乳頭	乳頸部から伸展させた状態で，その長さが 0.5cm 以上，1.5cm 以下のもの
⑨仮性陥没乳頭	刺激で乳頭が突出するもの
⑩真性陥没乳頭	刺激があっても乳頭が突出しないもの

出典／堤尚子：堤式乳房マッサージ法；理論と実際，たにぐち書店，2002，p.60.

嚥することができるかを判断するのに有用な情報である。乳頭が突出か，扁平か陥没かのどのタイプであるか，児が口腔内にくわえることができる大きさであるかは，授乳方法を援助するために重要な情報となる。乳頭の形態について表3-6に示す。

　乳頭が伸びがよいと児の吸啜がしやすいため，伸びも把握する。さらに，授乳を開始すると乳頭部の亀裂や炎症などにより，痛みがあり，直接授乳が苦痛になるので，その有無や程度を観察して対応する。

2 ｜ 乳汁の産生と分泌

　乳房の緊張の程度を触診により行い，乳房内の乳汁の産生や排出の状態を把握する。胎盤が娩出すると，血液とリンパ液が乳腺や周囲組織に増加し，乳房が固く触れ，稀に熱感や圧痛を伴う乳房緊満状態になり，通常は産褥3〜4日頃に生じる。これは乳汁をつくり出す作用が急激に起きているための反応であり，分泌された乳汁が排出されず，乳管内

表3-7 乳汁の変化

産褥日数	乳汁量（日総量）	呼称	色	性状	味	におい	乳房緊満	授乳回数
0〜1日	5〜20mL	初乳	透明水様	蜜のようにやや粘稠	甘味薄砂糖の少ないミルクセーキ様	独特の強いかおり	(−)	頻回（泣いたら与える）
2	50〜70						(±)	1日10〜14回
3	140〜250		帯黄色	粘稠性強			(±)	児の要求に合ってくる
4	230〜310	移行乳	〜				(±)	
5	270〜400		クリーム色	粘稠性やや弱	甘味やや薄		(±)	1日10〜12回
6	290〜450		〜				(±)	
7	320〜		うすいクリーム色				(−)	分泌不良でも必ず母乳を与えた後人工乳を追加する
8〜14	500〜	成乳	〜乳白色〜帯青白色	不透明さらさらしている	甘味少しあり	母乳様のかすかに甘いかおり		2時間程度で泣きだす量とする
15〜28	700〜							1日10回〜
29〜	800〜							

出典／前原澄子編，江守陽子，他著：母性Ⅱ〈新看護観察のキーポイントシリーズ〉，中央法規出版，2011，p.37.

第5編

妊娠期にある母子の生理と看護

分娩期にある母子の生理と看護

産褥期にある母子の生理と看護

新生児の特徴と生理的変化と看護

周産期にある母子の看護の事例

表3-8 乳汁の分泌に影響する要因

1. 母親側の要因	
1）母体の合併症 　全身疾患：糖尿病，腎疾患など 　感染症:成人T細胞白血病ウイルス1型（HTLV-1）感染， 　HIV感染など 2）妊娠・分娩経過 　出血多量 　異常分娩：帝王切開，腟・会陰裂傷，遷延分娩など 3）産褥経過 　一般状態：不眠，疲労，倦怠感，激しい疼痛，精神不安 　食事摂取：栄養状態，食事内容，水分摂取	4）乳汁分泌に関する過去の情報 　遺伝：直系の祖母，実母，母の姉妹，本人の姉妹の母乳 　歴 　前回出産の授乳状況（経産婦の場合） 5）母乳育児に対する姿勢 　育児に対する意欲 　授乳法の希望 　授乳知識・技術 　乳房管理状態

2. 児側の要因	
1）口腔の異常や消化器の異常がある児：口唇・口蓋裂， 　消化器系の異常	2）吸啜力不良：仮死，未熟児，低出生体重児，嗜眠傾向の 　児など

3. 環境要因
授乳のアメニティ：プライバシーの保持，落ち着いた場所

に乳汁がたまった状態を示す乳汁うっ滞とは異なる。乳房緊満や，乳管の閉塞による乳汁うっ滞，乳腺炎は乳房の痛みを伴うため，痛みの部位・程度・性状を把握する。

乳汁の分泌状態については，乳輪部を圧迫して乳汁の排出状態，乳管の開口数，授乳前後の緊満の度合いを比較して，分泌状態や乳管の開通状況を推測する。また，直接授乳していれば，児の授乳回数・間隔，授乳している時間，飲み込んでいる状況から，児の要求する量を分泌しているのか，分泌状態を査定する（表3-7）。

母親の合併症や妊娠・分娩の状況，産後の睡眠不足や疲労なども乳汁の分泌に影響する。また，児の異常があり授乳できない場合や，母乳育児に対する母親の姿勢，授乳環境などの影響もあるので，それらの情報も収集して判断する（表3-8）。

C 心理社会的アセスメント

1. 褥婦と家族の心理社会的状態

褥婦の心理社会的状態が産後の生活に適応していくためには，情緒が安定していて，不安への対処行動がとれており,出産したことの価値を見いだし出産を受容しており,ボディイメージの変化を受容している必要がある。

分娩後の母親は，全身のホルモン状態が大きく変動しており，バランスが崩れており，産後の育児も始まって心身の疲労も大きい時期である。出産後のストレスは母親を疲れさせ，育児意欲を失い，生きる力をそぐことになるので，心理社会的情報を得て適切に支援することは重要である（表3-9）。

表3-9 産後の女性のストレス要因

心身の変化に伴うストレス

産後の女性の身体は急激なホルモン分泌の変動に伴う全身状態の変化，子宮の復古に伴う退行性変化，乳汁の産生と分泌に伴う進行性変化が起きる。これらの変化に対する十分な知識がない場合は，正常な経過なのかどうかがわからず不安になりやすい。また，これらの変化が正常から逸脱している場合は，様々な処置も行われ身体的ダメージも大きくストレスとなる。

日常生活の変化に伴うストレス

出産後は新しく誕生した子ども中心の生活になり，24時間いつでも児への対応が求められる。これまで夫婦2人であった生活から，子ども中心の生活サイクルになる。子どもは覚醒し，授乳を求め，沐浴・おむつ交換などが必要になり，だれかが常に子どもの世話をしなければならない生活は，母親に妻・主婦としての役割と合わせて負担となり，ストレスとなる。また，1か月は子どもとの密室での生活になり，外出も困難になり，家に閉じこもりがちの生活が続き，大きなストレスとなる。

育児のストレス

子どもの育児に伴う様々な技術を取得するのはそれなりに大変である。昨今，身近に乳児がいない母親は多く，自分の子どもが初めての乳児触れ合いの体験になる場合が多い。子どもを抱く，おむつや衣類を交換する，沐浴，授乳などの育児技術を取得するまでは，母親は緊張の連続である。「子どもの泣き」に対しても，泣いている原因がわからず，悪い病気ではないかと思い悩み，対処できずに困惑する。これらは母親にとって大きなストレスである。

孤独な育児によるストレス

産後の母親は実母や義母が手伝いに来ている間はよいが，その後は子どもとだけの生活になる。一日中部屋に閉じこもっていると，自分だけ社会から隔離され，疎外されている感覚になり，孤独感が強まる。日常の小さな悩みや不平・不満を話す相手がいないことが大きなストレスになる。

支援のないことのストレス

子どもとの生活は新しいことの発見である。育児に慣れない間やその後多少慣れてきても，一つ一つの出来事に対して，それでいいという保証が得られないのであれこれと思い悩む。身近に支援者がいることで，ストレスは軽減されるのである。

家族間の育児方針の違いによるストレス

母親は育児について医師や助産師，専門書などからの情報を得て，自分の育児方針をもつようになる。しかし，育児に対する価値観はそれぞれに異なり，夫や実母，義母，小姑など身近で頼りにしている人から自分の育児に対しての批判や，異なる価値観を押し付けられることでストレスになる。

1 褥婦の心理社会的状態

母親としての適応過程のどの段階にあるのかを，褥婦の言動から把握する。ルービンによって明らかにされた「母親役割への適応過程」（表3-10）のなかで，どの段階であるのか，分娩の回復過程でもあることを考慮して，褥婦の心理的状態を査定し対応する。

マタニティブルーズの症状はないかを把握し（第6編表3-3参照），抑うつ気分が産後2週目以降になっても継続している場合や，産後うつ病スクリーニング（第6編表3-4参照）の得点が9点以上の場合は，産後うつ病を疑い対処する。産後うつ病は早期発見，早期対応が大切で，症状の出現時期，期間などを十分に把握して対応する。

褥婦は育児に必要な知識を十分にもっていない場合でも，知識の必要性の認識が低く，知識不足を認識していないこともある。また，予測される様々なことに必要以上に不安を感じている場合もあるので，知識の必要性を理解させるための支援や不安を解消する環境を整える必要がある。

2 夫（パートナー）との関係

夫（パートナー）との関係では，互いにいたわり合い，スキンシップがあり，育児に対して話題にしており，相互に連絡がとれる関係であることが大切である。夫と家庭内での役

第5編

1 妊娠期にある母子の生理と看護

2 分娩期にある母子の生理と看護

3 産褥期にある母子の生理と看護

4 新生児の特徴と生理的変化と看護

5 周産期にある母子の看護の事例

表3-10　ルービンの母親役割への適応過程（Basic Maternal Behavior）

母親役割への適応過程は次の3段階に区分できる

受容期
- 分娩後24時間（1～2日）。
- 母親の関心は自分自身や基本的欲求に向けられ，安楽，休息，家族や新生児との面会といったニーズに対して，受け身で依存的。
- 分娩への振り返りの欲求がある。

保持期
- 産後2，3日頃から始まり，10日から数週間頃まで。
- 依存的な状態から自立的で自律的な状態に移行していく。
- 自分の身体の基本的欲求が満たされると，徐々に児へと関心が移る。
- 子どもとの関係づくりや育児に熱心になると同時に，自分が母親としての能力があるかどうかの不安が強い。
- 世話されることを望み，子育てや他者からの受容への欲求があり，子育てについて学んだり練習したりすることを切望する。
- 身体的不快と気分の変化に対処する。

解放期
- 産後数週間後から。
- 母親としての課題を果たす時期。
- わが子との身体的分離を受け入れ，以前の役割を放棄し，自分自身の生活を子どものいる生活に適応させていく。

出典／服部律子：周産期のメンタルヘルスケアの動向と助産師に求められるかかわり，助産雑誌，71（4）：262-267，2017．Rubin R：Basic maternal behavior, Nursing Outlook, 9：683-686, 1961．森恵美，他著：母性看護学2　母性看護学各論〈系統看護学講座　専門分野Ⅱ〉，第13版，医学書院，2016，p.311-316．を参考に作成．

割分担ができていて，相互に助け合っているかどうかの情報も得る。また，産後の性生活に関する夫との考え方に違いがないか，性生活再開に対する不安がないかを把握して支援することも大切である。性に関する情報は聞きにくいこともあるが，性交の再開時期である1か月健診時には家族計画の指導をする時期でもあるので，次子の希望などのライフプランに関する情報と併せて収集する。

3 ｜ 新生児との関係

　新生児との関係では，愛着や絆の形成ができているか，声かけや児との接触場面での言動から推測する。児が両親の愛情を受けて快適な環境ですくすくと育つためには，母親との愛着形成がスタートになる。母親に乳児との接触経験がないと具体的な声かけなどができない場合もあり，母子間の心の絆の形成への支援が必要になる。

　母親・父親としての役割遂行のための準備状態や学習の意欲を把握することも必要である。父親が児に触れるのを極端に恐がり，傍観者になってしまい，褥婦がすべて自分で育児を担っているカップルもいるので，母親の負担が大きくならないように，育児で夫と協力できるかどうかも査定しておく[1]。必要時は両親に対する支援を行う。

4 ｜ 家族との関係性

　家族が増えることによる互いの役割調整が支障なく行われているかを把握する。上の子どもがいる場合は，子どもの言動に注意し，下の子が生まれたことでどのような変化があるのか，それに対してどのように対応しているのかを上の子との接触場面や家族から情報を得る。

2. 育児準備

育児能力については，児の発するサインに気づくことができるか否かを把握する。児の世話に必要な育児の知識や技術がどの程度取得されているのか，児の観察，沐浴，衣類の着脱，おむつ交換など妊娠期からの学習がどの程度生かされているのかを，褥婦の育児場面をとおして把握する。

妊娠中に計画した育児プランと実際の児の育児との違いを自分で見いだし，実際の生活に合わせて育児を進めていけるかどうかを査定する。児の1日の生活サイクルがわかり，児の状態に応じて計画を変更し，工夫しているか否かをみて，計画した育児法へのこだわりがあり，現実との違いに戸惑っている場合は適切な助言をする。

授乳は母親にとって最も大切な技術であり，母乳育児の成功の基になる。児の発育に応じた哺乳量や回数，児の空腹のサイン，授乳しやすい姿勢，抱き方，含ませ方，搾乳，児の満足した状態，哺乳量不足の見分け方などができるかどうかを査定する。乳房の型によって含ませ方や抱き方は異なるので，前述した型と併せて査定する。

退院までに必要な育児技術が取得されているか否か（**表 3-11**），退院後の生活環境も確認して，児の養育が可能な環境なのかを査定する。

D 日常生活のアセスメント

1. 食事と栄養

産褥日数に応じて食事行動がとれているか否かを査定する。

食欲や食事の摂取量を把握する。その際，産褥期の栄養に関心をもっているか，栄養のバランスや量を考えて摂っているか，食事時間を確保しているか，食材，調理法，味つけを工夫しているか，体調に応じた食事の摂り方の工夫や，嗜好品や栄養補助食品への依存度などを観察する。偏食や欠食，過食，甘い物など嗜好品の摂り過ぎ，食事時間が不規則になっていないかに注意する。産褥期は身体の回復や，乳汁の分泌，育児に伴う活動量が増加する。授乳婦は + 350kcal のエネルギーが必要であり，たんぱく質やビタミン，ミネラルなどを付加する必要があり，必要な栄養摂取がなされているかを査定する。

2. 排泄

1 | 尿

分娩後の尿意の有無，自然排尿の有無を確認する。分娩後2時間から尿量は増加し，5時間後にピークに達し，約3倍量となる。妊娠期の膀胱の変形，尿道の延長，児頭の圧迫による膀胱麻痺，創部痛（尿がしみる），疲労などが尿の排泄を阻害する因子となる。特に

表3-11 育児技術の観察項目

	項目	できる	できない
児の健康状態の観察	児体重の測定と増減の判断		
	体温の測定と正否の判断		
	四肢の冷感やチアノーゼの有無		
	便・尿回数と性状の観察と正否の判断		
	声の調子・活動性・表情の観察		
	睡眠・哺乳力・泣き方など		
児の抱き方・寝かせ方	頭部を固定して抱ける		
	殿部から寝かせ、最後に頭部を固定して寝かせる		
	授乳後は頭部を横向きにして寝かせる		
授乳	児の空腹状態の判断をしている		
	吸啜しやすい姿勢で抱ける		
	乳房と手指を清潔にしている		
	乳頭を含ませている		
	吸啜時間は乳頭と児の状態に見合っている		
	児に必要な哺乳量を飲ませている		
	溢乳予防のために排気をしている		
	母乳の過不足の判断をしている		
	児への語りかけ、微笑みかけをしている		
	授乳前後や啼泣時におむつ交換をしている		
おむつ交換	殿部の便や尿を前から後ろに拭いている		
	おむつの当て方は運動を妨げないようにしている		
	漏れないようにしている		
	便・尿の観察ができている		
	使用後のおむつは分別して処理している		
沐浴	児の観察から沐浴の可否を判断している		
	室温・湯温・湿度の確認をしている		
	必要物品の配置をしている		
	湯の温度の確認をしている		
	児を安全に保持して身体を洗う		
	臍の消毒と乾燥をしている		
	保温に注意して手早く着衣させている		
	児への語りかけ、スキンシップがある		
環境	室温・湿度・換気・通風をしている		
	冷暖房・日当たりを考慮している		
応急処置	児の状態が異常か否かの判断をしている		
	応急処置が必要な場面をイメージしている		
	外傷、熱傷、発熱、下痢に対する処置をしている		

分娩第2期の時間が長かった場合には、児頭による末梢神経の圧迫により排尿機能が障害されていないかどうかを判断する。

産後の尿意低下の多くは産後2〜3日で回復する。1日の排尿回数を確認し、排尿時痛や残尿感の有無により尿路感染症の有無を観察する。排尿回数、水分摂取量や発汗・乳汁泌量などの水分出納量を考慮して判断する。

また，日常的に尿意がなく尿回数が少ないケースもあるので，注意する。水分出納から，通常量の水分を摂取しているにもかかわらず，排尿回数や排尿量が少ない場合は，腎機能に問題があるのか，膀胱・尿道などの排尿機能に問題があるのかを識別し，排尿機能に問題があり，尿の停滞がある場合は，感染の危険や，膀胱の尿の充満が子宮の収縮を妨害するので対処する。

2 ｜ 便

　1日の排便回数，排便量，便の性状を観察し，腹部膨満感や残便感などがないかを確認する。腸の蠕動運動の有無を聴診し，排便機能を把握する。産褥の早期は，分娩時の水分や食物の摂取量が少なく腹壁が弛緩していることから，腹圧が低下しているために便意がない場合がある。

　また，外陰部や肛門部の痛みから便意があっても我慢して排便しにくい状況もあり，便秘傾向になりやすい。排便困難の原因を明確にするための情報が大切である。妊娠期からの便秘がある場合は，すでに褥婦が対処法を習得していることも多いので，それらの情報も把握しておく。

■ 3. 活動と休息

1 ｜ 運動と休息

　産褥日数に応じた運動と休息のバランスがとれているか否かを査定する。産褥日数に応じた体操や軽い運動を行っているか，また，リラクセーションを取り入れているか，休息を十分にとっているかを観察する。

2 ｜ 睡眠

　産褥日数に応じた睡眠がとれているか否かを査定する。児の夜間授乳に伴い，睡眠が不規則になりがちである。産後の睡眠サイクルを理解して睡眠時間を確保しているか，熟睡感があるか，夜間授乳後に入眠しやすい方法をもっているかなどを観察する。睡眠不足で疲労感がみられる場合，不眠の訴え，浅眠などがある場合は，夜間授乳を休むなどの対処をする。

　分娩直後は，興奮や疲労，創痛や後陣痛などの身体的苦痛や不安などで睡眠を阻害されやすい。その後も育児，乳汁うっ滞，授乳による生活リズムの変化，慢性疲労，慣れない入院生活などにより睡眠不足になりやすい。

3 ｜ 疲労

　分娩時間が長かったり，夜間の分娩で眠っていなかったりすることで疲労が増す。また，後陣痛や会陰部の痛みなどで睡眠不足になると疲労が重なる。このため，褥婦の分娩後の

疲労度や休息の必要性を把握する。疲労の程度を観察し，それに合わせて，授乳や産後の動静を考える必要がある。

4 | 活動

産後の活動については，分娩後に離床がスムーズであったか，自身のセルフケアができているか，児の世話がどの程度できているかを把握する。離床後の日常生活がどの程度かを把握し，生活行動が出産前の状態に復帰しているかを把握する。

■ 4. 清潔

産後に感染をきたしやすい部位が清潔に保たれているかを観察する。産後日数に応じた清潔行動がとれているかを査定する。産後に感染しやすい部位は，体内に通じている場所で，外陰部，乳頭，尿道，口腔であり，これらの部位を清潔に保つことで，感染防止ができる。

1 | 外陰部

外陰部の清潔は，子宮への感染を防止するために大切である。産褥パッドの交換回数，排尿・排便後の洗浄や清拭の方法を確認する。清拭は手前から肛門に向けて拭く。

2 | 口腔

口腔内の清潔を保つことは，上気道感染の予防や虫歯の予防に有効である。食後の歯磨きやうがいなどこまめにしているかを観察する。

3 | 皮膚と手指

皮膚の清潔はすべての感染予防になる。産後は発汗が多く，乳汁も分泌されることから，全身の清潔行動としてシャワー浴や洗髪をしているか，爪は短く切っており，児のケアに支障ないかを観察する。シャワー浴や洗髪時は立ちくらみなどを起こすことがないように，疲れの程度や血圧など全身状態の観察にも注意する。

4 | 衣類

衣類は適宜洗濯された清潔なものを身につけているか，寝具の清潔が保たれているかについても観察する。

III 褥婦と家族への看護

A 褥婦の日常生活とセルフケア

1. 食事と栄養（食生活の教育）

　産褥期は，妊娠・分娩で消耗した身体を回復させるとともに，母乳分泌のためにもエネルギーを必要とする。また，母乳は血液からつくられるため，摂取した栄養は母乳をとおして児に移行する。良質な母乳を児に提供しながらも，褥婦自身の身体の回復を図るために，栄養のバランスを整える必要がある。

　厚生労働省は「日本人の食事摂取基準（2025年版）」で授乳婦の栄養付加量を提示している（表 3-12）[2]。特にたんぱく質は組織の再生や貧血の改善（予防）のためにも不可欠であるため，分娩や授乳による損失分を十分に付加する必要がある。カルシウムは妊娠期から授乳期にかけて付加量は明示されていないが，日本人の出産時期にあたる年代の女性（20〜30歳代）のカルシウムの摂取量はおよそ200g不足している現状があるため，日常の食事にカルシウムを積極的に取り入れる必要がある。

　近年，妊娠・出産により変化した体形や増加した体重を早く非妊娠時の状態に戻そうとする褥婦も多い。しかし，産褥期は身体の回復や授乳によるエネルギーの消費が大きいため，無理な食事制限は避けたほうがよい。産後6か月を目安に，徐々に体重を標準体重に近づけるようにエネルギー付加量を調整する。

　産後は褥婦自身の食生活のみでなく，家族全体の健康レベルや子どもの離乳食の準備に向けた栄養に関する知識の向上が求められる。看護師は病院食の摂取量やバランスを確認するだけでなく，褥婦の貧血や妊娠高血圧症候群など体調に合わせた献立を紹介するなどの支援を行う。必要時に管理栄養士による栄養指導なども取り入れる。

2. 排泄

　産褥期は，胎児の娩出により腹腔内圧が減少し腎機能が活発になるため，尿量が増加する。しかし，その一方で，末梢神経や尿道括約筋の圧迫により一過性の筋肉の麻痺状態が生じることがあり，排尿障害が起きやすく，便秘をきたしやすい。膀胱や直腸の充満は子宮復古を阻害するだけでなく，尿路感染や痔の発症・増悪などのトラブルの原因ともなる。産褥期の経過が順調となるよう支援が求められる。

1 ｜ 排尿

　分娩中に膀胱が過伸展することにより尿閉を引き起こし，導尿が必要となるケースもあ

第5編

1 妊娠期にある母子の生理と看護
2 分娩期にある母子の生理と看護
3 産褥期にある母子の生理と看護
4 新生児の特徴と生理的変化と看護
5 周産期にある母子の看護の事例

表3-12 授乳婦の食事摂取基準

エネルギー		推定エネルギー必要量*1			
エネルギー (kcal/日)		+350			
栄養素		推定平均必要量*2	推奨量*2	目安量	目標量
たんぱく質 (g/日)		+15	+20	—	—
(%エネルギー)		—	—	—	15〜20*3
脂質	脂質 (%エネルギー)	—	—	—	20〜30*3
	飽和脂肪酸 (%エネルギー)	—	—	—	7以下*3
	n-6系脂肪酸 (g/日)	—	—	9	—
	n-3系脂肪酸 (g/日)	—	—	1.7	—
炭水化物	炭水化物 (%エネルギー)	—	—	—	50〜65*3
	食物繊維 (g/日)	—	—	—	18以上
ビタミン	脂溶性 ビタミンA (μgRAE/日)*4	+300	+450	—	—
	ビタミンD (μg/日)	—	—	9.0	—
	ビタミンE (mg/日)*5	—	—	5.5	—
	ビタミンK (μg/日)	—	—	150	—
	水溶性 ビタミンB₁ (mg/日)	+0.2	+0.2	—	—
	ビタミンB₂ (mg/日)	+0.5	+0.6	—	—
	ナイアシン (mgNE/日)	+3	+3	—	—
	ビタミンB₆ (mg/日)	+0.3	+0.3	—	—
	ビタミンB₁₂ (μg/日)	—	—	4.0	—
	葉酸 (μg/日)	+80	+100	—	—
	パントテン酸 (mg/日)	—	—	6	—
	ビオチン (μg/日)	—	—	50	—
	ビタミンC (mg/日)	+40	+45	—	—
ミネラル	多量 ナトリウム (mg/日)	600		—	—
	(食塩相当量) (g/日)	1.5	—	—	6.5未満
	カリウム (mg/日)	—	—	2,200	2,600以上
	カルシウム (mg/日)	+0	+0	—	—
	マグネシウム (mg/日)	+0	+0	—	—
	リン (mg/日)	—	—	800	—
	微量 鉄 (mg/日)	+1.5	+2.0	—	—
	亜鉛 (mg/日)	+2.5	+3.0	—	—
	銅 (mg/日)	+0.5	+0.6	—	—
	マンガン (mg/日)	—	—	3.0	—
	ヨウ素 (μg/日)*6	+100	+140	—	—
	セレン (μg/日)	+15	+20	—	—
	クロム (μg/日)	—	—	10	—
	モリブデン (μg/日)	+2.5	+3.5	—	—

＊1：エネルギーの項の参考表に示した付加量である。
＊2：ナトリウム（食塩相当量）を除き，付加量である。
＊3：範囲に関しては，おおむねの値を示したものであり，弾力的に運用すること。
＊4：プロビタミンAカロテノイドを含む。
＊5：α-トコフェロールについて算定した。α-トコフェロール以外のビタミンEは含まない。
＊6：妊婦及び授乳婦の耐容上限量は2,000μg/日とした。
資料／厚生労働省：「日本人の食事摂取基準（2025年版）」策定検討会報告書，2024，p.363.

る。特に，硬膜外麻酔を用いた分娩（いわゆる無痛分娩）の場合には，分娩中に麻酔の影響で尿意を感じなくなるため，膀胱の過伸展を招きやすく，その後の尿閉発症のリスクが生じる。したがって，分娩後は生殖器の復古を確認するとともに，十分に排尿ができているのかも確認する必要がある。褥婦から特別な訴えがなかったとしても，排尿の回数だけでなく十分な排尿量があるのかについても適宜確認する必要がある。産後は褥婦自身が尿意を感じにくくかったり，会陰の痛みから排泄をためらったりすることがある。膀胱の充満は

産後の復古に影響を与えかねないことを十分に説明し，尿意がなくても 3 〜 4 時間ごとには排尿を試みることを促す。また，便秘の予防や母乳分泌の促進のためにも十分な飲水の確保を促す。

2 | 排便

　分娩後は発汗や母乳分泌により水分の排泄量が増加するにもかかわらず，水分の摂取が減少しやすいことに加えて，会陰の傷や痛み，痔や脱肛が排便を心理的に困難にする可能性がある。排泄パターンは個人差が大きいため，妊娠前や妊娠中の排泄のパターンを十分に把握したうえで褥婦が苦痛なく排便ができるように，生活と環境を整えるケアが必要となる。

　自然な排便を促し便秘を予防するためには，十分な水分摂取と食物繊維を含む食事の摂取を推奨する。また，適度な活動や腹部のマッサージにより腸蠕動を促し，便意を感じたらできるだけすぐにトイレに行けるように環境を整える。それでも 3 日以上排便がなく，腹部の膨満感があるときには，子宮復古の妨げとなるため，緩下剤の使用や浣腸といった処置も考慮して医師に報告する必要がある。

▎ 3. 活動と休息

1 | 産褥早期

　分娩は女性にとって大仕事であり，喜びに満ちた経験であると同時に，体力を消耗することでもある。大きな仕事をやり遂げた達成感と無事に子どもと会えた喜びから交感神経が優位となるうえ，昼夜を問わない子どもの世話に追われて自分自身の疲労に気がつきにくいこともある。また，慣れない育児への不安や疲労により心身の不調をきたし，マタニティブルーズになることもある。したがって，看護師は入院中の褥婦の休息状況を把握し，適切に休息がとれるように支援する。しかし，産褥期の入院中は，親役割に適応していく時期でもあり，退院後の生活に向けて，どのように活動と休息のバランスをとっていくのかを褥婦自身が考え実践する時期でもあることも，併せて意識して支援する。子どものペースに合わせながら，自分の休息の時間を確保することも，褥婦にとって大切な課題であるといえる。また，褥婦自身の体調をみながら，産褥体操などを取り入れて無理のない範囲で身体を動かすことが，悪露の排出やストレスの解消に役立つ。

▶ **産褥体操**　産褥体操とは，妊娠・分娩によって弛緩した筋肉や変化した姿勢を元に戻すために行う軽い運動であり，産褥早期から寝たまま実施することができる運動もある（図3-4）。明確な基準はないが，産後の回復状態に合わせて徐々に運動の負荷を変化させることで，産後の復古を目指す。産後は疲労も強く休息への欲求が高まる時期であるため，体操を取り入れることは褥婦にとって容易ではないかもしれない。しかし，慣れない授乳や児の抱っこなどで凝り固まった筋肉をほぐしながら自分のからだと向き合うことは，から

第
5
編

1
妊娠期にある母
子の生理と看護

2
分娩期にある母
子の生理と看護

3
産褥期にある母
子の生理と看護

4
新生児の特徴と
生理的変化と看護

付
周産期にある母
子の看護の事例

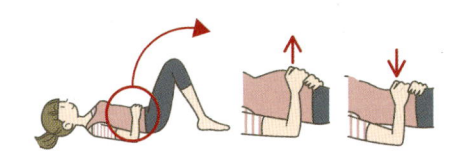
腹式呼吸：腰痛の予防や産後のボディラインの
回復。
仰向けになり，軽く足を曲げておなかを膨らま
せたりへこませたりして深呼吸をする。

足のストレッチ：血行の促進とむくみや血栓の
予防。
寝ていても座っていても行える。膝を伸ばして
ふくらはぎを伸ばすイメージで足先を天井に向
け，その後足先を下に向ける。

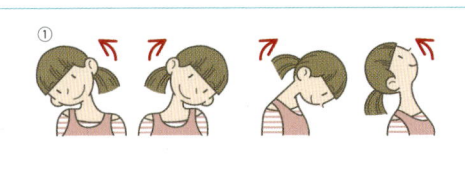
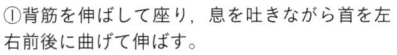
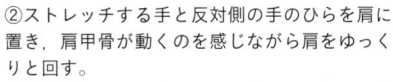
首と肩，背中のストレッチ：肩こりの予防と改
善，血行を促進して母乳分泌促進。
①背筋を伸ばして座り，息を吐きながら首を左
右前後に曲げて伸ばす。
②ストレッチする手と反対側の手のひらを肩に
置き，肩甲骨が動くのを感じながら肩をゆっく
りと回す。
③両手をからだの前に組み，息を吐きながら背
中を丸めてお臍を見る感じで背中を伸ばす。

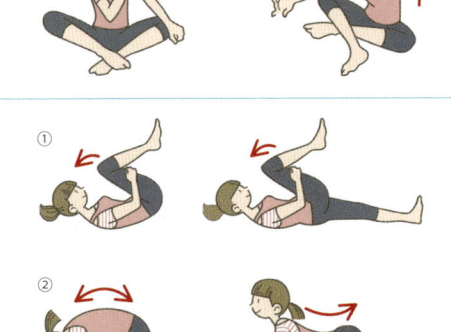
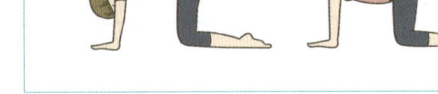
腰のストレッチ：腰痛の予防。
①仰向けになり両膝を立てる。反動をつけずに
ゆっくりと手で太ももを抱えて，足を腕で胸に
抱えて伸ばす。片足ずつでもよい。
②四つ這いになり肩の真下に手，骨盤の真下に
膝が来るようにする。息を吐きながらお臍を見
る感じで背中を丸めて伸ばす。その後息を吸い
ながら元の姿勢に戻る。

図3-4 産褥体操

だの回復だけでなく，心身のリフレッシュにも有効なセルフケアとなり得る。

2 ｜ 退院後

　多くの褥婦は産後数日から1週間程度で，分娩施設を退院し帰宅する。退院したからと
いって，身体が元に戻ったわけではなく，産後1か月健診まではできるだけ身体を休めて
養生する必要がある（表3-13）。かつての日本では，産後実家に面倒をみてもらう「里帰
り出産」が一般的であったが，近年は出産の高齢化により，実家の両親の助けが得られな
い褥婦も少なくない。また，産後の入院期間は短くなってきており，入院期間だけでは育
児技術の獲得や休息が不十分となりやすい。そのため，産後の養生の環境を整えるために
自治体の公的サービスの利用や，産後ケアセンターのような施設を利用する褥婦も増えて

表3-13 産後の褥婦の生活の目安

おおよその時期	生活・活動の目安
分娩後2時間まで	ベッド上（多くの場合は分娩室）で安静。母子接触，家族との面会，初回授乳の実施など。
分娩後2時間以降〜24時間頃	初回歩行（看護職が立ち会う），病棟内フリー。 母子同室の開始。
産後1日目	シャワー浴の開始。 体調が良ければ産褥体操（寝たままでできる軽い運動の範囲が望ましい）を開始する。
産後2〜4日目	各種指導（育児指導，沐浴指導，授乳指導，調乳指導，退院指導など）を受けながら育児技術の獲得を図る。ベッド上でできる産褥体操を開始する。
産後5〜6日目から10日目頃	退院。 家事はできるだけ援助を受け，横になって過ごす時間を十分に確保する。
産後1〜2週間	育児と簡単な家事（長時間の立位や座位は避ける）。 いつでも横になり休める環境を整える。
産後3週間	短時間の外出は可能。
産後4週間	産後1か月健診。産後健診で許可が出れば性交の開始も可能（ただし避妊は確実に）。 悪露がなくなれば入浴も可能。床上げ。
産後6〜8週間以降	産褥期の終了。普段の生活に戻る。 産後8週以降は仕事への復帰も可能。産後のエクササイズなどへの参加も可。

きている。出産前から褥婦が出産後にどのような環境で生活をする予定なのかを確認し，必要な情報提供を行い，褥婦自身がパートナーや家族と共に産後の養生環境を整えられるように支援する。必要であれば，社会資源の利用も視野に入れて地域保健サービスなどとの連携をとる。

3 | 産褥期終了後

　産褥1か月頃からは，褥婦の体調や状況に合わせて身のまわりのことと育児に関することだけではなく，簡単な家事を始めて徐々に日常生活に適応できるようにしていく。児の状況が許せば，日中に子どもと一緒に散歩に出てみてもよい。活動をすることは子どもにとっても良い刺激になり，褥婦自身も子育てをとおして新しい社会とのつながりを感じる機会を得るなど，親になった実感がわくことも少なくない。

　産後1か月健診が終了した産褥6〜8週間を過ぎた頃からは，休息だけでなく体力の増強を図り，社会復帰に向けたリハビリテーションを開始することが必要になる。

　近年は，より積極的に体力を回復・増強させたいというニーズをもつ褥婦は，子どもと一緒に通えるヨガやスイミングなど，産後のフィットネス教室に参加したりしている。産後のエクササイズは，弛緩し損傷した褥婦のからだをいたわりながら身体の回復ができるようにプログラムされていることが多く，それらのサービスを利用するときに使用できる公的助成制度がある地域もある。産後のフィットネス教室などの産後教室に参加することは，子育てで孤独になりがちな褥婦が新しい仲間をつくることにつながり，心身の健康をより良い状態に保持することにも役立つ。

4. 清潔

産後は，悪露の排出や発汗，乳汁分泌の開始により不快感を生じやすい状況にある。全身を清潔に保つことは爽快感を得るためだけでなく，産褥熱や乳腺炎といった感染症の予防にも有効である。

1 全身の保清

産褥期は子宮内膜の治癒過程にあるため，入浴（湯船につかること）による上行感染予防のために，シャワー浴が勧められている。褥婦の全身状態に問題がなければ産褥1日目から可能であるが，状況に応じて開始する。また，疲労が強い場合や帝王切開後の褥婦については全身清拭などを取り入れながら保清をする。

シャワー浴や足浴はより全身の血液循環を良くすることにつながり，創傷部位の回復を促進し母乳の分泌の促進にもつながることがある。産後1か月健診で問題がなければ入浴も可能となるが，それまではシャワー浴とする。

2 外陰部の清潔の保持

産後は悪露の排出があるうえに会陰部の創傷治癒過程にあるため，外陰部の清潔は大切である。看護師は会陰部の損傷状態を把握するとともに，褥婦自身が外陰部の清潔を保持できるように支援する。排泄後は，トイレットペーパーで清拭するほか，微温湯での洗浄や洗浄綿などでの清拭を併せて行う。洗浄や清拭は，尿道口から肛門にかけて一方向で行うように説明し，大腸菌などが傷を汚染することを最小限にする（図3-5）。褥婦自身に疼痛や腫脹の有無を確認してもらい，必要時には看護師が創部の状態を観察する。また，悪露の付着したままのパッドは細菌の温床になるため，トイレのたび（3〜4時間程度）に交換するよう促す。パッドに付着した悪露も褥婦が確認し，悪露の状態に変化があるようなとき（凝血や量）には看護師に報告してほしいことも併せて説明する。

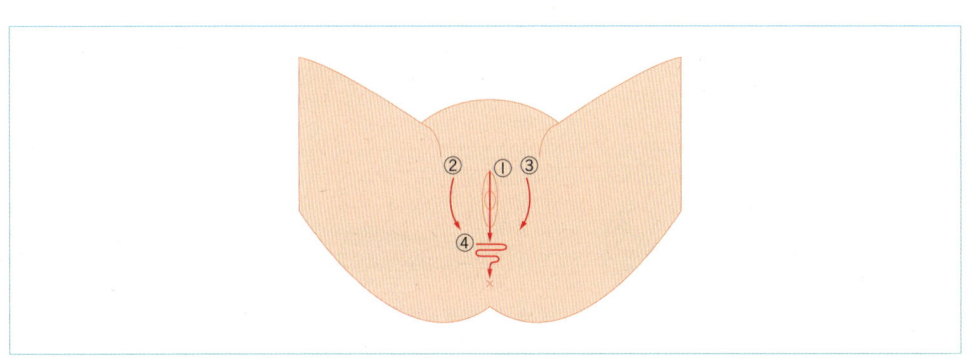

図3-5 外陰部の清拭方法

III 褥婦と家族への看護　201

1. 子宮復古を促すケア

妊娠で増大した子宮は，出産を経て非妊娠時の状態に戻る。その過程にはおよそ6〜8週間を要するといわれている。順調な子宮復古のためには十分な栄養と休息が必要であると同時に，悪露のスムーズな排泄に向けた支援も必要になる。悪露の早期の排出と血行の促進や深部静脈血栓の予防の観点から，分娩後4〜6時間を過ぎたら徐々に離床を促す(図3-6)。

ただし，出血が多量の場合，産道の損傷が大きい場合，恥骨離開などの異常がある場合は，安静を保持する必要がある。また，骨盤底筋群や腹筋の弛緩が生じている状態にあるため，産後1か月程度は重いものを持ち上げたり，立位で長時間すごすことは子宮下垂や子宮脱のリスクを増加させるので避け，身体に過度の負担がかからないようにする。また，授乳時に脳下垂体から分泌されるオキシトシンは，子宮筋を収縮させ子宮復古を促すため，母子の状況が許せばできるだけ早期の授乳開始が望ましい。経産婦は，授乳により産後2〜3日後陣痛を強く感じることがある。後陣痛のために授乳を拒否的にとらえたり日常生活に支障をきたしたりしないように，十分な説明を行う。また，必要時には鎮痛薬などの使用も検討し，褥婦がより負担の少ない生活を送れるように支援する。

2. 軟産道の復古

経腟分娩の場合，児が出生時に通ってきた産道は少なからず損傷を受けている。また，会陰部は分娩時の裂傷や会陰切開により縫合処置を施されていることがある。これらは，産後しばらく痛みを生じさせることになり，褥婦の生活をおびやかしかねない。会陰部や腟粘膜は組織治癒が非常に早く，およそ1日で表面が癒合し，産褥3日くらいで創部自

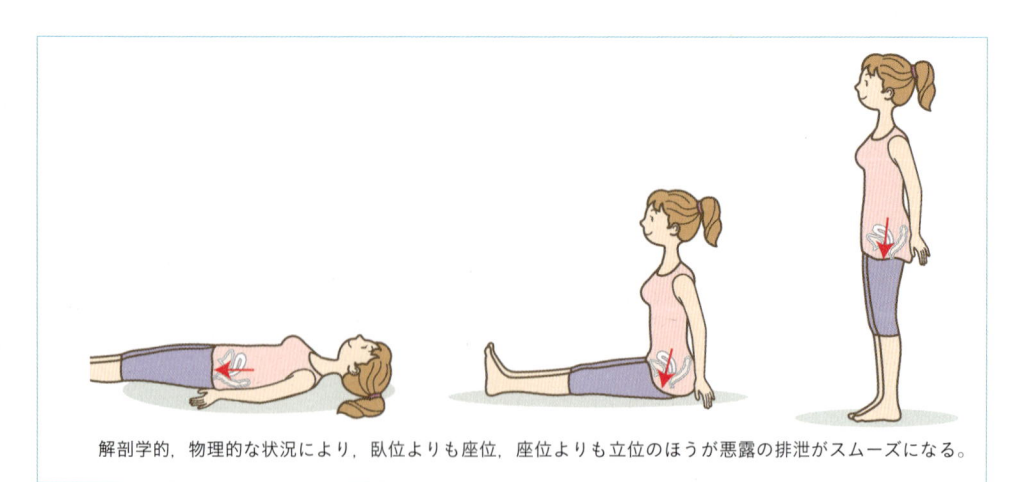

解剖学的，物理的な状況により，臥位よりも座位，座位よりも立位のほうが悪露の排泄がスムーズになる。

図3-6 悪露の排出と体位の関係

第
5
編

1
妊娠期にある母
子の生理と看護

2
分娩期にある母
子の生理と看護

3
産褥期にある母
子の生理と看護

4
新生児の特徴と
生理的変化と看護

付
周産期にある母
子の看護の事例

体はほぼ癒合する。しかし，近年縫合に使用されることの多い吸収糸が吸収されるまでは10日前後かかるため，抜糸をしなければ少し引っ張られるような違和感が続くことがある。通常は抜糸を必要としないが，会陰部の引きつれが気になったり痛みの訴えがある際は抜糸をすることもある。

　また，会陰部の痛みの原因が縫合部の感染や外陰部血腫であることがある。会陰部の痛みを訴える褥婦に対しては，"いつものこと"とせずに，痛みの部位や痛みの性質，変化などについて注意深く観察する必要がある。

3. 骨盤底筋の復古

　子宮は子宮靱帯や骨盤底筋群で支えられている。しかし，妊娠，分娩により骨盤底支持組織が弛緩や損傷を受けて尿道の支持構造を変化させることにより，産後に尿漏れや尿失禁を経験する女性は少なくない。経腟分娩で出産した褥婦を対象に行った研究では，尿失禁の有病率は約30％であり，分娩早期での有病者の約半数が3か月後も症状の存在を自覚していた。また，初産婦や会陰切開経験者に有症者が多かったという[3]。弛緩した骨盤底筋群の回復には骨盤底筋のトレーニングが有効であり，産後尿失禁が持続する女性が骨盤底筋群のトレーニングを行うことで改善が期待できる。

　骨盤底筋群の弛緩は，尿失禁だけでなく子宮下垂や子宮脱の原因にもなる。骨盤底筋の回復は，中・長期にわたり女性としてのアイデンティティやQOLに大きく影響するが，羞恥心から相談しにくいこともあるので，看護師から声をかけていつでも相談に乗れるようにしておくことが大切である。フランスをはじめとする西ヨーロッパや北アメリカでは，産後の骨盤底筋のリハビリテーションが積極的に取り入れられているだけでなく，妊娠中から骨盤底筋群のトレーニングを始めるなど，出産による骨盤底筋群の損傷を最小限にするべく，多職種による支援がなされている。日本でも，ケーゲル体操*が推奨されているが，入院期間の短縮に伴い入院期間中には会陰の回復が間に合わないために，手技を十分に獲得できないまま退院する褥婦も多い。分娩後4か月以降まで継続する尿失禁では，膀胱頸部や尿道を支持する骨盤底のダメージが大きい可能性がある[4]ため，分娩後長期にわたるケアが必要になることもある。また，産後に妊娠期に緩んだおなかを引き締めようと，コルセットやガードルできつく締めたり，腹筋運動などをすることは，まだ回復していない骨盤底筋群に負荷を与えたり，血行を阻害することにつながり生殖器の復古を妨げることがあるため[5]注意が必要である。骨盤底筋群のトレーニングは，仰向けになり，ゆったりとした呼吸を続けながら，骨盤底筋をゆっくりと収縮させたり，弛緩させたりすることを意識的に行うトレーニングである。肛門，腟，尿道口をすばやく締め，すぐに緩めることを3回ほど繰り返す。次に肛門を締めるイメージで徐々に締め，3秒ほど保持したあとに徐々に緩めることを3回ほど続けて行う。

＊ ケーゲル体操：産婦人科医ケーゲル（Kegel, A.）が発案した骨盤底筋を収縮させるトレーニング。

C 産後のメンタルケア

　出産後，女性は急激な女性ホルモンの変化のなかで，分娩の疲労や睡眠不足といった身体的な変化を体験する。さらに慣れない育児やこれから始まる新しい生活に対する不安で，**マタニティブルーズ**を発症することは少なくない。マタニティブルーズは通常，出産後3〜5日をピークに生じるが，特別な治療を要することは少なく自然に軽快する。しかし，マタニティブルーズを発症した女性はその後，**産後うつ**に移行することがあるともいわれている。したがって，正常な心理反応であるマタニティブルーズであっても注意する必要がある。産後，わけもなく涙が出たり，不安や怒りがわいたりすることは，異常ではないことを褥婦に伝え，思いを表出できるように促す。そばに寄り添い，親身に話をきくことで褥婦の孤独感を軽減することにもつながる。

　マタニティブルーズの悪化予防のために，褥婦のストレスを軽減することも有効である。産後は，睡眠不足や疲労に加えて傷の痛みや後陣痛，授乳による痛み，腰痛や肩こりなど，出産や育児にまつわる様々なマイナートラブル*が生じやすい。これらの痛みは，褥婦にとってストレスとなり，育児への意欲に影響を与える可能性がある。また，産後の支援の不足や家族との育児への価値観のずれが生じることなど，社会的な状況がストレスとなることもある。したがって，看護師は褥婦がどのようなストレスに直面しているのかを十分に把握し，支援を検討する。たとえば，身体的な疲労が改善するように十分な休息がとれるよう静かな環境を整えたり，足浴やマッサージのような身体ケアでリラクセーションを促したり，褥婦が自分の思いを吐露する場を提供したりするなど，心身のバランスを取り戻せるように支援する。

D 親子の愛着形成

　愛着（attachment）とは，ボウルビィ（Bowlby, J.）によって定義された概念で，親と子が接近と接触を期待する強い傾向があることと特徴づけている[6]。また，親子関係を示す別の概念として**絆**（bonding）というものがある。絆とは，クラウス（Klaus, M. H.）とケネル（Kennel, H.）によって提唱された概念で，親から子どもへの愛着を示すとされている[7]。絆と愛着は別の概念ではあるが，臨床的には明確に分けられてはいない。

　産後に母子が一緒にいることにより，感覚的，内分泌的，生理学的，免疫学的および行動的な変化が一挙に起こり始め[8]，母親は子どもを実際に腕に抱き触れることで子どもを認識し，親になった実感を強める。母親が乳児の泣く，笑う，見つめるなどの反応に対応して，抱く，あやす，授乳するなどの育児行動などの反応を示す相互関係を，**母子相互作**

＊ **マイナートラブル**：一般的に妊娠にまつわる不快な症状で，特に治療の必要がないもの。

用という[9]。これは母親に限ったことではなく，児の重要他者である父親やきょうだい，ケアラー（世話をしてくれる人）との間においても相互作用の過程は示される。特に，父親は子どもとの強い愛着を形成する必要がある。できるだけ出産直後から父親を含めた親子での触れ合いをもてるように配慮し，子どもの状態を親自身が観察し判断できる機会を増やす。愛着形成がなされることは，子どもの情緒の発達を促進し，安定的な対人関係の構築にも影響を及ぼすといわれている。

親子の愛着関係は，親と子の相互の心地好い経験をとおして生じるポジティブフィードバックによって促進される。つまり，産後の母親が苦痛を経験していたり，気分が不安定であったりする状態は，子どもとの相互作用を阻害する因子になりかねない。そこで，看護師は，まず褥婦の苦痛や不快な症状を解消あるいは改善し，褥婦の関心が児に向けられるように支援する。

近年は，少子化により親になる前に乳幼児と接する機会が少ないため，初めて乳児と触れ合うのが自分の子どもである場合も少なくない。そのため，子どもとの接し方や関係性の築き方に戸惑う親も少なからずいることを意識しながらケアに当たる。看護師がとらえた子どもの特徴，たとえば「お母さんに目元が似ていますね」とか「お父さんにそっくりですね」「おっぱいを欲しがっていそうですね」などを親に伝え，親が子どもを知るための探索行動をスムーズにとれるように働きかけることができる。また，親の働きかけに対する子どもの反応についても「見つめていますね」「眠そうですね」などと伝えて，子どもの様子から子どもの状態を推測するなど学習の機会を意識的に提供する。

そして，親の成育歴やそれまでの経験，妊娠や分娩に対する受け入れ状況などの心理社会的状況をアセスメントすることは，個別性に合わせたケアの提供に役立つ。特に，予期せぬ妊娠で子育ての環境が整っていないなど，親子の愛着・絆の形成に関してリスクがあると判断される場合には，看護職だけではなく，ソーシャルワーカーやカウンセラー・心理士，地域の保健師などを含んだチームで包括的かつ継続的に対応する。

Ⓔ 母乳育児への看護

1. 妊娠中から始める母乳育児の看護

妊婦健診の際に，看護師・助産師等は妊婦の乳房の発育や乳頭の形態について観察・アセスメントし，産後の授乳がイメージできるよう保健指導をしておく。そのうえで，産後には母親の状態に合わせて，母乳育児を支援する。大切なのは，母親が母乳育児についてどのような考えをもっているのかを確認し，思いに沿った支援を行うことである。医療者は，特に初乳の有用性から，母親だけでなく新生児にとっての母乳の必要性も指導する。その方法は，母親に対して押し付けにならないよう配慮しながら，育児に自信をもてるかかわり方をすることが大切である。

表3-14 母乳育児の利点と注意点

利点

- 分泌型 IgA を多く含み，免疫効果が高い。
- 下痢，呼吸器疾患，中耳炎などを予防し，アレルギー，肥満などのリスクを低減する。
- 新生児は排便がしやすくなる。特に初乳には灰分が多く含まれており，胎便の排泄を促す。
- 消化しやすい。
- 乳児の成長過程に合わせた栄養価に変わり，効率よく栄養摂取できる。
- 乳頭の吸着刺激により，プロラクチン・オキシトシンの分泌が高まり，乳の必要に応じて分泌量が増える。
- オキシトシンは別名を愛情ホルモンといい，授乳する母は幸福感を得られる。
- 乳房と口腔粘膜の接触や抱くことでのスキンシップにより，母児相互作用が高まる。
- 児の吸綴刺激により，オキシトシンの分泌が増え，子宮収縮を促し産後の出血量を減少させる。
- 乳汁分泌による母親のカロリー消費により，非妊娠時への体重の戻りが円滑である。
- 経済的である。
- お湯や器具の準備が必要なく，母児が必要なタイミングで授乳でき，かたづけや消毒の必要がない。

注意点

- ビタミン K の含有量が少ない（確実なビタミン K の投与が必要）。
- 母親が HTLV1 に感染している場合に，母乳感染する可能性がある。
- 慣れないうちは，哺乳量がわかりにくい。
- 母親以外に授乳を代わることができない。
- 母乳以外のものを飲ませていない場合，哺乳びんの乳首や人工乳を嫌がって飲まないことがある。
- 長期授乳により，乳房や乳頭の変形が起こることがある。

2. 母乳育児の利点と注意点

　母乳育児の利点と注意点の一部を表3-14 に示す。看護師は，母親が母乳についてどの程度知識があるのか，母乳育児をどのように受け止めているのかをアセスメントし，対象に合わせた保健指導をする必要がある。

3. 母乳分泌の促進および抑制のためのケア

1 | 母乳の分泌を促進させるケア

　母乳の分泌を促進するためには，早期授乳開始，頻回授乳，適切なポジショニング（抱き方）とラッチオン（吸着），産褥体操や足浴などによる血行促進などがあげられる。産後の経過が順調な場合は，通常 2 日目頃より乳房の充血が進み，軽度の発赤がみられるようになり，3 ～ 4 日頃には軽い緊満がみられるようになる。乳房の緊満が強くなると乳頭乳輪部が伸展しにくくなるので，その前に児が母親の乳頭に慣れ，上手に吸啜できるようになるために，産後は早期の授乳開始と頻回授乳が必要である。母親が自身で抱き方や吸着のさせ方を身につけられるよう，産後すぐから支援する。

　頻回授乳をする際に，抱き方や吸着のさせ方が良くないと吸啜時に疼痛を感じたり，浅い授乳を続けることで乳頭に負担がかかり，乳頭の浮腫，発赤，水疱，痂疲，亀裂などを起こしたりすることがある。水疱やそれが破綻した後の痂疲形成，亀裂が起こった場合には，乳頭部を安静にするために授乳を休むことも必要である。その間は搾乳をして乳汁分泌量を維持させ，乳頭の状態が回復してから再度授乳のしかたを支援していくとよい。乳頭が扁平や仮性陥没などで吸着が難しい場合には，乳頭乳輪部分のマッサージで柔軟性を

出してから児が乳輪部まで吸着できるような援助をする必要がある。大切なことは，乳頭に傷をつくらずに，痛くない授乳ができるようになって，施設を退院することである。

2　母乳の分泌抑制のためのケア

　母親の疾患や体調不良などで母乳育児を行わない場合は，冷罨法_{れいあんぽう}や薬剤投与（ドパミン作動薬など）により乳汁の分泌を抑える必要がある。母親の思いを傾聴しながら，納得しているのかアセスメントし，精神面のケアをしていくことも必要である。

　副乳がある場合は，産後母乳が分泌されてくると，副乳部位にも緊満感や少量の乳汁分泌が起こる。実際には，副乳部位から授乳することはないので，特に刺激をせずにぬれタオルなどで冷やすようにすると，数日で緊満や疼痛は消失する。

▌4. 授乳の方法

1　抱き方（ポジショニング）

　うまく授乳するためには，母児に合った正しい抱き方を身につけることが大切である。母親の腹部と児の腹部を向かい合わせるようにして，手や肘の内側で児の首を支えながら児の顔が乳房の正面を向くようにし，乳頭と児の口の位置を合わせて抱く。抱き方には，縦抱き，横抱き，交差横抱き，フットボールのように抱く脇抱きなどがある（図 3-7）。乳房が小さめ（Ⅰタイプ）の人は縦抱きが比較的良いポジションが取りやすく，大きめ（Ⅱbタ

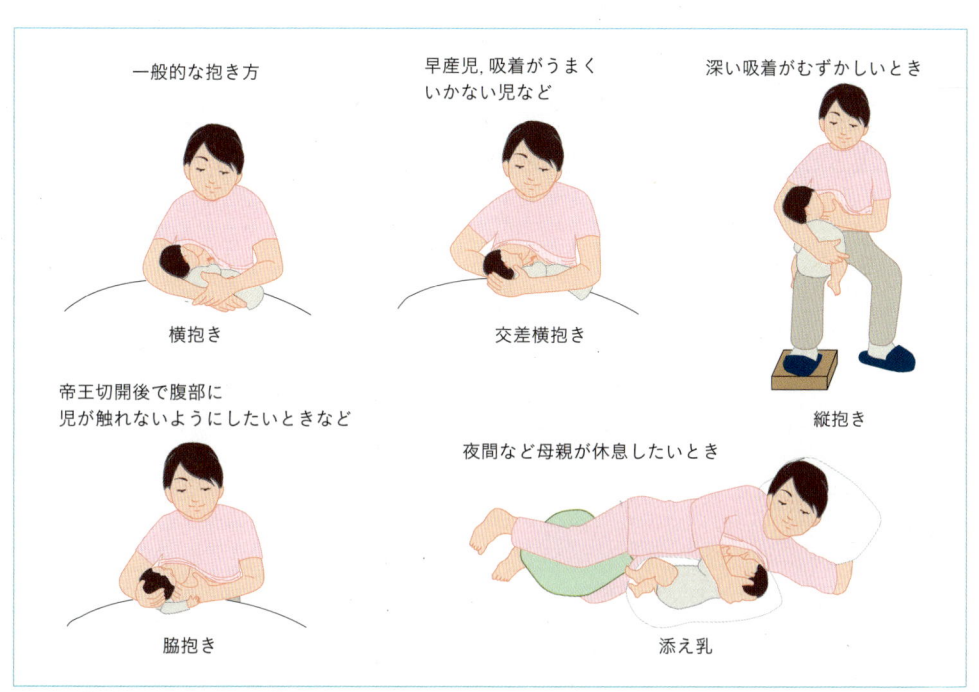

図 3-7　授乳時のいろいろな抱き方

イプやⅢタイプ）の人は，脇抱きが授乳しやすいといわれるが，別の抱き方でうまく行えることも多いので，特に決めつけずに母児の状況に合わせて指導していくことが大事である。

　また，夜間の授乳や帝王切開後の授乳には，添え乳授乳といって，児を脇に寝かせて背中を安定させ，寝かせた側の乳房を吸啜させる方法もある。母親が極度に疲労しているときや，麻酔などの影響で意識がはっきりしていないときは，児の上に覆いかぶさってしまう事故につながるので実施は避ける。母親には十分に気をつけるよう指導し，慣れるまでは常に観察する必要がある。

2 ｜ 吸着のさせ方（ラッチオン）

　吸着のさせ方について図 3-8 に示したが，a ではなく b のように母親の乳頭を深くとらえると，新生児の舌は波を打って奥からしごくように動く。乳頭の先端が児の咽頭まで届いていると，乳頭の先端はつぶされることなく，母親には吸啜時の疼痛はない。児の下口唇や顎を軽く触って刺激して口を開けさせ，舌の上に乳頭を乗せるようにすると，深く吸啜させることができる。激しい啼泣時や口を開けても舌が上がってしまっているときには，良い位置に吸啜させることは難しい。その場合は，母乳を少し絞って口に垂らしたり，抱いて落ち着かせたりしながらタイミングを計ることも一案である。母親には，良い吸着ができているときには吸綴時の疼痛がないことを説明する。吸啜時に痛みがあるときには，我慢して授乳を続けるのではなく，児の口角から指を入れるなどして，児の口腔内の陰圧を緩和させて乳首を離し，改めて吸着させるように指導する。

3 ｜ 授乳後の排気のさせ方（図3-9）と寝かせ方

　体位変換やゲップのときに口元から乳が漏れ出ることを溢乳という。新生児の胃は，噴門部の括約筋がまだ弱く，形態的にも簡単に吐乳する。哺乳時は，乳と一緒に空気を飲み込んでしまうことがあるので，授乳後には排気をさせるよう指導する。児の上半身をなる

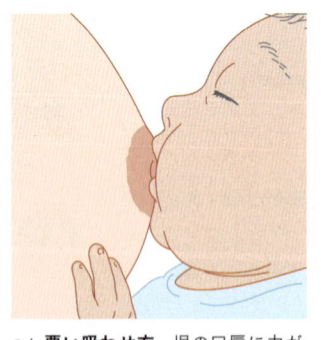 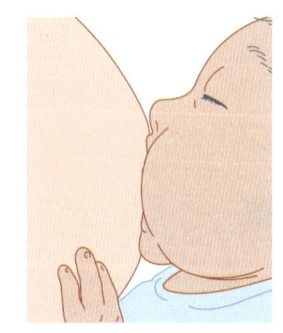

a：**悪い吸わせ方**　児の口唇に力が入り，乳輪が見えている。浅く吸っている。

b：**良い吸わせ方**　児の口唇が外向きに均等に広がり，乳輪が見えない。深く吸っている。

図 3-8　児の吸い方の比較

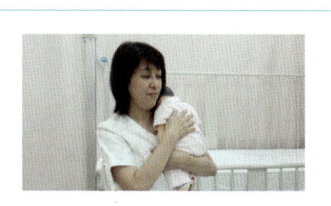

図3-9 排気法

第5編

1 妊娠期にある母子の生理と看護

2 分娩期にある母子の生理と看護

3 産褥期にある母子の生理と看護

4 新生児の特徴と生理的変化と看護

付 周産期にある母子の看護の事例

べく垂直になるようにしながら，背中を軽くたたくか，さすり上げるようにする。また，寝かせる場合は吐乳の誤嚥を防ぐために，顔を横向きにする。

4 | 乳房のセルフケア（授乳の準備）

乳腺をつぶさないように乳房全体を軽く動かしたり，乳頭をマッサージして乳房や乳頭の血行を良くしてから授乳すると，乳頭が伸展しやすくなり授乳しやすい。乳房の自己管理・マッサージ法には，SMC（self mamma control）方式や堤式自己マッサージ法などがある。自分の乳房によく触り，変化に気づきやすくなることで異常の早期発見と早期対処につながり，セルフケア力を高めることになる。

産褥体操は，全身の血行が促されるので，乳汁分泌の促進効果が期待できる。

5 | 搾乳

直接授乳の後にもまだ乳房内に母乳が残っているように感じたり，直接授乳ができない場合には，搾乳を行う。手で搾る用手搾乳法と器具を使用する搾乳器法がある。手で搾る場合は，乳房（乳腺体）を圧迫しても排乳はされないばかりか，かえって乳腺を傷めることになるので，母指と示指の指腹で乳輪のあたりを体幹に向かって軽く圧してから指腹を合わせて排乳させる。搾乳器具を使用する場合は，陰圧をかけて乳汁を搾り出すため，長期に使用する場合には，乳頭や乳房の状態をよく観察して負担のないように使用する。器具には手動や電動のものがある。電動搾乳器は高額であり，レンタルもあるので必要な場合は情報提供する。母親自身が何度か行ってみて，自分で正しく使用できるようになるまで指導する。

6 | 冷凍母乳

児が入院したり，人に預けたりしたときにも母乳を与えたい場合には，搾乳した乳汁を保管用パックに入れて冷凍保存したものを与えることができる。できるだけ母乳の成分を破壊しないよう，高温での湯煎や電子レンジで解凍したりすることはせず，流水に漬けて解凍し，人肌に温めてから与える。搾乳時には細菌が増えないよう，十分に手を洗い，保管用パックの内側に手が触れないなどの注意が必要である。

7 人工乳

　母乳だけでは乳児の栄養が不足している場合や母乳を与えられない場合には，人工乳を与える。人工乳には，乳児の成長時期に合わせた栄養成分のものを選択する必要がある。現在，市販されているものには，粉末状のもの，固形（キューブ状）のもの，液体（調乳済み）のものなどがある。防災備蓄用としても液体ミルクは注目されている。

　人工乳を作ることを**調乳**という。調乳には，一度沸騰（滅菌）させた 70℃以上の湯冷ましを使い，その後 40℃程度に冷まして飲ませる。粉ミルクには，*Cronobactor sakazakii*（サカザキ菌）や *Salmonella enterica*（サルモネラ菌）などが混入していることがあり，70℃以上のお湯で作ることで感染が避けられる[10]。また，哺乳びんや乳首は煮沸や薬剤消毒を行い，調乳する人は十分に手指洗浄してから行う。

8 児の哺乳欲求サインの読み取りと哺乳量の判断

　授乳は児が欲するタイミングに合わせてできると，母児共に授乳のリズムをつかみやすい。児の口唇に指を当てると吸い付こうとしたり，口角に触れると触ったほうを向いたりする口唇探索反射がよりはっきりとみられる場合は，哺乳を求めていることがある。そのほかの哺乳欲求サインとしては，乳首を吸うように口を動かす，吸うときのような音を立てる，手を口に持っていく，素早く目を動かす，クーとかハーというような柔らかい声を出す，むずかるなどがある[11]。

　授乳を終えたときに児が満足している様子であれば，適切な哺乳量であったとわかる。直接授乳の場合は，しっかりと哺乳した後に母の乳房が軽くなるなどの身体感覚からも，児の哺乳量を推察することができる。哺乳量が十分な場合は，0〜3か月の乳児では 1 日当たり 25〜30g 以上の体重増加がみられる[12]。

　授乳時間が 30 分以上かかる，乳首を離すとすぐに泣く，次の授乳までに間隔があかない，眠りが浅く不機嫌，排尿・排便の量や回数が少ない（排尿：6 回／日未満・排便：1 回／日未満），体重増加が不良であるなどの場合は，哺乳量不足が疑われる。

F 育児技術獲得への看護

　新生児の最も身近な養育者である母親が育児技術を取得することは大切であるため，入院中から，児の観察のポイントや育児技術について指導する必要がある。

1. 更衣・おむつ交換（図3-10）

　新生児は新陳代謝が盛んであるとともに，体温調節が十分にできない。発汗や吐乳，おむつからの排泄物の漏れなどで衣服をぬれたままにすると，体温を奪われることがある。常に臥床している新生児を世話する者は，背部までも観察し，衣類や寝具が汗などでぬれ

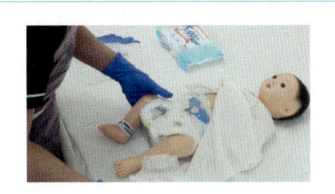

図3-10 おむつ交換

第5編

1 妊娠期にある母子の生理と看護

2 分娩期にある母子の生理と看護

3 産褥期にある母子の生理と看護

4 新生児の特徴と生理的変化と看護

付 周産期にある母子の看護の事例

ていないか，圧迫されていることはないかなどをよく観察するよう指導する。

　服を脱ぎ着させるときには，児の肩や肘の関節可動域を考慮し，過度に牽引しないように気をつけ，児の関節を支えながら衣服を動かすようにする。また，おむつを交換するときには足関節を引き上げて殿部を挙上させると，児の股関節が伸展され股関節脱臼の原因になるので，必ず殿部を手掌で持ち上げて行うようにする。

2. 沐浴

　沐浴は毎日行うが，児の体調が悪いときには負担になるため，部分浴や清拭に変更したりする必要があることも指導する。沐浴前には体温を測ったりして，児の体調を観察してから行う。お湯の温度は，大人よりやや低めの38〜40℃に設定し，湯に長く浸かると身体に負担がかかるため，入浴時間は5分程度とし，前後の着替えも含めて，15〜20分程度で終わらせられるとよい。沐浴は，身体の清潔保持のほかにも，全身観察の機会になることを指導する。沐浴後の皮膚保湿がアトピー性皮膚炎の予防につながるともいわれている[13]。

3. 観察

　日頃から児をよく観察し，退院後，幼児期頃までは1日1回体温測定をするとよい。また，四肢末端の冷感がないか，深い睡眠が取れているか，よく哺乳するか，皮膚には張りがあり湿疹などがないか，腹部膨満はないか，排泄は十分みられているか，活気があるかなどを観察する。何となく元気がないと感じたときには，早めに出産施設に相談したり，小児科を受診するなど対処法を指導しておくことは大切である。

4. 環境調整の必要性

　新生児は体温調整が十分にできないため，室温25℃前後，湿度50〜60％程度に調整するようにする。冷暖房機を使用する場合は，直接風が当たると対流によって体温が喪失したり，暖房では体温が上がり過ぎたり乾燥し過ぎたりすることがあるので注意する。

　床に布団を敷いて寝かせる場合は，冷えた重い空気により床の温度が低い場合があるので，児が寝る位置での室温を調整する必要がある。夏の暑い時期に冷房を使用しないと，汗疹や脱水の原因になり体調管理が難しくなるので，上手に利用するよう指導する。

そのほか，児のベッド周囲には上からの落下物がないようにし，ベッド柵の上げ忘れや，ベッド柵に挟まれないように注意する。また，室内でペットを飼っている家では，目の届かないところでペットが児のそばに来ないように，十分気をつけるよう指導する。

G バースレビュー

バースレビューは，「出産想起」「出産の振り返り」と同義語であり，分娩（ぶんべん）の経験が母親にとってのトラウマや喪失体験，自己肯定感の低下につながらないように，分娩に立ち会った助産師などが母親の分娩の振り返りを傾聴し，肯定し，母親が納得できる体験として気持ちを整理できるよう手助けする行為である。国内外で研究がなされており，その効果については様々である。また，実施時期についてもまだ検討の余地があり，今後も十分な研究が必要である[14]。いずれにしても，妊娠期，分娩期を良い経験としてとらえ，育児が円滑に行えるようになるために，バースレビューが母親にとって効果的に作用するよう実施できるとよい。

H 家族の再調整

1. 上の子どもへの対応

これまで一身に家族の愛情を受けていた上の子どもは，新たな弟・妹の誕生によって急激な生活環境の変化に不安を感じる。その結果，新生児や家族に攻撃的になったり，甘え方が強くなったり，指しゃぶりや排泄（はいせつ）を教えず漏（も）らすなど，発達段階においてこれまでできていたことができなくなる退行現象，いわゆる「赤ちゃん返り」がみられることがある。母親には，妊娠中からあらかじめ子どもにこのような反応が起こる可能性があることを伝え，家族での対応方法を考えるために知識と情報を提供する。

2. 子の父親や祖父母への支援

父親や祖父母にとっても，新たな家族の誕生で家族のなかでの役割に変化が起こる。初めての子どもの場合は，父親や祖父，祖母としても初めてであり，2人目の子どもの場合は，「2人の子どもを持つ父親」になるなど，その家族にとっての日常生活や家族役割にも変化が起こり，調整が必要となる場合がある。それぞれの家族の状況から，日常生活に不安をもつことがあれば相談を受け，相談の内容によってはそれぞれの専門家につなげられるよう，常にどこかに窓口があるようにしておかなければならない。母親だけでなく，父親からも相談を受けられるなど，関係性を良好に保ち孤立しないよう努める必要がある。

3. ライフプランと家族計画

　子の誕生というライフイベントは，家族にとっては大きな変化を迎えるときである。今後，家族が幸せに過ごしていくためにどのようにしていくのかを話し合い，夫婦で確認していくことが大切である。次の妊娠を望む場合は，母子の健康を考え，性交の開始時期などの相談に対応し，保健指導をする。

　授乳中にプロラクチンが高値のときには，視床下部の Gn-RH（gonadotropin releasing hormone；性腺刺激ホルモン放出ホルモン）の分泌が抑制され，下垂体からのゴナドトロピンの分泌が抑えられて排卵が起こらない。授乳の頻度が少なければ，プロラクチンによる排卵抑制効果は下がり，排卵し，月経が再来する。月経は排卵後に起こるため，産後には一度も月経を見ずに次の子どもを妊娠することもあり得ることを，わかりやすく必ず指導に組み込む必要がある。

　産後は，いつ排卵や月経が再来するかを予測することは困難であるため，個別に対応して必要な避妊方法などを指導する。表 3-15 は，産後の主な避妊法とその特徴などである。このほかにも，授乳時の無月経を利用した方法である LAM（lactation amenorrhea method，授乳性無月経法）がある。①産後，月経が始まっていない，②児の栄養方法は母乳のみで，昼夜を問わず間隔が空き過ぎない，③児が生後 6 か月未満である，という 3 つの条件が完全に満たされていれば，98％の避妊効果があるといわれている [15]。

表 3-15 産後の主な避妊法

方法の種類	方法	特徴・注意など
性周期を利用する方法	● オギノ式避妊法 ● 基礎体温法 ● 排卵自覚法（リズム法）	産褥期はホルモンのバランスが安定せず，また授乳中は排卵周期が安定しないため，不向き。活用する時期は，月経が再来し，周期が安定してからである。
バリアを利用する方法	● コンドーム（男性用，女性用*）	コンドームは，産後いつからでも使用可能である。授乳中にプロラクチンの濃度が高いと卵胞からのエストロゲンの分泌がなく，腟は乾燥しやすく性交痛が生じやすいので，潤滑ゼリーを併用するとよい。
子宮内避妊用具による方法	● 子宮内避妊器具（IUD）に付加なしのもの ● IUD に銅を付加したもの	IUD の挿入時期は産後の子宮復古が完全となる 6 週前後が適当。挿入前には必ず尿中ＨＣＧ測定により妊娠を否定しておくことが必須。
経口避妊薬による方法	● 低用量ピル	妊娠中の血液凝固亢進状態が解消される産後 8 週前後が適当。服用開始前には妊娠を否定しておくこと。授乳中は服用できない。
不妊手術による方法	● 卵管結紮 ● 精管切除	今後，挙児を希望しない夫婦に限る。理論的には不可逆的であるが妊娠した報告もある。

＊ 2022（令和 4）年現在，女性用コンドームの国内販売はない。

出典／木村好秀，齋藤益子：家族計画指導の実際；少子社会における家族形成への支援，第 2 版増補版，医学書院，2017，p.54. 一部改変．

① 職場復帰

1980（昭和55）年以降，夫婦共に雇用者である共働き世帯は年々増加し，1997（平成9）年以降は共働き世帯数が男性雇用者と無業の妻から成る世帯数を上回っている。また，第1子出産前後に女性が就業を継続する割合は，従来4割前後で推移してきたが最新の調査では約5割に上昇している。法的根拠を踏まえて職場復帰にかかわる情報提供をするとともに，利用可能な制度について褥婦本人が確認し，夫婦でどのように育児にかかわるかを検討できるよう情報提供することが重要である。

1. 法的根拠

1 労働基準法による母性保護規定

就業の開始については，「使用者は，産後8週間を経過しない女性を就業させてはならない。ただし，産後6週間を経過した女性が請求した場合において，その者について医師が支障がないと認めた業務に就かせることは，差し支えない」（労働基準法第65条②）と規定している。また，育児時間として，「生後満1年に達しない生児を育てる女性は，第34条の休憩時間のほか，1日2回各々少なくとも30分，その生児を育てるための時間を請求することができる」（同第67条），「使用者は，前項の育児時間中は，その女性を使用してはならない」（同第67条②）としている。

2 育児・介護休業法について

育児休業，介護休業等育児又は家族介護を行う労働者の福祉に関する法律（育児・介護休業法）は1992（平成4）年に施行され，職業生活と家庭生活との両立を図ることを目的としている。社会の状況にあわせて，出産や育児などによる労働者の離職を防ぎ，希望に応じて男女共に仕事と育児などを両立できるようにするため，2021（令和3）年6月に改正，2022（令和4）年4月1日から段階的に施行されている。育児休業やパパ・ママ育休プラス，産後パパ育休など，利用できる制度はいろいろあるため，看護師は母親に就業先の担当部署に確認するとよいことを伝える。

2. 保育所・子育て支援

仕事に復帰する場合には，その間だれに保育を委託するのか決定する必要がある。保育所（児童福祉法第7条）では，低年齢保育，開所時間の延長，夜間保育など，保護者の就業形態に対応した保育が提供されている。また，一時的に保育所を利用できる「一時保育」などもある。近年，希望どおりに保育所に入所ができない「待機児童」が問題となっていたが，受け皿の拡大により，2017（平成29）年の待機児童数2万6081人は，2022（令和4）

第5編

1 妊娠期にある母子の生理と看護

2 分娩期にある母子の生理と看護

3 産褥期にある母子の生理と看護

4 新生児の特徴と生理的変化と看護

付 周産期にある母子の看護の事例

年には 2944 人となり，前年比で 2690 人減少している。今後さらなる充足が望まれる[16]。
2021（令和3）年4月1日から，母子保健法の一部を改正する法律が施行された。これにより，出産後1年までの母子を対象に，心身のケアや育児サポートを各市町村が行うことになった（努力義務）。利用できる制度があるので，母親や家族には居住地の市町村が発行する広報誌で確認したり，問い合わせたりするとよいことを伝える。

▌ 3. 母乳哺育の継続と終了

　母乳哺育の場合，仕事に復帰する際に断乳を決意する母親も少なくない。しかし，搾乳できる場所や時間，搾乳した母乳の保管場所などの環境が整っていれば，母乳哺育を継続することはできる。復帰前にあらかじめ職場に確認する必要があるので，機会があるときに，母親がイメージできるよう保健指導するとよい。もし断乳を決めた場合は，急な授乳の中止からうっ滞性乳腺炎を引き起こすことのないよう，搾乳や乳房の冷やし方などの対処法を指導する必要がある。職場復帰の準備として授乳を中止・終了することを母親が納得し，育児を肯定できるようなかかわりをもつことが必要である。

文献

1) M.H. クラウス，J.H. ケネル著，竹内徹訳：親と子のきずな，医学書院，1985，p.2-4.
2) 厚生労働省：「日本人の食事摂取基準（2025年版）」策定検討会報告書，2024.
3) 高岡智子：産後尿失禁の有症率と分娩時要因の関連性の検討；自然分娩と医療介入のある分娩との比較，日本助産学会誌，27（1）：29-39, 2013.
4) 長島玲子，他：骨盤底筋訓練による出産後尿失禁症状の消失例と非消失例の比較検討；MR画像による骨盤底の形態学的評価，島根県立大学出雲キャンパス紀要，13：111-120, 2018.
5) 中田真木：産褥期骨盤底ケアにおける助産師の役割，助産雑誌，66（9）：780-784, 2012.
6) ボウルビィ著，二木武監訳：母と子のアタッチメント；心の安全基地，医歯薬出版，1993，p.35.
7) 前掲1).
8) M.H. クラウス，他著，竹内徹訳：親と子のきずなはどうつくられるか，医学書院，2001，p.94.
9) 前掲8).
10) 厚生労働省：乳児用調製粉乳の安全な調乳，保存及び取扱いに関するガイドラインについて. https://www.mhlw.go.jp/topics/syokuchu/kanren/kanshi/070605-1.html（最終アクセス日：2022/6/10）
11) 水野克己：母乳育児学，南山堂，2012，p.74.
12) 前掲11).
13) 厚生労働省：乳幼児身体発育評価マニュアル，平成23年度厚生労働科学研究費補助金（成育疾患克服等次世代育成基盤研究事業）；「乳幼児身体発育調査の統計学的解析とその手法及び利活用に関する研究」，2012，p.24. https://www.niph.go.jp/soshiki/07shougai/hatsuiku/index.files/katsuyou.pdf（最終アクセス日：2022/6/10）
14) Horimukai K, et al.：Application of Moisturizer to Neonates Prevents Development of Atopic Dermatitis, Journal of Allergy & Clinical Immunology, 134（4），2014.
15) 鈴木由美子，大久保功子：出産の振り返りに関する文献検討，日本助産学会誌，32（1）：3-14, 2018.
16) 厚生労働省：保育所等関連状況取りまとめ（全体版）. https://www.mhlw.go.jp/content/11922000/000979606.pdf（最終アクセス日：2022/8/31）

参考文献

・BFHI2009 翻訳編集委員会訳：UNICEF/WHO 赤ちゃんとお母さんにやさしい母乳育児支援ガイド；ベーシックコース「母乳育児成功のための10ヵ条」の実践，医学書院，2011，p.285.
・厚生労働省：両親で育児休業を取得しましょう！. https://www.mhlw.go.jp/file/06-Seisakujouhou-11900000-Koyoukintoujidoukateikyoku/0000169713.pdf（最終アクセス日：2022/6/10）
・厚生労働省：乳幼児身体発育評価マニュアル，平成23年度厚生労働科学研究費補助金（成育疾患克服等次世代育成基盤研究事業）；「乳幼児身体発育調査の統計学的解析とその手法及び利活用に関する研究」，2012.
・日本助産診断・実践研究会編：マタニティ診断ガイドブック，第5版，医学書院，2015，p.144.
・堤尚子：堤式乳房マッサージ法；理論と実際，たにぐち書店，2002，p.50-56.
・根津八紘：乳房管理学 改訂，諏訪メディカルサービス，1991，p.92-104.
・松本憲512，他：一歳児を育てる母親の育児力尺度の開発（1）；育児力の概念分析と尺度原案作成，日本母子看護学会誌，11（2）：31-41, 2018.

第 **4** 章

新生児の特徴と
生理的変化と看護

この章では

- 医学的な新生児区分について理解する。
- 新生児が子宮外環境に適応するまでの経過を理解する。
- 出産前における母親とその家族の健康状態のアセスメントについて理解する。
- 出生直後から生後24時間以内の看護について理解する。
- 移行期を過ぎてから行う看護について理解する。

I 新生児の生理的特徴と子宮外環境への適応

A 新生児の定義と特徴

■ 1. 新生児とは

　出生後から 28 生日未満の時期を新生児期といい，この時期の児を**新生児**とよんでいる。新生児期は，子宮内の環境から子宮外での適応が速やかに行われなければ，様々な適応障害が生じる。7 生日未満の**早期新生児**，7 生日以降の**後期新生児**に分類される。

■ 2. 新生児の区分

1 ┃ 出生体重による区分

　出生体重が 2500g 未満の児を**低出生体重児**という。そのなかでも 1500g 未満を**極低出生体重児**，1000g 未満を**超低出生体重児**とよんでいる。一方，4500g 以上の出生体重の児を**超巨大児**としている（ICD-10［国際疾病分類第 10 版による］）。日本では，臨床的に出生体重 4000g 以上の児を**巨大児**ということが多い（表 4-1）。

2 ┃ 在胎週数による区分

　新生児は，在胎期間により**早産児**（在胎 22 週以降 37 週未満），**正期産児**（在胎 37 週以降 42 週未満），**過期産児**（在胎 42 週以降）に分類する。在胎 28 週未満で出生した児は**超早産児**とよんでいる（図 4-1）。また，34 〜 36 週を**後期早産**（late preterm）といい，正期産に近い早産ではあるが，様々な問題が起こるため注意が必要である。

3 ┃ 在胎期間別出生時体格標準値との比較を反映した区分

　妊娠期間に比較して出生体重が 10 パーセンタイル未満を light-for-dates（LFD）児，90 パーセンタイル以上を heavy-for-dates（HFD）児という。WHO（世界保健機関）では，出生体重と身長の両方ともに 10 パーセンタイル未満の児を small-for-dates（SFD）児とよんでいる。日本では，2010 年の新しい在胎期間別出生時体格標準値に基づいて診断する（図 4-2, 3）。

表 4-1 出生体重による分類

1000g 未満	1500g 未満	2500g 未満	2500g 以上 4000g 未満	4000g 以上	4500g 以上
超低出生体重児	極低出生体重児	低出生体重児	正常	巨大児	超巨大児

第5編

1 妊娠期にある母子の生理と看護

2 分娩期にある母子の生理と看護

3 産褥期にある母子の生理と看護

4 新生児の特徴と生理的変化と看護

5 周産期にある母子の看護の事例

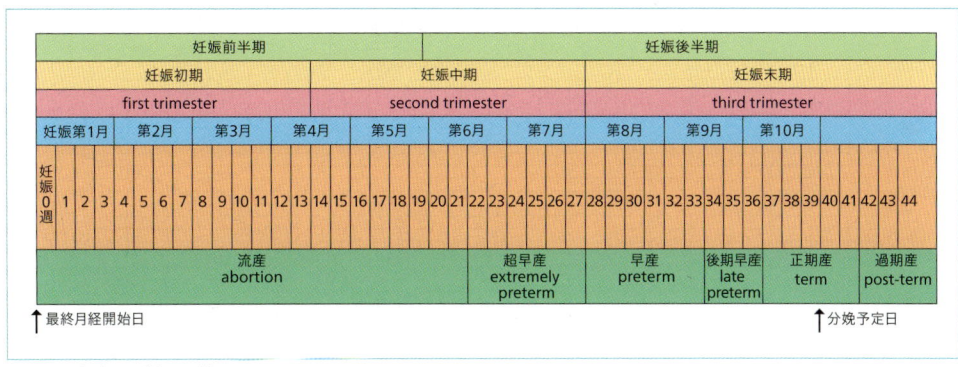

図4-1 妊娠週数・月数

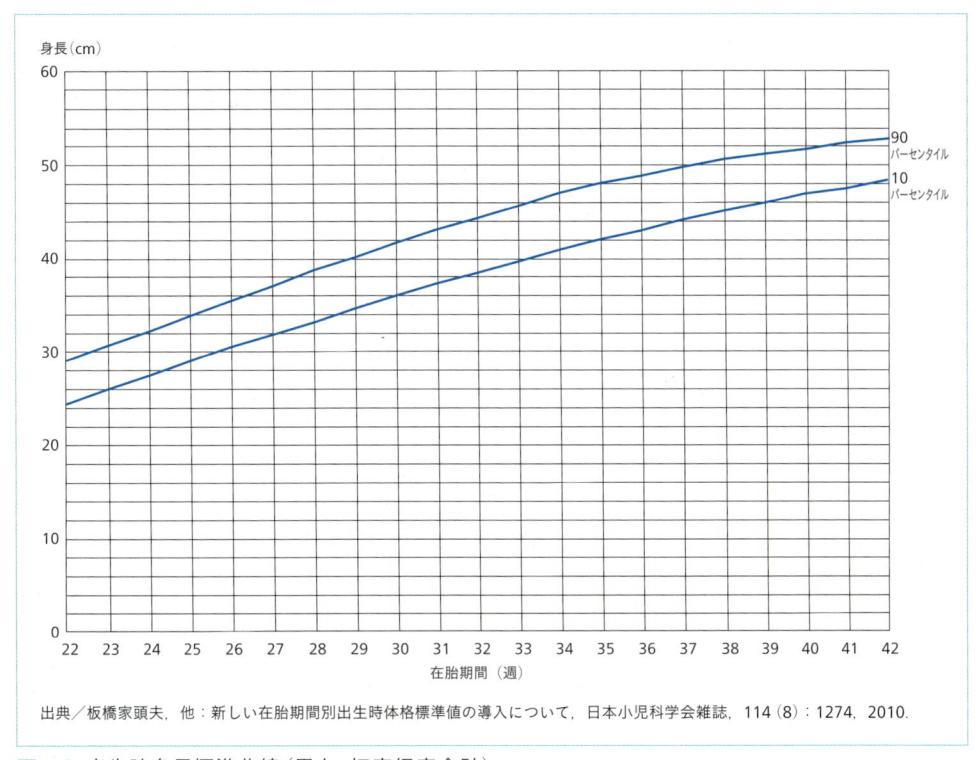

出典／板橋家頭夫，他：新しい在胎期間別出生時体格標準値の導入について，日本小児科学会雑誌，114（8）：1274，2010.

図4-2 出生時身長標準曲線（男女・初産経産合計）

3. 新生児の体格と姿勢

1 新生児の体格

　新生児は，頭部が大きく（4頭身），特に出生時の頭囲は胸囲よりも大きい。頭囲が正常の平均値から標準偏差の2倍以上小さいものを**小頭症**とよび，原因としては先天性風疹症候群やサイトメガロウイルス感染などが知られている。

　四肢は体幹に比べて短く，腹部は胸部に比べて大きい。成長するに伴い，しだいにその

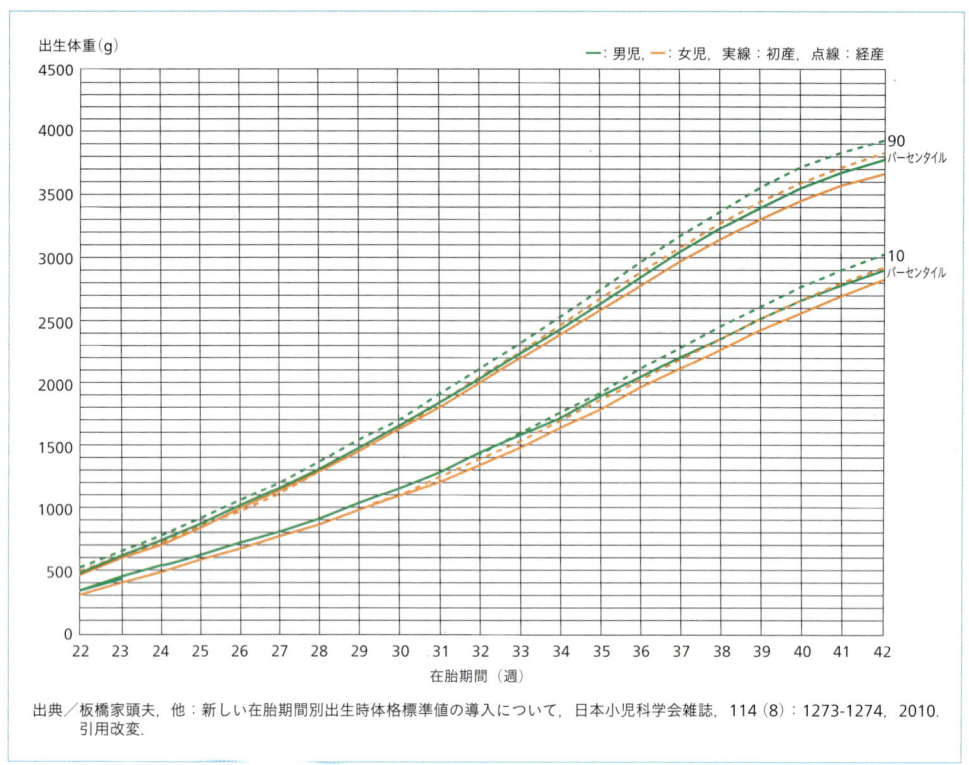

出典／板橋家頭夫，他：新しい在胎期間別出生時体格標準値の導入について，日本小児科学会雑誌，114（8）：1273-1274，2010. 引用改変.

 出生時体重標準曲線

特徴は薄れ，7頭身に近い成人の体形に変わっていく。新生児期にほぼ真っ直ぐである脊柱は，首を挙上する頃から頸椎の前方への彎曲がみられる。

2 | 新生児の姿勢

　正常新生児では四肢を屈曲した姿勢をとる。元気がない児や神経筋疾患をもつ児は筋緊張が低く，だらりとしている（フロッピー児）。筋緊張が異常に高い児は，足を伸ばして反り気味となる。児を抱き上げたとき，かたい感じがする，反り返る，足をつっぱる，下肢を交差させる，つま先で立つなどは，筋緊張が高い所見である。

B 神経系

1. 脳神経系の発達

　神経系は外胚葉から形成される。胎生2週に中胚葉が上層の外胚葉を誘導して神経板が形成される。神経板の側縁が神経ひだとなって神経溝を形成し，それが背側で癒合して神経管となる。胎生4週で，神経管から前脳胞，後脳胞，菱脳胞ができ，前脳胞から終脳と間脳が形成される。終脳は大脳半球を形成する。胎生20週まで脳室系を境する原始上衣

細胞帯の未分化細胞が増殖して神経芽細胞となり，遊走して基底核の原基である外套層が形成される。15～50%の神経細胞は，28～41週の間にアポトーシスとよばれる細胞死に陥る。軸索や樹状突起を形成し，さらにシナプスを形成，安定化していく。星状細胞や乏突起神経膠細胞を形成し，髄鞘化する。

2. 中枢神経障害

新生児の中枢神経障害として**脳性麻痺**があり，「受胎から新生児期の間に脳に生じた非進行性病変に基づく，永続的な運動および姿勢の異常」と定義されている。脳性麻痺の代表的な疾患としては，低酸素性虚血性脳症や，早産児における頭蓋内出血や脳室周囲白質軟化症などがある。

C 運動器系

新生児の運動器系診察では，一般に児の姿勢，筋緊張度，原始反射の有無などから神経学的な評価を行う。特別な刺激に反応する様々な原始反射は，児の発達における段階で出現し，一定の期間を過ぎると消失する。原始反射がみられることは，神経システムが順調に機能し，発達を遂げていることを示す重要な指標である（表4-2）。

▶**新生児期に注意が必要な運動器系疾患**　股関節脱臼，筋性斜頸，鎖骨骨折，分娩麻痺などがある。股関節脱臼は，股関節開排制限，大腿皮膚溝または鼠径皮膚溝の非対称の有無を診察する。家族歴，女児，骨盤位分娩はハイリスク因子である。筋性斜頸は，胸鎖乳突筋に腫瘤として触知する。1か月健診頃に気づかれることが多いが，出生時から存在する場合には外科的治療を要する可能性が高い。鎖骨骨折は肩甲難産に合併することが多いが，

表4-2　主な原始反射

哺乳反射	吸啜反射	指や乳首などを口に入れると舌で包み込み，あごの上下運動と蠕動様運動が同調して吸おうとする。
	捕捉反射	口唇にものが当たったときに口腔内へ捕捉する。
	探索反射	口周囲を触れられると，口を開け，その刺激のほうへ頭を向ける。生後4～6か月で消失する。
モロー反射（驚愕反射）		頭を後方へ急に落とされると，指を広げて上肢が外転，伸展し，その後ゆっくりと内転，屈曲する。3～4か月で消失する。
把握反射		①手掌把握反射：指を手のひらに置くと，指を屈曲させて握る。3～4か月頃消失する。 ②足底把握反射：足の指の付け根を圧迫すると，足底全体が屈曲する。10～12か月頃消失する。
緊張性頸反射		仰臥位にして顔を一方に向けると，顔を向けた側の上下肢が伸展，反対側の上下肢は屈曲し，フェンシング様の格好となる。4～6か月で消失する。
足踏み反射（自動歩行）		新生児を地面に対して安定した姿勢で直立させると，まるで歩くかのように足をステップさせる。生後約2～6週間で消失する。
バビンスキー反射		足底の外側縁を強くこすり上げると，足の指を開いて背屈する。1～2歳頃消失する。
引き起こし反射		両手を持って児をゆっくり引き起こすと，頸は並行または前屈傾向となる。
ギャラン反射		児を腹臥位にして持ち上げ，背中側側面を上方から下方へゆっくりこすると，こすった側へ脊柱が彎曲する。

通常の分娩でも起こることがある。多くは自然寛解する。分娩麻痺としては，腕神経叢麻痺（エルブ麻痺など）が重要であり，肩甲難産などで出生した児の上肢の動きの左右差がないかをチェックする。また内反足・外反足，多指・合指など指趾の異常は，何らかの症候群の一所見のことがある。

D 感覚器系

1. 聴覚

音を聞き分けたり，音の正しい方向がわかったりするようになるのは，生後 5 〜 6 か月を経てからである。先天性聴覚障害の頻度は，出生 1000 当たり 1 〜 2 といわれている。早期発見し，早期療育を開始することで，知的発達，言語発達の遅れを予防することができるため，出生 2 〜 5 日頃の児に対して，新生児聴覚スクリーニングが広く行われるようになった。

2. 視覚

新生児の視力は 0.02 〜 0.05 程度であり，6 か月で 0.1，3 歳頃に 1.0 に達する。光覚は出生直後から存在するが，色覚はないとされる。焦点を合わせて動く物体を注視するようになるのは生後 1 〜 2 か月を過ぎてからである。生後 3 か月以後になると，視力と大脳皮質の機能が連結され，母親を見て感情を表す。運動機能が結びついて見えるものを取ろうとする動きが出るのは，5 〜 6 か月以後である。

E 循環器系

新生児が第 1 呼吸を開始すると，血液循環動態は変化する。右心室からの血液は肺動脈に流れるようになり，肺でガス交換された血液は，肺静脈から左心房へ戻り，左心室から大動脈へといった成人の循環となる。動脈管，静脈管は閉鎖し，それぞれ動脈管索，肝円索という痕跡となる。卵円孔もまた閉鎖する。

F 生体の防御機能

1. 受動免疫と能動免疫（液性免疫）

胎児の液性免疫に携わる B 細胞は，胎齢 8 週頃に肝臓で，12 週頃からは骨髄で，さらに 28 週には腸管粘膜固有層で認められる。ガンマグロブリン抗体産生は胎齢 9 〜 10 週で IgM と IgG が，12 週頃には IgA が認められる。しかし，胎児の抗体産生能は不十分で

第
5
編

1
妊娠期にある母
子の生理と看護

2
分娩期にある母
子の生理と看護

3
産褥期にある母
子の生理と看護

4
新生児の特徴と
生理的変化と看護

Ⅱ
周産期にある母
子の看護の事例

あり，特に早産児の IgG は低値である。

　胎児は，胎盤を介して母体からの免疫グロブリンを受ける。在胎 17 週頃から始まり 33 週で母体とほぼ同じレベルになる。母体から胎児への IgG 移行には能動輸送が働く。IgM，IgA は胎盤通過性がないため出生時のレベルは極めて低い。IgM が高値の場合は胎内感染が示唆される。

2. 新生児の免疫の特徴（主に細胞性免疫）

　基本的に子宮内では胎児は無菌状態であるため，免疫能が賦活されていない。一度抗原刺激を受けた免疫細胞（メモリーＴ細胞）に比べ，出生したばかりの新生児の免疫細胞（ナイーブＴ細胞）は免疫応答が遅いので，感染が重篤化しやすい。

3. 垂直感染

　母体から新生児への垂直感染（母子感染）として，子宮内感染（経胎盤感染，上行性感染）と出生時の産道感染，出生後の母乳感染があげられる。新生児感染症を起こす細菌としては，Ｂ群溶血レンサ球菌，大腸菌が多い。近年，マイコプラズマやウレアプラズマも指摘されている。また，日本では，風疹の流行に伴い先天性風疹症候群が発生した背景に，30 ～ 40 歳代男性の 20％が風疹未感作であることや，若年妊婦における高未感作率が問題になっている。白血病などを発症するヒトＴ細胞白血病ウイルス（human T-lymphotropic virus-1；HTLV-1）は，母乳を介した感染が特に重要である。

4. 水平感染

　出生後の新生児管理中に起こる水平感染は，医療従事者を介して発生し，ブドウ球菌やレンサ球菌が原因として知られている。また NICU（新生児集中治療室）では，感染のハイリスクである低出生体重児が長期間収容されていることから，薬剤耐性であるメチシリン耐性黄色ブドウ球菌（MRSA）や基質特異性拡張型 β ラクタマーゼ（ESBL）産生のグラム陰性桿菌が問題となっている。

> **Column**
>
> ## TORCH症候群
>
> 　母体感染症が児に垂直感染して発症する感染症の総称。トキソプラズマ（*Toxoplasma gondii*），風疹ウイルス（Rubella virus），サイトメガロウイルス（Cytomegalovirus），単純ヘルペスウイルス（Herpes simplex virus）が知られており，その他（Others）の頭文字を合わせて TORCH としている。

G 呼吸器系

1. 呼吸の確立

　子宮内で，胎児の肺胞は肺液で満たされ虚脱せず拡張している。産道を通る過程で，胎児胸郭は圧迫され，肺液が絞り出される。出生すると第1呼吸によって肺胞内が空気で置換され，肺胞内の液体は肺組織にある血管，リンパ管へと吸収される。引き続き第1啼泣が生じる。これは児が声門を閉じて「オギャー」と泣き声を出すことであり，それによって呼気に陽圧が加わり，より均一に肺胞を開く。

2. 呼吸の維持

　肺呼吸に移行すると，いったん拡張した肺胞が虚脱しないように高い表面張力に抗して機能的残気量を保つことが必要である。肺胞腔内で空気と水の界面に肺サーファクタント（肺表面活性物質）が層を形成し，この表面張力に拮抗する。新生児では1回換気量が少ないため，毎分40〜50回の呼吸数で換気している。呼吸パターンは不規則で，生理的に呼吸を休止することがある。呼吸休止後，再び呼吸を開始する周期性呼吸もしばしばみられる。新生児の気道は柔らかく，出生直後は羊水や分泌物で気道閉塞を起こしやすいため，肩枕を使用して気道確保の体位をとることが勧められている。

H 消化器系

1. 吸啜・嚥下

　吸啜は胎児期早期から始まる。嚥下は妊娠10〜12週に始まり，妊娠末期には1日500〜1000mLの羊水を嚥下する。このため，胎児の嚥下は羊水量に影響する。もし胎児期に嚥下が障害されると，羊水過多が生じる。

　新生児では，吸啜後の嚥下が完成するのは32〜34週頃である。それ以前の早産児では，吸啜や嚥下は認められても，協調運動がうまくいかないため口腔内の母乳を誤嚥する危険性がある。

2. 消化・吸収

　新生児では複雑な栄養源を消化・吸収することはできないが，正期産児では母乳中から迅速に栄養源を消化・吸収する。母乳は正期産児の消化能力に適合し，少なくとも生後6か月間，児の栄養必要量を満たす。早産児でも母乳は栄養のゴールドスタンダードとなっている。新生児の消化管には，生後2〜3日して腸内細菌叢ができる。しかし，帝王切開，

第
5
編

妊娠期にある母
子の生理と看護

分娩期にある母
子の生理と看護

産褥期にある母
子の生理と看護

4
新生児の特徴と
生理的変化と看護

周産期にある母
子の看護の事例

母乳開始遅れ，抗菌薬使用などでは善玉細菌群の常在化が遅れることがある。特に早産児では，そうしたリスクに加えて免疫能が不十分であることから，壊死性腸炎や敗血症となる可能性が高くなる。

3. 排泄

消化管運動はすでに胎児期から認められている。出生後は，通常24時間以内に黒緑色の胎便が排泄される。胎便には，胆汁のほか，消化管粘膜や分泌物，胎内で嚥下した胎脂などの羊水成分が含まれている。経腸栄養が始まると腸内細菌叢ができ，生後3〜5日で黄色調の移行便へと変化していく。

4. 嘔吐と溢乳

新生児では哺乳と同時に空気も飲み込むため，ゲップが出やすく，胃内の乳汁を吐きやすい。このときに起こる少量の嘔吐は溢乳とよばれ，生理的なものである。体重増加や電解質バランスなどに影響が出るほど嘔吐の量が増える場合は，異常とみなす。

水電解質・代謝系

1. 糖代謝

胎児のエネルギー源であるグルコースは，胎盤内で促進拡散＊によって母体から胎児へ移行する。臍帯を介した持続的なグルコースの供給は出生後断たれる。その後，グルカゴンの働きによって肝臓に蓄えられていたグリコーゲンがグルコースへ変換される。さらにインスリン拮抗ホルモンの分泌によりグルコース産生が始まる（糖新生）。低血糖が起こりやすい病態としては，早産児，低出生体重児，light-for-dates（LFD）児，糖尿病母体児，仮死，代謝異常症などがある。このようなハイリスク児では，出生後の血糖値測定が必要である。

2. 先天(性)代謝異常

日本では，1977（昭和52）年に新生児のろ紙採血によって，フェニルケトン尿症，メープルシロップ尿症，ホモシスチン尿症，ヒスチジン血症（以上，先天性アミノ酸代謝異常），および糖代謝異常症であるガラクトース血症の5疾患を対象にした，全国規模の**新生児マススクリーニング**がスタートした。

その後，クレチン症，先天性副腎過形成症が追加された。一方，ヒスチジン血症は知能

＊ **促進拡散**：胎盤でのグルコース輸送は濃度勾配に従って輸送体を介して行われる。生理的な状態では母体のほうが胎児よりグルコース濃度が高く，母体から胎盤・胎児への濃度勾配が生じるため，母体から胎盤・胎児へグルコースが輸送される。

障害をもたらさないことが明らかとなり，マススクリーニングからはずされた。近年では同じろ紙血液を用いたタンデムマス法が導入され，前述のアミノ酸代謝異常 3 疾患（フェニルケトン尿症，メープルシロップ尿症，ホモシスチン尿症）を含む 20 種類程度のアミノ酸代謝異常，有機酸代謝異常，脂肪酸代謝異常の診断が可能となった。

3. ビリルビン代謝・排泄

　胎児赤血球寿命は約 90 日で，成人赤血球 120 日の約 4 分の 3 である。赤血球が脾臓などの網内系で破壊されると，赤血球中のヘモグロビンは，脂溶性の間接型ビリルビン（非抱合型ビリルビン）となり，血液中のアルブミンと結合して肝臓に運ばれる。肝臓でグルクロン酸抱合されると，水溶性の直接型ビリルビン（抱合型ビリルビン）となり，胆汁中に排泄される。腸管内細菌によって水酸化されてウロビリン，ウロビリノーゲン，ステルコビリンへと変換し，大部分は便中に排泄される。新生児では，腸管粘膜のグルクロン酸分解酵素によって，直接型ビリルビンを再び間接型ビリルビンに変え，腸管壁から再吸収する腸管循環も盛んである。

　間接型ビリルビンが上昇し，アルブミンと結合しないアンバウンドビリルビンが上昇すると，血液脳関門を通過して大脳基底核に沈着し，核黄疸となる。このように新生児期の重症黄疸は児の神経予後に影響するため，注意を要する。

4. 薬物代謝

　一般に薬物代謝には，胃内 pH，空腹時間，食事内容，腸管内の状況，肝・腎機能などが関与する。

　新生児の胃内 pH は，出生直後は羊水のためほぼ中性である。その後の酸分泌能も低い。また，胃が空になるまでの時間が長いことから，薬物血中濃度のピークが低くなり，ピークに達するまでの時間が長くなる。代謝経路としては肝臓や腎臓が使われるが，新生児では肝機能，腎機能ともに未熟であるため，薬剤排泄能は低い。このことは薬剤の半減期が延び，蓄積作用が現れやすいといえる。一方，新生児の皮膚血流は成人より多いうえ，角質形成が不十分であることから，経皮的な吸収が多くなる可能性がある。特に早産児の場合，塗布する薬剤には注意が必要である。

5. 新生児の体水分バランスと環境

　胎児期早期では，体重に占める水分の割合が大きく，在胎週数が進むに従って徐々に減少する。この減少は主に細胞外液の減少によって生じ，出生後も続く。新生児の細胞外液量の減少は，生理的体重減少の大きな要因であるが，過度な減少は臨床上問題となり得る。生後の水分バランスの変化に重要なのが皮膚からの不感蒸泄である。特に早産児の出生早期の皮膚は，水分蒸散のバリアである角質が薄いため不感蒸泄量が著しい。

第5編

1 妊娠期にある母子の生理と看護
2 分娩期にある母子の生理と看護
3 産褥期にある母子の生理と看護
4 新生児の特徴と生理的変化と看護
付 周産期にある母子の看護の事例

6. カルシウム

　早産児においては十分な骨化を要するため，カルシウムとリンは多量に必要であるが，これらはプラスバランスを維持するのが最も難しいミネラルである。それは，ループ利尿剤やステロイドのために排泄過剰となったり，中心静脈栄養中に含まれるのは限られた量でしかなかったりするためである。早産児骨減少症は，カルシウム，リン，ビタミンD不足などによって起こる。

J 腎・泌尿器系

　胎児の尿産生は在胎 10 ～ 11 週頃より始まり，12 週頃から超音波検査で膀胱(ぼうこう)が確認されるようになる。妊娠末期には約 30 ～ 50mL の尿産生が認められる。胎児尿は羊水(ようすい)量の維持に重要であり，尿産生が少なければ羊水過少が生じる。腎血流量は在胎週数に伴って増加するが，出生を境に急速に増加する。心拍出量の 4 ～ 8 % であったものが生後 1 週間で 8 ～ 10% に増加する。生後の血圧の上昇や腎血管抵抗の低下によると考えられている。しかし，尿細管機能，尿濃縮力は乏しく，容易に低ナトリウム血症や高ナトリウム血症を生じる。

K 皮膚

　出生時，成熟児では腋窩(えきか)などの屈曲部に**胎脂**が付着している。これは胎児皮膚から剝奪(はくだつ)した上皮と，皮脂腺からの分泌物とが混合したもので，妊娠中期頃から出現し，成熟するに伴い減少していく。四肢末端にみられる末梢(まっしょう)性チアノーゼは必ずしも病的ではないが，顔面や体幹にみられる中心性チアノーゼは病的であり，迅速な対応を要する。また，生後 3 ～ 7 日頃に皮膚が黄染し肉眼的黄疸がみられることが多い。治療を要さない軽度な黄疸は**生理的黄疸**とよばれる。

　新生児にみられることの多い母斑(ぼはん)や血管腫(しゅ)について，次にあげる。

▶ **蒙古斑(もうこ)**　日本人の子どもの 90% にみられる青色色素性母斑であり，殿部(でんぶ)や背中に多くみられる。ほとんど成人になるまでに自然消退する。

▶ **単純性血管腫（ポートワイン母斑）**　血管拡張型母斑の一種であり，平坦(へいたん)，境界明瞭な赤い母斑で，自然消退しない。顔面の三叉神経領域にみられる場合は，頭蓋内(とうがいない)病変を伴うことがある（スタージ - ウェーバー［Sturge-Weber］症候群）。

▶ **ウンナ母斑**　後頸部(こうけい)に生じた単純性血管腫をいい，新生児の 20 ～ 30% にみられる。約半数は自然消退しないため，生後 1 年半程度経過観察し，消退しないものに対してレーザー治療が行われる。

▶ **イチゴ状血管腫**　毛細血管性の血管腫であり，身体のどの部分にも発生し得る。最初は

気づかれないことが多いが，しだいに赤く拡大し，隆起してくる。通常は1年程度で消退するが，大きさや発生場所によっては治療を要することがある。

L 体温調節

1. 体温を適切に保つ意義

　酸素消費量が最も少ない温度環境は，余分なエネルギーを使用しなくても体温を保つことができる温度環境であり，これを**中性温度環境**という（図4-4）。新生児は体温調節能力が低いため，環境温度の変化によって容易に低体温や高体温となる。中性温度環境をはずれて管理されると，体重増加不良や無呼吸，アシドーシスなどの合併症の頻度が高くなる。推奨されている直腸温または腋窩温(えきか)の範囲は，正期産児36.5～37.5℃，早産児36.6～37.3℃，極低出生体重児36.7～37.3℃である。

2. 新生児の体温調節

　新生児は体温を調節する能力が未発達である。体重に比較して体表面積が大きいため，容易に体の熱が奪われやすく，成人にみられる振戦(しんせん)で体の熱を産生することもできない。新生児では，肩甲骨(けんこうこつ)，脊柱(せきちゅう)，腎周囲(じん)，首の周辺に存在している褐色脂肪組織が重要な熱産生に関与している。熱喪失の過程は様々あり，発汗や，皮下の血管が拡張することで多くは体表から熱が失われ，体温が下がる。新生児室では，衣服1枚，毛布1枚をかけた児の中性温度環境を目安に，通常25～26℃，湿度40～60%に保たれている。

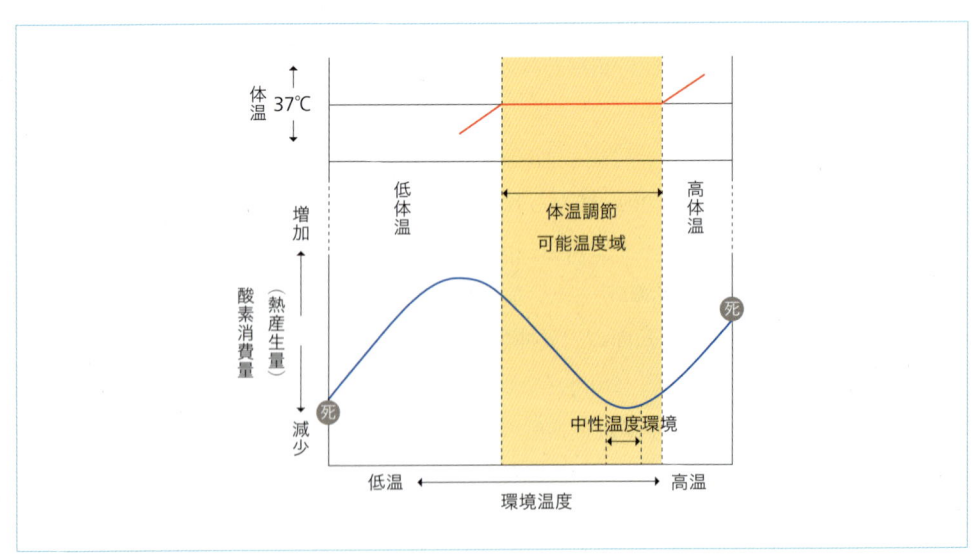

図4-4 環境温度の変化に対する反応

第
5
編

1
妊娠期にある母
子の生理と看護

2
分娩期にある母
子の生理と看護

3
産褥期にある母
子の生理と看護

4
新生児の特徴と
生理的変化と看護

付
周産期にある母
子の看護の事例

Ⅱ　新生児の健康と発育のアセスメント

Ⓐ　出生直後のアセスメント

　出生時には胎盤循環の停止により，新生児は胎外生活に適応した呼吸循環動態に切り替わる。子宮外生活への適応は，分娩時のストレス状況，在胎週数，成熟状態などが大きく影響する。そのため，出生直後は，①正期産児か，②呼吸・啼泣は良好か，③筋緊張の低下はないか，の3項目をチェックし，子宮外生活の適応を評価し，蘇生処置の必要の有無

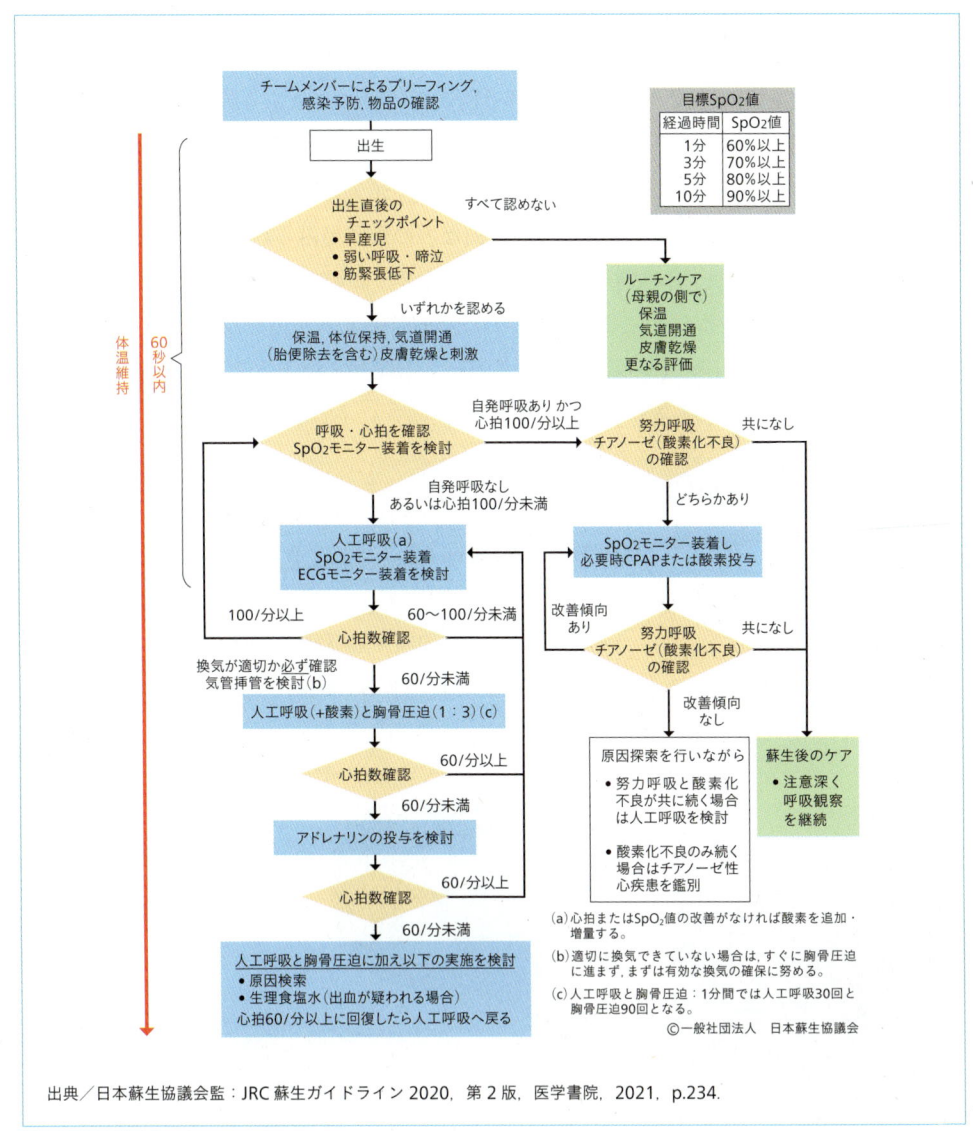

出典／日本蘇生協議会監：JRC蘇生ガイドライン2020，第2版，医学書院，2021，p.234.

図4-5 2020年版新生児蘇生法アルゴリズム

を判断する。いずれかを認める場合は，**新生児蘇生法**（Neonatal Cardio-Pulmonary Resuscitation；NCPR）**アルゴリズム**に則った初期処置を直ちに開始する（図4-5）。3項目すべてが認められないならば，皮膚の羊水を拭き取り，保温に努め，気道を開通する体位をとらせるルーチンケアを行う。また，産道感染による新生児結膜炎予防のため，正常新生児の出生直後（1時間以内）に抗菌薬の点眼を行う。

新生児のバイタルサインの基準値を次に示す。逸脱する場合は医師の指示の下，保育器などに収容し，適切な処置を行う。

・心拍数：120 〜 160 回 / 分

・体温：37℃前後

・血圧：60 〜 90mmHg/30 〜 50 mmHg

1. 呼吸状態（気道の開通）

出生直後の新生児の呼吸の特徴は，胸部と腹部が同時に上下する胸腹式呼吸をとる。1分間30 〜 60 回でリズムは不規則，5 〜 10 秒程度の無呼吸がみられることもある。呼吸数の異常（10秒以上の無呼吸が続く，50 回以上の多呼吸，30 回未満の呼吸数の減少），陥没呼吸，鼻翼呼吸，下顎呼吸，喘鳴，チアノーゼ・蒼白などの徴候がみられる場合は気道が閉塞されている可能性が高いため，気道を伸展させる。また，口腔内や鼻腔内にたまっている粘液は気道を閉塞するため，ガーゼでぬぐうか，必要時にはバルーンシリンジ™で口腔内を吸引する（図4-6）。吸引チューブで吸引する際は，咽頭深く挿入すると迷走神経反射が誘発され，徐脈や無呼吸を誘発するため注意する。

2. アプガースコア

アプガー（**Apgar**）**スコア**は，出生直後の新生児の健康状態を評価する指数である。出生後1分，5分，必要時 10 分の時点で5つの臨床所見を0点，1点，2点で採点する。1分値は新生児仮死の程度を示し，5分値は児の中枢神経系の予後と相関する。8 点以上を正常，4 〜 7 点は軽症仮死，3 点以下は重症仮死と判定する（表4-3）。

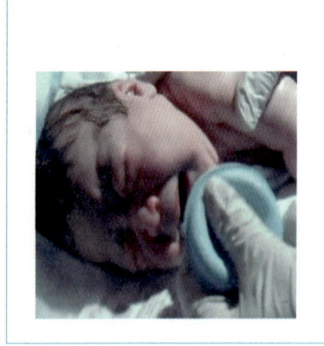

バルーンシリンジ™の使い方
①バルーンを握り圧縮した状態で，先端を児の口腔内に挿入する。
②圧縮を開放し，口腔内の分泌物を吸引する。
③吸引物は，バルーンを握り圧縮して排出する。

バルーン

図4-6 バルーンシリンジ™による吸引

第
5
編

1
妊娠期にある母
子の生理と看護

2
分娩期にある母
子の生理と看護

3
産褥期にある母
子の生理と看護

4
新生児の特徴と
生理的変化と看護

付
周産期にある母
子の看護の事例

表4-3 アプガースコア

項目	0点	1点	2点
心拍数	なし	100回/分未満	100回/分以上
呼吸	なし	弱い啼泣	強い啼泣
筋緊張	だらんとしている	四肢を多少屈曲	四肢をしっかり屈曲
刺激に対する反応	無反応	顔をしかめる	啼泣
皮膚色	全身蒼白または暗紫色	体幹はピンク色・四肢はチアノーゼ	全身ピンク色

正常：8〜10点，軽症仮死：4〜7点，重症仮死：0〜3点
※「軽症仮死：4〜6点」とする場合もある。

表4-4 シルバーマンスコア

項目	0点	1点	2点
胸壁と腹壁の動き	同時に上昇	吸気時に胸部の上昇が遅れる	シーソー呼吸
肋間の陥没呼吸	なし	軽度	著明
剣状突起下の陥没呼吸	なし	軽度	著明
鼻翼呼吸	なし	軽度	著明
呻吟	なし	聴診器で聴取可能	聴診器なしで聴取可能

正常：0〜1点，呼吸窮迫：2〜4点，重篤：5〜10点

　呼吸障害が認められる場合は，**シルバーマンスコア**（Silverman's retraction score）を用いて呼吸状態を判定する。観察項目は，胸壁と腹壁の動き（同時に上昇するか否か），肋間の陥没呼吸の有無，剣状突起下の陥没呼吸の有無，鼻翼呼吸の有無，呻吟の有無の5つである。0〜1点を正常，2〜4点は呼吸窮迫，5点以上は重篤と判定する（表4-4）。

3. 発育の評価

　新生児の発育を身体計測値と外表所見および神経学的所見から評価する。身体計測値は子宮内での児の発育の指標であり，その後の発育異常の早期発見や危険の予測が可能となる。医療処置やケアの必要性の判断基準となる。

1 身体計測

　出生直後に体重，身長，胸囲，頭囲を測定する。体重，頭囲などは生後数時間で変化するため，出生後できるだけ早期に計測する。

▶ **体重**　子宮内で児が在胎週数に見合った発育をしていたかを評価するうえで最も重要である（表4-1参照）。児を全裸にし，水平な場所に置いた体重計の上に乗せて測定する（図4-7a）。

▶ **身長**　正期産児の平均身長は約50cmである。測定は2名で行い，補助者が仰臥位にした児の頭部を固定し，計測者が下肢を伸展させ，身長計もしくはメジャーを用いて頭部先端から足底部までを測定する。

　体重および身長は，在胎期間別出生時体格標準値（図4-2, 3参照）に照らし合わせ，在胎週数に見合った発育をしているかを評価し，分類される（表4-5）。

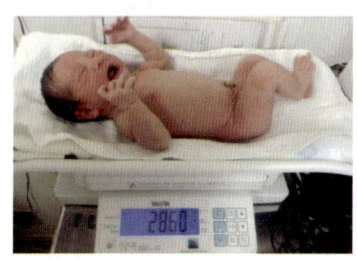

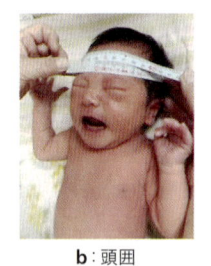

a：体重

b：頭囲

c：胸囲

VIDEO

図4-7 発育の評価：身体計測

表4-5 在胎期間別出生時体格標準値による分類

分類	体重	身長
small for dates（SFD）	標準の 10 パーセンタイル未満	標準の 10 パーセンタイル未満
small for gestational age（SGA）		
light for dates（LFD）*	標準の 10 パーセンタイル未満	標準の 10 パーセンタイル以上
light for gestational age（LGA）*		
appropriate for dates（AFD）	標準の 10〜 90 パーセンタイル	—
appropriate for gestational age（AGA）		
heavy for dates（HFD）*	標準の 90 パーセンタイル以上	標準の 90 パーセンタイル未満
heavy for gestational age（HGA）*		
large for dates（LFD）*	標準の 90 パーセンタイル以上	標準の 90 パーセンタイル以上
large for gestational age（LGA）*		

＊原則として，略語のみの記載は不可とされている。

▶ **頭囲**　正期産児の平均頭囲は約 33cm である。出生時の頭囲は胸囲より大きい。眉間と後頭結節を結ぶ周径を測定する （**図 4-7b**）。

▶ **胸囲**　正期産児の平均胸囲は約 32cm である。出生時の胸囲は頭囲より小さい。左右の乳頭を通り，両肩甲骨の下を通る周囲径を測定する （**図 4-7c**）。

2 ｜ 成熟度の評価

❶在胎週数の推測

　出生後の新生児の所見から在胎週数を推測することは，子宮内発育の評価，今後起こり得る合併症の予測，予後の評価に役立つ。特に，早産児，低出生体重児の場合は重要であ

る。在胎週数の推測には，デュボビッツ（Dubowitz）法，もしくはニューバラード（New Ballard）法が用いられる。

▶ **デュボビッツ法**　11 項目の外表所見と 10 項目の神経学的所見による評価点の合計（x）から，在胎週数（y）を $y = 0.2642x + 24.595$ で計算する。外表所見は出生後できるだけ早期に，神経学的所見は分娩の影響がなくなる 24 時間以降に評価するのが理想である。28 週未満の未熟児や人工換気中の重症度の高い児は，正しい評価ができないため，対象外となる。± 2 週間の誤差があること，評価項目が多く時間を要するという欠点がある。

▶ **ニューバラード法**　デュボビッツ法の欠点を補うものとして，ニューバラード法がある。6 項目の神経筋成熟度（表 4-6a），7 項目の身体的成熟度（表 4-6b）による評価点の合計（x）から，在胎週数（y）を $y = 0.4x + 24$ で計算する。病的な児にも応用できる。できる限り出生後の早期に，もしくは 12 時間以内に実施する。ただし，神経筋成熟度は出生後 24 時間以内には安定しないため，在胎週数と大きくかけ離れる場合には，出生後 24 時間頃に 2 回目を実施する。

❷その他の所見

腋窩や鼠径部に限局した胎脂の付着（図 4-8a，b），3cm を超える髪の毛の長さ，鼻皮脂（図 4-8c），指頭を超える爪の長さなども**成熟徴候**として評価できる。

4. 外観（形態異常の評価）

児は骨盤腔を通過し，娩出される際，産道で圧迫される。分娩外傷として，頭部，顔面，上肢，鎖骨などを損傷することもある。特に出血を伴う頭部の損傷は，緊急な対応を要することもある。奇形などの形態異常は，疾病と関連もあり，成長・発達にも影響を及ぼすことから，視診と触診により全身をくまなく観察し，必要時は早期に小児科医の診察を受ける。

1 姿勢

新生児は，身長に対する頭部の比率が大きい 4 頭身である。姿勢は屈曲位で，上肢を W 字，下肢を M 字に屈曲し，左右対称の姿勢である。手は軽く握った状態で，下顎は胸部に接している。胸部に比べ腹部が大きく，足は背屈している（図 4-9）。早産児の場合は，筋緊張が低下し，四肢の伸展がみられる。分娩外傷による上腕神経叢の過伸展はエルブ麻痺とよばれ，上腕の挙上ができなくなる。前腕神経叢の過伸展はクルンプケ麻痺とよばれ，手指の運動に障害を生じ，鷲の手様の特徴的な指の形をとる。

2 頭部

頭蓋骨は化骨が不十分で柔らかいため，経腟分娩の場合は応形機能と産道圧迫の影響により，出生直後は左右非対称な形をしていることが多い。疾病と関連することもあり，視診，触診により観察する（表 4-7）。

表4-6 ニューバラード法

a：神経筋成熟度

スコア	−1	0	1	2	3	4	5
姿勢							
手の前屈角（手首）	>90°	90°	60°	45°	30°	0°	
腕の反跳		180°	140-180°	110-140°	90-110°	<90°	
膝窩角	180°	160°	140°	120°	100°	90°	<90°
スカーフ徴候							
踵耳徴候							

在胎週数 ＝0.4 × 合計点 ＋24

b：身体的成熟度

スコア	−1	0	1	2	3	4	5
皮膚	ねばねばする, もろい, 透明	ゲル状, 赤い, 半透明	なめらか, ピンク：静脈が見える	表面剝脱および/または発疹：静脈がわずかに見える	ひびわれ, 部分的蒼白：静脈はほとんど見えない	羊皮紙様深いひびわれ：血管は見えない	皮革様ひびわれしわ
胎毛	なし	まばら	豊富	うすい	無毛部あり	大部分が無毛	
足底表面	踵からつま先40-50mm：−1 <40mm：−2	>50mm, しわなし	かすかな赤い線	前部を横断するしわのみ	しわ前部2/3	足底全体のしわ	
乳房	認知できない	わずかに認知できる	平坦な乳輪ふくらみはなし	点刻状の乳輪ふくらみ1-2mm	隆起した乳輪ふくらみ3-4mm	完全な乳輪ふくらみ5-10mm	
眼/耳	眼瞼の癒着ゆるい：−1 きつい：−2	眼瞼開いている： 耳介平ら：折れたまま	わずかに曲がった耳介：柔らかい：緩やかな跳ね返り	よく曲がった耳介：柔らかいが即座の跳ね返り	形作られていて硬い, 瞬時の跳ね返り	厚い軟骨, 耳が硬い	
性器（男児）	陰嚢が平坦, なめらか	陰嚢が空, かすかなしわ	精巣が上管内, わずかなしわ	精巣が下降中, 少ないしわ	精巣が低位置, かなりのしわ	精巣が下垂, 深いしわ	
性器（女児）	陰核が突出陰唇が平坦	陰核が突出小陰唇が小さい	陰核が突出小陰唇が比較的大きい	大陰唇と小陰唇が同程度に突出	大陰唇が大きく小陰唇が小さい	大陰唇が陰核と小陰唇を覆う	

スコア	週数
−10	20
−5	22
0	24
5	26
10	28
15	30
20	32
25	34
30	36
35	38
40	40
45	42
50	44

Ballad, J. L., et al. : New Ballard score；expanded to include extremely premature infants. The Journal of Pediatrics. 119（3）：417-423. 1991. を参考に作成.

3 | 奇形（形態異常または異形成）

▶ **大奇形**　生存上または生活上，支障をきたすと予想される奇形を指す。先天性心疾患，先天性食道閉鎖，臍ヘルニア，鎖肛，性分化異常，口唇・口蓋裂，合指（趾）症などがあり，外表から奇形を発見できる場合と，診察により発見される場合とがある。鎖肛は出生直後に肛門計を使った体温測定により発見が可能である。手足の指は必ず1本1本開きなが

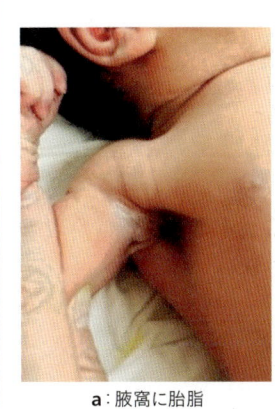
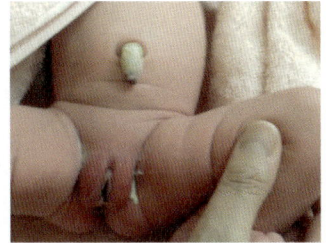
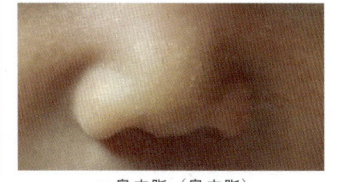

a：腋窩に胎脂　　　　b：鼠径部に胎脂　　　　c：鼻皮脂（鼻皮脂）

図4-8 発育の評価（成熟徴候の例）

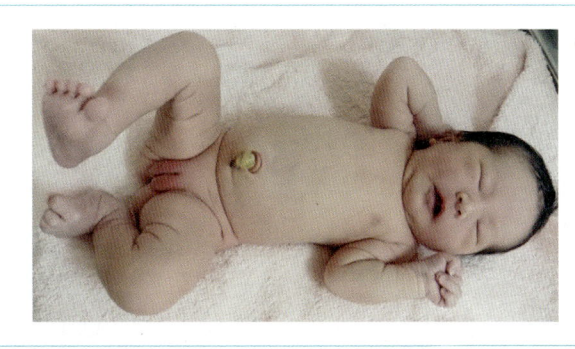

図4-9 成熟児の姿勢

表4-7 頭部の観察

大きさ	頭部が身体に比して異常に大きい（頭囲が胸囲よりも3cm以上大きい）場合は，水頭症の頻度が高い。一方，頭部が身体に比して異常に小さい場合は，小頭症の可能性がある。
骨重積	骨縫合の位置で頭蓋骨が重なり変形を起こす。数日で消失する。
大泉門	前頭部にある菱形の間隙で，1歳半頃に閉鎖する。大泉門が緊張し膨隆している場合は頭蓋内出血や感染症，陥没している場合は，脱水を疑う。
小泉門	後頭部にある三角形の間隙。正期産児では閉じていることもある。
産瘤	産道通過時の圧迫により，児頭先進部にできた浮腫である。表在性の組織にでき，境界は不明瞭である。数日で消失する。第1胎向では右頭頂骨後部に，第2胎向では左頭頂骨後部にできる。
頭血腫	産道通過時の圧迫により骨膜が頭蓋骨から剝離し，骨膜下に血腫が形成される。1つの頭蓋骨の範囲に限局し，縫合を超えることはない。波動を触れる腫瘤で，数か月以内に自然吸収される。血腫の穿刺吸引は感染の原因となるため，実施しない。血腫は高ビリルビン血症の原因ともなり，早期黄疸の要因となり得る。
帽状腱膜下血腫	帽状腱膜と頭蓋骨骨膜の間に生じる出血である。出生後数時間が経つと眼瞼や耳介周囲に皮下出血が広がり，頭部に膨隆が認められる。出血が多量の場合はショック状態となり，輸血や輸液の対応が必要となる。

ら確認する。口唇・口蓋裂を認める場合は，哺乳への影響を検討する必要があるため，早期に専門医の診査を受ける。性分化異常は，外性器から男女の区別がつかないこともあり，精密検査実施後に性別が決定される。

▶ **小奇形** 　そのまま様子をみても生活上特に支障をきたさない奇形を指す。耳介変形，耳介低位，小顎症，猿線などが該当する。耳介低位や耳介変形などの奇形は，染色体異常や聴力の異常の可能性もあることから，精密検査が必要となる場合もある。小奇形を複数もつ場合は，大奇形を同時にもつ可能性が高いことから，全身をくまなく観察する。

5. 黄疸の評価（図4-10, 11, 表4-8①, ②）

血清ビリルビン値は生後4〜5日頃にピークに達し，その後低下し，黄疸は消失する。生後2週間以上続く黄疸を**遷延性黄疸**という。入院中は経皮ビリルビン濃度測定器で少なくとも1日1回は測定し，生理的か否かをアセスメントする。

6. 新生児の行動の評価

新生児は短い覚醒と睡眠を繰り返す。生後3〜5日では1回の睡眠時間は約3時間であり，1日の総睡眠時間は約14〜18時間である。レム（REM）睡眠が総睡眠時間の約4割を占め，生後の月齢が進むにつれてレム睡眠の割合は少なくなる。睡眠−覚醒リズムは，

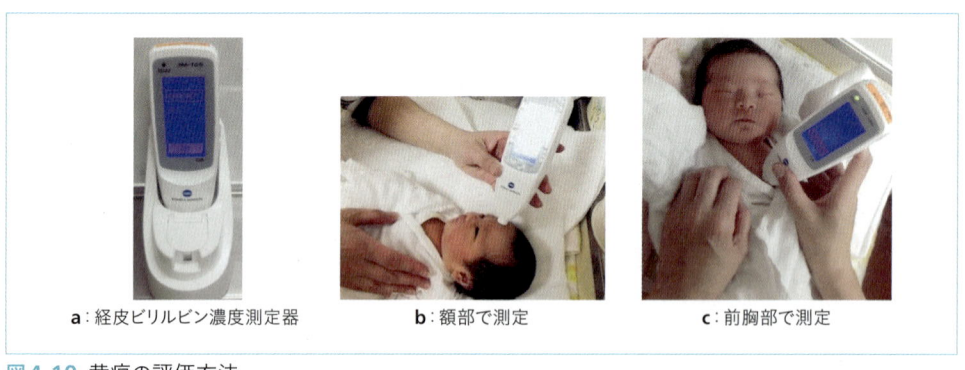

a：経皮ビリルビン濃度測定器　　**b**：額部で測定　　**c**：前胸部で測定

図4-10 黄疸の評価方法

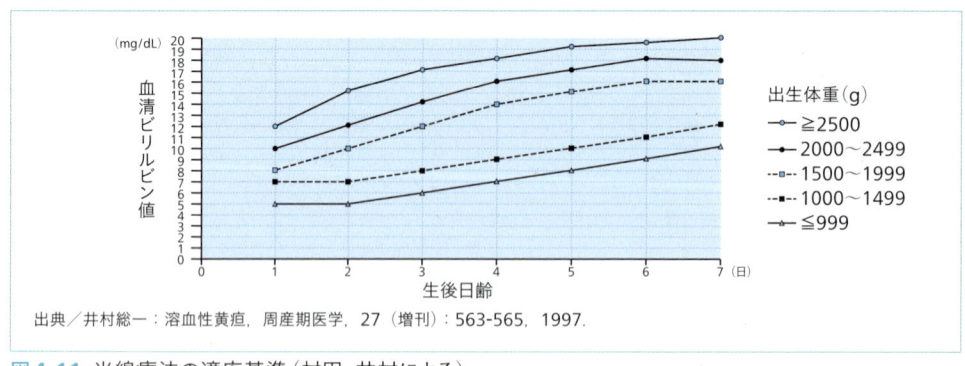

出典／井村総一：溶血性黄疸，周産期医学，27（増刊）：563-565, 1997.

図4-11 光線療法の適応基準（村田・井村による）

表4-8① 血清ビリルビン値（mg/dL）による光線療法・交換輸血の適応基準（中村による）

出生体重（g）	＜24時間	＜48時間	＜72時間	＜96時間	＜120時間	＞5日
光線療法						
〜999	5	6	6	8	8	10
1,000〜1,499	6	8	8	10	10	12
1,500〜2,499	8	10	12	15	15	15
2,500〜	10	12	15	18	18	18
交換輸血						
〜999	8	10	12	12	15	15
1,000〜1,499	10	12	15	15	18	18
1,500〜2,499	10	15	18	20	20	20
2,500〜	12	18	20	22	25	25

表4-8② アンバウンドビリルビン濃度（μg/dL）による光線療法・交換輸血の適応基準（中村による）

出生体重（g）	光線療法	交換輸血
〜1,499	0.3	0.8
1,500〜	0.6	1

＊血清ビリルビン値，アンバウンドビリルビン値のいずれかが基準を超える場合に治療を開始する。
出典／神戸大学医学部小児科編：新版　未熟児新生児の管理 - 大改訂 -, 日本小児医事出版社, 2000, p.233.

騒音や照明，室温・湿度などの刺激や環境によって影響される。静かで適切な明るさ，快適な室温・湿度を保つように努める。

1 新生児行動評価

　新生児行動評価（neonatal behavioral assessment scale；NBAS）は，1973年に小児科医ブラゼルトン（Brazelton, T.B.）によって開発された新生児の神経行動発達の評価方法である。評価項目は28項目の行動評価と18項目の神経学的評価から構成され，行動評価項目は9段階，神経学的評価項目は正常反応，低反応，過剰反応，非対称性の4段階の尺度で評価される。新生児行動は，慣れ反応（睡眠状態の安定性），相互作用（敏活性，視聴覚刺激に対する注意と反応性），運動（運動の成熟性），状態の組織化（stateの安定性），状態調整（stateの調整能力），自律神経系の安定（自律神経系のストレス徴候の現れやすさ），誘発反応（筋緊張・原始反射）の7つの項目で示される。診断ツールではなく，新生児の発達や養育者の関係性をはぐくむための介入ツールである[1]。

2 意識レベルの評価

　新生児の行動は，意識レベルと関係が深い。ブラゼルトンによって，新生児の意識レベル状態（state：ステート）は，state 1〜6までの6段階に分類されている。そのうち，睡眠状態は，目を閉じているstate 1（深睡眠）とstate 2（浅睡眠），覚醒状態は，目を開けているstate 3（もうろう状態）〜6（啼泣）に評価される（表4-9）。

表4-9 新生児の意識レベル（state）とその特徴

意識レベル		特徴
睡眠状態 sleep state	state 1（深睡眠）	目を閉じており，眼球運動なし。規則的な呼吸。心拍数は100〜120回/分。時にびっくりするような動きをする。強い外的刺激にのみ反応するが，state は変化しない。
	state 2（浅睡眠）	目を閉じているが，急速な眼球運動あり。不規則な呼吸。不規則な吸啜運動。四肢をわずかに動かす。外的刺激に対して驚き，state が変化する。
覚醒状態 alert state	state 3（もうろう状態）	目は開くか閉じており，まぶたを重そうにしている。ゆっくりとした四肢の動きをする。間隔刺激に対する反応は遅いが，state が変化する。
	state 4（静かな覚醒）	目は大きく開け，物や音に注意を向ける。体動は少なく，外的刺激に対する反応は遅い。
	state 5（活発な覚醒）	目を開け，体動は強く，四肢の動きは活発。外的刺激によって驚き，時に泣いたりする。活発な顔面の動きがある。
	state 6（啼泣）	目を開け，もしくはかたく閉じている。不快な刺激に敏感に反応し，強く啼泣する。呼吸は乱れている。

▌ 7. 母子関係における評価

　新生児期の母子相互作用は，母親からの刺激に対する新生児の反応であり，母親は児の反応から児への愛着や母親としての能力が促進されていく。応答性に富んだ児の母親は，児の反応から刺激を受け，より児への応答性や感受性を高めていく。看護者は，母親の表情，声かけ，児への接触態度から，愛着形成が高まっているかを評価する。愛着形成を阻害する母親側の要因には，妊娠を受容できなかった，望んだ性の児でなかった，児の健康状態が悪い，などがあげられる。

▌ 8. 新生児の検査

1 ▏新生児マススクリーニング

　新生児マススクリーニングは**先天性代謝異常検査**ともいわれ，食事療法や薬物療法を生後早期に開始することで，ほぼ正常の発育が期待できる疾患を発見することを目的とした

表4-10 先天性代謝異常等マススクリーニングの種類と発見率

種類	疾患名	発見率
内分泌異常	クレチン症（先天性甲状腺機能低下症）	1/1,300
	先天性副腎過形成症	1/19,800
糖代謝異常	ガラクトース血症	1/35,500
アミノ酸代謝異常	フェニルケトン尿症	1/27,500
	メープルシロップ尿症（楓糖尿症）	1/851,200
	ホモシスチン尿症	1/212,800
有機酸代謝異常	プロピオン酸血症	1/31,500
脂肪酸代謝異常	中鎖アシル CoA 脱水素酵素（MCAD）欠損症	1/65,500

資料／厚生労働省：令和2年度先天性代謝異常等検査の実施状況について（情報提供）.

第 5 編

1 妊娠期にある母子の生理と看護

2 分娩期にある母子の生理と看護

3 産褥期にある母子の生理と看護

4 新生児の特徴と生理的変化と看護

付 周産期にある母子の看護の事例

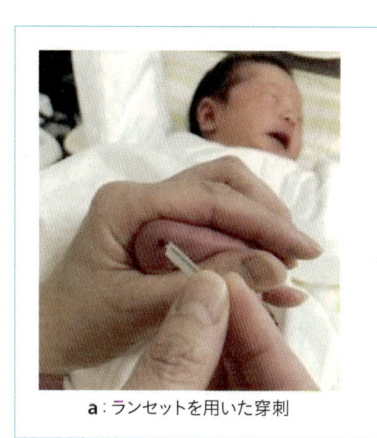  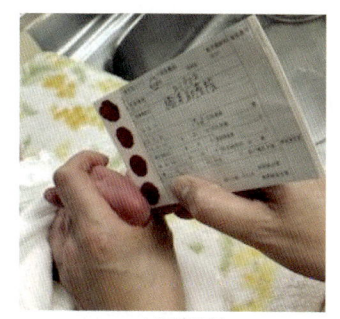

a：ランセットを用いた穿刺 　　　　b：穿刺部位 　　　　c：血液採取法

図4-12 新生児の検査：新生児マススクリーニング

検査である。タンデムマス法の導入により，先天性内分泌異常症2疾患，先天性代謝異常症4疾患，有機酸代謝異常症，脂肪酸代謝異常症を発見することが可能となった（表4-10）。

　新生児マススクリーニングは，新生児全員を対象に公費負担で行われる。代謝異常の検査であることから，一定量の乳汁が摂取された後でないと正確な検査結果が得られないため，哺乳量が安定した日齢4〜5に実施する。採血は足底の踵骨を避けた踵の両外側部をランセットを用いて穿刺し，指定の濾紙に血液を染み込ませ，乾燥後に検査センターに送付する（図4-12）。検査結果は1か月健診までに判明し，施設をとおして保護者に知らされる。

2 新生児聴覚スクリーニング

　新生児の聴覚障害の頻度は，出生1000人に対し1〜2人と報告されている。先天性聴覚障害が気づかれない場合，言語発達が遅れ，コミュニケーションに支障をきたし，情緒や社会性の発達にも影響を及ぼすが，早期発見・早期支援により，聴覚障害による影響を最小限に抑えることができ，言語の発達が促進される。難聴の早期発見を目的に，自動聴性脳幹反応（automated auditory brainstem response：AABR）または耳音響放射（otoacoustic emission：OAE）を用いた聴覚スクリーニングを実施する。

▶ AABR　音に対する反応を脳波で検出する方法。自動判定機能により35〜40dBのささやき声ほどの音を聞かせて，脳波を測定し，聴覚の異常を確認するもので，軽度の難聴から発見することが可能である（図4-13a）。

▶ OAE　内耳の機能を測定し，自動判定する方法。刺激音を聞かせることにより内耳に発生する微弱な反応を測定する。中耳の滲出液に影響されるため，出生直後は偽陽性率が高くなる（図4-13b）。

　いずれの検査も実施時期は，生後24時間以降が望ましい。児の睡眠下あるいは安静時に実施する。

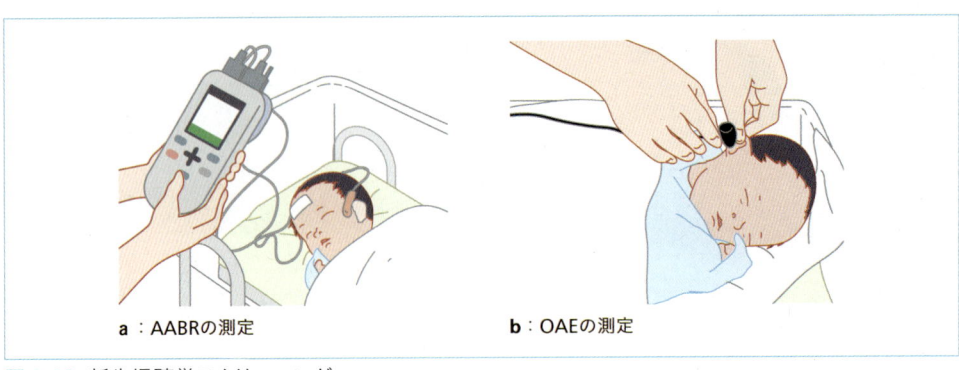

a：AABRの測定　　　　b：OAEの測定

図4-13　新生児聴覚スクリーニング

正期産新生児の健康状態のアセスメント

A　新生児の観察のポイント

　新生児とは，出生によって子宮内環境から子宮外環境（独立生活）への生理的適応が行われる時期の乳児である。適応の最初の試練は，母体に依存していた環境から自立して肺で呼吸することであり，産声はこの最初の適応を無事終えた証（あかし）である。

　胎外生活への第1歩は，呼吸をすること，血液を循環させること，栄養を摂（と）ること，体温を調節すること，記憶すること，これらを自らの力で成し遂げることである。

　健康状態のアセスメントの目的は，出生後の適応過程が日齢に応じて順調に経過していることを確認することである。呼吸・循環状態，体温，神経系，黄疸（おうだん），感染，栄養について得られた情報を関連づけ，バイタルサインの分析・評価を行う（図4-14）。

　新生児の観察に先立ち，家族歴（遺伝性疾患など），母親の妊娠・分娩歴（ぶんべん）や今回の妊娠・分娩経過，出生時の状態（アプガースコア，蘇生の有無），出生後の経過について，全体を理解したうえで観察を進める必要がある。新生児の観察の順序を次に示す（図4-15）。観察は，自ら訴えることのできない新生児の生理学的特徴を正しく理解し，把握することから始めなければならない。

　まず，観察に最も適した意識レベル（state）は，「静かな覚醒（state4）」である。個別のstateには特徴的な行動が認められるが，「静かな覚醒」は，開眼し瞳が輝き，呼吸は規則的で，体動が少なく，まわりの環境や刺激に注意を集中している状態である。したがって，観察者は，新生児の生理学安定およびstateの安定を脅（おびや）かさないようゆっくりアプローチし，静かに穏やかに観察を進める確かな技術が求められる。

　次に，観察時の留意点として，保温可能な環境を整え体温喪失を防ぐこと，手指を介して起こる水平感染を防止すること，診察用具を共有しないこと，さらに，観察項目と正常

第
5
編

1
妊娠期にある母
子の生理と看護

2
分娩期にある母
子の生理と看護

3
産褥期にある母
子の生理と看護

4
新生児の特徴と
生理的変化と看護

付
周産期にある母
子の看護の事例

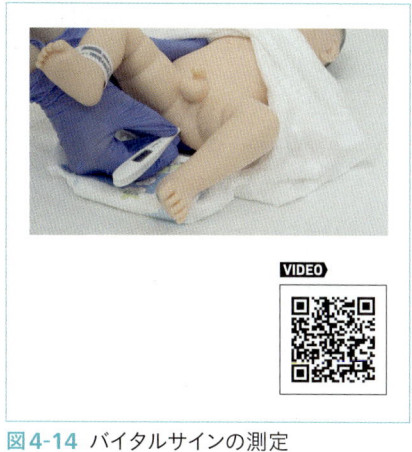

図4-14 バイタルサインの測定

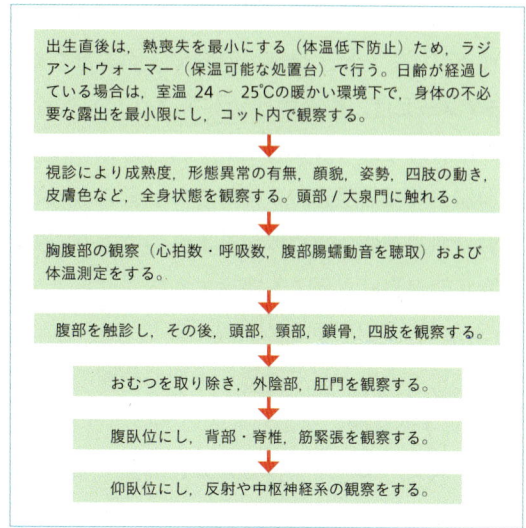

出生直後は，熱喪失を最小にする（体温低下防止）ため，ラジアントウォーマー（保温可能な処置台）で行う。日齢が経過している場合は，室温 24 ～ 25℃の暖かい環境下で，身体の不必要な露出を最小限にし，コット内で観察する。

視診により成熟度，形態異常の有無，顔貌，姿勢，四肢の動き，皮膚色など，全身状態を観察する。頭部 / 大泉門に触れる。

胸腹部の観察（心拍数・呼吸数，腹部腸蠕動音を聴取）および体温測定をする。

腹部を触診し，その後，頭部，頸部，鎖骨，四肢を観察する。

おむつを取り除き，外陰部，肛門を観察する。

腹臥位にし，背部・脊椎，筋緊張を観察する。

仰臥位にし，反射や中枢神経系の観察をする。

図4-15 新生児の観察の順序

値，観察順序（不快でない項目から徐々に不快な項目へ，視診から聴診，触診へ）を十分に理解し，苦痛でない方法を用いて新生児が我慢できる範囲内で短時間にすべての観察を終了する必要がある。もし，むずかったり泣いたりする場合は，前庭刺激（やさしく揺らす）やホールディング（手で四肢を包み込む）により自己調整能力を高め，安定と落ち着きを取り戻せるよう支援する必要がある。

B 新生児の全身の観察

1. 姿勢の観察

　正期産新生児では，子宮内の姿勢を反映し，手は軽く握り，上腕を少し曲げ，股関節はわずかに外転し，床面から浮いた状態で保たれる。この姿勢が上肢は W 字型，下肢は M 字型と表現される。しかし，筋緊張が低下した状態では，体幹・四肢ともにベッドにぴったりついた蛙様肢位（frog-legged posture）を取ることが多い。一方，早産児では，在胎週数が短いほど四肢は伸展位となり，筋緊張は相対的に低下することから，在胎週数や児の状態に応じた評価が重要となる。

　観察は，動きに左右差がないか，少しの刺激でもビクビクするような易刺激性がないか，自転車こぎ，水泳のクロールのような動き，口をもぐもぐさせるなどの痙攣様の動きがないかを確認する。

2. 皮膚の観察

　新生児の皮膚は赤みのあるピンク色をしており，全身あるいは頸部，腋窩，鼠径部など

に白色チーズ様の胎脂が付着している（**図4-8** 参照）。胎脂には皮膚保護作用や体温低下防止作用があるため，無理に除去する必要はない。

チアノーゼは，血液中還元ヘモグロビンが増加し，その色を反映して皮膚色が暗紫色を帯びる状態である。口腔粘膜や舌，あるいは全身チアノーゼの出現（中心性チアノーゼ）は，循環器や呼吸器疾患が背景にあると考えられる。一方，手掌や足蹠のチアノーゼは，末梢血管の血流が遅いために起こるものであり，生後6〜24時間の新生児でよく認められる。全身状態が良好な児でも寒冷にさらされると毛細血管が収縮し，一過性に網目状の模様（大理石様皮膚）が出現する。保温により，速やかに消失する。

新生児の表皮・真皮は薄く，特に角層の構造は未発達である。感染を起こしやすく，物理的・化学的刺激に対しても弱いといわれる。新生児の皮膚表面pHは成人皮膚のpH（4.3〜5.5）に比べてアルカリ性だが，日齢とともに酸性に傾いていく。

皮膚は生後2〜3日すると乾燥し，落屑がみられる。新生児期の皮膚にはこの時期に様々な生理的変化が生じるが，それらは一過性であり，自然消退するものも多い。**新生児稗粒腫**は，鼻，頬，前額部に多く出現する角質を含んだ小さな嚢腫で，1〜2mmの白色丘疹として認められる。数週間で消失する。**新生児中毒性紅斑**は，出生24時間以降の成熟児に多くみられる，脚部，胸部，さらに全身に出現する5〜15mmくらいの紅斑である。内部が白く膿瘍様にみえるが，無菌であり好酸球を認める。治療は不要で48時間以内に消失する。眼瞼，眉間，額の正中部，口唇付近にみられる薄い紅色の**サーモンパッチ**は，コウノトリの嚙み跡（stork bite）ともよばれ，また後頸部にみられるのは，やや色の濃い**ウンナ母斑**である。これらは多くの新生児に認められ，乳児期に消失する。

┃ 3. 頭部の観察

正期産新生児の頭囲は33〜34cmであり，頭部が身体に対して大き過ぎたり，小さ過ぎたりしていないかを観察する。また，産瘤，頭血腫，帽状腱膜下血腫の有無も確認する。産瘤とは，産道を通過する際に先進部に形成された浮腫であり，骨縫合を超えて存在し，1〜2日で消失する。頭血腫は，頭蓋骨と骨膜との間に血液が貯留したもので，波動があり，骨縫合を超えない。帽状腱膜下血腫は，帽状腱膜と骨膜の間のまばらな結合組織に生じた出血である（第6編 - 第4章 - Ⅱ-B「分娩時外傷」参照）。大泉門の膨隆や陥凹の有無についても観察する。

さらに，啼泣時の顔面の動きにも注意が必要である。分娩時の圧迫による顔面神経麻痺では，麻痺側は閉眼できず，口角のゆがみが認められる。特異顔貌が染色体異常や遺伝子疾患の診断につながる場合もあり，その特徴を理解しておくことも大切である。

┃ 4. 呼吸器系・循環器系の観察

呼吸器系と循環器系は，関連づけて観察することが重要である。出生後の適応過程では，両者は複雑に影響し合っており，したがって，呼吸状態，循環状態，皮膚色，皮膚温

は，併せて観察する。なかでも，皮膚色は，心肺機能に関する重要な評価指標であり，チアノーゼを把握しにくい場合は，粘膜や舌で判断することもある。

1 出生時の呼吸・循環の確立

出生に伴い，胎盤循環が停止し，肺呼吸が始まる。肺動脈の酸素分圧の上昇は，肺血管の収縮を解除し，肺血管抵抗を低下させる。肺血管抵抗の低下により，肺への血流が急増する。左心房・左心室への還流血流および左室拍出量が増加し，体血圧が上昇する。動脈管が急速に閉鎖，卵円孔（らんえんこう）も閉鎖へと向かう。胎児循環はわずか数秒で劇的に変化し，新生児〜成人循環へ移行する。

出生した瞬間の第1啼泣により，肺液で満たされていた肺胞が空気で満たされ，肺毛細管床（しょう）を介するガス交換が開始すると，急激に動脈血酸素分圧（PaO_2）が上昇する。PaO_2の上昇により，これまで固く収縮していた肺動脈平滑筋層（へいかつきん）が弛緩し，肺血管抵抗が低下，肺血流の急激な増加，左心房還流血液の増加，左室拍出量の増加へと進む。臍帯結紮（さいたいけっさつ）により臍帯血流が遮断（しゃだん）され，静脈管が収縮する。出生後のPaO_2上昇によって動脈管も収縮し（12時間以内），さらに左心房還流血流の増加により左心房容量が増加し，卵円孔も機械的に閉鎖（生後1〜2か月）に向かう。

2 心音の聴診

心拍数を1分間測定し，併せて，速さ，リズム，大きさ，心雑音の有無などを観察する。新生児で聴取される心音は，房室弁が閉じるⅠ音，大動脈弁と肺動脈弁が閉じるⅡ音であるが，心雑音に気づいた場合は，その時相（収縮期か，連続性かなど），強さ（Levine分類1〜6度），性状，最強点などを確認する。

心疾患を疑う徴候として心雑音，チアノーゼ以外に見落としてはならない症状は，呼吸が速い（多呼吸），陥没（かんぼつ）呼吸，尿量減少，末梢（まっしょう）冷感，哺乳力（ほにゅうりょく）不良，活動性の低下がある。「何となくおかしい」「何となく元気がない」「何となく皮膚色がさえない」という"not doing well"の状態を見逃さないことが大切である。

3 呼吸

呼吸の確立には，肺サーファクタントが欠かせないが，肺サーファクタントが肺胞内面全体を均一に覆うことによって肺胞の虚脱を防ぐ一方で，空気の流入を容易にさせている。呼吸の開始により肺の血管抵抗が減少し肺血流が増加し，肺内におけるガス交換が開始される。

新生児の呼吸器系の特徴として，①呼吸数が多い，②横隔膜優位の呼吸である，③胸郭（きょうかく）が柔らかい，④鼻呼吸である，⑤呼吸調整が未熟である，があげられる。①呼吸数が多い理由は，代謝が活発で体重当たりの酸素消費量が成人に比べて多いこと，しかし，体重当たりの1回換気量は成人と変わりないことから，酸素消費量の多いぶん呼吸回数を増やし，

第5編

1 妊娠期にある母子の生理と看護
2 分娩期にある母子の生理と看護
3 産褥期にある母子の生理と看護
4 新生児の特徴と生理的変化と看護
付 周産期にある母子の看護の事例

分時換気量を増加させることで代償しているためである。②新生児の呼吸運動は，横隔膜の収縮，弛緩に依存して行われており，吸気時には横隔膜の収縮により腹腔内圧が上昇し，腹壁が上がる腹式呼吸となる。③新生児は，胸郭が柔らかく気道閉鎖が起こりやすく酸素化効率が悪い。④新生児期には強制的経鼻呼吸がみられるが，鼻呼吸は口呼吸に比べて気道抵抗が高く，容易に分泌物による換気障害を起こす。⑤呼吸調整の未熟性については，神経系ならびに化学受容体からの伝達の未熟性などにより，生後数時間は呼吸が不規則で周期性呼吸となる。なお，努力呼吸の観察には，5項目からなるシルバーマンスコアが有用である（表4-4参照）。

4 | 胸腹部

　正期産新生児の胸部は円筒状で，胸囲は32〜33cmである。生後2〜3日頃から乳房が腫脹し，乳輪部を中心に硬結が触れ，数週間持続することがある。時に乳汁分泌がみられ，奇乳とよばれる。これは，母体由来あるいは胎盤由来のエストロゲンが出生後急速に消退するためである。

　腹部は柔らかく，空気の嚥下や哺乳により軽度膨満している。臍帯は生後数日で乾燥し，生後6〜8日で脱落する。自然乾燥法が推奨されている。いつまでもジクジクし湿潤液や出血を認める場合は臍肉芽腫（赤色，半米粒大〜小豆大）の可能性があり，硝酸銀で焼灼する[2]。

5. 体幹，四肢の観察

　四肢は姿勢，形態異常および変形の有無，可動性について観察する。上肢は屈曲位で動きは対称的である。腕神経叢麻痺や中枢神経系の損傷や骨折に注意する。下肢では，大腿部・殿部のしわが対称性であること（図4-16a），クリックサインや開排制限がないこと（図4-16b）を確認する。

6. 外性器の観察

　外陰部の所見は成熟度により影響を受ける。女児では大陰唇が小陰唇を覆っている。母

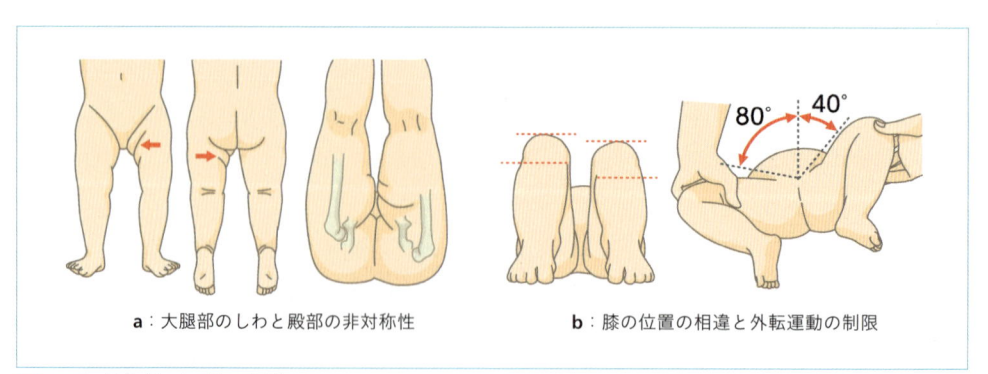

a：大腿部のしわと殿部の非対称性　　　b：膝の位置の相違と外転運動の制限

図4-16 新生児の下肢の異常

第5編
1 妊娠期にある母子の生理と看護
2 分娩期にある母子の生理と看護
3 産褥期にある母子の生理と看護
4 新生児の特徴と生理的変化と看護
付 周産期にある母子の看護の事例

胎の卵胞ホルモンの影響により，生後 3 ～ 5 日頃に新生児月経や白色乳状腟分泌物，粘膜の肥厚（処女膜ポリープ*）を認めることがある。男児では，精巣が陰嚢内に下降している。尿道開口部の位置や陰嚢水腫，停留精巣を観察する。おむつにレンガ色の尿が付着することがあるが，尿酸塩の結晶であり正常範囲内である。さらに，肛門の位置（前方に偏移していないか）や鎖肛の有無を確認する。泌尿生殖器系の瘻孔がある場合は，胎便の排泄が認められる[3]。

7. 排尿，排便の観察

排尿は一般的に健康な新生児では分娩時に約 15% でみられ，95% の児で 24 時間以内の排尿を認める。排便は 99.7% の児で出生後 34 時間以内に認められている。多くの場合，生後 24 時間以内に暗緑色で無臭，粘稠の胎便が排泄され，生後 3 日頃に終了する。生後 5 日くらいで黄色便（母乳便，人工栄養便）に移行する（図 4-17）。母乳摂取量の増加とともに排尿回数も増え，生後 7 日頃には 10 回前後 / 日となる。

排便の遅れは出生後 34 時間が目安となり，肛門の有無，皮膚，腟，尿道などの瘻孔の有無を確認することが大切である。胎便排泄遅延は消化管の疾患がその原因となることが多く，全身状態の観察が重要である。便の排泄遅延に伴って嘔吐，特に胆汁性嘔吐，腹部膨満，血便，黄疸の増強など，バイタルサインの変化と併せて観察が重要である。

8. 背部，殿部の観察

正常な新生児の脊柱は平らで，わずかに彎曲している。腹臥位にして，脊柱に異常な開口や塊がないかどうかを視診する。肛門上部の尾骨部に小陥凹があり嚢腫状の腫脹を示すものは，毛巣洞という。多毛を認めるのでこの名前があるが，脊髄との交通はないとされている。

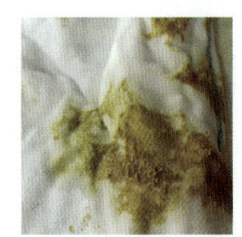

a：胎便　　　b：移行便　　　c：母乳便

図4-17 便の性状

＊ 処女膜ポリープ：出生直後の女児の陰裂間にみられる浮腫状の突起物のことをいう。ポリープと呼称するため良性腫瘍の一種とされるが，病的なものではなく，生理的なものとして理解されている。低出生体重児に多くみられる。

9. 神経学的状態の観察

神経学的状態をみるために，原始反射を観察する。原始反射とは，正常新生児が生まれつきもっているが，成長とともに消失する反射のことである。ここでは，手掌把握反射，足底把握反射，引き起こし反射，モロー（Moro）反射，ギャラン（Galant）反射について述べる（表4-2参照）。

▶ **手掌把握反射**　観察者の指を児の手のひらに置いて手掌を刺激すると，握るように指を屈曲させる。生後3〜4か月頃に反射が消失すると，物をつかめるようになる。

▶ **足底把握反射**　児の足の付け根を圧迫すると足の指を屈曲させる。生後6か月をピークに生後9〜10か月頃まで徐々に減弱し消失する。

▶ **引き起こし反射**　両手を持って上体を引き起こすと，手足を屈曲させ首を持ち上げようとする。

▶ **モロー反射**　児を仰臥位に保ち，一方の手で後頭部を支え頭を持ち上げ，その後，突然数cm頭を落としたときに出る反射である。両上肢はまず開き，その後側方から抱きつくような動作をする。生後3〜4か月までにほぼ消失する。

▶ **ギャラン反射**　児を腹臥位にして腹部を支えて持ち上げた姿勢で，第12肋骨と腸骨稜の間の皮膚を刺激すると，体幹が刺激した側に屈曲する。頭部が垂直に保持できるようになり，正中線で両手が使用できるようになると弱くなる[4]。

10. 身体計測の方法と正常値

本章-Ⅱ-A-3-1「身体計測」を参照。

C 生理的体重減少

胎児期には腎血流は少なく，腎臓の行うべき機能の大半は胎盤によりなされているが，出生後，胎盤の循環が途絶し腎血流量が増加すると，腎機能は大きく変化する。新生児の腎臓の機能は未熟であり，腎の濃縮力が悪いため，水の不足に弱く脱水を起こしやすい。

また，成人に比べて水分量が多く，体水分量は体重の75〜80%，細胞外液は体重の45%を占める。生後4〜6時間で水分は血管内から血管外に移動し，一過性の血液濃縮が生じる。生後2〜3日に約5〜10%の生理的体重減少（成熟新生児では，出生体重の10%を超えない範囲である）がみられる。新生児では，血管外細胞外液（間質液）が尿や不感蒸泄として排泄されること，体重当たりの体表面積が大きいこと，皮膚の角質層が薄いこと，皮膚の血流が多いことなどが理由としてあげられる。

第5編

1 妊娠期にある母子の生理と看護

2 分娩期にある母子の生理と看護

3 産褥期にある母子の生理と看護

4 新生児の特徴と生理的変化と看護

付 周産期にある母子の看護の事例

D 日常生活のアセスメント

1. 哺乳状態のアセスメント

　出生直後の早期母子接触は，体温調節，酸素化，肺液吸収，自律神経系の安定，内分泌系の安定，常在細菌叢（そう）の移行，SIgA（分泌型 IgA 抗体）の移行などの互恵的な生理作用を伴っている。こうした生理作用を背景にして，この特定の時期の濃厚な母子交流は母親としてのアイデンティティの確立，泌乳（ひつにゅう）の促進，哺乳（ほにゅう）行動の確立，児の発達促進などの効果があり，その後の母乳育児へつながっていくと考えられている。

　直接哺乳の場合，児は探索反射により乳頭をとらえ口唇反射により口を大きく開いて乳房（乳頭と乳輪の一部）を密閉し，口腔（こうくう）周囲筋を使って哺乳する。ケア提供者は，児の全身状態が良好で口腔内の形態にも問題がない場合，まずは実際に哺乳している様子を観察する。母子がリラックスして授乳ができているか，抱き方や乳首の含ませ方が適切であるかを確認する。

　児の身体的側面・行動学的側面，母親の社会的側面の観察，支援については，まず，身体的側面として，呼吸状態，循環状態を含む一般状態，吸啜・嚥下（きゅうてつ・えんげ）・呼吸の協調の状態，開口状態，筋緊張の状態を観察する。次に行動学的側面として，母乳を欲する（空腹）早期のサイン，満足しているサインを理解し，読み取ることである。哺乳に適した状態とは，ブラゼルトンの意識レベルの state3（うとうとした状態），state4（静かな覚醒（かくせい）），state5（はっきりと覚醒・活発な自発運動）であり，この段階で哺乳を開始するのが望ましい。児が母乳を十分飲んでいるサインは，乳頭を適切に吸着している，1 日 8 回以上哺乳する，母乳分泌が良好な状態では吸啜リズムがゆっくりで，ゴクゴクと嚥下する音が聞こえる，授乳後の乳房の張りは授乳前に比べ柔らかくなる，排尿は 6 ～ 8 回 / 日，排便は 3 ～ 8 回 / 日であり，平均 18 ～ 30g/ 日の体重増加を認めるなどである。さらに，母親の社会的側面として，児の睡眠覚醒状態と授乳行動のタイミング，ポジショニングとラッチオンが適切であるか，母親が児の反応を読み取っているかなどの観察が重要となる [5]。

2. 保育環境のアセスメント

　体温調節機能が未熟な新生児の保育環境は，熱産生と熱喪失のバランスを考慮し環境を整える必要がある。新生児の熱産生の特徴は，成人が随意筋の運動，持続的または律動的な筋肉の不随運動（身震い：shivering）による熱産生であるのに対して，震えによらない（nonshivering）熱産生のメカニズム，つまり褐色脂肪の分解による化学的熱産生が最も重要になる。褐色脂肪組織は全体重の 2 ～ 6% を占め，項部や肩甲骨（けんこうこつ）の間，縦隔内部，腎臓（じん）と副腎の周囲に分布している。

　新生児は，出生すると nonshivering による熱産生が開始されるが，それは皮膚温度の低下，

胎盤からの分離，甲状腺機能の状態に影響される。寒冷刺激に曝<ruby>曝<rt>さら</rt></ruby>されることによって交感神経系が刺激され，ノルエピネフリンを介した代謝の増加によって温度環境に適応する。

IV 早期新生児と家族への看護

A 出生の看護

1. 栄養（哺乳）の看護

早期新生児の栄養状態は，哺乳量，体重の増減，排泄量<ruby>排泄<rt>はいせつ</rt></ruby>からアセスメントする。母乳栄養の場合，正確な哺乳量を測定することはできないため，哺乳回数，授乳間隔，吸啜力<ruby>吸啜<rt>きゅうてつ</rt></ruby>などからアセスメントする。

1 必要栄養所要量

新生児に必要なエネルギー必要量は，100 〜 120kcal/kg/ 日である。新生児期は急速に発育する時期であり，この時期に適切な栄養が供給されないと，その後の成長・発達に影響を及ぼす可能性がある。エネルギー必要量の内訳は，基礎代謝量に 1/3，成長・発育に 1/3，残りの 1/3 が身体運動と体温調節のためである。栄養素のバランスは，約 10% をたんぱく質，約 45% を脂質，約 45% を糖質とすることが理想とされている。母乳は理想とされるバランスで構成されていることから，人工乳に比べて消化，吸収が良く，胃腸への負担が少ない（表 4-11）。

2 授乳

母乳栄養を確立するためには，出産後できるだけ早く母乳育児を開始できるように支援

表4-11 母乳と人工乳の成分組成

	母乳（成乳）	人工乳*
熱量（kcal/100mL）	66	66〜 68
たんぱく質（g/100kcal）	1.7	2.2〜 2.4
糖質（g/100kcal）	11.1	10.6〜 11.4
脂質（g/100kcal）	5.4	5.2〜 5.4
ビタミンD（μg/100kcal）	0.5	1.3〜 1.8
ビタミンK（μg/100kcal）	1.5	2.5〜 4.9
鉄（mg/100kcal）	0.06	1.17〜 1.48

＊平成 25 年 2 月現在で許可を得ている 9 製品に表示されている 100g 当たりの栄養成分表より算出。
資料／厚生労働省：日本人の食事摂取基準（2015 年版）を参考に作成.

第
5
編

1
妊娠期にある母
子の生理と看護

2
分娩期にある母
子の生理と看護

3
産褥期にある母
子の生理と看護

4
新生児の特徴と
生理的変化と看護

5
周産期にある母
子の看護の事例

することが，「母乳育児成功のための10か条」2018年改訂版に明記されている。

哺乳回数は自律授乳の場合，10～12回/日であり，児が欲しがるタイミングで行う。児が口を開け乳首をとらえ，乳輪部まで深くくわえ吸啜できるように，下唇が外向きに開いているか，児の下顎が乳房に触れているかなどの適切なラッチオンを確認する（図4-18）。一方，母親に対しても適切なポジショニングで授乳ができているかを確認し（図4-19），看護者は，母親が児が欲しがるサインを認識し，それに応えられるよう授乳ができているかをアセスメントし，クッション，足台などを利用した授乳姿勢の調整，助産師が手を添えて含ませたり，くわえ方を修正する等の支援をする（図4-20）。

3 ビタミンK$_2$シロップ剤の与薬

母乳中のビタミンK含有量は少なく，新生児ビタミンK欠乏性出血症となりやすい。消化管出血，頭蓋内出血を予防するために，ビタミンK$_2$（ケイツー）シロップ剤の投与を行っている。日本小児科学会をはじめ，多くの周産期関連学会はビタミンK$_2$シロップ剤1mL（2mg）を哺乳確立時，生後1週または産科退院時のいずれか早い時期，その後は生後3か月まで週1回，計13回投与（3か月法）することを提言している（図4-21）。シロップは浸透圧が高く，消化管への負担となるため，1回目と2回目の投与は糖水または蒸留水で10倍に希釈して与える。投与後は，母子健康手帳に投与したことを記載する。

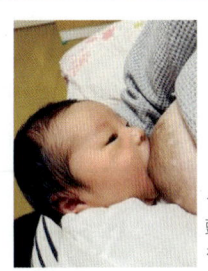

ラッチオンとは，授乳時の乳輪・乳頭の含ませ方，児の口唇，舌の動きをいう。

図4-18 ラッチオン

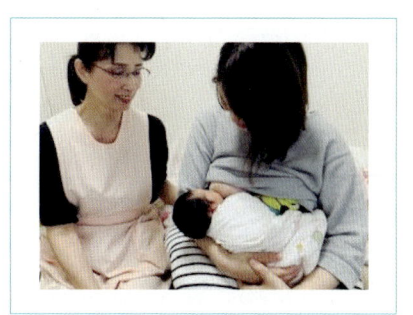

図4-20 助産師による授乳支援

 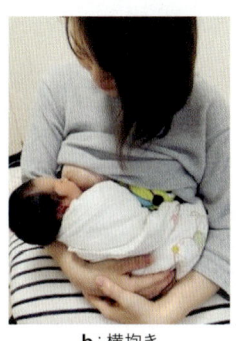 

a：縦抱き　　　b：横抱き　　　c：脇抱き（フットボール抱き）

図4-19 ポジショニング

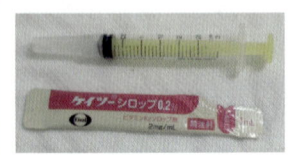
a：ケイツー® シロップ

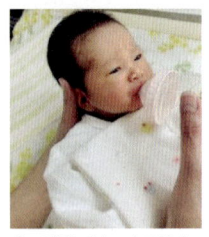
b：哺乳びんによる投与

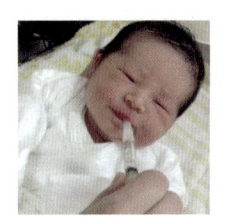
c：経口用注射器による投与

図4-21 ビタミンK$_2$シロップ剤の投与

▌ 2. 排泄に関する看護

1 | 排尿

出生後 24 時間以内に初回排尿がみられる。1 日 5 ～ 15 回程度の排尿がある。色は無色または淡黄色で，無臭である。一時的にレンガ色または薄いオレンジ色の尿酸塩尿が排泄されることもある。排尿の回数や量が少ない場合には，哺乳量が不足していると判断し，1 回の授乳量，授乳間隔を検討する。新生児は腹式呼吸であるため，おむつは腹部を締め付けないようにして当てる。

2 | 排便

出生後 24 時間以内に初回排便がみられる。生後 2 日目までは粘稠な暗緑色の胎便を排泄し，その後黄緑色の移行便，生後 3 ～ 5 日目には黄色～黄緑色の便になる（図4-17 参照）。

母乳栄養児の便は黄金色で，ビフィズス菌が多いため甘酸っぱい臭気がする。一方，人工栄養児の便は，クリーム色～黄色で，大腸菌が多いため便臭がする。便の色が灰白色の場合は胆道閉鎖を疑う。血便の場合は真性メレナを疑う。排便の回数，量が少ない場合は腹部膨満による哺乳不良をきたす。哺乳状態も併せて観察する。

▌ 3. 清潔に関する看護

全身清拭もしくは沐浴により身体の清潔を保つ。全身の観察，バイタルサイン測定値から児の状態をアセスメントし，どちらの方法を選択するか判断する。

1 | ドライテクニック（全身清拭）

沐浴に比べて体温喪失が少なく，児にとって体力消耗を防ぐことができる。出生直後や全身状態の観察を要する児の場合に選択される。

▶**方法** 洗面器に約 60℃の湯を張り，ハンドタオルもしくはガーゼを浸し，軽く絞って，新生児の体表面の水分や血液のみを拭き取る。次に顔，全身を拭く。バスタオルでからだ

を覆いながら，不必要な露出を避ける。清拭後は臍処置を行い，綿棒で耳・鼻を拭く。

2 沐浴

全身の清潔，血行の促進の効果がある。体温喪失が大きく，体力も消耗するために，バイタルサインが正常で，全身状態が良好であることを確認したうえで実施する。

▶ 必要物品 沐浴槽，顔用洗面器，温度計，石けん，包布，清拭用ガーゼ（ハンドタオル），湯上がり用バスタオル，着替え一式，オムツ，綿棒，ブラシ，臍処置セット。

▶ 準備 室温は 24 ～ 26℃ にする。沐浴槽の湯の温度は 38 ～ 40℃ にする。必要物品がそろっていることを確認し，着替え一式の上に湯上がり用バスタオルをセットしておく。

▶ 方法 湯に浸かっている時間は 5 分以内とし，表 4-12 の手順で行う。

▍4. 臍帯の処置

臍帯は出生 24 時間後には乾燥してくる。出血がないことを確認し，臍帯クリップを除去する。臍部の出血の有無，発赤・湿潤分泌物などの感染徴候の有無を観察する。

臍処置は，感染予防と乾燥促進のために行う。1 日に 1 回，沐浴後にエタノールをつけた綿棒を用いて臍輪部周囲を消毒する方法がとられている（図 4-22）。臍処置に関するガイドラインはないため，施設によって，実施方法が異なる。

▍5. 保温

新生児は体温調節機能が未熟であり，体温は環境温の影響を受けやすい。蒸発，輻射，対流，伝導により新生児の体温は容易に奪われる。出生直後はラジアントウォーマーの下に寝かせ，羊水をすばやく拭き取り，低体温を防ぐ（図 4-23）。

低体温は肺血管収縮や酸素消費量を亢進させ，低酸素を引き起こす。グルコースが余分に消費されることで，低血糖を生じる。おくるみ，帽子を用いて低体温を防ぐ（図 4-24）。一方，高体温は代謝亢進により酸素消費量が著しく増加する。発汗により脱水となり，代謝性アシドーシス，全身状態の悪化をきたす。新生児は，熱の喪失を防ぎ，不必要な熱の産生を避けることが重要となる。

▍6. 保育環境の調整

基本的に，新生児は母親のそばで養育されることが望ましい。そのため，多くの施設が，分娩直後から母児が離れることなく，一緒に生活する母児同室の体制をとっている。保育環境として，至適室温は 24 ～ 26℃，至適湿度は 50 ～ 60% である。新生児の観察が十分にできるよう，照度は 500 ルクス以上が望ましい。常に児を観察できるよう，母親のベッドサイドに児のコットを置き，児を寝かせる。体位は，仰臥位または腹臥位とする。衣服は肌着，長着の 2 枚程度とし，掛け物で温度調整をする。

帝王切開出産後に母親に安静が必要，疲労が強い，体調がすぐれないなどの理由で母子

第5編

1 妊娠期にある母子の生理と看護

2 分娩期にある母子の生理と看護

3 産褥期にある母子の生理と看護

4 新生児の特徴と生理的変化と看護

付 周産期にある母子の看護の事例

表4-12 沐浴の方法

❶脱衣させ，体重を測定する。必ず体重計のメモリが0となっていることを確認する。	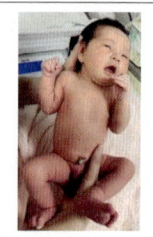 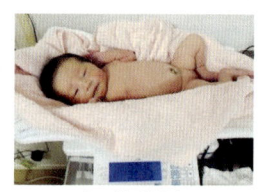 a：体重測定時の児の抱え方　　b：体重測定
❷湯を張った洗面器にガーゼを浸し，顔，耳の順に拭く。	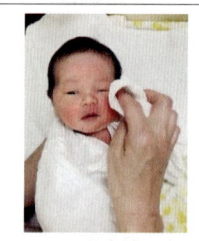 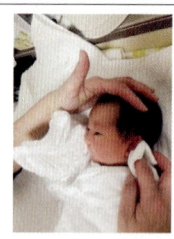 c：顔を拭く　　d：耳を拭く
❸包布で上半身を包み，左手の手のひらと母指・中指で頭部を支え，右手で股から殿部を支え，足から静かに浴槽に入れる。	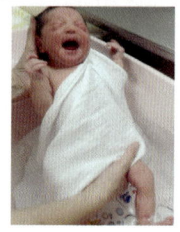 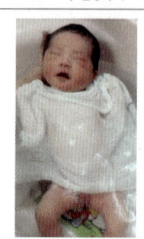 e：浴槽に入れる　　f：全身を温める
❹頭部は石けんを泡立てながら，輪状に洗い，石けんを洗い流し，ガーゼで拭く。	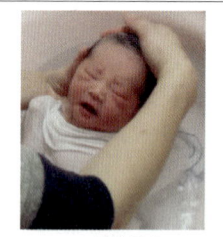 g：頭を洗う
❺身体は石けんを泡立てながら，頸部→腋窩→上肢→下肢の順に洗う。	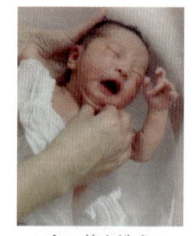 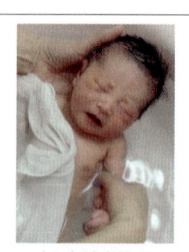 h：首を洗う　　i：上肢を洗う 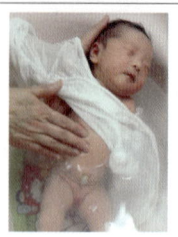 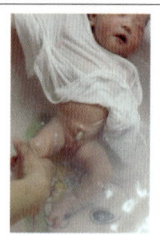 j：腹部を洗う　　k：下肢を洗う

表4-12（つづき）

❻右手で新生児を腹臥位にし，石けんを泡立てながら，左手で背中から殿部を洗う。	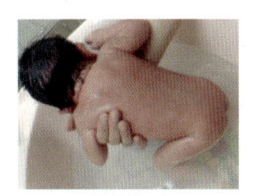 l：腹臥位にする　　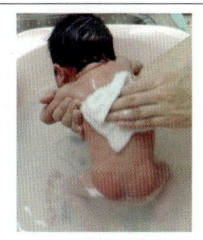 m：背中を洗う
❼左手でゆっくりと仰臥位に戻し，陰部を洗う。	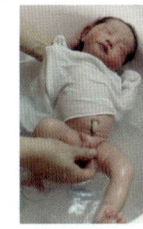 n：陰部・肛門部を洗う
❽全身を湯に漬け，温める（必要時かけ湯をする）	
❾湯から上げ，バスタオルで包み，押さえるように拭く。	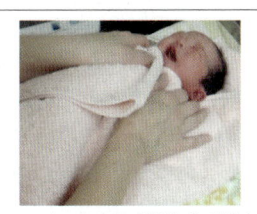 o：バスタオルで押さえて拭く
❿おむつを当て，臍処置を行い，衣類を着せる。	臍処置については，図4-22を参照。
⓫頭髪を整え，綿棒で耳・鼻を拭く。	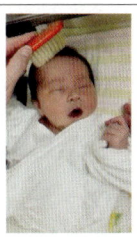 p：髪を整える　　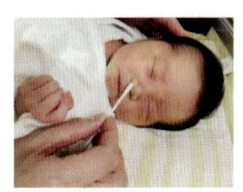 q：綿棒で耳，鼻を拭く

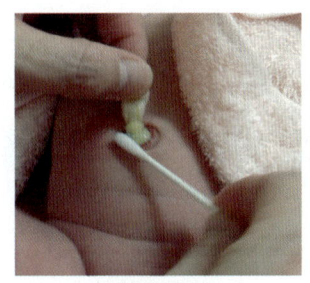
臍輪部消毒

図4-22 臍処置

第5編

1 妊娠期にある母子の生理と看護
2 分娩期にある母子の生理と看護
3 産褥期にある母子の生理と看護
4 新生児の特徴と生理的変化と看護
付 周産期にある母子の看護の事例

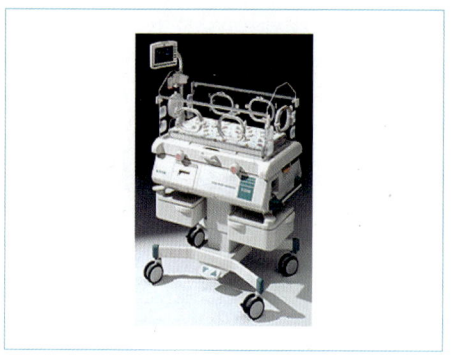
図4-23 ラジアントウォーマー

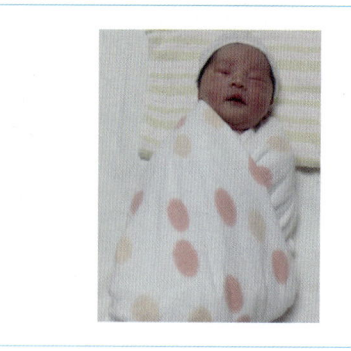
図4-24 おくるみ，帽子で低体温を防ぐ

同室ができない場合は，新生児室にて児を一時的に預かる。新生児室は清潔保護区域であるため，入室時は手洗いを行い，必要時ガウンテクニックを行う。

■ 7. 感染予防，事故防止

1 | 感染予防

　感染の原因は，医療従事者の手指による微生物伝播によるものが多い。新生児は易感染状態にあるため，医療従事者は処置を行うごとに手洗いを実施する。母親にも，おむつ交換後は流水と石けんを用いて手洗いを励行するよう指導する。施設によっては外部からの感染源を遮断するために，家族を含めた面会の規制を行っている。

　児に使用する器具は消毒したものを用い，ほかの新生児との共有を避ける。リネン類は毎日交換する。

2 | 事故防止

　入院期間中に最も注意しておくべき事故の一つに，児の連れ去りがある。施設では，病棟の入口は常時施錠し，外部からの侵入を防ぐセキュリティ対策がとられている。

　入院期間中に起こり得る事故として，転落，沐浴時の溺水，窒息，誤飲，熱傷などがある。児の取り違え防止のため，母児の手首や足首に標識（名札など）を付け，母親に児を引き渡す際は必ず母児の標識を確認する。看護者は事故を予測し，未然に防ぐ対策をとり，看護者間で情報共有を行う。母児同室により，母親にも事故防止のための教育を行う。

Ⓑ 退院時の看護

　正常に経過している児の場合，退院時期は日齢4〜5日である。退院の可否は，生理的体重減少から生下時体重に戻っていること，哺乳状況，黄疸の程度などで判断される。

第
5
編

1
妊娠期にある母
子の生理と看護

2
分娩期にある母
子の生理と看護

3
産褥期にある母
子の生理と看護

4
新生児の特徴と
生理的変化と看護

付
周産期にある母
子の看護の事例

1. 退院時診察

医師が全身状態を観察し，フィジカルアセスメントを行う。具体的には，生理的体重減少の程度，頭部・軀幹・四肢の異常の有無，栄養摂取状況を確認する。また，母親からの質問にていねいに回答し，育児不安の解消に努める。新生児期に知っておくと役立つ新生児の経過，授乳について，排泄についてなどの内容を含めたリーフレットを独自に作成し，渡している施設もある。児が健康な状態であるのか判断に迷う場合もあることから，発熱，下痢，嘔吐，湿疹などの情報を含めた医師の診察を受ける目安を伝えておくことも重要となる。

2. 健康診査，予防接種の指導

月齢1か月頃に，出産した医療施設にて生後1か月健康診査を受ける。主な観察項目は，身体発育状況，栄養状態，光や音に対する反応，生活環境である。

生後5〜6か月頃より，母体から受け取った経胎盤免疫IgGが減少していくことによって，感染症に罹患しやすくなる。そこで，生後5〜6か月頃までに予防接種の効果が高まるよう，生後2か月頃からの開始が推奨されている。表4-13は日本小児科学会が推奨している生後2か月頃から1歳になるまでのワクチン接種のスケジュールである。

3. 保育環境への指導

児が順調に成長・発達していくためには，主たる保育者である母親が育児負担を感じることのないよう，保育環境を整えることが重要となる。入院中に育児の準備状況，育児サポートの有無，サポートの程度を確認する。退院までに基本的な育児技術が習得できているかを確認するとともに，母親が新生児の異常の早期発見と，早期対処ができるように新生児に起こりやすいトラブルと対処法を紹介する。不安や疑問が生じた場合は，電話相談が可能なこと，授乳に関することであれば，母乳外来を受診するよう伝えておく。サポートが受けられない状況にある場合は，地域のサポートシステムについての情報提供を行う。

表4-13 生後2か月から1歳になるまでのワクチン接種のスケジュール

ワクチン	種類	2か月	3か月	4か月	5か月	6か月	7〜8か月	1歳になるまで
インフルエンザ菌b型（ヒブ）	不活化	1回目	2回目	3回目				スケジュール遅れのワクチン（キャッチアップ接種）
小児用肺炎球菌	不活化	1回目	2回目	3回目				
B型肝炎	不活化	1回目	2回目				3回目	
ロタウイルス	生	1回目	2回目	3回目				
4種混合	不活化		1回目	2回目	3回目			
BCG	生				1回目			

文献

1) 横田俊平監，西巻滋編：ポイントで診る新生児診察マニュアル，東京医学社，2008，p.110-114.
2) 内山温：臍処置（臍消毒，結紮，硝酸銀処置），小児内科，45（4+）：736-737，2013.
3) 島義雄：外陰・鼠径部と肛門・会陰の診察，周産期医学，48（8）：965-968，2018.
4) 藤巻英彦：身体のバランス，姿勢，反射，神経系の診察，Neonatal Care，25（5）：477-480，2012.
5) 日本新生児看護学会，日本助産学会：NICUに入院した新生児のための母乳育児支援ガイドライン，2010，p.27-29.

参考文献

・池ノ上克，前原澄子監訳：みえる生命誕生；受胎・妊娠・出産，南江堂，2013，p.200-212.
・池ノ上克，他編：NEW エッセンシャル　産科学・婦人科学，第3版，医歯薬出版，2004.
・河野寿夫，伊藤裕司編著：ベッドサイドの新生児の診かた，改訂第3版，南山堂，2016.
・厚生労働省：母乳及び乳幼児調製粉乳の成分組成と表示の許可基準，日本人の食事摂取基準（2010年版）.
・神戸大学医学部小児科編：未熟児新生児の管理（新版），日本小児医事出版社，1991，p.214.
・新生児医療連絡会編：NICU マニュアル，第5版，金原出版，2014.
・武谷雄二総編：新女性医学大系31；新生児とその異常，中山書店，2000，p.11-18，38-54.
・田村正徳監：日本版救急蘇生ガイドライン2015に基づく新生児蘇生法テキスト，改訂第3版，メジカルビュー社，2015.
・仁志田博司編：新生児学入門第5版，医学書院，2018，p.1-70，123-131，228-285，323-349.
・日本小児科学会新生児委員会：新しい在胎期間別出生時体格標準値の導入について，日本小児科学会雑誌，114（8）：1271-1293，2010.
・日本小児科学会：日本小児科学会が推奨する予防接種スケジュール．http://www.jpeds.or.jp/uploads/files/vaccine_schedule.pdf（最終アクセス日：2022/6/10）
・日本ラクテーション・コンサルタント協会：母乳育児がうまくいくための10のステップ「母乳育児成功のための10カ条」2018年改訂版．http://jalc-net.jp/dl/10steps_2018_1989.pdf（最終アクセス日：2022/6/10）
・Ballard, J.L., et al.：New Ballard Score, expanded to include extremely premature infants, J Pediatr., 119（3）：417-423，1991.
・Cunningham FG, et al.：Williams Obstetrics, 25th ed，McGraw-Hill Education，2018，p.124-143.
・Gleason CA, Juul SE：Avery's diseases of the newborn，10th ed，Elsevier，2018，p.361-367，852-856.
・MacDonald MG, Seshia MMK: Avery's neonatology; pathophysiology and management of the newborn, 7th ed, Wolters Kluwer, 2016, p.280-298.

付章

周産期にある
母子の看護の事例

この章では

● 事例をとおして妊婦・産婦・褥婦・新生児への看護を学ぶ。

Ⅰ 妊娠期の看護

A 妊婦の情報（Aさん）

- **年齢**：34歳
- **体格**：身長：165cm　非妊娠時体重 51.0kg
  BMI：18.7
- **家族構成**：夫（34歳）との2人暮らし。
- **生活環境**：東京郊外のマンションに暮らす。実父母および義父母は，他地方に在住。
- **就労状況**：事務職でデスクワークが主である。
- **生活習慣**：平日は6時に起床。2人分の昼食用のお弁当を作り，朝食後，8時過ぎに出勤（自宅から職場まで徒歩と電車で片道1時間程度），19時頃帰宅。その後，夕食を準備し夫の帰宅を待って21時頃夕食。毎晩缶ビール1本程度の飲酒習慣があったが，妊娠後はやめている。0～1時頃就寝。睡眠は5～6時間程度で良好。排便はほぼ毎日規則的。排尿は1日に5～6回程度。休日（土日）は，1週間分の食事の下準備など，家事をして家で過ごすことが多い。夫婦ともに喫煙習慣なし。
- **セルフケア行動**：食事は3食手作りしている。清潔，排泄などすべて自立している。

- **家族歴**：実父母，義父母ともに健康である。
- **既往歴・現病歴**：21歳で急性腎盂腎炎。現病歴なし。アレルギーなし。
- **月経**：初経12歳。月経周期は28～32日で順調。最終月経は9月8日から7日間。月経随伴症状なし。
- **既往妊娠・分娩歴**：32歳，妊娠初期に自然流産を経験。分娩歴はない。
- **妊娠経過**：予定月経を1週間以上過ぎても月経がなく，市販の妊娠検査薬にて尿妊娠反応陽性となり，産科を受診。診察の結果，子宮内に胎囊（GS）が確認された。
- **家族・役割関係**：夫は妊娠をとても喜んでいる。ふだんから家事に協力的である。また，実父母，義父母もともに今回の妊娠を祝福してくれている。
- **心理状態**：「1度流産し，妊娠できるかなと不安に思っていた。不妊治療を考えていたから自然に妊娠してうれしい。でも，また流産しないか不安でもある」

B 看護過程の展開

1. 妊娠初期

ここでは，妊娠8週4日の時点での看護過程を展開する。

1 情報収集・アセスメント

1. 身体的情報

　頭殿長（CRL）17mm，胎児心拍動が確認され，最終月経などから，分娩予定日は，20XX年6月X日，妊娠8週4日と説明を受けた。
　血圧 106/72，尿たんぱく，尿糖ともに（-），尿ケトン体（+），浮腫（-）。体重 50.0kg（非妊娠時より-1.0kg）。2週間前から空腹時になると軽い悪心が出現し，1週間前からは1日中悪心が続き，特に朝の空腹時に強くなった。食欲はないが，胃に何か入れると少し楽になる。無理に食べると吐いてしまうため，水分やゼリー

第5編

1 妊娠期にある母子の生理と看護
2 分娩期にある母子の生理と看護
3 産褥期にある母子の生理と看護
4 新生児の特徴と生理的変化と看護
付 周産期にある母子の看護の事例

を食事時間に関係なく少量ずつ口にしている。少しずつなら吐くことはない。「仕事は何とかできているが，からだがだるくてつらく，朝の混雑時の電車内が苦痛」と話す。食事の準備をする気にもなれず，帰宅後は横になっている。性器出血，下腹部痛なし。

2. 心理・社会的情報

「赤ちゃんの心臓が動いているのを超音波で見て安心したが，1日中むかむかしてからだがだるくてつらい。こんな状態が続くと，また流産してしまうのではと不安になる。無事に経過してほしい」

3. アセスメント

Aさんは，34歳で年齢的にハイリスク妊産婦ではない。また，今後の妊娠経過に影響を及ぼすような既往歴や合併症はない状況での妊娠であった。特に問題となる生活習慣もない。身長165cm，非妊娠時BMI 18.7であり，体格はふつうに区分される。現時点で，血圧は正常であり，尿たんぱくや尿糖の出現はない。性器出血や下腹部痛はなく，流産徴候も認められていない。超音波画像で胎児心拍動が確認され，胎児の経過に問題はない。

Aさんには，妊娠初期のマイナートラブルであるつわり症状が出現していると考えられる。体重が3週間前に比べて1.0kg減少しているが，水分やゼリーなどを少量ずつ経口摂取するという対処行動をとり，仕事はこなせている。しかし，まだ妊娠8週であり，もう数週間これらの症状が継続すると予測され，混雑した電車での通勤や常に悪心があるという状況での仕事はストレスとなり，今後，つわり症状が増悪する可能性がある。また，つわりによるだるさやつらさによって，2年前と同じように流産するのではという不安な思いが高まっている。よって，Aさんが症状を軽減できる適切なセルフケア方法を見いだして実施できるよう支援し，流産するのではという不安を軽減する必要がある。そして，今後の順調な妊娠継続，出産のために，仕事を含めて健康の維持・増進を図れるような日常生活を送っていけることが望ましい。

Aさん夫婦は，今回の妊娠を喜び受容している。夫は，家事に協力的であり，今後，Aさんの体調が改善すれば，夫婦で協力して親になる準備を計画していくことができると考える。夫婦で，出産・育児に向けた協力態勢や役割，環境を整え，親役割を獲得できるように支援する必要がある。

2 | 看護診断

#1 つわり症状が増強し倦怠感でつらく，通勤や仕事のストレスでさらに悪化する可能性がある。また，つわりによる身体的状況によって，今回も流産するのではないかという不安が高まっている。

#2 Aさん夫婦は，妊娠を喜び受容しており，今後，夫婦で協力して親になる準備を計画していくことができると予測できる。

3 | 看護目標・看護計画

●#1 看護目標

つわり症状を軽減できる適切なセルフケア方法を見いだし，実施できる。また，セルフケアにより，流産予防のための行動をとることができ，流産の不安を軽減できる。

●#1 看護計画

①Aさんのつわり症状，食事や水分の摂取状況，倦怠感の程度を確認する。また，つわりに対する理解度と現在の対処行動を確認する。

②不安な思いを傾聴し，本人が実践できそうな対処法を共に考える。

③つわりは妊娠による生理的変化で生じるものであり，異常ではないこと，妊娠悪阻との違いについて説明する。

④嘔吐で腹部に力がかかることで，流産への不安を表出していることに対して，現在，妊娠経過は問題ないこと，流産の徴候は認められないこと，切迫流産の症状と予防のための日常生活について説明する。

⑤職場の時差通勤やフレックスタイム制度を確認し，活用について紹介する。嘔吐回数の増加，食事や水分摂取困難の増強，さらなる体重減少（−5％以上），切迫流産の症状など，気になることがあれば，定期健康診査を待たずに相談・受診することを伝える。

●#2　看護目標

夫婦で，出産・育児に向けた協力態勢や役割，環境を整え，親役割を獲得していくことができる。

●#2　看護計画

Aさんと夫や家族との関係性，家族のサポート状況，仕事の状況について確認する。

①母子健康手帳の取得方法と活用について説明する。

②両親学級，地域における出産前教育について紹介する。

③今後，夫婦，家族と出産や育児に向けた準備や協力態勢について話し合い，計画的に準備を進めていくことを説明する。

④勤労妊婦が活用できる制度について紹介する。

4 ｜ 実施・評価

#1　実施

Aさんのつわりに対する理解度と対処行動を確認した。「少しは栄養を摂らないと赤ちゃんに良くないかと心配で，食欲がなくても無理に食べようとして吐いてしまっていた。いろいろと試して，少量ずつ水分やのど越しのいいゼリーを口にするようになったら，吐かなくなったから少しホッとしています」と話す。現在，流産の徴候はなく，妊娠経過に問題ないことを伝えた。そして，今の時期は，無理に栄養を摂らなくても胎児には問題ないこと，回数を増やし少量ずつ摂取するという対処行動によって嘔吐しなくなったことから，今の対処行動が効果的であることを伝えて，この方法を継続していくことを提案した。「経過が順調と聞いて安心した。今までの対応でいいんですね。とりあえず続けてみます」と納得した様子であった。

つわりがつらい状況で，仕事や日常生活で無理をしないことが，流産の予防にもなることを伝え，職場の時差通勤やフレックスタイム制度，マタニティマークの活用，母性健康管理指導事項連絡カードの発行（つわり症状による勤務時間の短縮）について紹介すると，「流産したらつらいと思い，まだ妊娠を伝えていないが，同僚も職場の制度を活用していたので，上司に相談しようと思う。制度が使えるともう少しからだが楽になるかもしれませんね」と話した。現在の家事に関する夫の協力度を確認すると，「平日，夜はなるべく外食してきてもらっています。休日には買い物や掃除など，できる範囲でやってくれると思う」と話した。

#1　評価

Aさんは，看護師と話し合うことによって，現在，妊娠経過に問題がないこと，つわり症状に対する対処行動が効果的で，今後も継続して日常生活に取り入れればよいことを実感できたと思われ，そのことが安心につながり，流産に対する不安も軽減したと考えられる。夫からの協力も得られるようであり，「今までの対応でいいんですね。続けてみます」という言動から，

今後も継続して実行していけると考えられ，#1の看護目標は達成できたと考える。次回受診時に，つわり症状，時差出勤などの制度の活用状況，夫のAさんへの協力度を確認し，看護目標と看護計画（産褥期策と併せて表記する）を評価していく必要があるため，目標と計画は継続する。

#2　実施

母子健康手帳取得について確認したところ，前回のように流産したらつらいと思い，まだ取得していないとのことで，取得方法について説明した。取得後は手帳の内容に目を通し，必要な箇所に必要な内容を自己記入すること，また，次回受診時に持参するよう話した。

両親学級などの出産前教育について，病院や居住地の管轄である保健センターでの受講が可能であること，夫も一緒に参加できるよう土曜日に設定されていること，教育内容などを情報提供した。出産場所については，「私の職場と自宅の通勤途中にあって便利だし，友人から評判を聞いて，この病院での出産を考えている。里帰り出産は考えていない。産んでからしばらく実家に帰るか，あるいは，母に来てもらうか，夫や家族と相談していきたい」とのことであった。

#1で紹介した制度に加え，妊娠・出産・育児に関して使用できる制度について紹介し，夫の育児休業など制度の積極的活用を含めて，その都度，情報提供し，家族で計画的に準備を進めていけるよう支援することを伝えた。「まずは，母子健康手帳をもらってきます。出産後，1年程度の育児休業取得を考えているけどまだわかりません。夫の職場では，育児休業制度を活用して2週間程度育児休業する男性も増えているらしく，『自分も活用しようか』と言っていた」と話した。

#2　評価

出産や育児に向けた夫婦の準備や家族の協力態勢について，夫も育児休業取得を検討していることを情報収集できた。また，出産場所に関するAさんの考えも確認できた。現時点での必要な情報は提供でき，#2の看護目標である出産・育児に向けた準備の一つである母子健康手帳取得につなげることができたと考えられる。次回からも，妊娠週数や必要に応じてAさん夫婦が活用できる制度や準備について，紹介していく必要がある。したがって，#2の看護目標と看護計画は今後も継続とする。

2. 妊娠中期

ここでは，妊娠26週1日の時点での看護過程を展開する。

1 情報収集・アセスメント

1. 身体的情報

血圧106/72，尿たんぱく（−），尿糖（−），浮腫（−）。体重55.5kg（非妊娠時より＋4.5kg，2週間前の健診時から＋1.8kg）。子宮底長24.0cm，腹囲80.0cm。経腟超音波で子宮頸管長42mm。腹部緊満感は1日に数回ある程度で，性器出血なし。前回妊婦健診時に血液検査を実施しており，Hb11.4g/dL，Ht35.0%，随時血糖93mg/dLであった。

超音波ドプラ法で胎児心拍数は145bpmで，胎動の自覚あり。胎児の児頭大横径（BPD）69mm，大腿骨長（FL）46mm，腹囲（AC）20cm，推定体重は892g，胎盤付着部位は子宮底部，羊水インデックス（AFI）は18cm。

就労状況について，時差通勤で1時間遅く通勤，定時に勤務が終了し，これまでどおりデスクワークが主であり，週の終わりには疲れを感じるが，休日に休息をとれている。睡眠時間は，5〜6時間程度で変わっていない。3食きちんと食べるようにしている。「最近，食欲旺盛でご飯がおいしい。食べ過ぎているかも。職場の休憩時間，お風呂上がりや寝る前にも，アイスクリームなど甘いものを口にしてしまう。今日も，10時頃に板チョコレートを半分ほど食べた」と話す。

2. 心理・社会的情報

前回の妊婦健診後，母親学級に参加し，母乳育児のことや育児用品の準備，バースプランについて話を聞いたと話した。「できれば母乳だけで育てたい。私の母は母乳が出なかったらしく，私も出ないかなと思っていたが，母乳がつくられるメカニズムや母児同室の大切さなどを聞いて，がんばろうと思えた。ところで，私の乳頭って赤ちゃんが吸いやすいんでしょうか？」と質問があった。育児用品は「まだ実際に購入はしていないが，少しずつそろえていこうと思います」と笑顔で話した。母子健康手帳の妊婦の記録の自由記載欄には，自身の今の思いや胎児への思いがていねいに記載されていた。

Aさんは「出産時は，夫にそばにいてほしいと思うけど，経験がないから何をしてほしいとかわからないし，バースプランの用紙に何を書いていいかわからない。夫も"出産のときはそばで力になりたいが，何ができるかイメージがつかめない"と言っている」と話した。来週，夫婦で出産準備教室に出席予定である。

3. アセスメント

血圧は正常であり，尿たんぱくの出現はなく，妊娠高血圧症候群ではない。勤労妊婦であるが，子宮頸管の長さも保たれ，性器出血や下腹部痛はなく，切迫早産も生じていない。また，前回健診時の採血結果から妊娠性貧血，糖代謝異常も認められない。しかし，体重が前回（2週間前）から＋1.8kg，1週間で0.9kgの増加で，妊娠中期から末期における1週間当たりの推奨体重増加量である0.3〜0.5kgをオーバーして

いる。この原因として，Aさんの食生活，特に間食の摂り過ぎが関連している可能性がある。現在，妊娠高血圧症候群の発症はないが，過体重増加は妊娠高血圧症候群と関連がある。Aさんの体格は普通であり，妊娠全期間をとおしての体重増加量指導の目安10〜13kgを基準に，今後，Aさん自身が妊娠高血圧症候群を予防できることが望ましい。

子宮底長，BPD，FL，AC，推定体重ともに妊娠週数相当であり，胎児の発育は順調である。また，児心音は心拍数に問題なく良好に聴取され，胎動も活発に認められていることから，胎児は健康である。AFIから羊水量は正常である。胎盤の位置異常もなく，胎児付属物に問題はない。

Aさんは，母親教室で情報を得て，出産・育児に向けて夫婦で準備しようとしている。母子健康手帳のていねいな記載から，胎児への愛着とともに親になる準備が促進されている状況にある。母乳育児に関して，当初，実母を身近なモデルとして自身の母乳育児をイメージしていたが，母親教室で母乳育児に必要な知識を得ることで母乳育児への意欲が高まっている。しかし，出産に向けては何をどうしていいかイメージがわからず，バースプランの立案が進まない状況である。今後，夫婦で出産準備教室に参加する予定であり，これによって出産や育児を具体的にイメージできるようになっていくと考えられる。夫婦の十分な話し合いのもと，2人の望む出産・育児が明確になるよう，バースプラン立案過程を支援していく必要がある。

2 │ 看護診断

#1　妊娠中期から末期における1週間当たりの推奨体重増加量をオーバーしており，今後，このまま過体重増加が続くと，妊娠高血圧症候群のリスクがある。

#2　夫婦の出産や育児への関心が高まり，親になる準備が進んでいるが，出産に関して具体的なイメージがつかずにバースプラン立案が進んでいない状況である。

3 │ 看護目標・看護計画

●#1　看護目標

食生活を見直し，妊娠高血圧症候群を予防するためのセルフケア行動をとることができる。

●#1　看護計画

①１日の食事内容と量，また，間食内容について具体的に書き出し，栄養バランスやカロリー，塩分摂取量，摂取した間食のカロリーについて確認する。

②活動と休息状況を確認する。

③Ａさんの推奨体重増加量について，再度確認し，より望ましい食生活について，本人が実践可能な対処行動を一緒に考える。

●#2　看護目標

Ａさん夫婦が，出産や育児に関して具体的にイメージでき，２人の望む出産・育児が明確になるよう，バースプラン立案を進めていくことができる。

●#2　看護計画

①バースプランの目的，意義，内容について再確認する。

②母乳育児に関する思いや希望をバースプランに具体的に記載するよう勧める。

③出産準備教室への参加は，バースプラン立案に向けた情報提供となり，バースプランを立案していくのに役立つことを伝え，夫婦で十分に話し合い，お互いが希望する出産・育児を考えていく過程で立案できていくことを説明する。

④バースプランの立案に向けて，妊婦健診の機会などにいつでも情報提供や相談に応じることを伝える。可能時，夫と一緒に妊婦健診を受診するよう勧める。

4 ┃ 実施・評価

#1　実施

　Ａさんの妊娠経過は順調であるが，１週間当たりの体重増加が推奨体重増加量をオーバーしていることを説明し，今後の健康保持や妊娠高血圧症候群予防のため，食生活を振り返ることを提案した。昨日朝から今朝の食事内容と量，また，間食内容について具体的に書き出してもらい，栄養バランス，塩分摂取量，摂取カロリーについて確認した。Ａさんは，「妊産婦のためのバランスガイド」を参考にして，「主食」「副菜」「主菜」「牛乳・乳製品」「果物」の５グループの料理や食品を組み合わせていることがわかった。「赤ちゃんのために朝食を抜かないこと，５つのグループをきちんと摂るようにして，食事バランスには気をつけている。薄味も心がけている」と話し，各グループのサービング（提供量）も問題なかった。しかし，食事の合間や食事後にアイスクリームやチョコレートなどを摂取していた。その内容と量からカロリーを概算して示すと，Ａさんは，「食事以外でこんなにカロリーの高いものをいろいろと摂っていた

んですね。驚きました」と話した。また，仕事内容と休日の活動状況について情報収集し，身体活動レベルはⅡ（ふつう）であり，休日は，今までどおり家事を中心に，仕事の疲れをとるためにゆっくりと過ごしているとのことであった。

　非妊娠時の体格区分は「ふつう」であるが「低体重（やせ）」に近く，妊娠全期間における推奨体重増加量は上限の 12kg くらいを目安にして，今後も「妊産婦のためのバランスガイド」を参考に，３度の食事で必要な栄養とエネルギーを摂るよう心がけること，間食は，カロリーを確認してできるだけ低カロリーを選ぶ，内容と量を考えて摂取することを提案した。「これまでより甘いものの量を少なくするとか，アイスとか食べたいとき，カロリーに気をつけて選んでみます。しばらく食事内容などを記録してみよう」と話した。

#1　評価

　食生活を一緒に見直してみることで，食事以外で摂取している間食のカロリーの高さにＡさん自身が気づき，間食に関して，カロリーを

確認してできるだけ低カロリーのものを選ぶ，内容と量を考えて摂取する，食事内容を記録するという言動がみられた。Ａさんが，より望ましい食生活行動をとり，妊娠高血圧症候群を予防しようとする動機づけとなったと考える。

食生活に関するセルフケア行動に関しては，次回の妊婦健康診査の状況からの評価が必要であるため，看護目標は未達成である。食事内容に関する記録を継続してもらい，次回，評価する。

#2　実施

バースプランの目的，内容について用紙を用いてＡさんに再確認した。出産準備教室への参加をとおして，少しずつ分娩時のイメージが具体的になっていくことを説明し，夫婦が十分に話し合い，互いが希望する出産・育児を考え，それがなぜなのかという思いを互いに明確にしながらバースプランを作成し，実行していく過程を大切にするよう伝えた。妊婦健診時に夫と共に話し合うことも可能であると説明すると，「ぜひそうしたい」と言い，バースプランについては一緒に教室に参加したあとに夫と話し合ってみると話した。

その後，Ａさんの乳房や乳頭や乳輪の状況を確認した。乳房の形態はⅡa型で，乳頭は突出しており，伸展性も問題ないことを伝えると安心した様子である。初乳の分泌，乳垢は特に認められず，今後，初乳の分泌により乾燥した乳汁が乳頭に付着するようであれば，入浴時などに優しく取り除き，乳頭の清潔を保持することを説明した。Ａさんは「乳頭を清潔にしておくことが，今できることですね」とうなずき，母乳育児への思いや母子同室を希望していることなどをバースプランに記載していくということであった。

#2　評価

母乳育児に関して意欲があり，がんばりたいという思いがあることを確認でき，それをバースプランの一つに加えることができたと考えられる。出産に関しては，今後，出産準備教室に夫婦で参加することにより必要な情報と知識を得て，互いの希望や役割が具体的にイメージできていくと考えられる。今はバースプラン立案途上にあり，看護目標はまだ評価できない。そのため，出産準備教室出席後の次回の妊婦健診時に評価する。

▌ 3. 妊娠末期

ここでは，妊娠34週1日の時点での看護過程を展開する。

1 ▏ 情報収集・アセスメント

1. 身体的情報

血圧 110/74，尿たんぱく（−），尿糖（−）。体重 59.5kg（非妊娠時より＋8.5kg，2週間前の健診時から＋1.0kg）。子宮底長 30.0cm，腹囲 85.0cm。経腟超音波で子宮頸管長 35mm。1日に5〜6回程度腹部緊満感を感じるが痛みは伴わない。性器出血なし。腟分泌物検査は異常なし。また，血液検査で貧血などの異常なし。

超音波ドプラ法で胎児心拍数は140bpm，活発な胎動を感じている。胎位は第1頭位。児頭大横径（BPD）85mm，大腿骨長（FL）63mm，腹囲（AC）28cm，推定体重は2250g，前回，胎児超音波スクリーニングを実施し異常なし。

羊水インデックス（AFI）は18cm。

今週から産休に入った。産休に入る1週間前頃から，夕方になると下肢がむくみ，だるさを感じていたが，翌朝には消失していたと話す。妊婦健診時には浮腫（−）。食事は，3食バランスよく摂取するよう心がけている。排便は，2日に1回で不快症状はなく，排尿が8回／日で回数が増えたというが，特に残尿感や排尿時痛はない。就寝時刻は0時頃，睡眠は6時間程度で変わっていないが，日中，1時間ほど昼寝をしている。駅前商店街のスーパーマーケットまで，毎日片道15分ほど歩いて買い物し，家事，子どもを迎える部屋の準備などをして，ゆっくり過ごしている。

2. 心理・社会的情報

入院の準備は終了し，育児用品の準備もおおむねできている。「入院の目安についてちゃんと判断できるか，自分のせいで赤ちゃんに何かあったらと心配」と話す。夫立ち会い分娩を希望し「陣痛（じんつう）の乗り切り方がいろいろとわかったので，2人で寝る前に練習しています。主人は，『2人が元気で，無事にお産を終えられることが一番の望みだ』と言っている」と話した。バースプランの用紙には，お産の経過と処置についてその都度説明を希望する，児が生まれたらすぐに赤ちゃんを胸に抱きたい，母乳育児をがんばりたい，出産後，夫と沐浴（もくよく）を実施したいことなどが記載されていた。

産後1か月は，実母がAさんの自宅に滞在し，家事や育児を手伝ってくれる予定である。

3. アセスメント

血圧は正常で尿たんぱくの出現はなく，体重増加も適正である。子宮頸管長から，早産リスクも高くない。また，妊娠性貧血もなく，妊娠経過は順調である。

子宮底長，BPD，FL，AC，推定体重ともに妊娠週数相当であり，胎児の発育は順調である。また，心拍数は正常で胎動があること，前回の胎児超音波スクリーニングで異常がなかったことから，胎児は健康である。頭位であり経腟分娩が可能な胎位である。

Aさんは，現在，産休に入り，これまでと日常生活の過ごし方が変化している。しかし，食生活は規則正しく体重増加は適正であり，便秘による不快症状はない。排尿回数の増加は妊娠による身体的，生理的変化によるものであると思われる。睡眠はこれまでどおりで休息もとれている。スーパーマーケットまで歩くなど，生活に運動も取り入れることができており，健康的な日常生活を過ごすことができている。産休1週間前から出現した下肢の浮腫は，翌朝には消失し，体重増加も適正であることから，生理的な浮腫であったと考えられる。産休に入って，休息がとれているためか，現在は消失しているようであるが，妊娠末期には，妊娠子宮による下大静脈の圧迫（か）や，細胞間質の膠質（こうしつ）浸透圧の低下により，下肢などの末端に流れた静脈血液が心臓に戻りにくくなり，浮腫が生じやすい。浮腫による下肢のだるさなどの症状が再び出現しないよう工夫し，心地よい日常生活を送れるよう援助する必要がある。

Aさん夫婦は，立ち会い出産を希望しており，夫婦で分娩期の産痛の乗り切り方について練習し，バースプランも立案できている。また，出産のための入院，育児用品も準備できていることから，妊娠初期からこれまでの過程で親になるという意識と責任が高まってきていると考えられる。分娩時，子どものために，適切に入院の判断ができるかという心配があるため，Aさんの理解度を確認のうえ，心配な思いが軽減し，適切な時期に安全に安心して入院できるよう援助する必要がある。

2 ｜ 看護診断

#1　妊娠末期であり，浮腫による下肢のだるさなどの症状が再び出現する可能性がある。

#2　分娩時，適切に入院の判断ができるかという心配がある。

3 ｜ 看護目標・看護計画

●#1　看護目標

下肢浮腫が再度出現しないよう自身で工夫でき，心地よい日常生活を送ることができる。

●#1　看護計画

①浮腫が出現した時間帯，出現部位，その時の生活状況と翌朝の浮腫の状況，現在の生活状況と下肢浮腫の有無・程度を観察し，生理的なものであるか確認する。

②妊娠末期に浮腫が生じやすい理由とその予防について説明し，Aさんが生活のなかで

取り入れることができるセルフケア行動を一緒に検討する。

③長時間の立位は控え，適宜，臥床（がしょう）する。また，座位や臥床時に下肢を挙上することを勧（すす）める。

④足浴，足の保温，マッサージ，軽い運動などにより，下肢の末梢（まっしょう）の血液循環を良く保つことを勧める。

● #2　看護目標

出産のための入院時期とタイミングが理解できる。また，入院の手段や方法を夫婦間で具体的に準備でき，不安を最小限にして出産を前向きな気持ちで待つことができる。

● #2　看護計画

①入院が必要な状況とその症状（分娩（ぶんべん）開始徴候，陣痛（じんつう）発来，破水，産徴，異常時），対応（セルフケア）について理解度を確認し，必要な情報を具体的に提供する。

②入院方法や手段（だれに連絡し，どのような移動手段で入院予定かなど）について具体的に準備できているか，確認する。

③陣痛発来，破水，出血時だけでなく，気になる症状がある時には，いつでも電話相談するよう説明する。

4 ｜ 実施・評価

#1　実施

Aさんに，産休に入ってからの浮腫の出現状況について確認すると，横にならずに，立ったり座ったりしている時間が長いと，夕方以降に下肢のむくみを感じる時があるが，産休前よりずいぶんと軽減しているとのことであった。浮腫出現時の対応に関しては，両下肢を挙上して，早めに臥床して休むように努めることで，翌朝には消失していたという。

妊娠高血圧症候群などの発症はなく，翌朝には消失していたことから，妊娠末期の妊婦に生じやすいマイナートラブルの一つであることを説明し，予防と対応について説明した。

浮腫で足がだるく眠りづらいときもあったといい，注意するとのことで，「買い物に歩いていくことはむくみ予防にいいかな？　お昼寝も効果あるのかな」と日常生活のなかで取り入れられそうな対応を検討していた。

#1　評価

下肢浮腫が再度出現しないような方法，出現時の対応について説明したところ，その言動から，Aさん自身で日常生活のなかで取り入れられそうな方法を検討することができた。それら

を実施することで，下肢浮腫を予防でき，心地よい日常生活を送ることができると考えられる。よって，看護目標は，次回の妊婦健診時に評価する。

#2　実施

破水，陣痛発来の症状とその対応については理解していた。出血について，どのような出血が分娩によるもので，何が異常なのかがわからないと質問があり，産徴と異常出血の違いとそれぞれの対応を説明し，心配な場合は，電話相談すればよいことを伝えた。

陣痛発来時，タクシーで来院予定であり，夜中や緊急時に送迎が可能な会社を確認して電話番号を登録している。タクシーは，電話後10分程度で自宅マンションに到着可能であり，マンションから病院までは15〜20分程度である。出産準備教室テキストに，自身の診察券番号やだれにどの順番で連絡を入れるかなどの必要事項が記載され，夜間の時間外入口についても把握していた。

日中，夫は出勤して不在であり，Aさんが1人でタクシーをよぶなど必要な対応をして入院することになるため，夫がいないときの対応が一番の不安であると話す。何かあった場合，ま

ず夫の携帯に連絡を入れることになっており，勤務中であっても直接Aさんと連絡がとれ，柔軟に職場を離れることができるように整えてもらっているとのことであった。入院の必要な状況，タイミングを理解し，入院手段も具体的に準備できていることを伝え，不安なときにはいつでも電話相談するよう説明すると，「心配だったら，いつでも電話していいですか。それができると安心です」と話した。

いてAさんがきちんと理解できていること，入院の手段と方法，連絡体制について具体的に準備ができていることが確認でき，それをAさん伝えたこと，また不安なときにはいつでも電話相談できることを説明したことにより，不安の軽減につながったのではないかと考える。これらより，看護目標は達成できた。

　今後は，Aさんから電話相談があったときに，Aさん自身が適切なセルフケア行動をとって，適切な時期に安全に落ち着いて受診もしくは入院できるよう援助する必要がある。

#2　評価

　入院が必要な状況，症状とその対応などにつ

II　分娩期の看護

 ### A　産婦の情報（Bさん）

- **年齢**：27歳
- **体格**：身長：158cm　非妊娠時体重53.0kg BMI：21.2
- **家族構成**：夫（25歳）との2人暮らし。
- **月経歴**：初経11歳。月経周期は28〜30日で順調。月経随伴症状なし。最終月経は12月25日から6日間。
- **既往歴・現病歴**：特になし。
- **既往妊娠・分娩歴**：初めての妊娠である。
- **家族歴**：実父母，義父母ともに健康である。
- **生活環境**：2世帯住宅で，同敷地内に義父母と義妹が暮らしている。実家は車で30分ほどの距離にあり，産後1か月くらいは実家で過ごす予定。
- **就労状況**：美容師。妊娠を機会に退職した。復職はせず，育児に専念する予定である。
- **生活習慣**：飲酒習慣なし。夫婦共に喫煙習慣なし。排便は1回/1〜2日。
- **セルフケア行動**：食事，清潔，排泄などすべて自立している。
- **妊娠経過**：切迫早産のため，28週から子宮収

縮抑制薬の内服と自宅安静。その後，子宮頸管長短縮を認め，30週から6週間入院し，持続点滴による子宮収縮抑制と安静治療となった。入院中，安静による運動や活動低下に伴う筋力低下の予防とストレスの軽減に努めるとともに，出産準備教育の個別実施により夫婦で出産・育児の準備を進めていった。36週6日に退院し，そのほか，妊娠経過に異常はなかった。
- **家族・役割関係**：夫は妊娠を喜び，入院中もBさんを心理面でサポートしていた。両家族も祝福し，夫や両家族が協力し合って，Bさんの入院中に出産・育児の準備を行うなど，協力態勢が整っている。
- **心理状態**：「切迫早産になったのは忙しくて無理したせいかな。赤ちゃんや家族に悪いなと気持ちが落ち込むこともあった。でも，入院中，赤ちゃんのことを考えたり，お産について勉強したり，夫とどんなお産がしたいのかと話し合う時間がもてて，心の準備ができてきた」

ここでは，9月24日の午前10時の時点での看護過程を展開する。

1 情報収集・アセスメント

1. 入院時の状況（身体的，心理・社会的情報）

9月23日（妊娠38週6日），23時40分，自宅にて自然破水して，翌0時30分入院。夕食，入浴は入院当夜の破水前に通常どおりすませ，破水時の対処も冷静にでき，夫と来院した。腹部緊満感が時々あり，痛みを感じている。昨日の朝に排便あり。

体温36.7℃，脈拍72回/分，血圧120/74mmHg，尿たんぱく（−），尿糖（−），浮腫（−），入院時体重63.5kg（非妊娠時から+10.5kg，前回の健診時から+0.6kg），子宮底長34.0cm，腹囲93.0cm。子宮口2cm開大，展退70%，児頭下降度−2，硬度中，位置は後方。腟内のpH検査でアルカリ性となり，破水と診断された。羊水の流出あり，混濁はない。感染予防のために，医師の指示で抗菌薬の内服が開始となった。超音波検査により臍帯下垂や脱出の徴候なし。

胎児心拍数モニタリングで，胎児心拍基線145bpm（左臍棘線中央で聴取）で6〜25bpm基線細変動がみられた。また，一過性頻脈を認め，一過性徐脈はないことから，胎児の健康状態は良好（reassuring fetal status）と判断された。モニター上，子宮収縮を10〜15分に1回認めた。胎児の推定体重は，3200gである。Bさんのバースプランは，「児の誕生を2人で迎えたい。分娩進行に効果的なことを積極的に取り入れ，前向きにがんばる」であり，夫は，「妻のそばで自分のできることをする」である。

2. 入院後の経過（身体的，心理・社会的情報）：パルトグラム参照

- **午前2時**：子宮収縮が規則的に10分以内となる。発作20〜30秒。血性分泌物が少量パッドに付着している。子宮口3cm開大，展退80%，児頭下降度−2，硬度軟，位置は後方。羊水の流出を認めるが，混濁はない。児心音140bpm。胎動自覚あり。
- **午前4時**：陣痛周期8分，発作30秒である。「陣痛の強さは変わらない」
- **午前6時**：「陣痛が急に強くなってきました。

間隔も短くなっています。経過は順調ですか？ こんなのがずっと続くんですよね。耐えられるかな？」陣痛周期5分，発作40秒である。夫はBさんを励ましながら，腰をマッサージしている。児心音140bpm。羊水の流出があるが，混濁なし。入院後，ほとんど眠れていない。

- **午前8時**：「痛くてたまりません。早く終わってほしい。ご飯食べたくない！ 動きたくない」。陣痛周期4分，発作40〜50秒，発作時，全身に力が入っており，間欠時にも力が抜けないでいる。子宮口5cm開大，展退90%，児頭下降度−1，硬度軟，位置は中央。体温37.1℃，脈拍88回/分，血圧126/74mmHg。朝食はゼリーを一口のみ。抗菌薬は内服できている。
- **午前9時**：陣痛周期3〜4分，発作50秒，子宮口7cm開大，展退90%，児頭下降度±0，硬度軟，位置は前方。小泉門が時計の2時方向に触れ，羊水流出が少なくなっている。混濁なし。血性分泌物が増量している。4時50分頃排尿したが，その後，排尿していないため排尿を促した。最初「動きたくない」と言うも，「動いたほうがいいんですよね」とトイレに移動し，排尿あり。発汗があり。呼吸法のため，口唇や口内が乾燥している。「しんどい。まだまだですか？ もう我慢できない。陣痛時，お尻が押される感じがある。まだ，いきんだらダメなんでしょう？ もう，どうやって力を抜いたらいいかわからない。あとどれくらいかかりますか」と言い，発作時「痛ーい」と息を止めてしまう。間欠時にもベッド柵を強く握りしめている。夫は，腰をマッサージしながら「がんばれ」と声をかけ，適宜，Bさんに水分摂取を促しているが，間欠時に，うとうとしている様子がみられる。胎児心拍数モニタリングのため分娩監視装置を装着する。基線細変動があり，胎児心拍数基線135-145bpmであり，一過性頻脈を認める。一過性徐脈の出現はない。

第5編

妊娠期にある母子の生理と看護

分娩期にある母子の生理と看護

産褥期にある母子の生理と看護

新生児の特徴と生理的変化と看護

付　周産期にある母子の看護の事例

3. アセスメント

　Bさんは，27歳の初産婦で，現在，妊娠39週0日である。妊娠中，切迫早産による早産のリスクがあったが，入院治療により正期産を迎えることができた。妊娠中の体重増加は＋7kgであり，そのほかの経過は順調であった。身長は158cmであり，狭骨盤の可能性は低い。また，Bさんの体格は標準的，胎児の推定体重は妊娠週数相当であることから，児頭骨盤不均衡（CPD）の可能性も低いと考える。胎児は，単胎，第1頭位で経腟分娩が可能である。また，発育に問題なく，週数から成熟しており，出生後の子宮外適応を妨げるリスクはない。

　Bさんは，9月24日の2時に陣痛発来し，9時の時点で，分娩開始から7時間経過している。子宮口が7cm開大しており，フリードマン曲線では分娩第1期の極期にあたる。現在のBさんの陣痛周期は3〜4分，発作50秒であり，子宮口7cm開大時の平均的な陣痛周期よりは周期が長く，発作が短いが，微弱陣痛ではない。パルトグラムでは，陣痛開始から経過とともに周期が短くなり，発作が長くなり，それに伴い子宮口の開大が進んでいることから，娩出力に問題はない。

　入院時から現在まで胎児の健康状態は良好である。また，小泉門が2時の方向に触れることから回旋は正常である。児頭の下降度は±0であり，パルトグラムから順調に下降している。

　Bさんは，前期破水で入院となり，現在，破水から9時間40分経過している。破水によって上行感染のリスクがあり，時間の経過とともに感染リスクが高まるため，Bさんと胎児への感染を防ぐ必要がある。現時点では，体温37.0℃，脈拍78回/分，胎児心拍数から感染の徴候はない。

　これらのことから，現在の状況は，前期破水による感染徴候は認めず，娩出力，胎児，産道に問題はなく，分娩は順調に進行している。フリードマン曲線では，2時間後に子宮口が全開大し，さらに1〜2時間後の13時頃の児の出生が予測される。

　現在，Bさんは，産痛のため，睡眠・休息，栄養，安楽などの基本的ニードが満たされていない。発作時，「痛ーい」と息を止めてしまい，間欠時にもリラックスできない状況にあり，これは，Bさんのエネルギーを消費するとともに胎児への酸素供給を妨げる可能性がある。また，朝食は，ゼリーを一口摂取するのみであり，エネルギー不足と睡眠不足から疲労が蓄積し，陣痛が弱まる可能性がある。加えて，妊娠中，切迫早産のための長期間安静による活動量の低下から筋力や体力が低下していることも考えられる。したがって，今後も順調に分娩が進行するよう，安楽や栄養のニードなど基本的ニードの充足を図る必要がある。

　Bさん夫婦は，家族の協力のもと，出産・育児に向けて準備をしてきた。「児の誕生を2人で迎えたい。分娩進行に効果的なことを積極的に取り入れ，前向きにがんばる」「妻のそばで自分のできることをする」という思いで出産に臨んでいる。Bさんは，「早く終わってほしい」「動きたくない」など，陣痛のつらさや苦しさを表出できている。また，「動きたくない」と言いながらも，助産師の促しに応じてトイレに移動するなど，前向きに分娩に取り組んでいる。夫は，分娩開始からずっとBさんに付き添い，うとうとしながらも腰をさすったり，水分補給をしたりして夫自身も共に分娩に臨めている。このように2人でがんばる過程がバースプランの達成となり，満足な出産につながるため，バースプランが達成できるよう，今後も夫婦をサポートしていく必要がある。しかし，現状として，増強する産痛に対して「もうどうしていいかわからない」という発言がある。今後，産痛はさらに増強すると予測され，それにより緊張・不安が増すことで，産痛への適切な対処がさらに困難になる可能性がある。適切に対処できなかったという思いはバースプランの達成に影響すると考えられるため，安楽のニードの充足により，Bさんの不安と緊張を取り除く必要がある。

2 ｜ 看護問題

　アセスメント結果から，3つの問題点をあげた。

#1　産痛のため，睡眠・休息，栄養，安楽などの基本的ニードが十分に満たされていない。

#2　前期破水であり感染のリスクがある。

#3　今後，増強する産痛により，緊張・不安が増すことで，産痛への適切な対処がさらに困難になることにより，夫婦の満足な出産が実現できない可能性がある。

3 ｜ 看護目標・看護計画

●#1　看護目標

基本的ニードの不足を補うことができ，今後も順調な経過で，安全・安楽に分娩（ぶんべん）が終了する。

●#1　看護計画

①Bさんの分娩進行状態，バイタルサイン，陣痛（じんつう）時の表情や言動，発汗，体勢の変化，胎児の健康状態を定期的に観察し，分娩経過を把握し，今後の経過を予測する。

②分娩経過および今後の見通し，胎児の健康状態について，Bさん夫婦が状況を理解できるようサポートする。

③産痛の部位に合わせて，夫婦と一緒に最も効果的な産痛緩和法を考え，Bさんや夫が実施できるようにサポートする。

④発作時に，息を止めてしまうと胎児への酸素供給が妨げられる可能性のあること，まだ，いきんではいけない理由を説明し，呼吸法を一緒に実施する。

⑤リラックスの効果について説明し，間欠時に，力が入っている部位に触れ，力を抜いてリラックス，休息できるよう促す。また，最も安楽な体位を工夫する。

⑥間欠時にリラックスでき，休息をとれるよう，部屋の照度や香り，好みの音楽を取り入れる。また，必要時，人的環境を整える。

⑦体力保持のために口にできるものを食べ，水分を摂取するように勧（すす）め，夫にもそのサポートを依頼する。

⑧膀胱（ぼうこう）充満が児頭の下降を妨げる可能性のあること，動くことの分娩進行への効果について説明し，安全にトイレ歩行を促し，排尿を援助する。

●#2　看護目標

子宮内感染の予防対策が十分にできる。

●#2　看護計画

①Bさんのバイタルサイン，胎児心拍数，羊水（ようすい）の性状など感染徴候を観察する。

②指示どおり抗菌薬の内服ができているか，確認をする。

③産婦が外陰部の清潔を保てるよう，排泄（はいせつ）時のパッド交換，交換時期について説明する。

④セルフケアができない時には，不足している清潔行動をサポートする。

⑤内診や分娩介助時，無菌物の取り扱いに注意し，清潔が保てるよう介助する。

⑥感染徴候の出現に応じて，必要な新生児用の処置や蘇生の準備・点検をしておく。

●#3　看護目標

夫婦で満足のいく出産が実現できる。

第5編

1 妊娠期にある母子の生理と看護
2 分娩期にある母子の生理と看護
3 産褥期にある母子の生理と看護
4 新生児の特徴と生理的変化と看護
付 周産期にある母子の看護の事例

●#3　看護計画

①バースプランを確認し，把握しておく。

②夫婦が産痛や分娩への思い，不安などを表出できるように努め，傾聴する。

③夫の疲労に配慮し，夫が休息をとりつつBさんをサポートできるよう配慮する。

④夫が，Bさんにとって効果的な産痛緩和が実施できるよう具体的に支援する。また，夫がBさんにできることを一緒に考え，実施する。

⑤夫婦のがんばりや夫婦の対処行動（呼吸法やリラックス，励ましの声かけなど）を，肯定的に2人に伝える。

4 ｜ 実施・評価

10時の時点の実施と評価を行う。

#1～3　実施

体温36.9℃　脈拍84回/分　血圧122/70mmHg。陣痛の状態を観察する。陣痛周期3分，発作50秒。胎児心拍数140bpm。発作時にも心音の低下なし。肛門圧迫感は9時より増強しているというが，腹圧はかかっていない。血性分泌物がLパッド3分の1程度付着し，羊水流出を少量認めるが混濁なし。Bさん夫婦に，ここまで順調に分娩が進行していること，胎児の健康状態も問題ないこと，夫婦でがんばっていることを伝えると，「よかった。ちゃんと進んでますね。赤ちゃんも元気でよかった」と少し笑顔がみられる。

陣痛発作時，苦悶様表情で，やはり息を止めてしまい，間欠時にも全身の力が抜けずにいる。発作時に，息を止めてしまうと胎児への酸素供給が妨げられる可能性のあること，子宮口が全開大していないため努責をかけてはいけないことをBさんに説明し，呼吸法を誘導すると，「どうしていいかわからない」と言いながらもがんばって呼吸法を実施しようと努め，実施できている。そのことを伝えると，「そばで一緒にやってくださいね。そうしないと，どうしていいかわからなくなる」と話す。

「腰が割れるように痛い」という訴えがあり，これまで実施していた腰部マッサージを圧迫法に変えて実施したところ「そっちのほうがいい」とのことであった。助産師がBさんに圧迫する最適部位と強さを確認しつつ，夫に圧迫法を実施してもらう。夫は，発作のたびに「ここで大丈夫？　強さもいい？」と確認しながら，Bさんの呼吸に合わせて圧迫し，妻は「もう少し下」「そこ！」などと伝えている。間欠時には，

発作が収まってきたことをBさんに伝え，深呼吸を促し，肩や上肢，太ももに触れながら全身の力を抜くように声をかけると，徐々に力を抜くことができている。「横になっていたい」とのことで，右側臥位とし，抱き枕やクッションを利用し，安楽な体位を工夫した。糖分や水分の必要性を説明すると「このまま順調に進むようにがんばる」と，助産師や夫の促しに応じて，ゼリーや水分を少量ずつ摂取している。産痛のため眠れないが，「落ち着く気がする」とのことで部屋を薄暗く保つとともに，音楽を流し，リラックスを促し，適宜，タオルで汗を拭き，不快を取り除くよう努めていった。

夫はまだ朝食を摂っていなかったため，児出生時刻の見通しを伝え，朝食をかねて30分ほど休息をとり，その間，助産師がBさんに付き添った。

#1　評価

産痛が増強するなか，発作時にそばで一緒に呼吸法を行い，Bさんにとって最適な産痛緩和法として腰部圧迫法を実施し，間欠時に全身の力が抜けるようにサポートすること，Bさんに確認しながら，安楽な体位や部屋の環境を整えることなどによって安楽と休息のニードを補うことができたと考える。また，説明と促しによりゼリーや水分を少量ずつ摂取できていることは，体力の保持となり，今後の順調な分娩進行につながるのではないかと考えられる。現在，母児の健康状態に問題はなく，陣痛周期はほぼ平均的であり，肛門圧迫感の増強は，児頭が下降しているためと考えられ，分娩は安全に，順調に経過している。

これらから，#1の看護目標は一部達成でき

ているが，分娩終了時に最終評価する必要がある。今後も，さらに増強する産痛によって様々な基本的ニードが不足すると予測されるため，それらを補い，経過が順調に進むよう，看護目標と看護計画を続行する。

Bさんの体温と脈拍値，胎児心拍数140bpmで発作時にも心音の低下を認めないこと，羊水に混濁がないことから，感染の徴候はなく，Bさんおよび胎児は健康であり，現時点で #2 の目標は達成できている。しかし，感染予防は分娩終了まで継続の必要があり，目標と計画は継続する。

最終排尿は 9 時であり，その時にパッドを交換してから 2 時間経過しているが，今後も時間をみて排尿を促すなどしてパッドを交換し，外陰部の清潔を保つ必要がある。また，抗菌薬の次回の内服時刻を確認し，内服してもらう必要がある。

Bさんは，「横になっていたい」など自分の望みを表出できている。また，助産師の提案を取り入れたり，促しに応じて一緒に呼吸法を実施したり，リラックスするよう努めており，産痛に適切に対処できている。バースプランにある「分娩進行に効果的なことを積極的に取り入れ，前向きにがんばる」という姿勢で，分娩に取り組めているものと考える。また，夫は，入院時からBさんに付き添い，声をかけ，産痛部位の圧迫法を行うなど「妻のそばで自分のできることをする」を実施できている。夫婦で協力して出産に取り組めていると考えられる。

#3 の目標は，分娩終了後に評価する。今後，看護目標の達成に向けて，Bさんや夫なりの前向きな姿勢で，夫婦で分娩に取り組めていること，自分の力で適切に産痛に対処できていることを積極的に夫婦に伝えていく必要がある。また，Bさんにとって効果的，適切な産痛緩和法を実施できるように夫をサポートし，夫自身が妻の役に立てていると思えるようかかわる。

Ⅲ 産褥期の看護

A 褥婦の情報

Ⅱ「分娩期の看護」に引き続き，Bさんの事例で看護過程を展開する。

B 看護過程の展開

ここでは，産褥 3 日目の看護過程を展開する。

1 情報収集・アセスメント

1. 産褥3日までの情報

- **分娩経過**：妊娠 38 週 6 日に前期破水で入院。翌日の 2 時に陣痛発来し，39 日 0 日，15 時 12 分に経腟分娩にて男児を出産。分娩所要時間は 13 時間 30 分。15 時 30 分に胎盤

娩出し，分娩時出血量は 350mL。直後の子宮収縮がやや不良にて輪状マッサージを実施した。

分娩時，会陰切開を受け，縫合がされている。児は，アプガースコア 1 分後 9 点（皮膚色－1），5 分後 10 点，体重 3266g，身長

第
5
編

1 妊娠期にある母
子の生理と看護

2 分娩期にある母
子の生理と看護

3 産褥期にある母
子の生理と看護

4 新生児の特徴と
生理的変化と看護

付 周産期にある母
子の看護の事例

50cm，頭囲 34cm，胸囲 33cm で，外表奇形や反射などに異常は認めない。羊水を含む胎盤所見に異常なし。児の誕生時には夫婦ともに涙ぐみ，「痛かったけどがんばった。やっと会えたね」と話す。

分娩直後から早期皮膚接触を実施し，児の口に乳首を含ませると上手に吸啜した様子を見て「かわいい」と夫婦で喜んでいた。分娩後 2 時間の子宮底は臍下 2 横指で硬度良好，出血量は 36g であった。体温 36.8℃，脈拍 80 回 / 分，血圧 120 / 80mmHg でふらつきなく歩行でき，尿意はないがトイレにて自尿あり。外陰部や縫合部に異常なく，母子同室を開始した。

- **産褥 0 日目**：夕食は 2/3 量摂取。縫合部痛のため眠前に痛み止めを内服した。「母乳で育てたい」と夜間も直接授乳を希望した。
- **産褥 1 日目**：体温 36.9℃，脈拍 78 回 / 分，血圧 110/70mmHg。子宮底臍下 1 横指，硬度良好で後陣痛時々あり。赤色悪露少量。縫合部痛あり，円座クッションを使用して座っている。歩行は縫合部痛のためゆっくりであるが，気分不快はなくシャワー浴を開始した。朝食は全量摂取。夜間 3 時頃の授乳後，新生児室で朝まで児を預かってもらい 3 時間ほど眠った。

尿意はないが自尿あり，3 ～ 4 時間おきに排尿しパッドを交換している。排便なし。乳房のタイプは Ⅱb 型，乳頭は突出しており伸展良好である。乳管は左右 1 本ずつ開口し，圧迫すると乳汁がにじむ程度ある。横抱きで授乳を試みるが，児の抱き方は不安定で，児はうまく乳頭を含むことができていない。授乳後，「支え方とか難しい。徐々にですよね」と看護師に話し，児に「ママがんばるからね」と話しかけていた。直接授乳中で，1 日の授乳回数は 10 回であった。

- **産褥 2 日目**：体温 36.0℃，脈拍 70 回 / 分，血圧 104/70mmHg。子宮底臍下 2 横指，硬度良好で後陣痛なし。赤色悪露少量で，悪臭も混入物もない。縫合部痛のため円座クッションを使用している。排尿回数は 7 回 / 日程度で尿意あり。排便なし。食事は全量摂取。

乳管開口は左右 3 ～ 4 本で，乳輪を圧迫すると乳汁がよくにじむ。「昨日よりは慣れてきたけど，頭を支えるのが難しい。1 人では乳首をうまく含ませられない」と話す。授乳中「母乳出てる？」と，児に話しかけ笑顔で行っている。1 日の授乳回数は 9 回であった。

分娩について，「思っていたよりも痛くてつらかったけど，夫もずっとついていてくれたのでがんばれました。夫に感謝です。無事に生まれてきてくれて本当にうれしい」と穏やかに話す。夫は，仕事帰りに面会に来て，児を抱いたりしている。

- **産褥 3 日目**：午前 0 時過ぎから 3 時頃まで，児が泣いてしまい，抱いてあやしたりおむつを替えたり，再度，乳首を含ませたりを試みていた。「授乳後，ずっと泣いていて困りました。看護師さんと相談してミルクを 10mL 足して，朝方ようやく 2 時間ほど眠れました。ちょっと疲れています。吸われると乳首が痛い」と話す。朝食後に排便あり。

経過に問題がなければ，産褥 5 日目に退院予定であり「退院後，夫が沐浴すると言っており，指導を一緒に聞いて，2 人で実際にお風呂に入れることはできますか」と話した。

2. アセスメント

B さんは，27 歳の初産婦である。妊娠中，切迫早産のリスクがあったが，39 週 0 日に正期産で経腟分娩となった。分娩所要時間は，初産婦の標準所要時間の範囲内である。前期破水であったが，抗菌薬を予防的に内服し，感染徴候はなく分娩が終了した。胎盤娩出直後の子宮収縮はやや不良であったが，分娩時出血量は 350mL，分娩第 4 期 36g と異常出血ではない。これらより，妊娠や分娩経過が産褥期の身体回復に影響を及ぼす因子はないと考えられる。

現在，産褥 3 日目である。本日排便があり，子宮底の高さや硬度，悪露の状態に問題はなく子宮復古は順調である。また，分娩当日から尿意がない状況であったが，2 日目より尿意がわかるようになり，回数も問題なく，正常な状態に回復している。

シャワー浴，トイレ歩行，円座クッションを使用しての座位保持ができており，会陰切開部の痛みも日々軽減し，日常生活における食事や清潔，排泄，安楽へのセルフケア行動がとれている。バイタルサインに異常はなく，食事も全量摂取しており，分娩後の身体回復は順調である。しかし，夜間，授乳後に児がなかなか寝てくれないことで，睡眠不足と疲労の訴えがある。疲労の蓄積は，身体回復や子宮復古に影響するため，休息への支援が必要である。

乳房のタイプは Ⅱb 型で，乳頭は突出しており伸展性もよく，授乳に適している。母乳育児への意欲があり，分娩当日から自律授乳，頻回

授乳中である。開口数が増え，乳汁がよくにじんでおり，今後，さらに分泌は増加すると考えられる。しかし，乳頭痛が出現している。乳頭痛により授乳が苦痛になり，母乳育児への意欲低下と母乳育児の継続が困難になる可能性があるため，授乳状況の確認により，乳頭トラブルを予防し，母乳哺育が確立できるよう支援する必要がある。

これまでの言動から，Bさんの出産体験は満足できるものであったことがうかがえる。母子同室や授乳中の様子から，母子相互作用をとおして愛着が形成されている。また，Bさんは育児に少しずつ慣れてきている。夫も面会時に児と触れ合い，沐浴を希望するなど，積極的に育児技術を獲得途上にあり，父子関係が促進され，育児に対する意欲が高まっていると考えられる。これらのことから，退院後の育児に向けて，夫婦がそれぞれ必要な親役割を獲得できるよう支援する効果的な時期にあると考えられる。

2 | 看護問題

#1　睡眠不足と疲労の訴えがあり，今後もこの状況が続き，疲労が蓄積すると，身体回復や子宮復古が遅れる可能性がある。

#2　乳頭痛のため母乳育児への意欲が低下し，母乳育児継続が困難となる可能性がある。

#3　夫婦と児との関係が促進され，夫婦の育児技術獲得へのニーズが高まっている。

3 | 看護目標・看護計画

●#1　看護目標
身体回復および子宮復古が順調に経過する。

●#1　看護計画
①子宮復古状態，バイタルサイン，縫合部痛，排尿・排便状況，食事摂取量，睡眠と休息状況，顔色，表情，疲労感，言動を観察する。

②授乳状況を確認し，休息，睡眠のとり方について一緒に考え，必要時，いつでも児を預かることを伝える。

③血液検査データ（貧血や感染徴候の有無）や尿検査データを確認する。

④休息を妨げるような不快症状がないか確認し，その軽減に努める。

⑤産後1か月の活動と休息の目安について説明し，退院後，休息がとれる環境か確認する。

●#2　看護目標
母児に適した効果的な母乳育児方法を見いだし，乳頭痛の軽減により，意欲が維持できる。

●#2　看護計画
①日々の母乳育児の状況（乳房の緊満状況，乳頭の形態，亀裂や発赤，乳輪部の亀裂の有無，乳管開口数，乳汁分泌，授乳を開始するタイミング，授乳姿勢，乳頭の含ませ方，乳首のはずし方や排気のさせ方，1日の授乳回数，1回の授乳にかかる時間，児の哺乳状況，必要時，児の直接哺乳量，母乳育児への意欲）を観察する。

②状況に応じて，ポジショニングやラッチオンを介助し，Bさん母児に合った効果的な

第5編
1 妊娠期にある母子の生理と看護
2 分娩期にある母子の生理と看護
3 産褥期にある母子の生理と看護
4 新生児の特徴と生理的変化と看護
付 周産期にある母子の看護の事例

授乳姿勢および吸着と吸啜，効果的に母乳育児が行われているサインなどをBさんが理解できるよう説明し，理解度を確認していく。

③母乳育児への思いを傾聴し，Bさんなりの方法で母乳育児が続けられるよう，一緒に考えていく。

④母乳育児に関する知識を再確認し，必要時，再度情報提供する。

● #3　看護目標

夫婦が退院後の育児やそれぞれの役割などをイメージして，沐浴を実施することができる。また，沐浴指導や実施をとおして児の健康状態や特徴，児の観察点が理解できる。

● #3　看護計画

①夫婦の沐浴に関する知識を確認しながら，実施方法，注意点を指導する。

②退院後，夫婦でどのように沐浴を実施しようとしているのか確認しながら，効果的で具体的な沐浴方法を一緒に考えていく。

③夫の面会時など，時間を調整して沐浴を実施する。実施時の児に対する態度，言葉かけ，育児に関する知識・技術の獲得状況などを観察する。

④児の衣服交換，おむつ交換，抱き方などについても再確認し，できているところを保証する。

⑤そのほか育児での心配事，退院後のサポート状況を確認し，必要な情報提供を行う。

4　実施・評価

#1〜3　実施

体温36.8℃，脈拍76回/分，血圧118/68mmHg。子宮底臍下3横指，硬度良好で後陣痛なし。赤色悪露少量。排尿は8回/日で尿意あり。縫合部痛は軽減しており，座位になる時などにたまにある程度である。食事は全量摂取。本日，血液検査を行い，RBC400万/μL，WBC6000/μL，Hb11.5g/dL，Ht37%，CRP0.8mg/dLであった。

乳頭・乳輪部の伸展性は良好で，乳管開口は左右5〜6本であり，乳頭を圧迫すると，ぽたぽたと乳汁分泌あり。両乳頭に発赤を認める。夜間，児が泣くため，30分以上乳頭を含ませていたという。「深く乳首を含ませることができているか自信がない」と話した。授乳クッションを使い，交差横抱きで行っており，状況を観察すると，児が大きく口を開けないうちに乳頭を含ませようとし，児は乳頭だけを吸っている。安楽で適切な授乳姿勢，児の支え方をBさんと工夫し，乳頭の含ませ方を再説明し，乳輪部まで深く含むことができるよう部分介助すると，乳頭痛は消失した。

授乳中，児が深く吸着し，吸啜しているサインを一緒に確認すると「今まで含ませ方が浅かったんですね。口だけじゃなくてあごをしっかり動かしてますね」と話した。左右それぞれ10分程度吸啜したところで，児の口の中の陰圧を解除して乳頭をはずした。乳頭はつぶれたりしておらず，発赤の増強なし。直接哺乳量を測定すると10g増加しており，「うれしい。含ませ方を練習します」と笑顔がみられた。乳頭痛がなく，授乳後の乳頭の形から効果的な吸啜であったこと，直接授乳で10g飲めていたことをBさんと確認し，Bさん自身で，効果的に乳頭を含ませることができるように支援していった。乳頭痛があるときには一度はずして，再度乳輪まで含めるようやり直しながら2〜3時間おきに授乳を行い，添い寝による効果的な授乳も試みた。児は，直接授乳後入眠していた。Bさんは児と一緒に過ごし，授乳の合間に「休むことができた」と話した。「今日の夜中，寝ながらあげてみよう。私も大変だから，どうしても寝ないときは預かってもらったり，相談して

ミルク足したりしようかな」という言葉が聞かれた。

夫の午後からの面会に合わせ，授乳のタイミングを見計らって，夫婦に沐浴指導を実施した。本日は沐浴を見学し，明日，夫婦が実施する計画を立てた。児のおむつや衣服の着脱は夫に実施してもらい，慣れない手つきではあるが，児に声をかけながらていねいに行っていた。児が裸になった際に，本日の体重，生理的体重減少，排尿や排便回数，便の性状，黄疸や臍部の状態について経過を伝え，児の健康状態や身体的特徴，退院後の観察点について説明した。また，退院後の沐浴場所や夫婦の役割分担，産後1か月間の実家での夫を含めたサポート状況などを情報収集した。Bさん夫婦は，不明な点を質問し，出産準備教育のテキストにメモを書き込む，方法を確認するなどしながら指導を聞いていた。

#1 評価

バイタルサインに異常はなく，縫合部痛も軽減しており，血液検査の結果では貧血や感染徴候はなく，身体回復および子宮復古は順調である。しかし，現在，2〜3時間おきに自律授乳と頻回授乳を行っているため，母乳育児が確立するまでは，今後も睡眠不足と疲労感が続くと考えられる。現時点で，夜間はミルクを足すなど，自身の休息も重要として，母乳育児と休息のバランスを考えることができている。母乳育児確立への思いからがんばり過ぎる可能性もあるため，今後も，身体回復が順調に経過するよう，身体面・心理面，授乳と休息・睡眠状況の観察と休息をとれるよう援助が必要であり，看護目標と看護計画を続行する。

#2 評価

乳頭の含ませ方が浅かったことが乳頭痛の要因と考えられ，授乳姿勢について工夫し，乳輪まで深く児が吸着し，効果的に吸啜できている状況についてBさんと確認していった。実際に乳頭痛が消失し，直接授乳後に体重が10g増加していたこと，「今まで含ませ方が浅かったんですね。あごをしっかり動かしてますね」という言動から，児が適切に吸着できるポジショニングやタイミング，効果的な吸啜についてBさん自身が実感できたと考えられる。また，「うれしい。含ませ方を練習します」という発言から，母乳育児への意欲がうかがえる。これらのことから，目標は一部達成できた。しかし，現在，Bさんは，母乳育児の方法を試行錯誤しながら獲得途上にあり，今後の授乳状況を踏まえて看護目標を評価する必要がある。乳輪まで深く児が吸着し，効果的に吸啜できていけば，今後，直接授乳による児の哺乳量が増えていくと予測する。最終的に看護者の介助がなくても，Bさん自身で適切なポジショニングとラッチオンが行え，乳頭痛や乳頭損傷を予防でき，楽しく授乳を継続できることが望ましい。よって，看護目標と看護計画は今後も続行する。

#3 評価

児の健康状態や身体的特徴，退院後の観察点について説明したことは，児を知り，理解することにつながったと考える。また，退院後の沐浴場所や夫婦の役割分担，産後1か月間の実家での夫を含めたサポート状況などを情報収集できたので，明日は，夫婦が退院後の育児やそれぞれの役割などをイメージできるよう，Bさんの退院後を想定して，沐浴を実施していくこととし，看護目標と看護計画を続行する。

第5編

1 妊娠期にある母子の生理と看護
2 分娩期にある母子の生理と看護
3 産褥期にある母子の生理と看護
4 新生児の特徴と生理的変化と看護
付 周産期にある母子の看護の事例

IV 新生児期の看護

II「分娩期の看護」，III「産褥期の看護」に引き続き，Bさんの事例で看護過程を展開する。

A 新生児の基本的情報

- **新生児の経過**：在胎 39 週 0 日，アプガースコア 1 分後 9 点（皮膚色−1），5 分後 10 点で出生した男児。体重 3266g，身長 50cm，頭囲 34cm，胸囲 33cm。出生直後のフィジカルアセスメントで，バイタルサインは体温 36.5℃，心拍数 156 回/分で心雑音なし，呼吸数 58 回/分で正常，シルバーマンスコア 0 点。産瘤や頭血腫なし。外表奇形や分娩外傷，反射に異常は認めず，左右の精巣は陰嚢内に触れ，爪は指頭を超えていた。

- **妊娠・分娩経過**：妊娠中，母親は切迫早産のため入院治療を受け，また前期破水であったが，破水後 15 時間 30 分で出生。分娩中の胎児心拍および羊水を含む胎盤所見に異常なし。母親は母乳育児を希望し，分娩当日から母子同室を行い自律授乳を開始している。
- **家族構成と役割関係**：母親は 27 歳の初産婦，父親は 25 歳。2 世帯住宅で夫婦 2 人暮らし。同敷地内に義父母と義妹が住んでいる。母親は産後 1 か月頃まで実家で過ごす予定。

B 看護過程の展開

ここでは，生後 3 日目の看護過程を展開する。

1 情報収集・アセスメント

1. 新生児の 3 日目までの経過

- **出生 2〜24 時間**：体温 36.5〜37.4℃，心拍数 130〜158 回/分，呼吸数 40〜58 回/分。四肢冷感軽度あり，チアノーゼなし。悪心・嘔吐なく，ビタミン K_2 シロップ剤を内服。出生 8 時間後に初回排尿，排便あり。
- **生後 1 日目**：体重 3116g，体温 37.1℃，心拍数 140 回/分，呼吸数 40 回/分。四肢冷感，チアノーゼなく筋緊張も良好。姿勢は上肢 W 字型，下肢 M 字型，力強く啼泣し啼泣時は四肢の自発運動がある。経皮ビリルビン値 2.0mg/dL，可視的黄疸なし。大泉門の陥没や膨隆なし。臍帯付着部の出血や滲出液なし。排尿 5 回/日，排便 2 回/日（胎便）あり。哺乳は 10 回/日。哺乳力良好で嘔吐なし。母親の抱き方が不安定で，児はうまく乳頭を含むことができていないため介助中。

- **生後 2 日目**：体重 3084g（体重減少率−5.6%）。体重測定時，全身を観察し，清拭と臍処置，衣服を交換した。体温 37.2℃，心拍数 148 回/分，呼吸数 46 回/分。四肢冷感なし，筋緊張良好で啼泣も力強い。経皮ビリルビン値 9.0，頭部から胸部にかけて皮膚黄染あり。頭血腫なし。臍帯は乾燥し，付着部の出血や滲出液はない。

　母親は，授乳姿勢や乳頭の含ませ方を練習中であり，児に話しかけ笑顔で行っている。乳管開口数は 3〜4 本で，圧するとよくにじむ。児は哺乳意欲あり。哺乳は 9 回/日，排尿 6 回/日，排便 3 回/日で移行便である。
- **生後 3 日目**：夜間，直接授乳後に児が泣きやまないため，ミルクを 10mL 追加した。母親は，午前 0 時過ぎから 3 時頃まで直接授乳を行い，今朝，疲労感と乳頭痛を訴えている。

2. アセスメント

児は，在胎 39 週 0 日，経腟分娩で出生した

体重 3266g の正期産児，AFD 児である。体重以外の身体諸計測値も標準値にある。分娩中，胎児の健康状態に問題はなく，アプガースコア，シルバーマンスコアは正常で，外表奇形や分娩外傷はなく，出生直後の子宮外生活への適応は問題なかった。前期破水で子宮内感染のリスクがあったが，破水から出生まで 15 時間 20 分，出生当日から本日（3 日目朝）まで，児のバイタルサインは正常で活気があり，感染を示す徴候はない。また，反射に異常はなく，出生後から現在まで呼吸，循環，体温は安定しており，順調に子宮外生活に適応できている。

生後 2 日目までの体重減少率は － 5.6％ であり，生理的範囲内である。哺乳意欲があり哺乳力は良い。ミルクなどは追加せずに母乳哺育中で，哺乳回数は 9 ～ 10 回 / 日である。排尿 5 ～ 6 回 / 日，排便 2 ～ 3 回 / 日で回数や便の性状に問題はない。母親の乳管開口数は 3 ～ 4 本で圧するとよくにじんでおり，今後，乳汁分泌は増加していくと思われるが，母乳栄養が確立するにはもう少し時間を要する。哺乳量の不足，体重減少のピークが生後 3 ～ 5 日

であることから，今後さらに体重が減少し，生理的範囲内を逸脱する可能性がある。そのため，母乳分泌状況（哺乳量），排泄状況と一緒に体重減少を観察し，逸脱を予防する必要がある。

血液型不適合妊娠など早発黄疸リスクはなく，経皮ビリルビン値は，正常範囲内で経過している。しかし，哺乳量不足は黄疸増強リスク因子でもあり，生理的黄疸は生後 4 ～ 5 日がピークであることから，今後，正常を逸脱する可能性があるため，経過を観察し，逸脱予防に努める必要がある。

清拭により児の清潔は保てており，臍輪部に感染徴候や出血などの異常はなく，部屋の温度・湿度も適正に保たれた環境で養護されている。出生当日より母子同室であり，児のニーズは母親によって充足される環境にある。また，児に愛情をもってかかわる様子がみられることから，母子関係が促進され，愛着が形成されている。退院後も，家族が協力して愛情をもって適切に育児を行えるよう，母子・父子関係を促進し，親になることを支援（本章 -Ⅲ「産褥期の看護」参照）する必要がある。

2 ｜ 看護診断

#1　母乳栄養が確立するにはもう少し時間を要し，哺乳量の不足から，体重減少が生理的範囲内を逸脱する可能性がある。また，哺乳量不足による黄疸増強リスクから，黄疸が生理的範囲内を逸脱する可能性がある。

3 ｜ 看護目標・看護計画

●#1　看護目標

必要な栄養が摂取でき，体重減少が生理的範囲内で経過する。また，黄疸が生理的範囲内で経過し，児の子宮外適応が順調に進む。

●#1　看護計画

①子宮外生活適応状態の観察

- バイタルサイン（呼吸数・心拍数・体温），四肢冷感，チアノーゼの有無・程度
- 体重（生理的体重減少，体重が前日より増加傾向にあるか）
- 排尿・排便の回数，量と性状
- 脱水症状（大泉門は平坦か，陥没はないか，皮膚の乾燥はないか）
- 皮膚黄染の程度（クラーマーの分類），経皮黄疸計のビリルビン値
- 反射，活気，筋緊張（黄疸が増強すると，反射の減弱がみられ，活気や筋緊張が低下する）

第
5
編

1
妊娠期にある母
子の生理と看護

2
分娩期にある母
子の生理と看護

3
産褥期にある母
子の生理と看護

4
新生児の特徴と
生理的変化と看護

付
周産期にある母
子の看護の事例

- 臍部の出血の有無，感染徴候の有無，皮膚の状態

- 室内環境（室温・湿度は児にとって適切か，衣類や掛け物の状況）

②哺乳状況の観察

- 1日の哺乳回数，哺乳間隔，哺乳量（必要時，母乳分泌量を測定），哺乳力（黄疸が増強すると，入眠傾向となり哺乳力が低下する），悪心・嘔吐の有無・程度

- 母親の乳汁分泌状態，乳房の張り，熱感の有無・程度，ポジショニングやラッチオンなどの授乳状況

③児の体重減少の程度，黄疸の程度について，児の状態を理解できるように説明する。

④授乳状況を確認し，効果的な直接授乳ができるようサポートする。

⑤体重減少，黄疸の程度，乳房や乳汁分泌状況，授乳状況や母親の疲労度，母乳育児への思いを踏まえて，母親と相談しながら，必要時，糖水や搾乳，ミルクの追加などを併用し，必要な栄養と水分を保つ。

⑥消費エネルギーを少なくするため，至適環境温度を保ち，清拭や沐浴などのケアは短時間で実施する。

4 | 実施・評価

1. 実施

生後3日目。児は，室温26℃，湿度60%の環境にて母子同室中である。体重3060g，体温36.9℃，心拍数130回/分，呼吸数48回/分，肌着と上着，バスタオル2枚で体温は保持できており，四肢冷感なし。筋緊張良好で啼泣も力強い。臍帯付着部の出血なし。

経皮ビリルビン値11.0mg/dLであり，頭部から腹部まで皮膚黄染が認められる。大泉門は平坦であり，皮膚の乾燥はない。

母親の乳管開口は左右5～6本であり，乳頭を圧迫するとぽたぽたと乳汁分泌あり。児の吸着が浅く乳頭痛を訴えている。乳輪部まで深く含むことができるよう直接授乳を部分介助し，左右それぞれ10分程度吸啜したところで直接哺乳量を測定すると10g増加していた。空腹時に覚醒してしっかりと哺乳しており，日中，直接授乳後は泣くことなく入眠しておりミルクは追加せず。悪心や嘔吐なし。生後2日目の哺乳回数は9回/日，排尿6回/日，排便3回（移行便）であった。

看護師が，本日の夜間の状況について，睡眠時間が2時間ほどで直接授乳をがんばっていた労をねぎらうとともに，母親に本日の体重減少率と，黄疸は生理的範囲内にあること，乳汁分泌と授乳状況から，直接授乳量が今後も増え

ていくことが予測されることを説明した。母親は「しっかり飲んでもらえるように含ませ方を練習し，どうしても寝ない時は一時預かりか，ミルクを足したりしようかな」と話した。

午後，両親に沐浴指導を実施し，本日は，沐浴により清潔を保った。

2. 評価

児は，適正に保たれた環境で養護されており，母子同室中であり，児のニーズは母親によって充足される環境にある。バイタルサインは正常で，呼吸・循環・体温の子宮外適応に問題はない。沐浴により児の清潔は保てており，臍輪部に感染徴候や出血などの異常はない。

生後3日目の体重減少率は−6.0%であり，生理的範囲内（5～10%）である。昨日よりさらに体重が減少したことから，必要な栄養が摂取できているとはいえず，体重減少のピーク（生後3～5日）から，今後さらに体重が減少する可能性がある。しかし，直接授乳で10g哺乳でき，母乳分泌は増加している。児の深い吸着と吸啜によって乳房内の乳汁をしっかりと飲み取ることで母乳分泌のさらなる増加が期待できる。そのため，本日は，効果的なラッチオンを援助しながら，直接授乳を中心に児に栄養を摂取してもらい，明日の体重を評価することとする。母親の休息，睡眠状況によっては，児の一

時預かりやミルク追加を考慮していく必要がある。経皮ビリルビン値 11.0mg/dL, 皮膚黄染はクラーマーの分類でゾーン 3 へと広がり, 黄疸（おうだん）は増強しているが, 正常範囲内で経過している。生理的黄疸は生後 4 〜 5 日がピークであることから, 今後も正常を逸脱する可能性がある。哺乳量（ほにゅう）は増加していると考えられるが, 経過を観察し, 引き続き, 逸脱予防に努めていく必要がある。

　これらより, 看護目標は達成できているが, 引き続き看護目標と看護計画を続行する。

第 **1** 章

妊娠期における母子の異常と看護

この章では

- ハイリスク妊娠の管理に必要な検査について理解する。
- 妊婦，胎児，胎児付属物にみられる異常について理解する。
- 妊娠中に起こしやすい健康逸脱と，その早期発見や予防的ケアを学ぶ。

I ハイリスク妊娠と看護

A ハイリスク妊娠とは

1. ハイリスク妊娠

　母体の身体的要因，精神的要因，社会的要因などにより，「妊娠期間中あるいは分娩後まもなくに，母児のいずれかまたは両者に重大な予後が予想される妊娠」[1] を**ハイリスク妊娠**という。特別な診断名があるわけではなく，産科合併症や合併症妊娠などに対して「ハイリスク妊娠」と総称する。

　母体や胎児の健康状態に影響を及ぼす可能性のある要因は多数存在する。いくつかの要因は，受精時にはすでに明らかである場合もあるが，多くは，妊娠経過中に明らかになってくる。妊娠の継続が母体の健康に影響を及ぼす可能性の高い母体合併症，妊娠高血圧症候群などの産科合併症，低出生体重児が出生する可能性の高い症例（切迫早産，前期破水，多胎妊娠，前置胎盤など），胎児の異常が疑われる症例（胎児発育不全，児の形態異常，羊水過多，羊水過少など），母子感染の危険性のある症例が該当する。

　母体・胎児専門医，遺伝専門医，小児科医，麻酔科医，ほかの領域の専門医に母体や胎児の評価，カウンセリング，ケアを依頼する必要のあるいくつかのリスク因子を表1-1に列挙する。

表1-1　母体もしくは胎児に関して医学的コンサルテーションを行うことが望ましい状態

既往歴・現症
- 心疾患：中等度〜重症
- 糖尿病：臓器障害やコントロール不良の高血糖
- 家族もしくは本人の遺伝子異常
- 異常ヘモグロビン症
- コントロール不良もしくは腎障害や心疾患に関連した高血圧症
- 腎障害：著明なたんぱく尿（24時間で500mg以上），血清クレアチニン 1.5mg/dL 以上，高血圧
- 肺疾患：閉塞性もしくは拘束性（重症の喘息を含む）
- ヒト免疫不全ウイルス感染症
- 肺塞栓症や深部静脈血栓症の既往
- 自己免疫疾患などの重症の全身疾患
- てんかん：コントロール不良もしくは2種類以上の抗けいれん薬内服
- がん：特に妊娠中に治療を必要とする場合

産科的既往・現症
- 血液不適合妊娠
- 既往妊娠もしくは現妊娠で胎児の構造異常や染色体異常をもつ
- 出生前診断や胎児治療を必要とする
- 既知の催奇形性物質への暴露
- 先天性の感染症を引き起こす感染症に罹患もしくは病原体に暴露
- 多胎妊娠
- 羊水量の異常

出典／Cunningham FG, et al. : Prenatal Care ; Williams Obstetrics 25th ed, McGraw-Hill, 2018, p.163-164. を参考に作成.

第
6
編

1
妊娠期における
母子の異常と看護

2
分娩期における
母子の異常と看護

3
産褥期における
母子の異常と看護

4
胎児・新生児の
異常への看護

2. ハイリスク新生児

　一般に，母体の妊娠・分娩経過や児の所見から，児の生命や精神的・身体的発達に負の影響を与える可能性が高く，出生後に厳重な観察や管理を必要とする新生児を**ハイリスク新生児**という。ハイリスク妊娠との関連が強い。

B ハイリスク妊娠の管理に必要な情報

1. 問診

　妊娠が確認された場合には，初診時もしくはなるべく早期に，問診票を利用してリスクの評価を行う必要がある。『産婦人科診療ガイドライン—産科編 2020』に示されている問診票（見本）（表 1-2）に従って，重要なポイントについて説明する。

　妊娠前体重より BMI を計算する。やせ女性は切迫早産，早産，および低出生体重児分娩のリスクが高い。一方，肥満女性は妊娠高血圧症候群，妊娠糖尿病，帝王切開分娩，死産，巨大児，および神経管閉鎖障害児などの発生リスクが高い。

　喘息（ぜんそく）やアナフィラキシーショックの既往などのアレルギーの有無は，薬剤の使用の際に重要となる。早産，妊娠高血圧症候群，HELLP 症候群，常位胎盤早期剝離（はくり）などの産科合併症は繰り返し発生しやすく，これらの既往のある妊婦の管理には注意を要する。

　妊娠初期に感染症の既往やワクチン接種歴を確認する。この際に，可能な限り妊婦の「記憶」ではなく「記録」で確認することが望ましい。性器ヘルペスの既往は，分娩周辺期で再発した場合には，分娩方法の選択にかかわる重要な情報である。以前の妊娠時の児が新生児 B 群溶血性レンサ球菌（group B Streptococcus；GBS）感染症であった場合には，現妊娠中の GBS 検出の有無にかかわらず GBS 陽性として取り扱われる。

　妊婦健診は，子宮頸（けい）がん検診を受ける良い機会ともなる。もし検診歴のない場合は，積極的に検診を勧（すす）める。

　静脈血栓塞栓症（そくせん）（venous throm boembolism；VTE）の既往のある妊婦，血栓性素因をもつ妊婦や近親者に血栓性素因をもつ妊婦には，適切な血栓症予防を行う必要がある。

　妊娠期に発症する精神疾患は，うつ病や不安障害が多いと指摘されている[2]。精神疾患の既往や社会心理学的要因をもつ妊婦は，これらの精神疾患発症のハイリスクであることを認識しておくことが大切である。また，日本でも増加している児童虐待（ぎゃくたい）の要因として，母親の産後うつ病や母子関係性障害があり，妊娠出産時から早期の発見と適切な援助を行う必要がある[3]。

表1-2 産科の問診票（見本）

問診票（見本）　　　　　　　名前＿＿＿＿＿＿＿＿

以下の下線部には数値を，当てはまる項目は□にチェックをお願い致します。　　　記入日＿＿＿年＿＿月＿＿日

1. 年齢＿＿＿＿歳　身長＿＿＿＿cm　妊娠前の体重＿＿kg
2. 月経について　最終月経開始日は？　＿＿月＿＿日に開始　周期は：□順　□不順
3. 現在の婚姻関係について　□初婚（＿＿歳時）　□（＿＿）回めの結婚（＿＿歳時）　□入籍予定　□入籍予定なし
4. 薬剤アレルギー，喫煙，飲酒についてお聞きします。
    薬のアレルギー：□なし　□あり（薬品名：　　　　　　　　　　　　　　）
    たばこ：□吸わない　□妊娠前吸っていた　□現在吸っている（＿＿＿＿本／日）　□家族・同居人が吸っている
    飲酒：□しない　□妊娠前はあった　□現在飲酒している（＿＿＿＿合／日）
5. 喘息がありますか？　□なし　□あり（最終発作は＿＿＿＿歳）
6. 現在服用している，または過去に処方されて服用していた薬，サプリメントなど栄養機能食品はありますか？
    □なし　□あり（葉酸　睡眠剤　抗不安薬　向精神薬　そのほか具体的な内容：　　　　　　　　　　　）
7. 過去に手術（美容形成や乳房形成を含む）または放射線治療などを受けたことがありますか？
    □なし　□あり（　　　　　　　　　　　　　　　　　　　　　　　　　　　　　　　　　　　　　）
8. 子宮頸がん検診を受けたことがありますか？
    □あり（最後に受けたのは＿＿＿＿年＿＿＿＿月）　□なし
9. 子宮頸部円錐切除術についてお聞きします。
    □受けたことがない　□受けたことがある（受けたのは＿＿＿＿年＿＿＿＿月）
10. 乳がん検診を受けたことがありますか？
    □あり（最後に受けたのは＿＿＿＿年＿＿＿＿月）　□なし
11. 過去に輸血を受けたことがありますか？
    □なし　□あり（理由：　　　　　　　　　　　　　　　　　　　　　　　　　　　　　　　　　）
12. 過去3か月以内に以下のことはありましたか？　（ありの場合チェック）
    □発熱　□発疹　□首のリンパ節の腫れ　□風疹患者との接触　□小児との接触が多い職場での就労
13. 海外渡航についてお聞きします。
    □過去3か月以内に自分が行った（場所：　　　　　　）□過去3か月以内に同居家族が行った（場所：　　　　）
    □パートナーが海外に行くことがある
14. ワクチンのある病気や発疹の出る病気についてお聞きします。
    麻しん（はしか）：□かかった　□ワクチンを受けた　□不明　　　風しん：□かかった　□ワクチンを受けた　□不明
    水痘（水ぼうそう）：□かかった　□ワクチンを受けた　□不明
    流行性耳下腺炎（おたふく）：□かかった　□ワクチンを受けた　□不明
    性器ヘルペス：□おぼえがない　□かかったことがある　□時々出る
15. 過去の妊娠や分娩についてお聞きします。
    □今回が初めての妊娠
    □過去に妊娠したことがある（当てはまる場合すべてにチェック）
    　□人工流産（＿＿＿＿回）　□自然流産（＿＿＿＿回）
    　□異所性（子宮外）妊娠（＿＿＿＿回）
    　□経腟分娩（＿＿＿＿回：うち吸引分娩＿＿＿＿回　鉗子分娩＿＿＿＿回）
    　□帝王切開分娩（＿＿＿＿回）
    　□早産　□妊婦高血圧症候群　□常位胎盤早期剥離　□ヘルプ症候群　□分娩時大量出血　□その他
16. 過去に分娩した児についてお聞きします。（当てはまる場合すべてにチェック）
    □出生体重2,500g未満　□出生体重3,500g以上　□肩甲難産　□死産　□新生児死亡
    □B群溶連菌（GBS）感染症　□新生児仮死
    □その他児についていわれたことがあれば（　　　　　　　　　　　　　　　　　　　　　　　　）
17. 今回の妊娠成立までの経過についてお聞きします。
    □自然妊娠　□不妊治療妊娠（不妊治療内容：　　　　　　　　　　　）　□その他（　　　　　　　）
18. 今までに指摘されたことのある産婦人科疾患についてお聞きします。
    □子宮筋腫　□子宮内膜症　□子宮腺筋症　□子宮奇形　□卵巣腫瘍　□乳腺疾患（良性または悪性）
    □その他（病名：　　　　　　　　　　　　　　　　　　　　　　　　　　　　　　　　　　　　）
19. 今までに指摘されたことのある病気についてお聞きします。
    □高血圧　□糖尿病　□腎疾患　□心疾患　□甲状腺疾患　□肝炎　□自己免疫性疾患　□脳梗塞
    □脳内出血　□てんかん　□精神疾患　□血液疾患　□悪性腫瘍　□血栓症
    □その他（病名：　　　　　　　　　　　　　　　　　　　　　　　　　　　　　　　　　　　　）
20. ご自分の両親あるいは兄弟姉妹に，以下の病気を現在もしくは過去に持った方がいますか？
    □高血圧　□糖尿病　□静脈血栓塞栓症　□その他の遺伝性疾患（病名：　　　　　　　　　　　　）
21. 妊娠がわかった時の気持ちはいかがでしたか？　□嬉しかった　□困った　□複雑な気持ち　□不安
22. 今までにカウンセラーや心療内科・精神科などに自分のことを相談したことはありますか？
    □なし　□あり（その内容：　　　　　　　　　　　）□これから相談したい（その内容：　　　　　）
23. 妊娠・出産その後の育児・授乳において不安や心配がありますか？　まわりに相談できる人はいますか？
    □なし　□あり（　　　　　　　　　）相談できる人が　□いる　□いない

出典／日本産科婦人科学会，日本産婦人科医会編・監：産婦人科診療ガイドライン：産科編 2020．日本産科婦人科学会，2020．p.4．

2. 外来診察

　外来診察において妊婦の異常を早期に発見し早期に対応することは，母児の予後につながる可能性があり極めて重要である。

　妊娠初期の血圧，たんぱく尿，尿糖の測定は簡単に情報が得られ，かつその後の妊娠管理をするうえで重要な情報となる。また，これらの項目については妊娠初期に異常がなかったことの確認も重要である。たとえば，妊娠高血圧症候群においては，妊娠20週までの高血圧の有無によって病型分類が異なる。妊娠初期以降のこれらの項目の定期的な測定は，妊娠高血圧症候群の診断や腎疾患，糖尿病の診断に有用となる。

　妊娠前の体重と身長によりBMIを算定して妊婦の体格評価を行う。静脈血栓塞栓症（VTE）の既往がなくても，BMIが25以上の場合は妊娠中のVTEの発生に留意する必要があり，さらにBMI 25以上に加えて，35歳以上，喫煙，安静臥床，脱水などのリスク因子が2つ以上加わると，妊娠中の抗凝固療法を検討する必要性が出てくる[4]。

C ハイリスク妊娠に影響する因子

1. 高年妊娠

　高年妊娠とは，35歳以上の妊娠と定義される。

　母親の年齢階級別出生率の年次推移をみると，1975（昭和50）年以降は20歳代の出生率が大きく低下し，近年は30〜40歳代の出生率が上昇傾向となっている[5]。

　高年妊娠においては，児のトリソミー，多胎妊娠，常位胎盤早期剝離，前置胎盤，妊娠高血圧症候群の発症頻度が高くなる。

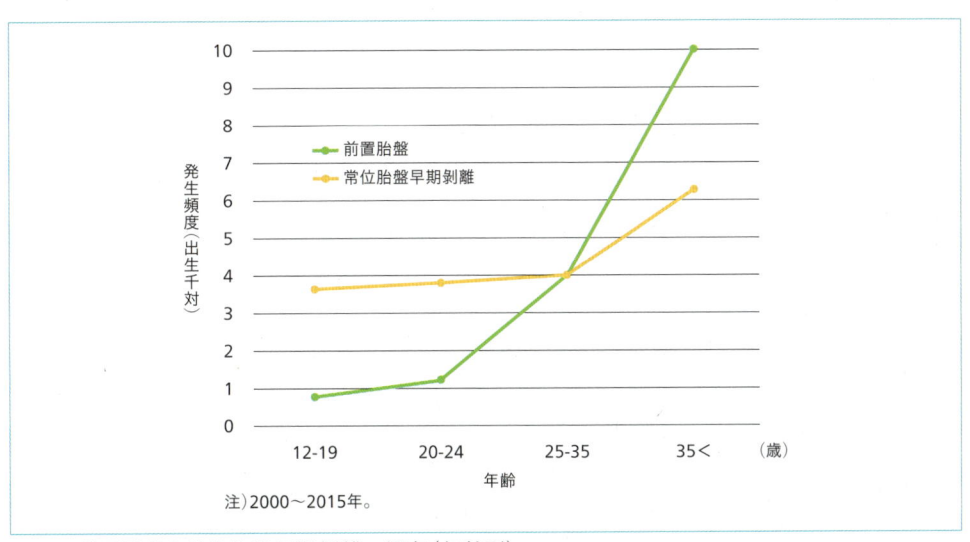

図1-1　前置胎盤と常位胎盤早期剝離の頻度（年齢別）

高年妊娠において，40歳以上での妊娠高血圧症候群発症の相対リスクは初産婦で1.68（95％信頼区間1.23～2.29），経産婦で1.98（95％信頼区間1.34～2.87）と高くなることが報告されている[6]。

　年齢が前置胎盤および常位胎盤早期剝離の頻度に与える影響に関するParkland Hospitalにおける検討では，年齢とともにその頻度が上昇することが報告されている（図1-1）。特に前置胎盤においては，19歳以下の妊婦における頻度0.65/1000出生に対して，35歳を超える妊婦における頻度は約10/1000出生と，年齢による発生頻度に大きな違いがみられる。

2. 若年妊娠

　若年妊娠の具体的な年齢に関する定義は『産科婦人科用語集』にも記載されていないが，通常は10歳代の妊娠のことを指す。リスクとしては，人工妊娠中絶の増加，シングルマザー・未婚の増加，経済的・心理的不安，児童虐待リスクの増加，周産期死亡率の増加，低出生体重児の割合の増加があげられる。

3. 生活習慣

1 喫煙

　妊娠前や妊娠中の喫煙は，不妊，異所性妊娠，（子宮）頸管無力症，切迫早産，37週未満の破水，早産，絨毛膜羊膜炎，常位胎盤早期剝離，前置胎盤の頻度を増加させる。児については口唇裂，口蓋裂，先天性心疾患，手足の欠損，腹壁破裂などの頻度を増加させる。また，胎児の発育にも影響を及ぼす。したがって，初診時には，喫煙の有無を確認し，喫煙環境についての情報を集め，禁煙や受動喫煙を避けるように指導することが大切である。

2 飲酒

　妊娠中の飲酒による胎児への悪影響は，**胎児性アルコール・スペクトラム障害**と総称される。特異顔貌，多動や学習障害，胎児発育不全などが含まれる。飲酒習慣がある場合は，禁酒を勧めることが推奨される。

4. 体格

1 やせと肥満

　日本肥満学会とWHOの基準では，やせの定義は妊娠前BMI 18.5未満とされている。やせ女性は切迫早産，早産，低出生体重児分娩のリスクが高いとされている。一方，日本肥満学会の基準では，肥満の定義は妊娠前BMI 25以上とされている。妊娠高血圧症候群，妊娠糖尿病，帝王切開分娩，死産，巨大児，神経管閉鎖障害児などの発生リスクが高いと

第
6
編

1
妊娠期における
母子の異常と看護

2
分娩期における
母子の異常と看護

3
産褥期における
母子の異常と看護

4
胎児・新生児の
異常への看護

されている。

2 │ 体重増加

　妊娠中の体重増加量は，児の出生体重や妊娠高血圧症候群との関連が指摘されている。理想的な体重増加量については，日本産科婦人科学会「妊娠中の体重増加指導の目安」（2021），厚生労働省「妊娠前からはじめる妊産婦のための食生活指針」（2021）によると，普通の体格の妊婦（非妊娠時 BMI 値が 18.5 〜 25.0 未満）が，妊娠 40 週で 3kg の単胎児を出生するために必要な体重増加量は 10 〜 13kg としている。妊娠中の母体体重増加量が多いほど児の出生体重が重くなる傾向にあり，これは妊娠前の BMI 値が小さい妊婦ほどよく当てはまる。このように，体重増加に伴うリスクがあるものの厳格に指導をする根拠は必ずしも十分ではなく，個人差を考慮した指導が望まれている。

5. 心理・社会的因子

　心理・社会的因子は，妊婦の精神・身体に影響を与えるだけでなく，虐待などの育児面においても影響を与えるリスク因子となる。

　妊産婦にみられる気分障害には，うつ病と双極性障害が，神経症性障害には，パニック障害，社交不安障害，全般性不安障害，強迫性障害などがある。自傷他害の危険性もあり，精神科医と共に対処する必要が生じる場合がある。

　精神病性障害の代表的な疾患は統合失調症であり，妊娠中からの支援を必要とする。

　妊娠中の身体管理を十分にできない妊婦や未受診妊婦のなかには，境界域の知的な問題を抱えている場合もあり，注意を要する。自閉症スペクトラム障害の妊婦も育児に障害をきたすことが予測され，支援を必要とする。

　虐待による乳児の死亡事例の増加が報告されている。このなかで，0 歳児が 4 割を占めている。この背景には，母親が 1 人で悩みを抱えてしまうような家庭・社会環境，若年妊娠や予期せぬ妊娠，母体疾患のためにサポートを必要とする事例がある。虐待予防のためには，関係機関がリスクのある妊婦に対して出産前からかかわる必要があるとの認識から，児童福祉法ではこのような妊婦を**特定妊婦**とすることが定義されている。

Ｄ　ハイリスク妊娠に関する検査

　ハイリスク妊娠に関する検査は，内科・外科的合併症にかかわる検査，妊娠合併症にかかわる検査，ハイリスク因子を抽出するための検査に大別される。ハイリスク因子を抽出するための検査は，妊娠期に行われる血液型，不規則抗体スクリーニング，血算，血糖，感染症（風疹，梅毒，Ｂ型肝炎，Ｃ型肝炎，HIV，HTLV-1）にかかわる検査，血圧，尿糖，尿たんぱく検査などがある。

　内科・外科的合併症や妊娠合併症にかかわる具体的な検査項目や解釈については，各項

を参照のこと。

II 妊娠の異常

妊娠初期の異常

1. 妊娠悪阻

▶ **定義・概念**　**妊娠悪阻**とは「つわりが重症化し，体重減少，脱水，アシドーシスや電解質異常を呈する病態」をいう[7]。妊娠中の悪心・嘔吐はつわりとよばれ，妊娠女性の50〜80％が経験する。通常，つわりは妊娠5〜6週に始まり，妊娠9週頃に症状が最も強くなり，その後軽快して妊娠16〜18週で消失する。多くの妊婦は全身状態が障害されることなく自然に軽快する。妊娠悪阻はつわりの症状が悪化して糖質の摂取が不十分となり，エネルギー源として糖質の代わりに脂肪を分解した結果，体内でケトン体の産生が亢進し，血中・尿中のケトン体が増加する。症状の進行とともに電解質バランスが崩れ，酸・塩基平衡の異常や一過性の肝臓や腎臓の機能障害を起こす。

▶ **診断**　鑑別診断としては，悪心・嘔吐を発症する疾患（急性虫垂炎，十二指腸潰瘍，胃がん，肝疾患，食中毒など）があげられる。合併症としては，反復する嘔吐のために食道に裂傷が生じるマロリー−ワイス症候群，食物摂取不足のために生じるビタミン B_1 欠乏により発症するウェルニッケ脳症がある。

▶ **原因**　原因は不明であるが，妊娠悪阻ではヒト絨毛性ゴナドトロピン（human chorionic gonadotropin : hCG）や甲状腺ホルモン（サイロキシン）[8] が高値であるとの報告があり，hCG やサイロキシンが発症に関与している可能性がある。

▶ **治療**　心身の安静を目的とした安静・入院療法，炭水化物にビタミン B 群，ビタミン C を加えた低脂肪食を1日に5〜6回に分けて少量ずつ摂取する食事療法がある。さらに，悪心・嘔吐が頻回となり，体重減少，脱水症，電解質異常が出現したら，糖質とビタミン B 群，ビタミン C を含む等張電解質輸液または低張電解質輸液を行う。

2. 異所性妊娠（子宮外妊娠）

▶ **定義・概念**　**異所性妊娠**とは，受精卵が正常な着床部位（子宮体部内膜）以外の場所に着床した場合をいう。受精卵の着床部位により，頸管妊娠，卵管妊娠（卵管妊娠はさらに卵管間質部，卵管峡部，卵管膨大部，卵管采に分類できる），卵巣妊娠，腹腔妊娠に分類される。帝王切開の瘢痕部に着床した場合も異所性妊娠に含まれる。異所性妊娠の発症頻度は約1％で，そのなかで卵管妊娠が98％を占め，頸管妊娠，卵巣妊娠，腹腔妊娠はそれぞれ1％以下

といわれている。また，正所性妊娠と異所性妊娠が同時に成立する内外同時妊娠が 1/3 万の頻度で起こる。

▶ **原因**　①卵管に対する手術の既往，②骨盤内炎症疾患（クラミジアなどによる卵管炎，子宮内膜症など），③生殖補助医療（体外受精胚移植），④経産婦，⑤高年妊娠，⑥人工妊娠中絶既往などで多いといわれている。

▶ **臨床症状**　①性器出血，②下腹部痛，③出血性ショック（卵管妊娠で卵管が破裂し，多量の腹腔内出血を起こした場合）が代表的な臨床症状で，急性腹症で来院した女性患者では，鑑別診断の一つとして異所性妊娠を念頭に置く必要がある。

▶ **診断**　診断には，超音波断層法が有用である。正確に診断された妊娠週数が 5 週後半以降，あるいはヒト絨毛性ゴナドトロピン（hCG）が 2000IU/L 以上で，子宮内に胎嚢が認められない場合は，異所性妊娠を強く疑う。また，子宮外に卵黄嚢または胎芽心拍を認める胎嚢があれば異所性妊娠と診断できる。超音波診断に併せて，問診による最終月経や月経周期の確認，内診による付属器周囲の腫瘤や圧痛の有無の確認，基礎体温での高温相の確認，などにより診断精度を上げられる。

▶ **治療**　治療には，①外科的治療，②内科的治療，③待機的管理がある。治療の原則は外科的治療であるが，内科的治療や，後述する条件を満たせば待機的管理が選択される。

近年，外科的治療では腹腔鏡下手術が汎用されている。外科的治療には根治的手術と保存的手術がある。根治的手術は，胎嚢が着床した臓器を全摘する術式で，妊孕性温存の希望のない場合や，破裂や癒着により保存的手術が困難な場合に選択される。保存的手術は，妊孕性温存の希望が強く，かつ卵管の損傷が強くない場合に選択される。保存的手術後に存続異所性妊娠（PEP）が 5 〜 10％発症するため，hCG の継続的な観察が必要である。

内科的治療は，メトトレキサート療法が最も一般的である。必ず十分なインフォームドコンセントを行って施行する。

待機的管理は，① hCG は 1500IU/L 以下で減少傾向にあること，②破裂がないこと，などの条件を確認したうえで，必ず十分な経過観察の必要性を含めたインフォームドコンセントを行って施行する。経時的な超音波検査と hCG 測定を行い，hCG が検出限界以下になるまで経過観察する。

3. 流産

▶ **定義・概念**　**流産**とは「妊娠 22 週未満の妊娠中絶（人工妊娠中絶とは意味が異なる）」をいう[9]。いいかえれば，児の胎外生存が不可能な時期に妊娠が終結することをいう。妊娠 12 週未満の流産を早期流産（early abortion），12 週以降 22 週未満の流産を後期流産（late abortion）と分類する。また，自然に起こるものを自然流産（spontaneous abortion），人為的に行われるものを人工流産（artificial abortion）とよぶ。臨床的な病態による流産の分類を表 1-3 に示す。自然流産の頻度は全妊娠の 10 〜 15％にみられ，妊娠 12 週未満の早期流産が圧倒的に多い。

表1-3 臨床的な病態による流産の分類

流産の分類	臨床的な病態
切迫流産 (threatened abortion)	胎芽あるいは胎児とその付属物は排出されておらず、子宮口も閉鎖している状態で、少量の性器出血と軽度の下腹部痛あるいは腰痛や下腹部緊満感を伴う流産の危険が高まっている状態を指す。適切な治療あるいは経過観察で妊娠継続が可能な場合が多い。妊娠中期では子宮口の開大と胎胞形成を伴うことがある。
進行流産 (inevitable abortion)	すでに流産の機序が進行している状態で、下腹部痛は陣痛様に増強し、子宮口は開大し、性器出血も増量している状態で、通常は子宮内容除去術が必要である。
完全流産 (complete abortion)	胎芽あるいは胎児とその付属物が完全に排出された状態をいう。出血や下腹部痛もほとんど消失し、子宮口は閉鎖する。
不全流産 (incomplete abortion)	胎芽あるいは胎児とその付属物が完全に排出されず、一部が子宮内に残存した状態をいう。子宮が十分に収縮できず、子宮口も閉鎖しないで、性器出血や下腹部痛が持続する。自然流産の多くはこの状態となり、子宮内容除去術が必要となる。
稽留流産 (missed abortion)	胎芽あるいは胎児が子宮内で死亡して子宮内に停滞し、性器出血や下腹部痛などの臨床症状がみられない状態をいう。超音波断層法で診断されることが多い。
生化学的妊娠 (biochemical pregnancy)	血中または尿中 hCG が陽性（生化学的には妊娠と診断できる）で、超音波断層法で胎囊などの妊娠に特有の所見が確認できず、流産徴候を伴うことなく月経様出血をみた場合をいう。

▶ **原因**　流産の原因は母体側，胎児側など極めて多岐にわたり（表1-4），臨床的に個々の症例の原因を明らかにすることは困難であるが，流産例の染色体分析では染色体異常が最も大きな原因と考えられている[10]。

▶ **診断**

❶**臨床症状**：典型的な症状は，無月経と不正性器出血および下腹部痛，腰痛である。基礎体温を計っていれば妊娠14週頃まで高温期が持続するので，途中で下降すれば流産を疑う。

❷**超音波断層法**：経腟法では妊娠4週末で胎囊（たいのう）を確認できる。流産例では一般的に胎囊が小さく，経時的に観察すると胎囊の増大がみられない。また，妊娠7週でほぼ全例で胎児心拍が検出できるので，妊娠7週以降に胎児心拍が認められない症例は流産と診断できる。

❸**尿中あるいは血中 hCG 値**：hCG 値は妊娠5週に入ると急激に上昇し，妊娠10週前後で最高値となり，以後漸減（ぜんげん）する。妊娠7週以降で尿中 hCG が 5000IU/L 以下であれば，

表1-4 流産の原因

> ❶ 母体側
> 　（1）子宮の形態異常：発育不全，奇形，子宮筋腫など
> 　（2）内分泌異常：黄体機能不全，高プロラクチン血症，甲状腺機能異常，糖尿病など
> 　（3）抗リン脂質抗体症候群，自己免疫性疾患
> 　（4）その他
> ❷ 胎児側
> 　（1）妊卵の異常（染色体異常を含む）
> 　（2）付属物（胎盤，臍帯など）の異常
> 　（3）子宮内感染
> 　（4）その他
> ❸ その他（原因不明も含む）

流産を疑う。

▶ 治療　切迫流産に対しては，心身の安静を促す安静療法や薬物療法がある。

　進行流産，不全流産，稽留流産と診断されたら速やかに子宮内容除去術を行う。稽留流産では，自然排出されるのを待つ待機的管理が行われることもある。子宮内胎児死亡の後期流産の場合は，自然に陣痛が発来して胎児と胎盤が娩出されることが多いが，陣痛が発来しない場合は，死胎児から遊離した組織トロンボプラスチンが母体循環系に流入して凝固機能障害を起こす（死胎児症候群）ので，プロスタグランジン E_1 誘導体を用いた陣痛誘発が行われる。

4. 胞状奇胎

▶ 定義・概念　胞状奇胎とは絨毛性疾患の一つで，絨毛性疾患取り扱い規約によれば，絨毛における栄養膜細胞の異常増殖と間質の浮腫を特徴とする病変と定義される[11]。胞状奇胎の発症率は，1970〜1980年代には0.3％弱であったものが，2000年代には0.1％強まで減少してきた。絨毛性疾患は，臨床的分類と病理的分類に大別される（表1-5）。本稿では，臨床分類での胞状奇胎について述べる。

▶ 分類

❶全胞状奇胎（全奇胎，complete hydatidiform mole）：肉眼的には大部分の絨毛で水腫状腫大を呈する。組織学的には栄養膜細胞の異常増殖と絨毛間質の浮腫が認められ，胎児成分の存在しないものをいう。細胞遺伝学的には雄核発生による2倍体（46,XXか46,XY）で，すべての染色体（遺伝子）は父親由来である[12]。

❷部分胞状奇胎（部分奇胎，partial hydatidiform mole）：肉眼的には正常と水腫状腫大を呈する2種類の絨毛からなる。組織学的には一部の栄養膜細胞の軽度増殖ならびに間

表1-5　絨毛性疾患の分類

臨床的分類	病理的分類
❶ 胞状奇胎 　(1)全胞状奇胎（全奇胎） 　(2)部分胞状奇胎（部分奇胎）	❶ 胞状奇胎 　(1)全胞状奇胎（全奇胎） 　(2)部分胞状奇胎（部分奇胎） 　(3)侵入胞状奇胎（侵入奇胎）
❷ 侵入胞状奇胎 　(1)侵入全胞状奇胎 　(2)侵入部分胞状奇胎	
❸ 絨毛がん 　(1)妊娠性絨毛がん 　　a. 子宮絨毛がん 　　b. 子宮外絨毛がん 　　c. 胎盤内絨毛がん 　(2)非妊娠性絨毛がん 　　a. 胚細胞性絨毛がん 　　b. 他がんの分化異常によるもの	❷ 絨毛がん
❹ 胎盤部トロホブラスト腫瘍	❸ 中間型トロホブラスト腫瘍 　(1)胎盤部トロホブラスト腫瘍 　(2)類上皮性トロホブラスト腫瘍
❺ 類上皮性トロホブラスト腫瘍	
❻ 存続絨毛症	

出典／日本産科婦人科学会・日本病理学会編：絨毛性疾患取扱い規約，第3版，金原出版，2011，p.10-31. を参考に作成.

質の浮腫が認められ，胎児成分が存在することが多い。2精子受精による3倍体を原因とすることが多い。

▶ **診断・症状**　従来の囊胞化絨毛の診断基準は肉眼的に短径2mmを超えるものとされていたが，妊娠早期のものでは短径2mmを超えないものもあり，肉眼的所見のみの診断では見逃す危険性がある。このため組織学的検査により診断する。

臨床症状としては，①無月経，②不正性器出血，③妊娠悪阻などがあげられる。

▶ **検査**

❶**超音波検査**：妊娠初期の妊婦にはほぼ全例に経腟超音波検査が行われるので，胞状奇胎の診断は超音波検査でなされるといっても過言ではない。全奇胎では子宮内腔に特徴的な多数の小囊胞像（small vesicle pattern，図1-2）が描出され，正常な胎児像は認められない。一方，部分奇胎では典型的な所見はなく，診断に苦慮する場合が多い。

❷**血中hCG値**：胞状奇胎では，増殖した絨毛細胞（栄養膜細胞）から大量にhCGが分泌されるため，正常妊娠と比較してhCG値は異常高値（10万〜100万IU/L）となることが多い。

❸**その他**：病理組織検査，免疫組織化学的検査，染色体検査，DNA多型解析などが有用である。

▶ **治療・管理**　胞状奇胎の治療・管理は，子宮内容除去術による胞状奇胎組織の除去とその後のhCG値の観察である。胞状奇胎娩出後のhCG値の観察が必要な理由は，全奇胎の10〜20％が続発症として侵入奇胎（絨毛が子宮筋層あるいは筋層の血管へ侵入像を示すもの）となり，1〜2％が絨毛がんに進展するためである。このため，胞状奇胎娩出後は基礎体温を測定させ，経時的な血中hCG値の観察（1〜2週間に1度）を陰性化するまで行う。

▌ 5. (子宮)頸管無力症

▶ **定義・概念**　**(子宮)頸管無力症**とは，妊娠中期（妊娠20週前後）までに，自覚できる子宮収縮を伴うことなく子宮口が開大して流産に至るものをいう。

頸管無力症の頻度は0.05〜1％[13]と推測される。先天性のもの（狭義の頸管無力症）と後天性のものがあり，先天性のものは，子宮頸部の形態維持機能の異常が原因と考えられている。陳旧性頸管裂傷は瘢痕部の形態維持機能が低下するため発症する。

通常，先天性の頸管無力症は妊娠中期（妊娠20週前後）に突然発症するので，予防は困難な場合が多いが，頸管無力症の既往歴を有する症例や陳旧性頸管裂傷の既往歴を有する症例では，頸管無力症を予測でき予防が可能である。

▶ **診断**　前回妊娠時の頸管無力症や頸管裂傷などの既往歴が重要なので，問診をしっかり行うことが重要である。初産婦や頸管無力症の既往のない症例では，経腟超音波断層法検査が有用である。妊娠早期からの頸管長の短縮やファンネリング（内子宮口が漏斗状に開大すること。図1-3）は診断に有用である。

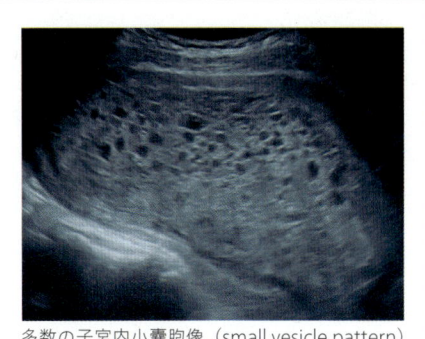

多数の子宮内小嚢胞像（small vesicle pattern）

図 1-2 胞状奇胎の超音波像

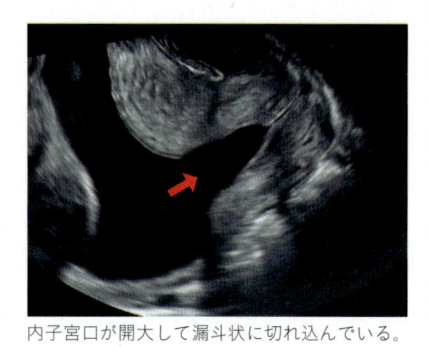

内子宮口が開大して漏斗状に切れ込んでいる。

図 1-3 経腟超音波断層法による子宮口のファン
ネリングと頸管の短縮像

▶ **予防・治療**

❶**予防法**：頸管無力症の予防法は頸管縫縮術である。頸管縫縮術には，内子宮口の位置で頸管を縫縮するシロッカー法と，外子宮口の位置で頸管を縫縮するマクドナルド法がある。

❷**治療法**：頸管無力症は，多くの場合無症状で突然発症するので，気づいた時には胎胞膨隆や前期破水の状態になっており，妊娠継続が難しい。しかし，時に妊婦健診時に経腟超音波検査で頸管長の短縮やファンネリングなどの所見が得られ，妊娠継続が可能な状態で頸管無力症の診断ができることがある。治療法は，炎症を否定したうえでの頸管縫縮術を行うことである。

6. 不育症・習慣流産

▶ **定義・概念**　**不育症**とは，単一の診断名ではなく複数の病態を含むもので，「妊娠はするが 2 回以上の流産・死産もしくは生後 1 週間以内に死亡する早期新生児死亡によって，児が得られない場合」と定義されている[14]。流産を 2 回繰り返す場合を**反復流産**，3 回以上繰り返す場合を**習慣流産**という。

　流産は約 15％の頻度で起こるが，厚生労働省科学研究班（以下研究班）の報告によれば，妊娠歴のある 35 〜 79 歳の流産経験は，3 回以上が 0.9％，2 回以上が 4.2％，1 回が 38.0％であり，さらに日本では妊娠年齢の高齢化が進んでいることから，不育症は妊婦の約 4％の頻度で存在すると推測されている。不育症の原因は多岐にわたっているが，不育症に関与するリスク因子を**表 1-6** に示す。

▶ **診断**　原因や病態には不明な点が多く，上述したリスク因子の有無を診断することが基本となる。具体的には，①超音波検査や子宮卵管造影，子宮鏡による子宮の形態検査，②甲状腺機能検査，糖尿病検査，③夫婦の染色体検査，④抗リン脂質抗体検査（抗カルジオリピン β_2 グルコプロテイン I 複合体抗体，ループスアンチコアグラント，抗カルジオリピン IgG 抗体，抗カルジオリピン IgM 抗体），⑤凝固因子検査（第XII因子活性，プロテイン S 活性もしくは抗原，プロ

表1-6 不育症のリスク因子

病態	頻度（%）	病態	頻度（%）
リスク因子不明	65.3	第XII因子欠乏	7.2
抗リン脂質抗体陽性	10.2	甲状腺機能異常	6.8
子宮奇形	7.8	夫婦の染色体異常	4.6
プロテインS欠乏	7.4	プロテインC欠乏	0.2

＊重複あり（43件）

出典／斉藤滋：厚生労働省科学研究費補助金　成育疾患克服等次世代育成基盤研究事業「不育症治療に関する再評価と新たなる治療法の開発に関する研究」，平成20〜22年度総合研究報告書，2011. 一部改変.

テインC活性もしくは抗原）などを検索し，その結果を参考に診断する。

▶ **治療**　原因や病態の詳細に不明な点が多いため，当然のことながら明確なエビデンスに基づく治療が確立しているわけではない。したがって，各リスク因子に対する対症療法が行われることが多い。

❶**子宮形態異常**：双角子宮や中隔子宮に対して，形成術が行われる。しかし，手術療法の有用性は明らかではなかったとの報告もある[15]。各症例の形態異常の型や程度を個別に検討し，形成術の利点と欠点を十分に説明したうえで，手術の可否を決めるとよい。

❷**内分泌異常**：甲状腺機能異常や糖尿病がある場合，病状の十分なコントロールができるようになってから妊娠するように指導する。

❸**染色体異常**：夫婦のいずれかに染色体異常がある場合には，遺伝カウンセリングを行う。

❹**抗リン脂質抗体症候群**：抗リン脂質抗体症候群の診断基準（2006年改定）では，死産などの臨床的事象とともに前述した抗リン脂質抗体検査の項目が12週以上の間隔をあけて2回以上陽性である場合に診断される。このような症例に対しては，低用量アスピリン（80〜100mg/日）とヘパリン（5000〜1万単位/日）の併用療法が推奨される。

Ⓑ 妊娠中・末期の異常

▍ 1. 妊娠高血圧症候群

▶ **概念**　**妊娠高血圧症候群**（hypertensive disorder of pregnancy：HDP）の定義・分類が2018年に改訂された。変更点は，①病型の一部変更（子癇が除外され，代わりに高血圧合併妊娠が加わる），②高血圧に母体臓器障害，胎盤機能不全を伴った場合は，たんぱく尿がなくても**妊娠高血圧腎症**（preeclampsia：PE）と診断する，③早発型と遅発型の区分点が妊娠32週から妊娠34週に変わる，④「軽症」という言葉を使用しないことの4点である（**表1-7, 8**）。

▶ **病因・病態**　HDP，特に妊娠高血圧腎症（PE）の原因の詳細はいまだに不明であるが，two stage disorder theory[16]が提唱され，かなり明らかになってきた。PEの発症過程は，①免疫学的な機能異常（正常妊娠では免疫学的には異物である受精卵を許容する），②胎盤形成不全（脱落膜らせん動脈のリモデリング不全），③絨毛細胞による抗血管新生因子産生増加，④抗血

第
6
編

1
妊娠期における
母子の異常と看護

2
分娩期における
母子の異常と看護

3
産褥期における
母子の異常と看護

4
胎児・新生児の
異常への看護

管新生因子の胎児および母体循環系への移行とそれによる血管内皮障害の発症，の順で進行し，最後に母体では高血圧やたんぱく尿が，胎児では胎児発育不全や胎児機能不全などが発症する。

▶ 診断　HDP の定義・分類（表 1-7，8）に準じて診断される。高血圧は収縮期血圧 140 mmHg 以上かつ / または拡張期血圧 90mmHg で診断し，たんぱく尿は 24 時間尿の定量値で 300mg/ 日以上，あるいは尿中たんぱく / クレアチニン比（P/C 比）0.30 以上を陽性と診断する。また，試験紙法では疑陽性が多いので，たんぱく尿 1 ＋が 2 回以上，または2 ＋以上が検出された場合に陽性と診断する。

▶ HDP の管理　① PE は原則として入院管理とする，②血圧，母体体重，血液検査（血算，生化学検査［肝機能，腎機能，脂質など］，凝固系検査［アンチトロンビン［AT］活性，D- ダイマーなど］），尿検査などにより母体の健常性を，超音波検査による胎児発育，胎児心拍数モニタ

表 1-7　妊娠高血圧症候群（HDP）の新定義・分類

1. 名称
　　和文名称　"妊娠高血圧症候群"
　　英文名称　"hypertensive disorders of pregnancy（HDP）" とする。
2. 定義
　　妊娠時に高血圧を認めた場合，妊娠高血圧症候群とする。妊娠高血圧症候群は妊娠高血圧腎症，妊娠高血圧，加重型妊娠高血圧腎症，高血圧合併妊娠に分類される。
3. 病型分類
　①妊娠高血圧腎症：preeclampsia（PE）
　　1）妊娠 20 週以降に初めて高血圧を発症し，かつ蛋白尿を伴うもので，分娩 12 週までに正常に復する場合。
　　2）妊娠 20 週以降に初めて発症した高血圧に，蛋白尿を認めなくても以下のいずれかを認める場合で，分娩 12 週までに正常に復する場合。
　　　ⅰ　基礎疾患のない肝機能障害（肝酵素上昇【ALT もしくは AST>40IU/L】，治療に反応せず他の診断がつかない重度の持続する右季肋部もしくは心窩部痛）
　　　ⅱ　進行性の腎障害（Cr>1.0mg/dL，他の腎疾患は否定）
　　　ⅲ　脳卒中，神経障害（間代性痙攣・子癇・視野障害・一次性頭痛を除く頭痛など）
　　　ⅳ　血液凝固障害（HDP に伴う血小板減少【<15 万 /mL】・DIC・溶血）
　　3）妊娠 20 週以降に初めて発症した高血圧に，蛋白尿を認めなくても子宮胎盤機能不全（*1 胎児発育不全【FGR】，*2 臍帯動脈血流異常，*3 死産）を伴う場合。
　②妊娠高血圧：gestational hypertension（GH）
　　妊娠 20 週以降に初めて高血圧を発症し，分娩 12 週までに正常に復する場合で，かつ妊娠高血圧腎症の定義に当てはまらないもの。
　③加重型妊娠高血圧腎症：superimposed preeclampsia（SPE）
　　1）高血圧が妊娠前あるいは妊娠 20 週までに存在し，妊娠 20 週以降に蛋白尿，もしくは基礎疾患のない肝腎機能障害，脳卒中，神経障害，血液凝固障害のいずれかを伴う場合。
　　2）高血圧と蛋白尿が妊娠前あるいは妊娠 20 週まで存在し，妊娠 20 週以降にいずれかまたは両症状が増悪する場合。
　　3）蛋白尿のみを呈する腎疾患が妊娠前あるいは妊娠 20 週までに存在し，妊娠 20 週以降に高血圧が発症する場合。
　　4）高血圧が妊娠前あるいは妊娠 20 週までに存在し，妊娠 20 週以降に子宮胎盤機能不全を伴う場合。
　④高血圧合併妊娠：chronic hypertension（CH）
　　高血圧が妊娠前あるいは妊娠 20 週までに存在し，加重型妊娠高血圧腎症を発症していない場合。

*1：FGR の定義は，日本超音波医学会の分類「超音波胎児計測の標準化と日本人の基準値」に従い胎児推定体重が -1.5SD 以下となる場合とする。染色体異常のない，もしくは奇形症候群のないものとする。
*2：臍帯動脈血流異常は，臍帯動脈血管抵抗の異常高値血流途絶あるいは逆流を認める場合とする。
*3：死産は，染色体異常のない，もしくは奇形症候群のない死産の場合とする。
出典／妊娠高血圧学会：妊娠高血圧症候群 新定義・臨床分類（2018 年 5 月），2018.

表1-8 症候によるHDPの亜分類

1. 重症について
次のいずれかに該当するものを重症と規定する。なお，軽症という用語はハイリスクでない妊娠高血圧症候群と誤解されるため用いない。
(1)妊娠高血圧・妊娠高血圧腎症・加重型妊娠高血圧腎症・高血圧合併妊娠において，血圧が次のいずれかに該当する場合
収縮期血圧　160mmHg 以上の場合
拡張期血圧　110mmHg 以上の場合
(2)妊娠高血圧腎症・加重型妊娠高血圧腎症において，母体の臓器障害または子宮胎盤機能不全を認める場合
● 蛋白尿の多寡による重症分類は行わない。
2. 発症時期による病型分類
妊娠 34 週未満に発症するものは，早発型（early onset type：EO）
妊娠 34 週以降に発症するものは，遅発型（late onset type：LO）
＊ 我が国では妊娠 32 週で区別すべきとの意見があり，今後，日本妊娠高血圧学会で区分点を検討する予定である。

出典／妊娠高血圧学会：妊娠高血圧症候群 新定義・臨床分類（2018 年 5 月），2018.

リングや超音波検査などにより胎児の健常性を定期的に評価する，③早発型（妊娠 34 週未満）は低出生体重児収容が可能な施設と連携管理する，などを原則として管理する[17]。

▶ **降圧療法**　HDP における降圧治療の特殊性を一言でいえば，「胎児の存在」である。胎児が存在するために，降圧薬の選択や降圧レベルに制限が加えられる。これが，内科領域の降圧治療と根本的に違う点である。降圧治療の適応は重症である。母体においては，血圧が 160mmHg かつ／または 110mmHg を超えると脳血管障害や子癇の危険が極めて高く，これを回避するためには可及的速やかな降圧が必要となる[18]。一方，胎児においては末梢血管抵抗の上昇による胎児胎盤循環不全が存在し，代償的に血圧を上昇させることにより，かろうじて胎盤循環が保たれている。このような場合に急激かつ過度な降圧は医原性の胎児胎盤循環不全をきたし，胎児は極めて危険な状態となる。降圧目標としては，重症域を脱するように降圧し（平均動脈圧を 15 ～ 20％下降させる），併せて血圧を安定させるとよい。降圧療法は対症療法であり，高血圧の原因を根治させるものではない。

　また，HDP に罹患した女性は，中高年に至ると脳血管障害や心血管障害を起こす頻度が上昇するので，中長期的なフォローアップが必要と考えられている。

2. 多胎妊娠

▶ **定義・概念**　複数個の受精卵が子宮内に発育している状態を**多胎妊娠**という。2 児の場合を**双胎**，3 児を**品胎**，4 児を**要胎**とよぶ。自然多胎の頻度はヘリン（Hellin）の式によれば，児数 n の時 $1/80^{n-1}$ となる。すなわち，双胎なら 1/80，品胎なら 1/6400 となる。実際の多胎妊娠の頻度はこれより高く，生殖補助医療が原因と考えられている。1980 年代前半から排卵誘発剤が多用され，1980 年代後半から体外受精—胚移植（IVF-ET）が広く行われるようになり，多胎妊娠が飛躍的に増加した。このため，日本産科婦人科学会は 1996（平成 8）年に胚移植数を 3 個以内に，2008（平成 20）年には胚移植数を原則 1 個にするとの見解を発表し，2004（平成 16）年以降は減少傾向となった。2016（平成 28）年の多胎分娩の

表1-9 双胎妊娠の膜性診断

	二絨毛膜二羊膜双胎 （DD双胎）	一絨毛膜二羊膜双胎 （MD双胎）	一絨毛膜一羊膜双胎 （MM双胎）
妊娠初期 （妊娠10～12週）			
胎嚢	2	1	1
卵黄嚢	2	2	1or2
羊膜	2	2	1
胎児の性別	同性 or 異性	同性	同性
胎盤	2or 癒合	1	1
臍帯			相互巻絡の可能性

出典／全国周産期医療（MFICU）連絡協議会編：MFICUマニュアル，改訂3版，メディカ出版，2015．p.223-227．一部改変．

頻度は1.03％（10129/987654）であった[19]。

▶ **診断** 診断は超音波検査で行う。胎嚢が複数あるか，胎嚢が1つでも胎芽が複数あれば多胎妊娠と診断できる。自然妊娠における卵性診断は超音波検査では不可能で，膜性診断が行われる。

▶ **管理** 多胎妊娠の問題点は，早産と胎児発育不全（fetal growth restriction；FGR）である。多胎妊娠における早産の頻度は，2000（平成12）～2008（平成20）年の人口動態統計によると54.3％で，単胎の4.5％と比べて10倍以上高い。また，2016（平成28）年の多胎分娩における2500g未満の低出生体重児の頻度は71.2％（13854/19466）[20]と高率であった。管理の原則は，いかに早産を予防し，低出生体重児を管理するかである。そのため，超音波検査による頸管長や児発育，羊水量の経時的な観察を行う。また，胎児の健常性の確認のため，妊娠28週以降はノンストレステスト（non-stress test；NST）を経時的に行う。子宮収縮および頸管熟化が明らかな場合は，入院管理とし，安静および子宮収縮抑制薬の投与が行われる。

　膜性診断の相違により児の予後が変わるので，膜性診断は重要である。双胎妊娠における膜性診断は，二絨毛膜二羊膜双胎（DD双胎），一絨毛膜二羊膜双胎（MD双胎），一絨毛膜一羊膜双胎（MM双胎）の3つのパターンに分類される（表1-9）。一絨毛膜双胎では，①双胎間輸血症候群（TTTS），②重度の胎児発育不全を伴う一絨毛膜双胎（selective IUGR）（一絨毛膜双胎の一児がFGR），③一絨毛膜双胎における貧血と多血（TAPS），④一児死亡などが起こりやすい。合併症はMM，MD，DDの順に多い。

3. 早産

▶ **定義・分類** 早産（preterm birth）とは，妊娠22週0日以降37週0日未満までの期間に生じた分娩をいう。自然の陣痛の発来により早産となる自然早産が75％，母児の救命を

表 1-10 早産の原因疾患

❶ 絨毛膜羊膜炎
❷ 細菌性腟症
❸ 妊娠高血圧症候群
❹ 糖尿病合併妊娠
❺ 腎疾患合併妊娠
❻ 心疾患合併妊娠
❼ 自己免疫性合併妊娠
❽ 悪性腫瘍合併妊娠
❾ 常位胎盤早期剝離
❿ 前置胎盤
⓫ 子宮筋腫・子宮腺筋症
⓬ 先天性子宮形態異常（子宮奇形）
⓭ 多胎妊娠
⓮ （子宮）頸管無力症
⓯ 胎児発育不全
⓰ 胎児機能不全 など

図るため人工的に早産させる人工早産が 25% の頻度である。特に，早産となった時期が妊娠 34 週以降の場合を晩期早産（late preterm birth），妊娠 32 週未満の早産を very preterm birth，妊娠 28 週未満の早産を extremely preterm birth という。また，その時期に生まれた児を末尾に infant をつけてよぶ（たとえば，very preterm infant）。

　早産率は約 5% と考えられているが，近年，妊娠 28 週未満の extremely preterm birth が増加傾向にある。

▶ **原因**　最も重要な原因は炎症である。絨毛組織や脱落膜に炎症が起こると，これらの組織から炎症性サイトカイン（インターロイキン I βなど）が誘導，産生され，これら炎症性サイトカインが絨毛や脱落膜でシクロオキシゲナーゼを誘導し，シクロオキシゲナーゼが平滑筋収縮作用のあるプロスタグランジン F_{2a} を産生するため，子宮収縮が起こって分娩となる。そのほか，妊娠高血圧症候群や糖尿病など，種々の合併症により母体の状態が悪化した場合，あるいはその結果により胎児発育不全や胎児胎盤機能低下が起こり，胎児の状態が悪化した場合は，妊娠が継続できなくなり分娩となる。早産の原因を表 1-10 にあげる。

▶ **診断**　経腟超音波検査で，頸管長の短縮やファンネリング（図 1-3 参照）を認めた場合，あるいは内診により子宮口開大や頸管の熟化（子宮口が柔らかくなる）の所見を認めた場合，早産のリスクが高まる。早産の進行度は子宮収縮，破水，出血，子宮口開大の 4 項目を点数化して評価する**早産指数**（tocolysis index）が有用である。5 点以上であると，妊娠継続は困難と判断する。

▶ **管理・治療**　管理の基本は，可能な限り妊娠継続を図り，児の成熟を促す。具体的には，子宮収縮抑制薬（リトドリン塩酸塩，硫酸マグネシウム）による子宮収縮抑制を行いつつ，妊娠 34 週未満で早産が予想される場合は，出生児の新生児呼吸窮迫症候群の発症予防の目的で，副腎皮質ステロイド（ベタメサゾン）の投与を行う。児が小さければ小さいほど，陣痛のストレスの影響が強くなるので，分娩時には胎児心拍数モニタリングを行い，児の健常性を経時的に評価し，いつでも急速遂娩（帝王切開）ができるような準備をしておく。

▌ 4. 過期妊娠（過期産）

▶ **定義・概念**　妊娠 40 週 0 日以降に妊娠が継続する状態を**予定日超過**，妊娠 42 週 0 日以

第
6
編

1
妊娠期における
母子の異常と看護

2
分娩期における
母子の異常と看護

3
産褥期における
母子の異常と看護

4
胎児・新生児の
異常への看護

降に妊娠が継続する場合を**過期妊娠**とよぶ。過期妊娠の頻度は，1970年代には7％前後であったが，超音波検査の普及により分娩予定日をほぼ正確に決定できるようになったため，その頻度は低下して，2000（平成12）年以降1％未満になっている。過期妊娠の原因は不明である。

▶ 管理　超音波検査による正確な分娩予定日を妊娠初期に行うことが重要である。妊娠初期の予定日修正は，超音波検査による胎児頭殿長（crown-rump length：CRL）や児頭大横径（biparietal diameter：BPD）の値，問診による月経周期や最終月経などの情報を参考に行う。予定日超過や過期妊娠では，胎盤機能不全が発症するリスクが上昇するので，胎児の健常性を評価するために経時的にノンストレステスト（NST）（1～2回/週）を行う。妊娠41週を超えたら頸管熟化度を考慮した分娩誘発を行うか，陣痛発来を待機する。妊娠42週を超えたら分娩誘発を勧める[21]。

5. 血液型不適合妊娠

▶ 定義・概念　**血液型不適合妊娠**とは，母体には存在しない父親由来の赤血球抗原が胎児に存在する場合をいう。赤血球型はABO，Rhをはじめとして29種類700以上もの抗原があるため，ほぼすべての妊娠が血液型不適合妊娠といえる。しかし，臨床的に問題となるのは，その赤血球抗原に母体が感作されて抗体が産生された場合である。最も代表的なものはRh（D）不適合妊娠である。血液不適合妊娠を起こす不規則抗体の代表的なものを表1-11に示す。

▶ **Rh（D）不適合妊娠の診断**　日本人のRh（D）陰性の頻度は0.5％で，十数％とされる欧米人より少ない。母体がRh（D）抗原をもっていない（Rh〔D〕陰性）場合，父親がRh（D）遺伝子ホモならば100％，ヘテロならば50％となる。このような場合に，過去および現在の妊娠・分娩において経胎盤に胎児赤血球が母体に流入することにより，あるいは過去の輸血などにより母体が感作されると抗D抗体（IgG抗体）が産生され，これが胎盤を通過して児に移行すると，免疫反応を起こして胎児の赤血球の溶血が起こる。重症の場合は，胎児貧血から胎児水腫，胎児死亡をきたす場合がある。母体がRh（D）陰性でも父親がRh（D）陰性であれば不適合ではなく，問題も生じない。

▶ **Rh（D）不適合妊娠の管理・治療**　妊娠の初期検査でRh型を確認するので，Rh（D）陰性の場合は抗D抗体検査をする。抗D抗体陰性の場合，再検査を妊娠28週の時点と分娩前に行う。抗D抗体陽性の場合は，抗体価を測定し，間接クームス試験が16～32倍未満であれば，妊娠24週未満では4週に1回，妊娠24週以降であれば2週に1回の頻度で抗体価を測定する。抗体価が16～32倍以上になったら，超音波検査で胎児の中大脳動脈の血流速度を測定する。溶血により貧血になると，中大脳動脈の血流速度が上昇する。胎児の中大脳動脈の血流速度が異常値（中大脳動脈最高流速が1.5MoM以上）となったら，胎児採血（臍帯血検査）を行い，ヘマトクリット値が30％以下の場合は胎児輸血を考慮する。Rh（D）陰性妊婦がRh（D）陽性の児を分娩した場合は，分娩後72時間以内に抗D人免

表1-11 代表的な不規則抗体

血液型システム	抗体	溶血性疾患重症度	精査の必要性
Rh	D	軽症～重症，水腫型	要
	C	軽症～重症	要
	E	軽症～重症（水腫型）	要
	c	軽症～重症（水腫型）	要
	e	軽症～中等症	なし
-D-	Rh 17	軽症～重症，水腫型	要
MNSs	M	軽症～重症（水腫型）	要
	N	軽症～中等症（重症）	なし
	S	軽症～中等症*	（要）
	S	軽症～重症*	要
Lewis	Le^a	なし	なし
	Le^b	なし	なし
Diego	Di^a	軽症～中等症	（要）
	Di^b	軽症～重症	要

＊ 日本人の報告なし
出典／浮田昌彦：血液型不適合, 臨床婦人科産科, 47（5）：510-512, 1993. 一部抜粋.

疫グロブリンを投与する。また，妊娠 28 週に抗 D 人免疫グロブリンを投与することで，妊娠末期の感作率を減少できることから，妊娠 28 週の抗 D 免疫グロブリン投与が推奨されている。

▶ **Rh（D）以外の血液型不適合妊娠** 抗体の種類（表 1-11）により，胎児貧血のリスクが異なるが，胎児貧血のリスクがある血液型不適合妊娠（不規則抗体検査で診断する）の場合は，Rh（D）不適合妊娠に準じて治療する。

▌6.羊水過多症, 羊水過少症

▶ **定義・概念** 妊娠の時期を問わず，羊水量が 800mL を超えると判断されるものを羊水過多といい，これに臨床上何らかの自他覚症状を伴う場合を，**羊水過多症**という。一方，**羊水過少症**とは羊水量が異常に少ないもの（具体的な基準値はないが, 通常 100 mL 以下）をいう。

羊水過多症には，数日～ 2 週間くらいの間に急速に増加する急性羊水過多症と，徐々に増加してくる慢性羊水過多症がある。

▶ **原因** 羊水過多症の原因は，①胎児の羊水嚥下・吸収障害，②胎児尿産生過剰，③母体糖尿病，④多胎妊娠，⑤原因不明，などがあげられる。頻度は，特発性（原因不明）が最も多く，胎児先天異常（羊水嚥下・吸収障害, 胎児尿産生過剰など），糖尿病，多胎妊娠の順に多い。

羊水過少症の原因は，①胎児尿産生量の減少，②胎児尿排泄の障害，③破水などによる羊水の喪失，などがあげられる。

▶ **診断** 超音波検査により羊水量を半定量的に示す **AFI**（amniotic fluid index, 羊水指数）または**羊水ポケット**により診断する。AFI は子宮腔を 4 分割し，それぞれの最大ポケットの深度を合計したもので，正常値は 5 ～ 25cm（25cm 以上は羊水過多, 5cm 未満は羊水過少）で

＊ **エコーフリースペース**：心エコー像でみられる，心外膜と心嚢膜の間に低信号域として描出されるスペースのこと。

ある。羊水ポケットは胎児軀幹部屈側の羊水によるエコーフリースペース*（echo free space）の直径で，正常値は2〜8cm（8cm以上は羊水過多，2cm未満は羊水過少）である。

▶ **症状・治療**　羊水過多症の母体症状としては，子宮増大による子宮収縮（切迫早産），横隔膜挙上による呼吸困難，前期破水，常位胎盤早期剝離，分娩時の弛緩出血などが，胎児症状としてはFGR，胎位異常などがあげられる。治療は，羊水穿刺による羊水除去である。

羊水過少症では，胎児の肺成熟が抑制され，肺低形成や胸郭低形成が起こる。また，内反足・四肢彎曲など四肢の形成異常が出現する。さらに，臍帯圧迫による臍帯血流障害のため，胎児低酸素状態が起こりやすい。このため，治療として人工羊水注入法が行われることがあるが，その効果は限定的である。通常は，羊水量，胎児心拍数モニタリング，胎児の健常性，胎児発育などを経時的に観察し，胎児の成熟，胎外生活可能性などを考慮して，分娩時期や分娩様式を検討する。

7. 常位胎盤早期剝離

▶ **定義**　正常位置（子宮体部）に付着している胎盤が，妊娠中または分娩経過中の胎児娩出前に子宮壁から剝離することを，**常位胎盤早期剝離**という。全妊娠の0.3〜1.2%に起こる。

▶ **原因**　常位胎盤早期剝離の直接の原因は不明であるが，リスク因子として，①常位胎盤早期剝離の既往（発症率が約10倍），②妊娠高血圧症候群，③外傷（交通事故，暴行，外回転術*など），④子宮内圧の急激な低下（羊水過多における破水，双胎第Ⅰ児分娩後，など），⑤先天性子宮形態異常（子宮奇形）・腫瘍，⑥炎症（絨毛膜羊膜炎など），⑦喫煙などがあげられる。特に，常位胎盤早期剝離の既往は，重要なリスク因子である。

▶ **分類**　重症度は，胎盤の剝離面積と剝離の早さに相関する。重症度分類としてはページ（Page）の分類が，一般的には用いられている（表1-12）。

▶ **病態**　何らかの原因で床脱落膜*の出血が起こり，胎盤後血腫を形成するとさらに剝離が進行し，子宮筋層や子宮漿膜面に浸潤する（クブレール［Couvelaire］徴候）。胎盤の剝離により，胎盤や脱落膜の組織因子が母体血中に流入して播種性血管内凝固症候群（disseminated intravascular coagulation；DIC）を引き起こすと同時に，胎児は低酸素状態となる。重度の常位胎盤早期剝離は，母体死亡や胎児死亡，胎児の脳性麻痺の原因疾患となる。

▶ **診断**　診断は次の方法により行われる。

❶**内診・外診**：初期には少量の出血と軽度の腹部膨満を認めるが，病状が進行すると下腹部痛と子宮収縮が持続し，胎盤が前壁付着の場合は，板状硬*となる。

❷**超音波検査**：常位胎盤早期剝離を疑う場合，胎盤剝離所見（胎盤後血腫は胎盤辺縁の異常や胎盤の肥厚像として認められる）の有無を確認する。

❸**血液検査**：血算，生化学検査とともに凝固検査を行う。常位胎盤早期剝離は消費性凝

＊ **外回転術**：骨盤位（逆子）にある胎児を回転させ，正常な頭位に戻す医療行為。
＊ **床脱落膜**：卵の着床した基底部の脱落膜のこと。基底脱落膜ともいう。
＊ **板状硬**：筋硬直のこと。ここでは子宮壁の硬化を指す。

表1-12 常位胎盤早期剝離の重症度分類（Pageの分類）

重症度		症状	胎盤剝離面積	頻度
軽症	0度	臨床的に無症状。児心音はたいてい良好。娩出胎盤観察により確認。	30％以下	8％
	1度	性器出血は中等度（500mL以下）。軽度子宮緊張感。児心音は時に消失。尿たんぱくは稀。		14％
中等症	2度	強い出血（500mL以上）。下腹部痛を伴う。子宮硬直あり。胎児は入院時死亡していることが多い。たんぱく尿は時に出現。	30～50％	59％
重症	3度	子宮内出血。性器出血著明。子宮硬直著明。下腹部痛。子宮底上昇。胎児死亡。出血性ショック。凝固障害の併発。子宮漿膜面の血液浸潤。たんぱく尿陽性。	50～100％	19％

出典／Page EW, et al.: Abruptio placentae ; Dangers of delay in delivery, Obstet. Gynecol, 3(4)：385-393, 1954. を参考に作成.

固障害を起こす疾患なので，フィブリノゲンなどの凝固因子が低下する。

❹胎児心拍陣痛図：基線細変動の減少あるいは消失，頻脈，遅発一過性徐脈，サイナソイダルパターンが出現する。また，子宮収縮が頻回となり，さざ波様の陣痛曲線がみられることがある。

▶ 治療　常位胎盤早期剝離が発症したら，重症度，妊娠週数，母児の状況を評価して治療方針を決定する。典型的な常位胎盤早期剝離は剝離が急激に起こり，母体はDICを発症し，さらに出血性ショックとなり，胎児では低酸素状態による胎児機能不全となるため，妊娠週数にかかわらず急速遂娩の適応となる。胎児機能不全の場合には帝王切開分娩となることが多いが，胎児機能不全が認められない症例では，凝固因子の異常がみられない場合，経腟分娩が選択されることもある。

8. 前置胎盤

▶ 定義・概念　前置胎盤とは，胎盤が正常より低い部位の子宮壁に付着し，組織学的内子宮口を覆う，あるいは胎盤辺縁が組織学的内子宮口にかかる状態をいう。組織学的内子宮口を覆う程度により，①全前置胎盤，②部分前置胎盤，③辺縁前置胎盤に分類される。超音波検査による診断では，①全前置胎盤は，組織学的内子宮口を覆う胎盤の辺縁から同子宮口までの最短距離が2cm以上の状態，②部分前置胎盤は，上記の距離が2cm未満の状態，③辺縁前置胎盤は，同距離がほぼ0の状態と定義される[22]。前置胎盤の頻度は0.3～0.5％と考えられている。主なリスク因子としては，①高齢，②多産，③多胎妊娠などがあげられる。

▶ 病態　前置胎盤の場合に胎盤が付着する子宮峡部は，非妊娠時には1cm未満の長さであるが，妊娠により7～10cmに伸展する。子宮収縮が起こるとこの部分は伸展するのに対し，胎盤は伸展できないため，胎盤が剝離して出血する。さらに，胎盤剝離後はこの部分は十分収縮できないため，止血しにくく出血量が増加する。また，この部分は脱落膜の発育が不十分であるため，絨毛が侵入しやすく，癒着胎盤となりやすい。

▶ 診断　超音波検査で，胎盤付着部位と内子宮口の位置を観察することにより診断する。

胎盤は，妊娠経過とともに見かけ上，上方に移動（placental migration）する。このため，妊娠第2三半期に胎盤が内子宮口にかかっているように見えても，妊娠30週頃まで経過を観察したうえで，診断を確定する必要がある。

▶ **管理**　約半数に無痛性性器出血（警告出血）を認め，その時期は妊娠28〜30週頃が多い。出血した場合は，入院管理とし，子宮収縮抑制薬の点滴静注が行われる。出血がない場合は，入院管理の有用性は確認されていないため，必ずしも入院を必要としない。分娩方法は，帝王切開が原則である。

9. 低置胎盤

　低置胎盤とは胎盤が開大した子宮口を覆っていない状態で，胎盤辺縁と内子宮口の距離が2cm以内のものをいう。診断は経腟超音波検査で行う。胎盤が低いと分娩時に大量出血のリスクが上がるため，経腟分娩できる場合もあるが，帝王切開が選択されることが多い。

III　合併症妊娠

糖尿病

1. 糖尿病合併妊娠

▶ **定義**　**糖尿病合併妊娠**とは，妊娠前より糖尿病（1型あるいは2型）と診断されている女性が妊娠した場合に診断される。

▶ **症状**　糖尿病合併妊娠の場合，妊娠前に診断されており，そのほとんどにおいて特に症状は認められない。しかし，妊娠中に糖尿病が発症，あるいは糖尿病合併女性で妊娠中にケトアシドーシスを生じると，口渇，多飲，多尿，全身倦怠感，体重減少などの症状が起こり得る。

▶ **原因・病態**　糖尿病の病態としてのインスリンの分泌不足と作用不足により，慢性の高血糖を生じ，細小血管から大血管の障害がみられる疾患をいう。妊娠中に生じる糖・脂質代謝の変化，特に妊娠後半期に生じるインスリン抵抗性は，糖尿病女性に悪影響を及ぼす。すなわち，妊娠末期の異化の亢進はケトーシスやケトアシドーシスを惹起しやすく，インスリン抵抗性亢進のために食後高血糖をきたしやすい。したがって，2型糖尿病女性でも妊娠末期にケトーシスやケトアシドーシスをきたすことがある。また，特に1型糖尿病合併妊娠の初期における妊娠悪阻は，容易にケトアシドーシスの誘因となることがあり，逆にインスリン治療中の患者では低血糖が生じ得るので注意しなければならない。

▶ **治療・対策**　妊娠中は糖尿病合併症の悪化に留意する。たとえば網膜症悪化リスク因子

として，妊娠そのものの影響とともに高血圧の存在，妊娠前の網膜症の程度，妊娠前の血糖コントロールの不良，妊娠中の厳格な血糖管理に伴う血糖低下の程度などがあげられる。胎児・新生児合併症として，胎児機能不全，胎児死亡，巨大児，巨大児に伴う難産による分娩障害（ぶんべん），新生児低血糖症，新生児黄疸（おうだん），新生児呼吸窮迫症候群（きゅうはく）などがあげられる。多くの合併症は，妊娠中の血糖コントロールの不良により生じる。糖尿病女性の場合，妊娠初期の高血糖と形態異常の発生と関連するので，計画妊娠が重要である。妊娠高血圧症候群の合併は，糖尿病網膜症などの細小血管障害を有する糖尿病女性に多い。糖尿病腎症合併（じん）女性では，その発症頻度がさらに高くなる。早産は，血糖コントロール不良や泌尿生殖器の感染症あるいは高血圧を合併した糖尿病妊婦で多いとされる。また，ケトアシドーシスを起こすと子宮胎盤血流量が減少し，胎児機能不全や子宮内胎児死亡の危険性が生じる。分娩管理に関しては，血糖コントロールの状態のみならず，母体合併症の状態，児の発育・well-being などより総合的に評価を行い，検討する必要がある。

▍2. 妊娠糖尿病

▶ **定義**　妊娠中に初めて発見または発症した，糖尿病に至っていない糖代謝異常であり，妊娠中の明らかな糖尿病や糖尿病合併妊娠は含めない。

▶ **症状**　一般に症状は乏しい。

▶ **原因・病態**　多くは，発症する前の 2 型糖尿病が妊娠時に偶然，あるいは妊娠時のインスリン抵抗性によって顕性化したものであるという概念としてとらえればよい。妊娠末期に生じる生理的インスリン抵抗性の増大により，潜在的なインスリン分泌異常（ぶんぴつ）が存在する女性が妊娠した場合，妊娠末期に出現するインスリン抵抗性を代償するだけのインスリン分泌が生じず，その結果，血糖値の上昇をきたし，妊娠糖尿病（gestational diabetes mellitus：GDM）として認識されるものと考えられる。

▶ **検査・診断**　妊娠初期に随時血糖（カットオフ値：95mg/dL あるいは 100mg/dL），中期に随時血糖（カットオフ値：100mg/dL）あるいはグルコースチャレンジテスト（50g グルコース経口負荷後 1 時間の静脈血漿グルコース値が 140mg/dL 以上を陽性とする）（けっしょう）を施行することが推奨されている。スクリーニング検査陽性の場合，75g 経口ブドウ糖負荷試験（75g OGTT）を施行する。75g OGTT において，92-180-153mg/dL（空腹時 -1 時間後 -2 時間後）のうち 1 点以上満たした場合に妊娠糖尿病と診断する。

▶ **治療・対策**　妊娠糖尿病の診断がつけば，食事療法を導入し，目標血糖値を達成できなければ，治療介入する方法が一般的である。血糖コントロール目標は，静脈血漿グルコース値が食前値 100mg/dL 以下，食後 2 時間値 120mg/dL 以下である。

　適切と考えられる食事療法を行ってもなお目標血糖値が達成できない場合には，インスリン投与の適応となる。超速効型インスリンや持効型インスリンを適宜使用する。

　分娩時期は，一般に血糖コントロールが良好で児が well-being と考えられる場合には，通常の産科的管理に準じればよいと考えられる。ただし，血糖コントロールが不良な場合，

肥満合併の場合，児の推定体重が 4000g 以上と考えられる場合など，個別に対応する。

B 血液疾患

1. 妊娠性貧血

▶ **定義**　妊婦にみられる貧血は妊婦貧血と総称されており，そのうち妊娠に起因する貧血を妊娠性貧血という。**妊娠性貧血**はヘモグロビン値が 11.0g/dL 未満および，またはヘマトクリット値が 33％未満のものとされる。

▶ **症状**　多くは無症状である。重度の場合には，顔面蒼白，易疲労性，めまい，息切れなどがある。また，ヘモグロビン値は低出生体重児，早産と関連があるとの報告もある。

▶ **原因・病態**　妊婦の循環血漿量は妊娠初期より増加しはじめ，妊娠 32 週頃には非妊娠時の約 40 ～ 50％増加する。しかし，赤血球数の増加は 25％程度であるため，血液が希釈されていることになり，いわゆる生理的水血症を呈する。

▶ **検査・診断**　妊娠 8 週未満で血算を行い，この時期に貧血があるなら，妊娠による貧血ではない。血算検査は妊娠中に 3 回行う。

▶ **治療・対策**　妊娠に伴う全貧血の 90％以上は妊娠性鉄欠乏性貧血であり，小球性貧血（赤血球が通常よりも小さい貧血）である。食事栄養指導なども有効である。鉄剤投与は 1 日 100 ～ 200mg の経口投与が適切である。大球性貧血の場合には葉酸欠乏やビタミン B_{12} 欠乏を疑う必要がある。

2. 特発性血小板減少性紫斑病

▶ **定義**　血小板数が 10 万 /μL 以下に減少する良性の血液疾患である。20 ～ 40 歳代の女性に発症することが多く，0.3 ～ 0.4％の頻度である。

▶ **原因・病態**　血小板に対する自己抗体（抗血小板抗体）が産生され，この抗体が結合した血小板が脾臓の網内系により破壊され，さらに血小板産生障害も加わり，血小板が減少する自己免疫疾患である。母体だけでなく胎児の血小板も減少することがある。

▶ **検査・診断**　血小板減少（＜ 15 万 /μL）は全妊婦の約 6 ～ 10％程度に認められるが，そのうち約 70％は妊娠性血小板減少症（病態不明，妊娠末期に起こり，通常 7 万 /μL 以下にはならないで新生児の血小板減少に関与しない。分娩後自然軽快する）である。特発性血小板減少性紫斑病の診断は，基本的に除外診断である。鑑別が困難で妊娠経過中に血小板が 5 万 /μL 以下に減少した場合は，特発性血小板減少性紫斑病合併妊娠として対応する。

▶ **治療・対策**　妊娠初期から中期の出血症状がない妊婦においては血小板数 3 万 /μL 以上を保つことを目標とする。妊娠末期，分娩時に血小板数 2 万～ 3 万 /μL 以下で治療を開始する。

　妊娠中に比較的安全性が高く，使用が推奨されているのは副腎皮質ステロイド（プレド

ニゾロン）と免疫グロブリン製剤の 2 剤である。出血傾向に応じてプレドニゾロンを調節投与する。出血傾向が強く，即効性を期待する場合には免疫グロブリン大量療法，あるいはメチルプレドニゾロンパルス療法，血小板輸血を考慮する。

　分娩方法は経腟分娩が望ましいが，児の頭蓋内出血を避けるため，吸引・鉗子分娩は避けることが望ましい。経腟分娩であれば血小板数 5 万 / μL 以上，区域麻酔下による帝王切開であれば血小板数 8 万 / μL 以上が目安である。分娩時出血，産道血腫などに注意が必要である。

　抗血小板抗体は IgG であるため胎児に移行し，胎児の血小板が減少していることがあり，胎児の頭蓋内出血にも注意する。新生児の血小板が最も低値となるのは生後 24 〜 48 時間である。

C 内分泌疾患・乳腺疾患

1. 甲状腺機能亢進症

▶ **定義**　妊娠時の甲状腺機能亢進症の頻度は 0.2 〜 0.4 ％で，その 85 〜 93 ％がバセドウ病である。ここでは，バセドウ病に関して概説する。適切に管理すれば周産期予後は良好である。

▶ **症状**　動悸，甲状腺腫，眼球突出が主な症状である。ほかに，情緒不安定，手指振戦，頻脈，多汗，体重減少，皮膚湿潤などがある。

▶ **原因・病態**　甲状腺刺激ホルモン（TSH）受容体に対する自己抗体（anti-TSH receptor stimulating antibody；TRAb）によって甲状腺機能が亢進する自己免疫疾患である。

▶ **検査・診断**　FT$_4$ 高値，TSH 低値，TRAb 陽性により診断する。ただし，5 ％程度は TRAb 陰性である。TRAb の抗体価と病勢が相関する（TRAb は妊娠中に低下する）。

▶ **治療・対策**　一般にバセドウ病は，hCG が有する TSH 様作用のために妊娠初期に軽度増悪，中・末期に軽快，分娩により免疫系の抑制が低下し，産褥期に増悪，再発することが多い。

　治療薬としては，抗甲状腺薬（チアマゾール；MMI，プロピルチオウラシル；PTU）がある。MMI は妊娠初期に投与すると形態異常を生じるとの報告があるため，少なくとも妊娠 4 〜 8 週には使用しないほうがよい。PTU は肝機能障害も多く，妊娠初期が過ぎれば PTU を MMI に切り替えてもよい。

　TRAb は IgG であり，胎盤を通過する。母体が甲状腺亜全摘後でも TRAb が陽性であれば，児は機能亢進症となり得る。TRAb 高値の場合は，新生児の甲状腺機能評価も必要である。

　母乳移行率は PTU が MMI の 10 分の 1 である。一般に PTU 300mg/ 日以下，MMI 10mg/ 日以下であれば授乳を制限する必要はない。

管理不十分例では，妊娠悪阻，流産・早産，死産の増加，胎児発育不全，妊娠高血圧症候群，胎児死亡などが増加する。

2. 甲状腺機能低下症

▶ **定義・分類**　甲状腺機能低下症の頻度は，妊娠中 0.11 〜 0.16 % 程度である。多くは**橋本病**で，甲状腺亜全摘後の機能低下症もある。

▶ **症状**　甲状腺機能低下症では無排卵や不妊症となることも多く，流産率も高い。そのほか，易疲労感，悪寒，浮腫，皮膚乾燥，体重増加，無気力，徐脈，心拡大などがある。

▶ **原因・病態**　橋本病は，慢性甲状腺炎ともいわれる。甲状腺内の慢性炎症により甲状腺濾胞の破壊が起き，甲状腺機能低下となる。

▶ **検査・診断**　びまん性甲状腺腫大を認め，TSH 上昇，FT4 低下，抗甲状腺自己抗体（抗甲状腺マイクロゾーム抗体［または TPO 抗体］サイログロブリン［Tg］抗体）陽性あるいは細胞診でリンパ球浸潤を認める場合に，橋本病と診断される。

▶ **治療・対策**　FT4 が低値の場合はまず甲状腺機能低下で，TSH $10\,\mu$U/mL 以上の場合には T4 補充治療適応となる。TSH の正常化が目標である。妊娠初期に母体の甲状腺機能低下やヨード欠乏がある場合は，胎児の脳神経系の発達が障害されるリスクがある。

3. 妊娠関連乳がん

▶ **定義**　妊娠関連乳がんは，妊娠中あるいは出産後 1 年以内，または授乳中に診断された乳がんと定義されている。3000 分娩に 1 例の頻度との報告がある。

▶ **症状**　早期では自覚症状は乏しい。硬く動かないしこりが乳房の上部外側にできることが多い（40 〜 50 %）。

▶ **原因・病態**　乳房にある乳腺にできる悪性腫瘍であり，乳がんの 95 % 以上が乳管がんである。

▶ **検査・診断**　乳がんの 60 % 以上は自己検診により発見されている。乳がん検診では問診，視診，触診，マンモグラフィー検査，超音波検査などを実施し，精密検査は細胞診，組織診を行う。稀ではあるが，乳腺炎とほぼ同様の所見の炎症性乳がんもある。

▶ **治療・対策**　妊娠関連乳がんは比較的稀であり，同年齢の通常の乳がんに比べ腫瘍径が大きく，リンパ節転移陽性の進行例が多いとされる。診断が遅れることが予後不良の一因となっている可能性があると考えられてきたが，年齢や進行度を妊娠と関連のない乳がんと比較した場合，妊娠関連乳がんの予後は必ずしも不良とはいえないとする報告も散見される。妊娠期の乳がんは予後不良とは結論づけられず，授乳期の乳がんは予後不良とされている。局所療法として手術，放射線療法，全身療法として化学療法がある。妊娠初期（〜4 か月）での化学療法は行うべきではないが，妊娠 5 か月以降では，児の長期の安全性が確立されているとはいえないものの，必要と判断される場合には検討してもよい。

　妊娠の継続や出産，授乳によりがんの進行が早くなることはないが，妊娠の時期によっ

ては胎児に影響を与える可能性があり，病期や組織型により術前療法，手術，術後療法など適切に選択して行う。

D 膠原病・自己免疫疾患

1. 全身性エリテマトーデス

▶ **定義・分類** **全身性エリテマトーデス**（systemic lupus erythematosus：SLE）は 20 ～ 30 歳代の女性に好発する，他臓器障害を伴い，自己抗体（こうたい）が多種認められる代表的な自己免疫性疾患である。活動期の SLE は妊娠によって症状は悪化し，生命にもかかわる状態になることもある。妊娠が許容される条件として次があげられる。

- 長期（6 ～ 10 か月以上）にわたって寛解（かんかい）状態にあること。
- 原疾患やステロイドによる重篤な臓器障害がないこと（心肺機能や腎機能障害があれば人工妊娠中絶の適応となる）。
- 妊娠のリスクに関して，本人ならびに家族の理解および承諾が得られていること。

▶ **症状** 発熱，全身倦怠感（けんたいかん），易（い）疲労感，食欲不振，関節炎，紅斑（こうはん），日光過敏症，口内炎，脱毛，臓器（腎臓，肺，中枢神経（ちゅうすう）など）障害などで，全身の様々な臓器に多彩な症状を起こす。妊娠中・産褥期（さんじょく）に病態が悪化する可能性がある。

▶ **原因・病態** 自己抗体（抗二本鎖 DNA 抗体，抗 Sm 抗体が SLE に特異的）・免疫複合体により，細胞障害，組織障害が全身に及ぶ疾患である。SLE では抗リン脂質抗体を有する症例が多く，これらの患者では子宮・胎盤循環における血栓の形成が胎盤形成や機能に影響したり，動・静脈における血栓症や子宮内胎児発育不全，流産・死産を反復したりする例がある。また，抗 SS-A 抗体陽性妊婦では母体の活動性と関連なく，約 10％に新生児ループス，約 2％に先天性房室ブロックの発症がある。

▶ **検査・診断** 血圧，検尿，尿沈渣（ちんさ），血清クレアチニン，尿たんぱく / 尿クレアチニン比，血算（血小板数），疾患活動性補体 C3C4 値，抗 dsDNA 抗体，抗リン脂質抗体，抗 SS-A 抗体などを測定する。

▶ **治療・対策** 妊娠が許容される条件を満たして妊娠した場合には，ステロイドの維持量（プレドニゾロン 10mg/ 日以下）を継続投与する。プレドニゾロンが 15mg/ 日を超える場合には，早産や前期破水の発症率が高くなるため注意が必要である。

　基本的には，安静にし過労を避ける。日光，寒冷，ストレスなどの増悪（ぞうあく）因子に注意する。妊娠高血圧症候群，切迫早産徴候が認められた場合には，たとえ軽度でも入院管理する。産褥期に増悪する可能性も高く，注意が必要である。

　胎児への影響はプレドニゾロン 30mg/ 日以下であれば，安全性は問題ないと考えられる。その他，ステロイド単独では治療効果が不十分な場合は，免疫抑制剤のアザチオプリン，シクロスポリン，ヒドロキシクロロキンが有用であり，母児の転帰を良くする場合がある。

第6編

1
妊娠期における
母子の異常と看護

2
分娩期における
母子の異常と看護

3
産褥期における
母子の異常と看護

4
胎児・新生児の
異常への看護

表 1-13　関節リウマチの判断項目

> ❶ 1 時間以上持続する朝のこわばり
> ❷ 3 か所以上の関節炎
> ❸ 手の関節炎
> ❹ 対称性関節炎
> ❺ リウマトイド結節
> ❻ 血清リウマチ因子
> ❼ X 線写真上の変化

2. 関節リウマチ

▶ **定義・分類**　**関節リウマチ**（rheumatoid arthrilis：RA）は膠原病のなかで最も疾患数が多い疾患であるが，40 歳代が好発年齢であるので，妊娠症例はそれほど多くない。関節リウマチ自体が妊娠経過，胎児に及ぼす影響はなく，多くは妊娠中に軽快するといわれている。分娩後は増悪する可能性が高い。

▶ **症状**　関節の炎症に伴うこわばり，腫れ，痛み，発熱などである。妊娠中には症状は改善し，産褥に再燃・増悪を認める。

▶ **原因・病態**　原因不明であり，自己免疫疾患と考えられている。関節が炎症を起こし，軟骨や骨が破壊されて関節の機能が損なわれる。

▶ **検査・診断**　表 1-13 の 7 項目のうち 4 項目を満たす場合に関節リウマチと診断される。

▶ **治療・対策**　症状を抑える抗炎症薬の第 1 選択は，比較的安全性が確認されているアスピリンである。しかし，胎児動脈管を収縮させる作用があるため，妊娠第 3 三半期は禁忌とされている。関節リウマチの標準治療薬となっているメトトレキサートは，妊娠中の使用は流産率の増加や催奇形性が指摘されており禁忌であるため，少なくとも 1 月経周期より以前にほかの薬剤への変更が必要である。TNF 阻害薬は，現時点では流産や先天異常の発生率の増加は示されていない。ただし，妊娠末期まで使用した場合，胎盤移行による影響が考えられるため，出生した児に生ワクチンを接種する際には注意を要する。

Ｅ　腎・泌尿器疾患

1. 慢性腎臓病

▶ **定義・分類**　**慢性腎臓病**（chronic kidney disease：CKD）とは，次の❶❷のいずれか，または両方が 3 か月以上持続する場合に診断される。

> ❶ 尿異常，画像診断，血液，病理で腎障害の存在が明らか，特に 0.15g/gCr 以上のたんぱく尿（30mg/gCr 以上のアルブミン尿）の存在が重要である。
> ❷ GFR < 60mL/ 分 /1.73m²

原疾患や GFR 区分，たんぱく尿区分を合わせたステージによる重症度分類がある。

妊娠を希望する場合，基本的には糸球体病変が非活動性であり，臨床症状が安定期にあ

ることが望ましい。すなわち，ネフローゼ症候群を呈しておらず，たんぱく尿が 1.0g/ 日以下で経過していること。腎機能はクレアチニンクリアランス 71mL/ 分以上保っていること。降圧薬を使用せず 140/90mmHg 以下の状態に安定しており，これらの 3 つの状況が無治療でも 6 か月以上持続していることである。

▶ 症状　非妊娠時の腎機能障害が軽度な場合には，妊娠はほぼ正常に経過することが期待される。しかし，腎機能障害が進行した症例では胎児機能不全，胎児発育不全，早産，妊娠高血圧症候群などの頻度が増加する。

▶ 原因　IgA 腎症が多い。

▶ 検査・診断　クレアチニンクリアランスの測定，尿検査を実施する。尿中たんぱく排泄量 300mg/ 日あるいは 0.3mg/mg・CRE 以上を，病的たんぱく尿と診断する。試験紙法で 1＋の場合は，複数回の新鮮尿検体での確認が必要である。

▶ 治療・対策　慢性腎臓病合併妊娠は，重症度分類が軽症であっても妊娠合併症のリスクは高い。腎機能障害が重要になるほど妊娠合併症のリスクは高く，腎機能低下，透析導入の可能性もあり，十分な説明および厳重な管理が必要である。

2. ネフローゼ症候群

▶ 定義　**ネフローゼ症候群**は，大量のたんぱく尿と低たんぱく血症（低アルブミン血症）を認める症候群である。1 日 3.5g 以上のたんぱく尿が持続し血清総たんぱく濃度が 3g/dL 以下の場合に診断される。

▶ 症状　妊娠中たんぱく尿の増加，原疾患の悪化，早産や低出生体重児となることが多い。ネフローゼ症候群を呈している患者は，妊娠経過中にたんぱく尿増加，腎機能低下，早産，低出生体重児となるリスクが高い。

▶ 管理　ネフローゼ症候群合併妊娠の管理に関する報告は，ほとんどが症例報告しかない。どのくらい寛解を維持できていれば妊娠可能かなどの，レベルの高いエビデンスはない。

F　婦人科疾患

1. 子宮筋腫

▶ 頻度　子宮筋腫合併妊娠の頻度は 0.1 ～ 12.5％との報告がある。近年の出産年齢の高齢化と超音波検査などの診断技術の向上に伴い，頻度は増加している。

▶ 症状　子宮筋腫により頻度が増加する合併症としては，切迫流早産，胎位異常，前置胎盤，常位胎盤早期剝離，羊水量の異常，妊娠高血圧症候群，前期破水などがある。筋腫の直径が 5cm 以上になると，これらの合併症の発症が多くなる。分娩時にも陣痛異常，異常出血，分娩停止などの可能性もある。帝王切開施行率は 20 ～ 58％との報告がある。分娩後の弛緩出血，子宮復古不全も多い。

▶ **病態** 子宮筋腫には粘膜下筋腫，筋層内筋腫，漿膜下筋腫があるが，筋層内筋腫が妊娠・分娩に最も影響が大きい。

▶ **検査・診断** 子宮筋腫の位置や胎盤との関係を調べておくことが重要である。筋腫が子宮下部から頸管に存在する場合は胎位，胎勢異常や産道通過障害の，また胎盤付着部直下に存在する場合は常位胎盤早期剝離のリスク評価が必要である。

▶ **治療・対策** 妊娠中および帝王切開時の筋腫核出術は一般的には推奨されていないが，やむを得ず施行する場合は，筋腫核出術の利点，リスクについて十分検討する。

2. 子宮頸がん

▶ **定義・頻度** 子宮頸がん合併妊娠は，妊娠中および分娩後6か月以内に発見されたものと定義されている。およそ2000〜2500妊娠に1例とされ，頻度としては妊娠に合併する悪性腫瘍のなかで最も多い。子宮頸がんの2.7〜3.5%が妊娠中に診断される。約7割は早期がんである。

▶ **症状** 妊娠によってがんの進展が助長されることはない。

▶ **検査・診断** 妊娠初期に行うべき検査として子宮頸部細胞診が含まれており，妊娠が発見の契機ともなる。診断は，非妊婦と同じ子宮頸部細胞診と組織診による。

▶ **治療・対策** 組織診で微小浸潤がんあるいは上皮内腺がんの場合，あるいは，組織診はCIN（cervical intraepithelial neoplasia，子宮頸部上皮内腫瘍）だが細胞診で浸潤がんが疑われる場合には円錐切除を行う。

　CIN，IA1期のSCC（円錐切除後）では経腟分娩は問題ない。IA2期以上，または脈管侵襲がみられる場合，一般的に妊娠継続は不可で，基本的に非妊娠時の治療方針に従うが，十分なインフォームドコンセントを行ったうえで，臨床進行期や妊娠週数により個々に対応する。CINが妊娠中にがんに進展する頻度は低く，分娩後に自然消退する例も報告されている。

3. 卵巣腫瘍

▶ **頻度** 妊娠に合併する卵巣腫瘍の頻度は約1000の妊娠に1〜2例で，95〜98%が良性腫瘍である。成熟奇形腫が40%程度で最も多い。悪性腫瘍は5%程度であり，早期がんの割合が高い。悪性卵巣腫瘍が妊娠に合併する頻度は1万〜2万5000妊娠に1例と非常に稀である。

▶ **症状** 妊娠分娩に及ぼす影響としては，良性悪性を問わず茎捻転が9〜19%，破裂および腫瘍による分娩障害がある。茎捻転は妊娠前半期と産褥期に多く，破裂は分娩時に多い。

▶ **検査・診断** 妊娠によって生じた黄体囊胞か真性囊胞かの鑑別を行う。妊娠経過に伴う子宮の増大により，腫瘍の確認が妊娠中期以降には困難となるので，初期に確認する必要がある。腫瘍が直径5cm以下の場合は，80%が黄体囊胞などの機能的囊胞であることが多く，この場合は妊娠16週までに消失する。良性悪性の診断には，超音波検査が第1選

択である。悪性を疑う所見は，壁の肥厚や結節，内腔（ないくう）への乳頭状隆起，充実部分の存在，腫瘍内容の質的変化が重要である。MRIも有用である。

▶ 治療・対策　良性腫瘍と考えられる場合，直径6cm以下の場合には捻転の危険性も低く悪性腫瘍の可能性も低いため経過観察を，直径10cmを超える場合は破裂や分娩（ぶんべん）時障害の頻度，悪性腫瘍の可能性が高まるので手術を勧（すす）める報告が多い。直径6～10cmでは，単嚢胞性の場合は経過観察を，隔壁や小結節などを認める場合や成熟嚢胞性奇形腫の場合は手術を考慮する。悪性腫瘍に対する治療は基本的には非妊娠時と同様であるが，標準化されたものはない。

 脳・神経疾患

1. 脳血管障害

▶ 定義・分類　妊娠に関連した脳血管疾患は極めて稀であるが，いったん発症すれば母体死亡に至る場合もあり，重要な疾患である。非妊娠時に比べ脳血管障害の発症率，再発率が上昇するとされている。

　出血性疾患，梗塞（こうそく）性疾患，その他（子癇（しかん），高血圧性脳症）に分類され，また，妊娠に特異的なものとそうでないものに分けられる。

▶ 症状　出血性疾患は動脈瘤（りゅう）破裂，脳動静脈奇形によるものが多く，動脈瘤破裂によるクモ膜下出血の頻度は，全妊娠の約0.01～0.05％と報告されている。くも膜下出血を含めた脳卒中は，妊産婦死亡における原因の第2位である。妊娠中・末期に好発する。激しい頭痛，嘔吐（おうと）が多く，意識障害や突然死もある。

　梗塞性疾患は動脈性虚血性障害（きょけつ）と静脈血栓症に分類され，こちらは，妊娠末期・産褥（さんじょく）期に多いとされる。

▶ 原因・病態　妊娠に伴う循環血液量の増加や血液凝固能の変化，ホルモンの血管系への影響，分娩時の努責（どせき），分娩直後の静脈還流量の増大，出血などが関与すると考えられる。

　梗塞性疾患は，アンチトロンビン・プロテインC・プロテインS欠乏症といった血栓性素因のある場合や，抗リン脂質抗体（こうたい）の関与の可能性がある。

▶ 検査・診断　脳血管撮影が必要な場合は，腹部遮蔽（しゃへい）を適切に行い，胎児被曝（ひばく）の軽減に努める。

▶ 治療・対策　外科的手術の適応は非妊娠時と同様である。破裂による出血は母体の治療を優先するが，手術後の妊娠継続など個々の症例ごとに妊娠週数や胎児の成熟度も考慮し，検討することが必要である。分娩様式，麻酔方法にも標準化されたものはない。

2. てんかん

▶ 症状　抗てんかん薬による催奇形性は，妊娠第1期に服用していた場合には，内服して

いない場合に比べ2～3倍高くなるとされるが，薬剤の種類や用量，および多剤併用などによる形態異常発症率には差がある。口蓋裂，口唇裂，先天性心疾患，抗てんかん薬による葉酸吸収低下による児の無脳症や二分脊椎などの神経管欠損症も増加するため，抗てんかん薬服用中の場合は，妊娠前から葉酸を補充することが望ましい。

　妊娠中の痙攣発作は，胎盤循環障害により胎児の低酸素状態を引き起こしたり，切迫流産・早産の原因にもなり得る。低酸素血症となれば胎児機能不全になる可能性もあることに留意する。

▶ **原因・病態**　脳神経外科疾患術後の場合，2次性てんかんが起こり得る。

▶ **検査**　妊娠中は循環血漿量が増えるので，抗てんかん薬の血中濃度が低下することに留意するとともに，本人が怠薬していないかなどの確認も必要である。

▶ **治療・対策**　妊娠前よりカウンセリングを行い，てんかんの重篤度などを評価し，妊娠，出産，育児が現実的かどうか，家族を含めて相談する。薬を調整し（単剤が望ましい）発作をコントロールしてから，葉酸を補充した計画妊娠が望ましい。妊娠前から発作がコントロールされている場合には母児ともに予後は良好である。

H 呼吸器疾患

1. 気管支喘息

▶ **頻度**　日本の気管支喘息患者は近年増加しており，喘息合併妊婦も増加している。妊婦の約3%程度とされる。

▶ **症状**　妊娠中に症状が悪化するもの，変わらないもの，軽快するものが，それぞれ1/3程度とされている。重篤な喘息発作による低酸素血症により，胎児発育不全や流早産の原因となることもある。

▶ **原因・病態**　喘息はアレルギー疾患であり，遺伝因子，環境因子などが原因とされる。気道の慢性炎症を基本病態とし，可逆性のある繰り返し起こる咳，喘鳴，呼吸困難を認める閉塞性呼吸器疾患である。

▶ **検査・診断**　診断基準は存在しない。

▶ **治療・対策**　非妊娠時と同様，薬物治療により喘息発作を抑えることが原則である。吸入ステロイド薬と吸入β_2刺激薬を主体とし，内服のテオフィリン薬などでコントロールする。多くの喘息薬は催奇性についてはほとんど問題なく，喘息患者は妊娠中であっても治療を継続するほうが有益性が高い。

　子宮収縮薬のプロスタグランジン$F_{2\alpha}$は，気管支収縮作用で喘息発作誘発の危険性があるため禁忌である。

① 循環器疾患

1.高血圧症

▶ **定義・分類**　高血圧合併妊娠とは，慢性に経過しているもの（妊娠前から高血圧であるか，または，妊娠 20 週未満で診断されているもの）か，新たに発症したものをいう。2018（平成 30）年より妊娠高血圧症候群の一病型とされた。

▶ **症状**　高血圧（収縮期血圧が 140mmHg 以上，または，拡張期血圧が 90mmHg 以上の場合）は加重型妊娠高血圧腎症の発症，常位胎盤早期剝離，胎児発育不全，周産期死亡率や早産率の増加と関連する。

▶ **原因・病態**　正常妊娠であれば血圧は非妊娠時に比べて軽度低下するが，妊娠に対する母体の適応不全により高血圧となる。

▶ **検査・診断**　母体の血圧管理，胎児発育の確認，妊娠高血圧腎症への進展や母体合併症の有無などの頻回な評価が必要である。産後 12 週以内は，血圧の管理を十分注意して行う。

▶ **治療・対策**　診察時の血圧が 140/90mmHg（家庭血圧 135/85mmHg）以上が持続する場合，母体の重症高血圧への進展や合併症発症の可能性を減らすため，診察室血圧で拡張期 85mmHg（収縮期は 110 〜 140mmHg）を目標として治療を開始する。メチルドパ，$\alpha\beta$ 遮断薬，Ca 拮抗薬などが第 1 選択である。妊娠中禁忌である ACE 阻害薬 ARB（angiotensin receptor blocker）については，可能ならば妊娠前より変更し，もし妊娠判明時に内服していれば，すぐ他薬に切り替えることが求められる。

2.心疾患

▶ **頻度**　心疾患合併妊娠は全分娩の約 1 ％とされる。心疾患は母体死亡の原因の約 9 ％を占め，特に，ニューヨーク心臓協会（New York Heart Association：NYHA）の心機能分類Ⅲ以上やアイゼンメンジャー（Eisenmenger）症候群，チアノーゼ性疾患，大動脈病変をもつマルファン（Marfan）症候群などは要注意である。すべての心疾患合併女性に対して，妊娠前から本人・家族への十分なカウンセリングと協力体制の確保，疾患の妊娠前評価が必要となる。

▶ **原因・病態・症状**　妊娠・分娩・産褥期に，母体の循環系はダイナミックな変化が起こる。心疾患合併妊娠では母体の予備能力が少なく，母体に負担が増加し，妊娠 30 〜 32 週頃から心不全，不整脈が起こりやすく，また，凝固系の変化により，血栓，塞栓症も起こりやすい。

▶ **検査・診断**　血圧，体重，尿たんぱく，尿糖や浮腫に加え，適宜，循環器専門医による心機能評価が必要である。また，胎児発育や胎児 well-being の観察も必要である。

▶ **治療・対策**　安静が重要であり，心機能低下や心不全徴候がみられたら入院管理とし，

体重管理，塩分制限を行う。保存的治療によっても症状改善がみられなければ，個々に妊娠の中断（児娩出）時期の検討を行う。

　母体が先天性心疾患を有する場合，胎児に先天性心疾患を認める頻度が高くなる。一般に先天性心疾患の発生率は1％程度であるが，報告によって差はあるものの，母子での繰り返しは1.1〜14.1％とされる。超音波検査による胎児心臓の詳細な検査が必要である。

　分娩は最も血行動態が変化するときであり，生命への危険が及ぶ可能性がある。分娩様式は産科と循環器科間で相談のうえ決定する。分娩中は感染性心内膜炎の予防のため，抗菌薬の投与を行う。

J 消化器疾患

1. 虫垂炎

▶ **頻度**　非妊娠時と発症頻度に差はない。

▶ **症状**　妊娠中に外科的治療を必要とする急性腹症のうち，最も多い疾患である。妊娠中は診断がつきにくいため，発見が遅れて重症化しやすい。上腹部から右下腹部に移動する腹痛，発熱，悪心・嘔吐，下痢，便秘などがある。

▶ **原因・病態**　虫垂内腔の閉塞・狭窄により腸内細菌の増殖，循環障害などが起こり，それにより虫垂の粘膜防御機構が破綻し，そこに細菌感染が起こることで発症する。またウイルス感染などにより，虫垂の閉塞がなくても発症することもある。閉塞・狭窄の原因として，糞石，異物，リンパ組織の過形成，腫瘍がある。

▶ **検査・診断**　虫垂の位置に最強点をもつ腹膜刺激症状があるが，妊婦では虫垂の位置が右外側上方へ転位する。また，虫垂が妊娠子宮の背側に位置している場合もある。診断が困難な場合は，MRIやCT検査も躊躇せず行う。

▶ **治療・対策**　ペニシリンやセフェム系抗菌薬を投与する。必要に応じて外科的治療も行う。虫垂穿孔や腹膜炎となると流産・早産や母体敗血症などの可能性がある。胎児心拍数モニタリングを実施する。

2. 炎症性腸疾患

▶ **分類**　❶クローン（Crohn）病，❷潰瘍性大腸炎がある。日本における人口10万人当たりの有病率はそれぞれ5.9，18.9と稀ではあるが，近年増加傾向にある。

▶ **症状**　それぞれ以下の症状がある。また，炎症性腸疾患のため体重増加が十分得られない場合に低出生体重児となることがある。
❶**クローン病**：口腔から肛門までの全消化管を侵す慢性炎症性腸疾患で，線維化を伴う肉芽性炎症。消化器以外（特に皮膚）にも転移性病変をきたすことがある。腹痛，発熱，慢性下痢，貧血，関節炎，体重減少などが主な症状である。

❷潰瘍性大腸炎：大腸粘膜および粘膜下層がびまん性，連続性に侵される非特異性炎症性疾患である。主症状は下痢で，慢性の粘血，血便，発熱，貧血，全身倦怠感《けんたいかん》などである。

▶ **原因・病態**　炎症性腸疾患の発症および増悪《ぞうあく》に何らかの免疫応答《めんえき》がかかわっていることはわかっているが，明確な原因や誘因はわかっていない。

▶ **検査・診断**　X線検査，内視鏡，生検などを行う。感染性腸炎との鑑別が重要である。

▶ **治療・対策**　治療・対策には次のようなものがある。分娩方法《ぶんべん》は肛門周囲病変の評価や便失禁の可能性も考慮し，個々の症例で適応を検討し，経腟分娩か帝王切開か決定する。

❶クローン病：内科的治療，栄養療法を基本として，補助的に薬物療法を行う。栄養療法は完全静脈栄養法や成分経腸栄養療法，薬物療法として副腎皮質《ふくじんひしつ》ステロイド，スルファサラジン，メサラジン，メトロニダゾール，TNF阻害薬などがある。クローン病は，妊娠すると25％は軽快，47％は不変，29％が増悪するとされている。活動期に妊娠した場合は増悪する頻度が高いため，挙児希望の場合は，1年間の寛解期《かんかい》を確認して妊娠することを勧める《すす》。早産や胎児発育不全の頻度が上昇するという報告が多い。

❷潰瘍性大腸炎：内科的治療，スルファサラジン，メサラジン，副腎皮質ステロイド，TNF阻害薬，絶飲食，中心静脈栄養などを行う。手術が必要となる場合もある。一般に非活動性の場合は34％，活動性の場合は45％が悪化する。クローン病同様，寛解期の妊娠を勧める。

Ⓚ 精神疾患

▌1.統合失調症

▶ **症状**　人格の障害であり，幻覚，幻聴，妄想《もうそう》，混迷，陰性症状（情動表出の減少）などの症状を呈する。セルフケアができない，陣痛《じんつう》や破水が認識できないなど，妊娠分娩に対する理解が得られないことが問題となる。

▶ **治療・対策**　抗精神病薬，抗うつ薬，抗不安薬などが用いられる。長期間服用していた場合，新生児に呼吸抑制，哺乳力《ほにゅうりょく》低下，振戦，眼振が長期間認められることがある。離脱症候群（過呼吸，易刺激性《い》，不眠，発汗，下痢など）に注意する。

　両親のいずれかが患者の場合の新生児の発病率は5～10％，両親とも患者の場合には30～70％の児が将来発症するとされる。

　精神疾患合併妊婦は支援が必要であるので，妊娠初期より情報収集し，家族にサポートの必要性を説明し，他職種とも情報を共有，連携し，出産後も切れ目のない支援が必要である。

▌2.気分障害

▶ **定義・分類**　気分が沈んだり高揚したりする疾患であり，❶うつ病，❷双極性障害，な

どが含まれる。

▶ **症状** それぞれ次の症状がある。

❶ **うつ病**：抑うつ，不安，不眠，体重減少，易疲労感，思考力の減退，自殺念慮などがあり，日常生活に支障をきたしているものである。特に妊娠中は発現頻度が高くなり，再発率は上昇し，症状は重症化し，経過が遷延することがある。

❷ **双極性障害**：躁状態とうつ状態を周期的に生じる気分障害である。

▶ **原因・病態** 妊娠・分娩による性ホルモンの変化が病状に影響を及ぼす可能性がある。

▶ **検査・診断** 稀に甲状腺機能亢進症や脳腫瘍などによる躁状態もあるので，鑑別が必要である。

▶ **治療・対策** 治療薬として，三環系抗うつ薬，四環系抗うつ薬，SSRI（selective serotonin reuptake inhibitor：選択的セロトニン再取り込み阻害薬），気分安定薬などがある。妊娠中のSSRI使用により，先天性心疾患や新生児遷延性肺高血圧との関連が報告されている。精神状態が落ち着いている時期の計画妊娠が望ましい。

3. マタニティブルーズ

本編 - 第3章 -I-F-1「マタニティブルーズ」参照。

Ⅳ 母子感染症

A 母子感染症総論

母子感染症とは，母体に感染した病原体が胎児・出生児に移行して生じる感染症である。母子感染症では，病原体の種類，感染時期，母体側の感染状態などの要素によって，児への感染リスク，感染に伴う影響は大きく異なることを念頭においた臨床的管理が必要となる。また，妊娠中の感染症治療では治療薬剤の胎盤移行性，胎児への影響を考慮したうえで治療選択が行われる。また，性交渉を契機として母体感染が生じている場合には，パートナーの感染状態の確認，治療も併せて進めることも重要である。

母子感染にかかわる感染症のなかで，感染症法において四類感染症（ジカウイルス感染症），全数報告が必要な五類感染症（風疹および先天性風疹症候群，麻疹，梅毒，入院を要する水痘，後天性免疫不全症候群）については，診察した医師から最寄りの保健所への報告が必要となる。

1. 感染経路

ウイルス（サイトメガロウイルス，単純ヘルペスウイルス，B型・C型肝炎ウイルス，水痘・帯状疱疹ウイルス，成人T細胞白血病ウイルス，パルボウイルスB19，ヒト免疫不全ウイルス），細菌（梅毒ト

表 1-14 母子感染の感染経路と主な感染病原体

感染経路		感染病原体の種類
胎内感染	上行性感染（経子宮頸管感染）	絨毛膜羊膜炎の種々の原因菌
	経胎盤感染	トキソプラズマ 風疹ウイルス，サイトメガロウイルス，水痘・帯状疱疹ウイルス， パルボウイルス B19，ヒト免疫不全ウイルス，ジカウイルス 梅毒トレポネーマ
経産道感染		単純ヘルペスウイルス，B 型肝炎ウイルス，C 型肝炎ウイルス， ヒト免疫不全ウイルス，クラミジア・トラコマティス，淋菌 B 群溶血性レンサ球菌
経母乳感染		ヒト T 細胞白血病ウイルス，ヒト免疫不全ウイルス

レポネーマ，クラミジア・トラコマティス，B 群溶血性レンサ球菌），原虫（トキソプラズマ）など，多様な微生物が母子感染の原因となる。

　母子感染の感染経路の様式は，病原体が児に移行する時期に応じて分類できる。妊娠期には，腟内の病原体が経子宮頸管的に子宮内に侵入して，卵膜そして胎児へと感染が波及する上行性感染，母体血中の微生物が胎盤絨毛を介して胎児に移行する経胎盤感染が生じる。分娩期には，産道の体液や母体血と胎児の直接的な接触により児に病原体が移行する経産道感染が生じる。また，出生後には母乳を介して児に移行する経母乳感染がある。母子感染の感染経路と主な病原体の関係について表 1-14 に示す。

▎2. TORCH 症候群

　妊娠中に母体から胎児に病原体が移行する母子感染のなかには，母体の感染が軽微である場合や，妊娠前の母体感染で潜伏していた病原体が再活性化した場合に，母体の自覚症状が乏しいにもかかわらず，児に重篤な異常を引き起こすものがある。それらを総称して**TORCH 症候群**とよぶ。これは，Toxoplasmosis（トキソプラズマ症），Others（その他の種々の感染症），Rubella（風疹），Cytomegalovirus（サイトメガロウイルス），Herpes simplex virus（単純ヘルペスウイルス）のそれぞれの頭文字をとって作られた名称である。Others のなかにはパルボウイルス B19，水痘・帯状疱疹ウイルス，梅毒などが含まれる。感染経路は経胎盤感染によることが多いとされる。

　TORCH 症候群では，胎児発育不全，脳内病変（小脳低形成など），胸腹水などが胎児超音波検査で確認される場合や，児に肝脾腫，血小板低下，皮疹，中枢神経障害（聴力低下）が生じる場合がある。母体の感染時期により児への病原体移行のリスクや出生時の臓器障害の重篤度は大きく異なり，一般的には，妊娠初期ほど胎盤血流量が少ないため母体から胎児への病原体移行のリスクが少ない一方で，出生時の臓器障害の程度は，妊娠初期の感染ほど重篤となりやすい（図 1-4）。

第
6
編

1
妊娠期における
母子の異常と看護

2
分娩期における
母子の異常と看護

3
産褥期における
母子の異常と看護

4
胎児・新生児の
異常への看護

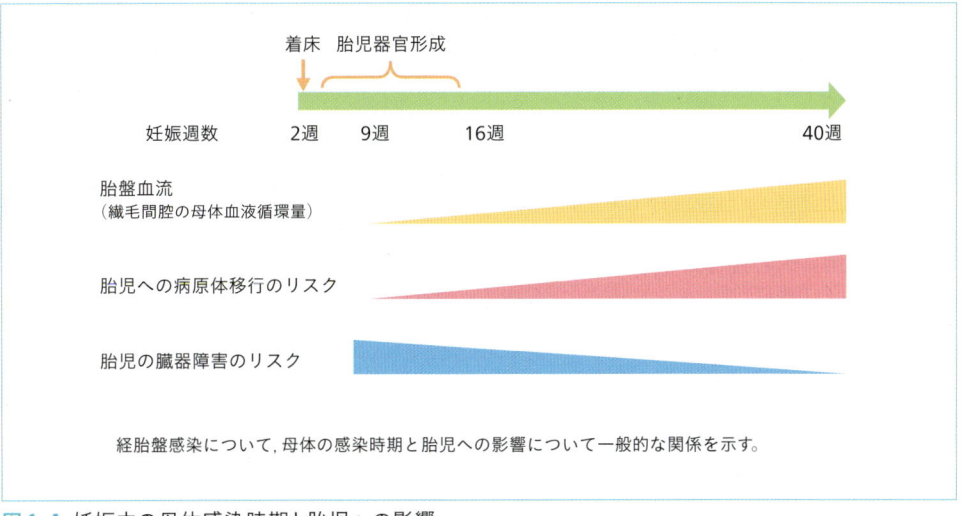

着床　胎児器官形成

妊娠週数　　　2週　9週　　16週　　　　　　　　40週

胎盤血流
（繊毛間腔の母体血液循環量）

胎児への病原体移行のリスク

胎児の臓器障害のリスク

経胎盤感染について，母体の感染時期と胎児への影響について一般的な関係を示す。

図1-4　妊娠中の母体感染時期と胎児への影響

B　母子感染症各論

　次に，代表的な母子感染症について，症状，診断，治療および予防策について個別に説明する。

1. トキソプラズマ症

▶ **原因**　**トキソプラズマ**（Toxoplasma gondii）は，ヒトを含めた恒温動物を中間宿主とする人畜共通寄生虫である。動物の生肉の摂食や，ネコなどの糞との接触を通じてヒトに感染する。

▶ **感染経路**　母体が妊娠中に初感染した場合に**経胎盤感染**により胎児感染を生じることがあり，日本での胎児感染の発生率は1万人出生で1〜2人程度と推定されている。胎児感染では出生時にすでに感染に伴う症状を認める場合（症候性感染）もあるが，出生後に数年経過してから症状が出現する遅発型の場合もある。

▶ **検査・予防**　妊娠初期の母体血清検査によりトキソプラズマ特異抗体の検査で，抗体陰性の未感染妊婦に対しては，感染予防のための啓発を推奨する（**表1-15**）。

▶ **治療**　妊娠中の母体感染が疑われる母体に対しては，胎児への感染の抑制効果を期待してスピラマイシン（もしくはアセチルスピラマイシン）内服治療を行う。

▶ **先天感染児の代表的な異常**　中枢神経障害（水頭症，脳内石灰化，小頭症），眼病変（網脈絡膜炎，小眼球症），肝脾腫，腹水，精神障害，神経障害，運動障害など。

表1-15 トキソプラズマ未感染妊婦に対する感染予防啓発

❶食事からの感染予防
- 肉類は十分に加熱し食べる。（調理前に数日間冷凍するとより効果が高い）

  牛トロ，レバ刺し，馬刺し，鳥刺し，ユッケ，タルタルステーキなど生肉だけではなく，加熱不十分な肉，生ハムや生サラミからも感染する。特に野生動物の肉を用いた「ジビエ」料理は，しっかりと加熱し調理する。
- 野菜や果物はよく洗うかきちんと皮をむいて食べる。
- 生肉や洗っていない野菜や果物を扱った調理・食事用具，手指は十分な洗剤と温水で洗浄する。
- 猫をキッチン，食卓に近づけない。

❷環境からの感染予防
- 飲料水以外は飲まない。
- ガーデニングなどで土を触る際は手袋を着用し，土を触った後は手指を石鹸と温水で洗浄する。
- 子供にも手指洗浄の重要性を教育する。
- 砂場にはカバーを掛ける。
- 妊娠中に新しい猫を飼わない。
- 飼い猫はできるだけ部屋飼いにし，食餌はキャットフードを与える。
- 猫のトイレの砂は妊婦以外のものが毎日交換する。

出典／母子感染の予防と診療に関する研究班：トキソプラズマ妊娠管理マニュアル，改訂4版，日本医療研究開発機構（AMED）成育疾患克服等次世代育成基盤研究事業　母子感染に対する母子保健体制構築と医療技術開発のための研究（令和元〜3年度），p.16.

2. 麻疹・風疹

1 | 麻疹

▶ **定義**　麻疹は麻疹ウイルスのヒトからヒトへの伝搬により生じる感染症であり，空気感染，飛沫感染，接触感染など様々な感染経路で感染が広がり，非常に感染力が強い。妊婦が感染を生じた場合には非妊娠時よりも重症化しやすいという報告があり，注意が必要である。

▶ **予防**　麻疹・風疹の混合ワクチンによる予防が重要であるが，後述のように，弱毒化ワクチン（生ワクチン）のため，抗体をもたない女性では非妊娠時に接種を行い妊娠中の接種は行わない。母子感染の観点では，母体の感染の重症化に伴い流早産を生じるリスクがあるが，麻疹ウイルスによる直接的な児の異常の発生のリスクは低いとされている。

2 | 風疹

▶ **症状・検査**　妊婦が風疹ウイルスに罹患すると児に**先天性風疹症候群**（congenital rubella syndrome；CRS）とよばれる胎児感染が生じるリスクがある。眼症状（白内障，緑内障），先天性心疾患，感音性難聴などがCRSの典型的疾患・症状である。妊婦健診では妊娠初期に風疹抗体保有の有無についてのスクリーニング検査を実施する。スクリーニング検査で抗体価が高い妊婦や風疹を疑う症状がある妊婦に対しては，ペア血清による抗体価の変化や風疹特異的IgM抗体による診断検査を行う。

▶ **予防**　抗体陰性妊婦や抗体価が低い妊婦への対応としては，妊娠中に風疹患者との接触

第
6
編

1
妊娠期における
母子の異常と看護

2
分娩期における
母子の異常と看護

3
産褥期における
母子の異常と看護

4
胎児・新生児の
異常への看護

を回避する指導や，家族へのワクチン接種を勧める。風疹ワクチンは生ワクチンであるため，妊娠中は接種しない。そのため，抗体陰性や抗体価が低い女性では出産後にワクチン接種を勧める。また，接種前1か月，接種後2か月は避妊するよう指導する。現在，風疹感染予防のため2回の麻疹・風疹混合ワクチンの接種が定期接種となっている。しかし，日本ではこれまで繰り返し風疹が流行し多数の先天性風疹症候群が発生している。これは，1979（昭和54）年4月1日以前に生まれた男性にはワクチン接種機会がなかったためで，その世代の男性における抗体保有率が低いことに一因があるとされている。

3. サイトメガロウイルス

▶ **定義**　**サイトメガロウイルス**（cytomegalovirus；CMV）は体液を介して様々な感染様式でヒトからヒトへと伝搬される。非常にありふれた感染症であり，日本では成人の70％程度が抗体を保有している。

▶ **母子感染**　サイトメガロウイルスについては，母子感染で臨床的に問題となるのは胎児への経胎盤感染である。日本国内での胎児感染の発生率は0.3％と推定されており，母子感染のなかでも特に頻度が高い感染症である。妊婦が初感染した場合に胎児感染を生じるリスクが特に高くなるが，既往感染の妊婦であっても，再感染やウイルスの再活性化により胎児感染を生じる場合がある。

▶ **症状**　胎児感染では出生時に低出生体重，肝脾腫，小頭症，聴力障害などの症状を呈する顕性感染の場合もあるが，特に症状を示さない不顕性感染であっても，出生後数年の期間に難聴などが発症する場合もある。感染の確定診断は児の出生後3週間以内に採取した尿をPCR法によって行う。また，顕性胎児感染に対する治療としてガンシクロビル，バルガンシクロビルによる治療効果が確立しているため，新生児期の胎児感染の診断が重要とされる。

▶ **感染経路・予防**　妊婦に対する感染経路として，上の子どもの唾液や尿との接触による場

表1-16　サイトメガロウイルス未感染妊婦に対する感染予防啓発

> サイトメガロウイルスを含んでいる可能性のある小児の唾液や尿との接触を妊娠中はなるべく避けるように説明する。
> - 以下の行為の後には，頻回に石けんと水で15〜20秒間は手洗いをしましょう。
>   おむつ交換
>   子どもへの給餌
>   子どものハナやヨダレを拭く
>   子どものおもちゃを触る
> - 子どもと食べ物，飲み物，食器を共有しない。
> - おしゃぶりを口にしない。
> - 歯ブラシを共有しない。
> - 子どもとキスをするときは，唾液接触を避ける。
> - 玩具，カウンターや唾液・尿と触れそうな場所を清潔に保つ。

出典／母子感染の予防と診療に関する研究班：サイトメガロウイルス妊娠管理マニュアル，改訂第2版，日本医療研究開発機構（AMED）成育疾患克服等次世代育成基盤研究事業　母子感染に対する母子保健体制構築と医療技術開発のための研究（平成28〜30年度），p.9.

合が多いと推定されており，未感染妊婦では上の子どもとの食器や食べ物，飲み物の共有を避けることや，上の子どもとの接触後に手洗いを行うことなどが感染予防策として提示されている（表 1-16）。現時点ではワクチンや有効性の確立した胎児治療法がないため，未感染妊婦に対するこのような予防策の教育，啓発が重要である。

▶ **先天感染児の代表的な異常**　先天性サイトメガロウイルス感染症の症候性感染児では，低出生体重，難聴，中枢神経障害（小頭症，水頭症，脳内石灰化），血小板減少，肝脾腫，紫斑，黄疸，白内障などの症状を呈する。

▍ 4. 単純ヘルペス

▶ **症状・先天感染児への影響**　単純ヘルペス（herpes simplex virus；HSV）には HSV-1 と HSV-2 の 2 つの型があるが，いずれも性交渉などを契機に口唇や性器（外陰部，腟内）に痛みを伴う水疱や発疹，潰瘍を生じる。初感染時には激しい症状となることがある。また，初感染の治癒後にも神経細胞にウイルスが潜伏して再発を繰り返す。特に妊娠中は，免疫学的な変化により口唇ヘルペスや性器ヘルペスの再発が生じやすくなる。性器ヘルペスを発症している産婦から児に経産道感染が生じることがあり，多くが出生後 1 週間以内に発症する。単純ヘルペス感染を生じた新生児は致死率が高く，治癒後もしばしば重篤な後遺障害を引き起こす。そのため，母子感染を防止することは重要である。

▶ **治療**　妊婦が発症した場合には，症状の程度に応じてアシクロビルもしくはバラシクロビルの外用，内服，点滴静注などの治療を行う。

▶ **分娩時の対応**　分娩直前の妊婦の外陰部にヘルペス病変を認めた場合には，帝王切開が推奨される。また，初感染の発症から 1 か月以内，再発では発症から 1 週間以内の場合には，症状が軽快していても帝王切開が望ましい。

▍ 5. 水痘，帯状疱疹

▶ **定義**　水痘・帯状疱疹ウイルス（varicella zoster virus；VZV）は，初感染時には水痘として発症し，発熱を伴う丘疹と水疱の皮膚症状を呈する。非常に感染力が強く，空気感染，飛沫感染，接触感染により伝搬する。2014（平成 26）年 10 月以降，水痘ワクチンの定期接種（2 回接種）が行われて発症数が減少している。水痘ワクチンは弱毒化生ワクチンであるため，妊娠中のワクチン接種はできない。

▶ **症状・予防**　妊婦が VZV に初感染すると，水痘が重症化するリスクがある。また，VZV が経胎盤的に移行すると，胎児に種々の構造異常を伴う先天性水痘症候群を起こす。そのため，水痘患者との接触機会があった妊婦へは，ガンマグロブリン投与による予防が，水痘発症時にはアシクロビル投与による治療が考慮される。ただし，先天性水痘症候群の発症リスクは，最も高い妊娠中期で 1 〜 2％程度であり，妊娠初期や末期の感染では胎児への影響は極めて少ないとされる。

▶ **治療**　一方で，分娩前後 1 週間以内程度の期間に母体が水痘を発症した場合は，出生し

第
6
編

1
妊娠期における
母子の異常と看護

2
分娩期における
母子の異常と看護

3
産褥期における
母子の異常と看護

4
胎児・新生児の
異常への看護

た児は移行抗体による受動免疫がなく，新生児水痘として重症化することがある。そのため，その時期の母体の水痘感染に対しては，母体へのアシクロビル投与，新生児へのガンマグロブリン投与を行い，新生児水痘を発症した場合はアシクロビルを投与する。帯状疱疹は VZV の再発による症状であるが，妊娠中の帯状疱疹の発生では母体はすでに VZV への抗体を有しており，胎盤を介したその抗体移行により，胎児が先天性水痘症候群や新生児水痘を生じることはない。

▶ **先天感染児の症状**　四肢異常，眼症状（小眼球症，網脈絡膜炎），中枢神経障害（小頭症，水頭症，脳内石灰化）など。

■ 6. B型肝炎

▶ **定義・感染経路**　B型肝炎ウイルス（hepatitis B virus；HBV）を保有する（キャリア）妊婦から児への感染は経産道感染が中心であるが，高ウイルス量や活動性肝炎の状態にある妊婦の場合には，胎児感染が生じることがある。また，出生後の児に母体からの体液を介した水平感染が生じる場合がある。

▶ **検査**　妊婦健診のスクリーニング検査として，HBs 抗原検査が行われる。HBs 抗原陽性妊婦に対しては，HBe 抗原・肝機能検査を行う。HBe 抗原陽性者は，母子感染のリスクが特に高い。

▶ **先天感染への予防**　HBs 抗原陽性の母体から出生した児に対しては，母子感染の予防目的で「母子感染予防対策プロトコール（2013 年改変）」に従った抗 HBs 人免疫グロブリン投与（分娩後 12 時間以内の 1 回），HB ワクチン接種（分娩後 12 時間以内，生後 1 か月，生後 6 か月の 3 回）を行い，生後 9 〜 12 か月の時点で HBs 抗原，抗体検査を行う。授乳については，キャリア母体であっても母乳栄養による児への感染リスクの上昇はないとされている。

■ 7. C型肝炎

▶ **定義**　C 型肝炎ウイルス（hepatitis C virus；HCV）はキャリア妊婦から経産道感染による母子感染を生じることがあるが，HBV と比較してその感染力は弱く，血中 HCV-RNA が陽性の母体からの児の感染率は 10％以下程度であり，感染児も自然治癒する場合がある。

▶ **検査**　妊婦健診では母体の HCV 抗体スクリーニング検査が行われ，HCV 抗体陽性が確認された場合にはさらに HCV-RNA 定量検査および母体の肝機能検査が行われる。HCV-RNA 定量検査で検出されない場合には，母子感染の心配はない。RNA 量が高い（10^6 コピー /mL 以上）母体では，母子感染率が高くなる。キャリア母体から出生した児には，HCV-RNA 検査による母子感染の有無の確認を行う。

▶ **治療**　近年は，HCV キャリア患者に対して抗ウイルス療法によって高い治癒が得られるようになっており，母子感染が生じた場合にも児への治療が期待できることから，母子感染予防を目的とした帝王切開は不要との意見が多い。また，母乳栄養は母子感染の頻度に影響しない。

8. 成人T細胞白血病

▶ **定義・感染経路**　**ヒトT細胞白血病ウイルス**（Human T-cell Leukemia Virus type-1：HTLV-1）は，キャリア状態の成人において，成人T細胞白血病，HTLV-1関連脊髄症を発症する。経母乳感染による母子感染がHTLV-1の主要な感染経路となっている。

▶ **検査**　妊婦健診では母体血清HTLV-1抗体スクリーニング検査が実施され，陽性者に対してはさらにLIA法，ウエスタンブロット法，PCR法によりHTLV-1のキャリア診断が行われる。成人T細胞白血病は，生涯発症率が5％程度であるが有効な治療法が確立されていないため，HTLV-1キャリアの診断に際しては，妊婦の不安を軽減するような配慮が必要である。

▶ **予防**　HTLV-1長期母乳哺育児の感染率は15〜40％程度とされ，一方で，人工乳哺育により児への感染が2〜3％にまで低減されるとの報告がある。そのため，HTLV-1キャリア母体からの児の感染予防のためには完全人工栄養が推奨される。かつて提案されていた初乳のみを与える方法や凍結母乳による方法は，感染予防効果が不十分とされている。

9. パルボウイルスB19感染症

▶ **定義・症状**　**パルボウイルスB19**（human parvovirus B19）は，伝染性紅斑（リンゴ病）の原因ウイルスである。感染を生じると，小児では頬部紅斑，発熱，関節痛の症状が生じるのに対して，成人での感染は症状が非特異的で軽度であることが多い。妊娠中に母体が初感染を生じると，経胎盤感染により胎児にウイルスが移行して胎児貧血，心不全，胎児水腫を呈して胎児死亡の原因となる。

▶ **検査**　妊娠20週未満の妊婦の感染は，胎児死亡となるリスクが高い。妊娠中の感染が疑われる場合には，母体血清のパルボウイルスB19特異的IgM検査を行い，陽性の場合にはその後の胎児貧血，胎児水腫の出現に留意した妊娠管理が必要である。

▶ **治療**　胎児貧血から胎児水腫を生じた場合には，胎児輸血による胎児治療が検討される。

▶ **予防**　感染予防としては，流行発生時には，飛沫・接触感染を避けるためマスク着用や手洗いの励行を勧める。一方で，伝染性紅斑は症状の出現前に感染力が高く，症状出現後には感染力がないという特徴から，発症妊婦の隔離は有効ではないとされる。

10. B群溶血性レンサ球菌感染症

▶ **定義・分類**　**B群溶血性レンサ球菌**（*Streptococcus agalactiae*，別称 Group B streptococcus：GBS）は膣内，腸内の常在細菌の一つであり，妊婦では10〜20％程度の保菌率とされている。経産道感染により新生児死亡，新生児の肺血症，髄膜炎，後遺障害を引き起こす場合がある。新生児感染の発症時期によって早発型（生後7日未満発症）と遅発型（生後7日以降発症）に分かれる。早発型の原因は経産道感染が中心であるが，遅発型では経産道感染以外に出生後の水平感染（母体との接触など）に起因する場合もあるとされる。

▶ 予防・検査　早発型感染の予防を目的として，35週以降に母体のGBS保菌状態を培養検査（腟入口部，肛門周囲）によって確認する。保菌妊婦には，早発型感染予防を目的に，経腟分娩中あるいは前期破水後にペニシリン系抗菌薬（アンピシリンなど）を点滴静注する。

┃ 11. 梅毒

▶ 定義・症状　**梅毒**は，スピロヘータ属の細菌 *Treponema pallidum* の感染によって生じる感染症であり，性行為が主な感染経路である。症状は4段階に分類され，第1期（感染後3週以降）には感染した部位（陰唇周辺，子宮頸部など）に数cm以下の初期硬結を生じる，やがて硬結が盛り上がり，中心に潰瘍（かいよう）を形成した状態を硬性下疳（げかん）とよぶ。第2期（感染後3か月以降）には血行性に感染が全身に広がり，多彩で特徴的な皮膚・粘膜症状（梅毒性バラ疹，丘疹性梅毒疹（きゅうしんせい），梅毒性乾癬（かんせん），扁平（へんぺい）コンジローマ，梅毒性アンギーナなど），脱毛，臓器梅毒の症状が出現する。感染後3年以上経過すると，第3期（結節性梅毒疹，ゴム腫（しゅ））や第4期（大動脈炎，大動脈瘤（りゅう），脊髄癆（せきずいろう））に進行する。

　梅毒感染妊婦では，妊娠16週以降に経胎盤的に胎児感染を引き起こす。

▶ 検査・治療　妊娠早期の治療開始が胎児感染の発症抑止に有効であり，妊娠初期に血清学的スクリーニング検査が行われる。STS（serologic test for syphilis）法とTPHA（treponema pallidum hemagglutination test）法の結果を組み合わせて判定を行う。検査の結果の判断で，母体が未治療である，もしくは治療後であっても治療効果が十分でない場合には，無症状であっても速やかにペニシリン系抗菌薬投与の治療を行う。ただし，血清学的検査が陽性であっても，陳旧性梅毒（ちんきゅうせい）と確認できる場合には治療は行わない。

▶ 先天感染児の代表的な異常　感染児の症状としては，生下時（せいか）に症状（肝脾腫（かんひしゅ），紫斑（しはん），脈絡網膜炎（みゃくらくもう），骨軟骨炎（まく）など）を有する早期先天梅毒と，乳幼児期には症状を示さずに経過し学童期以降に症状を呈する晩期先天梅毒がある。

┃ 12. 性器クラミジア

▶ 定義　クラミジア・トラコマティス（*Chlamydia trachomatis*）を原因菌とする感染症であり，性交渉を契機として頸管（けいかん），子宮内膜，卵管，腹腔内（ふくくう）へと感染が波及する。性感染症のなかで最も頻度が高い感染症であり，卵管炎は不妊症の原因となる。

▶ 検査・治療　母子感染では，経産道感染により新生児に結膜炎，咽頭炎，肺炎を引き起こす。比較的症状が乏しく，妊婦が感染を認識していない場合も多い。母子感染の予防のため，妊娠30週頃までに子宮頸管のクラミジア抗原検査（PCR法）のスクリーニングで母体感染が確認された場合には，アジスロマイシンもしくはクラリスロマイシンによる内服治療を実施して分娩前（ぶんべん）の治癒（ちゆ）を目指す。また，再感染を防止するためパートナーの検査・治療を勧（すす）めることも重要である。

13. 淋菌感染症

▶ **定義**　淋菌感染症は，淋菌（*Neisseria gonorrheae*）が主に性交渉を介して伝搬されて，女性では尿道炎，子宮頸管炎，骨盤内感染などを生じる頻度の高い性感染症である。

▶ **治療**　セフトリアキソンあるいはスペクチノマイシンによる治療が行われる。経産道感染すると児は出生後 1 〜 2 日で淋菌性結膜炎を発症して，眼瞼・結膜の腫脹を伴い，大量の膿性眼脂を生じる。淋菌性新生児結膜炎に対する予防として，1％硝酸銀，エリスロマイシンあるいはテトラサイクリンの眼軟膏・点眼薬が用いられる。

14. 後天性免疫不全症候群（AIDS）

▶ **定義**　ヒト免疫不全ウイルス（Human immunodeficiency virus；HIV）の感染により，CD4陽性 T 細胞の減少を引き起こして免疫機能低下による様々な日和見感染，腫瘍発生を生じる状態を，**後天性免疫不全症候群**とよぶ。

▶ **感染経路**　性行為，輸血，母子感染が感染契機となる。母子感染経路では経胎盤感染，経産道感染，経母乳感染がある。①妊娠母体に対する抗 HIV 薬投与，②適切な帝王切開による分娩，③出生児への予防的抗 HIV 薬投与，④人工栄養のすべてを実施することにより，母子感染率は 2％以下となる。

▶ **検査**　妊婦健診では，母体感染の発見のため血清中の HIV-1 抗原と HIV-1/2 抗体の測定によるスクリーニング検査が行われる。ただし，スクリーニング検査には偽陽性が多いため，ウエスタンブロット法や PCR 法による確認検査で確定診断される。

15. ジカウイルス感染症

▶ **定義**　ジカウイルス（Zika virus）はネッタイシマカ，ヒトスジシマカを介してヒトからヒトに伝搬されて蚊媒介感染症を引き起こす。中南米，東南アジアを中心として流行地域が拡大し，2013 年以降に中南米でのジカウイルスの先天感染の集団発生が生じて，母子感染により胎児の中枢神経障害を生じるウイルスとして認識された。

▶ **症状**　母体のジカウイルス感染症では軽度の発熱，頭痛，関節痛や皮膚の発疹などの症状が生じるが，多くは非特異的な症状であり，症状からはほかの疾患との鑑別が難しい。また不顕性感染の場合も多い。

▶ **検査・予防**　感染症法上で四類感染症に指定されており，流行地域への渡航歴がある妊婦あるいは流行地域への渡航歴があるパートナーとの性交渉のある妊婦で，ジカウイルス感染症と考えられる症状を呈する場合（ジカウイルス感染症を疑う妊婦）には行政上の血清学的検査が行われる。ジカウイルス感染症に有効な抗ウイルス薬は確立しておらず，母子感染予防の観点からは，妊娠の可能性がある女性および妊婦の流行地への渡航を控えること，パートナーを含めた流行地への渡航中の防蚊対策が重要である。

▶ **先天感染児の代表的な異常**　中枢神経障害（小頭症など）。

第
6
編

1
妊娠期における
母子の異常と看護

2
分娩期における
母子の異常と看護

3
産褥期における
母子の異常と看護

A
胎児・新生児の
異常への看護

V 妊娠期の健康問題への看護

A 出生前診断を受ける妊婦と家族の看護

1 出生前診断とは

出生前診断とは，胎児の先天異常や染色体異常，遺伝性疾患の有無を検査によって診断することである。出生前診断には，診断は確定的であるが母体や胎児にとって侵襲的な検査方法（絨毛検査，羊水検査）と，診断は非確定的であるが母体や胎児にとって非侵襲的な検査方法（超音波検査，母体血清マーカー検査，非侵襲性出生前遺伝学的検査［non-invasive prenatal genetic testing：NIPT］）がある。

出生前診断における検査の適応のなかに，高年齢の妊婦（35 ないし 40 歳以上）がある。しかし，2022（令和 4）年 2 月に公表された「NIPT 等の出生前検査に関する情報提供及び施設（医療機関・検査分析機関）認証の指針」においては，「適切な遺伝カウンセリングを実施しても胎児の染色体数的異常に対する不安が解消されない妊婦については，十分な情報提供や支援を行った上で受検に関する本人の意思決定が尊重されるべきである」[23]とされ，全年齢に出生前診断における検査が認められることとなった。

出生前診断は，胎児の異常を早期に発見することができ，出生後の児の健康状態の予測や必要な治療の準備，養育環境や養育体制を整えられるといった特色がある。しかし，胎児の異常が明らかとなっても，治療に限界がある疾患もあり，出生前診断を受ける妊婦および家族に身体的・心理社会的にも影響を及ぼす。出産年齢の高齢化による染色体異常のリスクを心配して出生前診断を希望する女性や，おなかの中のわが子を可視化できる唯一の手段ともいえる超音波検査によって，いつもと変わりなく受けていた妊婦健康診査で，思いがけず胎児の異常を医師に告げられる女性などがおり，様々な場面で，看護職は身近な相談者や支援者になり得る。よって，本項では出生前診断を受ける妊婦と家族の看護について考えていきたい。

2 アセスメントのポイント

出生前診断を受ける妊婦と家族の背景は，高年妊娠，遺伝性疾患や染色体疾患のある家系，胎児異常の精査など様々であり，対象者の背景や出生前診断を受ける経緯などを情報収集する必要がある。また，対象者が出生前診断について適切に理解しているのか，確認することも大切である。なぜなら，出生前診断は妊娠成立後に行われる検査であり，妊娠 22 週未満であれば，妊娠の継続にかかわる選択と意思決定が必要になるためである。

出生前診断は，倫理的問題だけでなく，遺伝医学的にも難しい問題を内包しているため，

産婦人科医と遺伝子診療部門の連携のもとで，総合的に対応することが望まれる。したがって，胎児の異常が明らかとなり，診断がついた際は，産婦人科医・小児科医・ソーシャルワーカーなど多職種がチームとなって，最新の医学的知見や情報が妊婦と家族に提供される。そこで，妊婦と家族が意思決定に必要な情報を十分に得られ，理解したうえで今後の方針を意思決定できるよう，心理・社会的援助が大切となる。

3 | 看護

❶身体的支援

絨毛検査や羊水検査といった侵襲性が高い検査では，出血や感染，前期破水，流産などのリスクがある。したがって，検査を行う前には，検査がもたらす母児への影響について事前に説明する。検査時は使用物品の滅菌の保持や消毒など感染防止に努め，検査後は2時間程度ベッド上で安静が保てるように援助する。また，子宮収縮や下腹部痛の有無，穿刺部位や性器からの出血の有無を確認し，異常の早期発見に努める。

異常なく経過していることが確認できたら，日常生活での注意点や受診が必要な症状，次回の受診予約，検査結果の告知予定などについて，退院前までに妊婦に説明する。

❷心理・社会的支援

（1）思いの傾聴と理解を促す支援

出生前診断に対する妊婦や家族の思いを傾聴しながら，医師からの説明が正確に伝わっているか，妊婦や家族が説明をどのようにとらえているかなどを把握する。医療者側の説明と対象者の理解に齟齬がある場合は，適切に理解できるように，媒体物を用いた補足説明や話し合いの場を設けるなど，妊婦と家族が理解できるように支援する。

（2）意思決定の支援

出生前診断を受ける過程において，妊婦と家族は様々な選択を迫られ，意思決定が必要となる場面がある。出生前診断の検査を受けるか否かも意思決定の場面の一つであり，受けないことも選択の一つである。どのような選択においても，妊婦と家族が決定した意思を尊重することが大切である。

（3）遺伝カウンセリングが可能な専門機関の紹介

『産婦人科診療ガイドライン―産科編 2020』では，出生前診断としての染色体検査・遺伝子検査の実施上の注意点として，検査前後には**遺伝カウンセリング**を行う必要があるとされ，妊婦が胎児の染色体検査あるいは遺伝子検査を希望し，自施設で遺伝カウンセリングの実施が困難な場合には，遺伝カウンセリングの提供が可能な施設へ紹介することが明記されている[24]。日本には，遺伝医療の担い手として，臨床遺伝専門医（医師）と認定遺伝カウンセラー（非医師）とがある。認定遺伝カウンセラーは，所定の養成課程（大学院修士課程）を修了し認定試験に合格することで得られる認定資格である[25]。しかし，必ずしも施設に人員が確保されているとは限らず，妊婦と家族が方針を決定していくうえで必要な情報が十分に得られるよう，遺伝カウンセリングが可能な専門機関を紹介することも支援

第
6
編

1
妊娠期における
母子の異常と看護

2
分娩期における
母子の異常と看護

3
産褥期における
母子の異常と看護

4
胎児・新生児の
異常への看護

の一つである。

B 高年妊婦と家族の看護

1 高年妊婦のリスク

　高年妊婦とは，35歳以上の妊婦をいう。日本産科婦人科学会では，35歳以上の初産婦を**高年初産婦**[26]としており，経産婦についての明記はない。女性の高学歴化や社会進出，ライフスタイルの多様性，生殖補助医療（assisted reproductive technology：ART）の進歩などの背景により，今後も高年妊婦は増加することが予想される。

　高年妊娠は，加齢に伴う高血圧症や糖代謝異常，子宮筋腫合併妊娠などの妊娠偶発合併症が増え，難産や帝王切開による分娩が増加する。児への影響としては，染色体異常，形態異常の頻度が上昇し，母体や胎児適応での人工早産が増加することで低出生体重児となるリスクが上昇する[27]といわれている。しかし，高年齢はハイリスク妊娠の要因の一つであり，母児の身体・心理・社会的側面から総合的にアセスメントし，リスクに対する予防的支援や，異常の早期発見が重要となる。

2 アセスメントのポイント

　高年妊婦には，妊娠前から子宮筋腫や高血圧症，糖尿病などの合併症がある妊婦もいれば，妊娠によって初めて疾患が明らかになった妊婦や，妊娠中に妊娠高血圧症候群や妊娠糖尿病などを診断される妊婦もいる。そのため，既往歴や現病歴，家族歴についての問診が大切となる。また，不妊治療を受けていた人の割合は若年より高年妊婦が高くなるため，妊娠に至った背景（不妊治療後の妊娠か，予期せぬ妊娠か）や，配偶者も高年である可能性や年長児がいる可能性，妊婦・配偶者の両親も高齢で育児への協力が困難な可能性もあるため，家族構成について把握することも重要である。比較的，経済的に余裕があり，精神的にも成熟している年齢である一方，社会的には責任ある立場の可能性もあるため，職場環境，通勤状況，妊婦の労働に関する制度の活用，出産後の育児と働き方についても確認していく必要がある。

3 看護

❶身体的支援

　妊娠前からの合併症や妊娠偶発合併症がある場合は，医師の指示に基づいた適切な管理と，異常の早期発見のための症状について情報提供を行う。合併症のない高年妊婦には，妊娠偶発合併症のリスクとその予防（適切な体重管理と食事摂取，適度な運動，良質な睡眠）について指導する。どの年代の妊婦にも該当する指導ではあるが，高年妊婦にとっては，これまで行ってきた生活習慣についても，母児の健康に与えるリスクを踏まえて，見直したり

調整したりしていくことが，より必要とされるためである。

❷心理・社会的支援

　高年妊婦には，不妊治療後の妊婦や予期せぬ妊娠の経産婦も含まれ，高年であるため出生前診断を希望したり，妊娠の継続を迷い，中絶を選択したりする妊婦もいる。また，高年齢ということに漠然とした不安を抱える妊婦もいる。対象の背景や思いをよく理解したうえで，個々に寄り添った支援が求められる[28]。

　高年妊婦は加齢に伴って体力面での衰えもあるため，育児に対する負担感が強くなる。年長児がいる場合は，体力面だけではなく，安静にできないなど妊娠経過にも影響を与える可能性がある。そのため，妊娠中からサポート体制を確認し，家族からの協力が得られにくい状況であれば，居住地域のサポート資源を紹介したり，家庭生活が円滑に営めるような社会資源の活用方法を考えたりする必要がある。

Ｃ 若年妊婦と家族の看護

1 ｜ 若年妊娠の背景

　日本の 10 歳代女性による出生数は，2007（平成 19）年は 1 万 5250 人，2018（平成 30）年は 8778 人，2021（令和 3）年は 5542 人と減少の方向にある[29]。10 歳代女性が妊娠し出産に至る割合を出生数と人工妊娠中絶数[30]を加算して出生数で除して概算すると，2007（平成 19）年は 38.6%，2018（平成 30）年は 39.2%，2021（令和 3）年は 37.9% となっている。このように 10 歳代女性は妊娠が判明したのち，出産に至る割合は 4 割弱となっている。10 歳代妊婦の最終学歴は，中学校や高校の卒業者が約 7 割という報告がある[31]。家族背景としては，親が病気や離婚などでひとり親の家庭など，社会的ハイリスクがみられる。

　民法上，女性も男性と同じく 18 歳から婚姻が可能と変更された*が，高校に約 9 割の者が進学する現状から，10 歳代の者は入籍してから妊娠するのではなく，妊娠してから入籍する場合も多い。さらに，思春期にある者の心理的な特徴から，周囲の大人や医療者の些細な言動に過剰反応する傾向がある[32]。自己を客観視する力や自分の思いを言葉で表現する能力が未熟なことも多い。そのため，医療関係者とコミュニケーションがとりにくく，抱えている問題が明らかになりにくい状況もある。

2 ｜ アセスメントのポイント

　心理社会的な状況のアセスメントとして，妊婦が中学生以下と高校生以上の場合では心身の成熟が異なるため，年齢の確認がまずは重要である。次に，若年妊婦は予期せぬ妊娠が大半であり，ストレスフルライフイベント[33]により，妊娠継続や出産・育児の受容に

＊ 民法の改正が成立し，2022（令和 4）年 4 月 1 日に施行された同法では，女性の婚姻年齢をそれまでの 16 歳から 18 歳に引き上げ，男女の婚姻開始年齢が統一された。

第
6
編

1
妊娠期における
母子の異常と看護

2
分娩期における
母子の異常と看護

3
産褥期における
母子の異常と看護

4
胎児・新生児の
異常への看護

大きくかかわる。予定した妊娠か否か，パートナーと本人の妊娠の受容状況や入籍の有無を確認する。そして，妊娠継続に至るまでの経緯，出産に向けた気持ちをアセスメントすることが必要である。

パートナーがいる場合でも育児期には約80％が離婚しており，シングルマザーになることが多い。そのため，生活をしていくうえでのキーパーソンの確認も重要となる。パートナーと同居するか，親の元で暮らして支援を得られる状況か，友達や教員，近隣の人々との関係などをていねいに聞く必要がある。日常生活の状況も，家事の様子や生活リズム，金銭管理なども，具体的に聞くと課題がみえてくる。さらに，学業継続や就業および将来の展望などを聞きながら，本人に意識づける機会にするとよい。

身体的な状況のアセスメントとして，妊婦健康診査に訪れる回数の少ない者や未婚者の場合に，不十分な健康管理から貧血や妊娠高血圧症候群を生じやすく，低出生体重児の出生を招く臨床報告がある[34]。妊婦健康診査の受診状況，健康管理への知識，妊娠性貧血，妊娠高血圧症候群などの有無，胎児の発育状況などを確認する。

3 ｜ 看護

❶身体的な支援

初診時には，10歳代妊婦へ偏見をもたずに接することが重要である。妊娠判明という戸惑いと保護者に伝えなければならない切迫感で孤立感を強める者もいるため，気持ちに寄り添うことは大切である。妊娠継続を決意した10歳代妊婦には，今後の妊娠経過について図を用いてわかりやすく伝え，妊婦健康診査の受診の必要性もていねいに説明する。

次回受診から日常生活の過ごし方も具体的に説明し，母体や胎児に影響することも伝える。たとえば，身体を冷やすような服装や寒い場所でのアルバイトなどを避けることなど，その妊婦の生活に沿った説明を具体的にする。

妊娠中期以降は，出産に向けて新生児の衣類や沐浴物品などを用意することを伝える。また，乳房の手入れのしかたや分娩開始の徴候などを具体的に伝え，分娩室の見学をして呼吸法を説明すると効果的である。

❷心理社会的な支援

妊娠受容状況を把握したうえで，ティーンエージャーであることを認識してかかわるようにする。医療者は人工妊娠中絶の選択を念頭に置きつつも，本人の意思を確認することを心がけ，「お母さんになるのでしょう」と母親役割を当然視するような言動を安易にしないように注意する。

少しでも妊娠や出産に前向きに取り組む様子がみられた際は，意思決定を支持する。孤立しがちな10歳代妊婦を対象にしたWEBサイト（図1-5）もある[35), 36)]ので紹介する。

学業中断に躊躇している10歳代妊婦には，養護教諭や担任などの教員に相談することを勧める。休学をして復学後に単位を履修し，高校卒業要件を得ることで安定した職業に就く可能性があることも説明する。シングルマザーも多いため，実母など家族の支援を受

図1-5 ティーンズママルーム

けつつ，就学・就業を行い，将来に不安を抱くことが少ないように支援する[37]。

　出産後は，授乳をはじめとして児のあやし方や成長発達も具体的に伝える。退院時には，乳児健診や予防接種などの情報も具体的に伝え，母児共に支援する。居住地の保健師とも連携を図り，新生児訪問などで注意深くかかわるようにする。1か月健診時には，児童虐待やパートナーからのDV（家庭内暴力）の有無について早期発見に努め，予防する。

D 肥満妊婦と家族の看護

1 肥満妊婦とは

　体格は妊娠前BMIにより算出され，日本肥満学会ではBMI18.5未満を「低体重（やせ）」，BMI25以上を「肥満」と定義している[38]。

2 アセスメントのポイント

　身体的な状況のアセスメントとして，妊娠前BMIを算出し，妊婦にも状況を認識して

第
6
編

1
妊娠期における
母子の異常と看護

2
分娩期における
母子の異常と看護

3
産褥期における
母子の異常と看護

4
胎児・新生児の
異常への看護

もらうことが重要である。そして，肥満は，妊娠初期は自然流産や児の先天異常の発症に関連し，特に妊娠中は妊娠糖尿病，妊娠高血圧症候群，深部静脈血栓症や肺血栓塞栓症などの発症頻度が高くなる。妊婦健診時の血圧，体重，尿検査で高血圧や尿糖が出現していないか注意する。また，腹囲，子宮底測定，超音波検査により胎児の発育成長にも留意する。

分娩時には微弱陣痛による遷延分娩や帝王切開，弛緩出血になりやすいため，胎児心拍数モニタリングで分娩経過に留意し，産後も子宮収縮状態や出血量を観察する。妊娠糖尿病や高血圧性疾患，高コレステロールは，将来の代謝性疾患や2型糖尿病，虚血性疾患の原因になりやすいといわれている。新生児は死産，流産，形態異常，巨大児発症ならびに早期新生児死亡などがいわれている [39]。これらのリスクに備え，母児の状況を総合的にアセスメントし，早期発見と対応が重要となる。

3 │ 看護

厚生労働省の「妊娠前からはじめる妊産婦のための食生活指針」では，全妊娠期間における推奨体重増加について，「肥満（1度）」（妊娠前のBMI25以上30未満）の場合は7〜10kgを目安としている。しかし，「肥満（2度以上）」（妊娠前のBMI30以上）の場合は，ほかのリスクを考慮しながら，臨床的な状況を踏まえて個別対応とし，上限5kgまでを目安としている。

また，妊娠中期から末期においては1週間当たりの推奨体重増加量（0.3〜0.5kg/週）も示されている。妊娠初期に悪阻など個人の状況に応じた対応が必要である。妊娠期におけるエネルギー必要量，ビタミンなどに関しても推奨量が示されているため，これらの情報を基に栄養指導および体重管理をすることが重要である。従来のように，一律に体重増加の制限を厳しくするのではなく，個々の体形に基づき，継続的に体重変化を確認し，適切に指導していく必要がある。妊婦と家族に肥満がもたらす妊娠・分娩，児への影響を情報提供し，理解を得て，食事や日常生活の過ごし方を改善することが重要である。

Ｅ 合併症妊娠のある妊婦と家族の看護

合併症妊娠のある妊婦と家族の看護として，ここでは糖尿病，心疾患を合併する妊婦について述べる。

疾患を有する妊婦について，疾患の理解だけではなく，妊娠経過に伴い変化する身体機能によって，妊娠そのものが疾患に与える影響，疾患が妊娠経過に与える影響を考慮し，看護する必要がある。また，産科医のほか，妊婦の合併疾患を診療する医師や看護師などもかかわるため，妊婦および家族を中心としたチーム医療，多職種連携が重要である。

1. 糖尿病合併妊娠のある妊婦と家族の看護

1 アセスメントのポイント

　妊娠中の糖代謝異常には，妊娠糖尿病，妊娠中の明らかな糖尿病，糖尿病合併妊娠の3つがあり，糖尿病合併妊娠とは，妊娠前にすでに糖尿病と診断されている女性の妊娠である。

　非妊娠時と異なり，妊娠に伴う母体の生理的な変化が生じ，妊娠という負荷から糖尿病自体にも影響を与える。そのため，妊娠前に行っていた血糖コントロール方法も妊娠経過に応じて変化が生じる。食事療法やインスリン療法での血糖コントロールが主となるが，医師に指示された治療内容で血糖コントロールがうまく行われているか，高血糖・低血糖症状の理解や症状が出現した際の対応準備がとれているか，といった自己管理状況を確認する。血糖コントロールがうまく行われていない場合は，血糖管理と糖尿病教育を目的に入院となるため，血糖コントロールの必要性についての理解や思い，食事摂取状況や運動状況など具体的な日常生活についても，把握することが大切である。また，妊婦の体調不良などにより家事の遂行が困難な場合，特に食事管理は血糖コントロールと密に関連するため，家族の疾患に対する理解や協力体制の確認も必要である。

2 看護

❶ 身体的支援

　日本産科婦人科学会では，妊婦の目標血糖値を，早朝空腹時血糖 ≦ 95mg/dL，食前血糖値 ≦ 100mg/dL，食後2時間血糖値 ≦ 120mg/dL としている[40]。目標血糖値を基準に，治療方針に則って妊婦自身で血糖コントロールを行っていく。

　妊娠中の食事は，高血糖を予防し，血糖の変動を少なくするために4〜6分割食とし，1型糖尿病では，夜間の低血糖防止のために，就寝前に0.5〜1単位（80kcal/単位）の間食を摂るなどの工夫を行う。糖尿病合併妊婦への運動療法の効果は明らかではない。しかし，妊娠中に適切な食事療法を守ったうえで運動療法を行うことは，血糖コントロール改善や適切な体重管理などにつながる可能性がある[41]。よって，妊婦自身が日常生活に取り入れられるような，具体的な食事の摂り方の工夫（例：野菜や海藻類から食べる，ゆっくり食べる）や，からだを動かす工夫（例：歩数計をつける，家事や買い物などの生活活動を増やす）について，妊婦と一緒に考え，血糖コントロールがうまく行えるように支援することが大切である。

❷ 心理・社会的支援

　妊娠経過に伴いインスリン抵抗性が増大することにより，血糖コントロールが難しくなるため，非妊娠時よりも厳格な血糖管理が必要となる。食生活や運動など日常生活の管理だけでなく，血糖自己測定（self-monitoring of blood glucose：SMBG）方法，使用するインスリン製剤や単位など，妊娠前とは変化が生じるため，ストレスを感じる場合がある。対

第
6
編

1
妊娠期における
母子の異常と看護

2
分娩期における
母子の異常と看護

3
産褥期における
母子の異常と看護

4
胎児・新生児の
異常への看護

象の置かれている状況を踏まえ，治療に対する思いや不安を傾聴し，軽減できるように支援する。また，糖尿病の臨床におけるエキスパートである日本糖尿病療養指導士（Certified Diabetes Educator of Japan：CDEJ）*と連携し，妊娠中の食事療法やインスリン療法の指導とともに，精神的にも支援する。

2. 心疾患のある妊婦と家族の看護

1 アセスメントのポイント

　先天性心疾患を含む心疾患全般の予後は，医学の進歩により著明に改善し，妊娠可能な心疾患女性は急速に増えている[43]。しかし，心疾患は妊産婦死亡の主要な原因疾患の一つであり，心疾患合併妊娠は妊産婦死亡につながり得るハイリスク妊娠である。よって，産科医，循環器科医，麻酔科医，新生児科医，看護職などがチームとなって継続的な観察[44]および支援が必要である。

　妊婦が合併する心疾患の種類，病態や重症度は，心疾患の治療方法，母児の健康状態，周産期管理方針などにかかわるため，情報収集が必要である。

　心疾患合併妊婦にとって，妊娠に伴う生理的変化も心疾患に影響を与える。妊娠中の循環血液量の増加は，心臓への負荷が大きく，不整脈や心不全につながる可能性がある。よって，動悸，息切れ，呼吸困難などの症状の有無と程度，脈拍の変化（数・リズム），心機能検査結果（超音波，心電図，血液など），体重，日常生活の活動と安静状況の把握が大切である。生理的症状（頻脈，努力短息呼吸，動悸，下肢の浮腫）が心不全の症状と類似する点があり[45]，生理的な範囲か，逸脱症状なのかの鑑別が必要である。また，妊娠中の凝固能の亢進は，一般の妊婦より血栓症のリスクがあるため，息苦しさ，胸痛，下肢の腫脹・痛み・色調変化，ホーマンズ徴候の有無を把握する。

　心機能低下や心不全徴候がみられた場合には，ただちに入院安静[46]となり，循環血漿量がピークに達する妊娠30〜32週頃から労作による心不全増悪や不整脈出現を予防するため，安静目的に入院を必要とする症例もある[47]。また，産後は授乳や育児が心負荷となるため，妊娠中から家族の疾患に対する理解や協力体制の把握が重要である。

2 看護

❶ 身体的支援

　逸脱症状（労作時の呼吸困難，心尖部における拡張期心雑音，頻脈，咳嗽，喀血，肺基底部のラ音）[48]など異常所見の早期発見が母児の生命を守るうえで重要となるため，妊娠経過中の生理的な変化，身体症状について説明し，異常がみられたら医師へ連絡し受診することを伝える。心疾患合併妊婦は早産の発生率が高いため，下腹部痛や出血といった切迫早産の徴候につ

---

* **日本糖尿病療養指導士（CDEJ）**：糖尿病治療に最も大切な自己管理（療養）を患者に指導する医療スタッフで，高度でかつ幅広い専門知識をもち，患者の糖尿病セルフケアを支援する[42]。

いて指導する。

心拍出量を増大させる因子である貧血や肥満，不整脈の誘因となる電解質異常など[49]，心疾患合併妊娠における食事管理と体重管理は密接な関係である。バランスの良い食事内容とカロリー摂取，鉄分摂取，適切な体重増加についても指導することが大切である。

❷ 心理・社会的支援

心疾患合併妊婦は，胎児への心疾患の遺伝の不安や妊婦自身の病状悪化に対する不安，長期の安静をとるために生じるストレスなど[50]を感じる。妊婦が胎児の心疾患の遺伝について，詳しい説明や検査を希望する場合には，遺伝カウンセリングができる体制を整えたり，遺伝カウンセリング可能な施設へ紹介したりといった支援が求められる。

心疾患が妊娠経過中に増悪（ぞうあく）する場合には早期の妊娠終了が考慮される[51]ため，早産や低出生体重児での分娩（ぶんべん）となる可能性がある。よって，分娩を迎える準備（分娩方法やバースプランの確認，必要物品の用意など）を早めに行う必要がある。また，新生児集中治療室（以下NICU）に入院となる可能性もあるため，NICUとの情報共有，妊婦および家族のNICU事前訪問など，連携をとっていくことも大切である。

『心疾患患者の妊娠・出産の適応，管理に関するガイドライン（2018年改訂版）』に，「心疾患をもつ患者さんとご家族のための，妊娠・出産に関する手引き」（**表 1-17**）がある。患者さんや家族に手渡す資料として使用可能であるため，口頭だけでなく，媒体物を使った説明の際は活用するとよい。

Ｆ 精神疾患障害合併妊婦と家族の看護

女性のライフサイクルにおいて，妊娠・産褥（さんじょく）期は最も精神疾患を発症しやすい時期といわれている。日本の市中病院における妊産婦の精神疾患の有病率は6.2％と報告されている[52]。また，精神疾患合併妊娠の割合は，日本産科婦人科周産期登録事業（2014［平成26］年）355登録施設で2.5％であり，この数年2.5〜2.8％で推移している[53]。妊産褥婦の自殺に関連する精神疾患は，うつ病，産褥精神病，双極性障害，統合失調症などがある。東京都23区の妊産婦の自殺の実態は出生10万人中8.7と高率である[54]。ここでは，統合失調症とうつ病について述べる。

▍1. 統合失調症のある妊婦と家族の看護

1 ▏ 統合失調症のある妊婦の背景

統合失調症の罹患（りかん）率は100人に1人[55]くらいと高率で，10歳代後半〜20歳代に発症することが大半である。薬物療法の進歩と地域サービスの拡充に伴い，統合失調症に罹患しつつも，学業や職に就き，恋愛を経て，妊娠・出産・育児に取り組む女性が増えてきた現状がある。

第
6
編

1
妊娠期における
母子の異常と看護

2
分娩期における
母子の異常と看護

3
産褥期における
母子の異常と看護

4
胎児・新生児の
異常への看護

表1-17 心疾患をもつ患者さんとご家族のための，妊娠・出産に関する手引き

	医療の発達の恩恵により，心疾患の患者さんの治療成績や生活の質が改善し，妊娠・出産が可能な患者さんの数は年々増加しています。一方で，妊娠の際に厳重な注意を要する，あるいは，妊娠を避けることが強く望まれる心疾患も存在します。この手引きは，心疾患をもつ患者さんが，結婚，妊娠・出産をする前に，知っておいていただきたいことを，まとめたものです。
概要	● 大多数の心疾患の女性は，特に危険性の高い心疾患でない限り，専門医の指導・管理のもとに，妊娠・出産することが可能です。しかし，ご自身の心疾患の状態を把握し，妊娠による母体や胎児・新生児への危険性を理解した上で，安全な妊娠・出産を目指す必要があります。
妊娠による 体の変化	● 妊娠すると体に大きな変化が生じます。血液量，心拍数，心拍出量が増加し，血圧と全身の血管抵抗は低下します。結果として，心臓の負担が大きくなり，心不全，不整脈を起こすことがありますが，通常はこの変化に的確に適応しています。妊娠末期には，増大した子宮による下大静脈の圧迫により，仰臥位で低血圧となることがあります。妊娠末期には，血液中の凝固因子が活性化されるため，血栓症のリスクが高くなります。また，ホルモン作用により，血管壁の脆弱性が増すため，疾患によっては，静脈瘤や動脈解離が起こりやすくなります。
妊娠リスクの 高い心疾患	● 重度の肺高血圧症（アイゼンメンジャー症候群など），重度の流出路狭窄（大動脈弁狭窄症など），心不全（中等度以上の場合），マルファン症候群（上行大動脈の拡張を伴う場合），機械弁置換術後（ワルファリン内服中），チアノーゼ性心疾患（チアノーゼが残存する場合）などでは，妊娠の際に厳重な注意が必要か，妊娠前にカテーテル治療や手術での修復が必要か，妊娠を避けることが強く望まれる場合があります。
妊娠（前） カウンセリング	● 心疾患をもつ患者さんに対する妊娠・出産のカウンセリングは，妊娠判明後に初めて行われることが多いのが実情ですが，安全な妊娠・出産を目指すためには，妊娠前からカウンセリングを受けることが理想です。具体的なカウンセリング内容は，患者さんの心疾患の状態や，社会的環境によっても，異なります。あらかじめ，心疾患や妊娠に対する理解を深め，家族や担当医と妊娠について相談し，出産後も含めた協力体制を確認しておくことが必要です。 ● 重症な心疾患であっても，一般と変わらず，男女ともに性行為は可能です。チアノーゼ性心疾患（未手術，修復術後，チアノーゼ残存などを含む）や，肺高血圧症の女性は，月経異常が合併するか，妊娠しにくい場合があります。 ● 比較的リスクの高い心疾患の女性は，妊娠中や出産後に，心不全，不整脈，血栓症，出血性合併症，チアノーゼ，大動脈瘤や大動脈解離などが，出現または悪化する場合があります。結果として，流産や早産となるか，胎児や新生児の状態が悪化することもあります。母体の状態が不安定なため，授乳や育児を行うことが難しくなる場合もあります。また，妊娠中や育児中は，母体の不安や抑うつ状態が悪化することがあります。 ● 両親や家族，特に母親に先天性心疾患がある場合は，先天性心疾患の子供が生まれる可能性が高くなります。一方で，喫煙，過度の飲酒，特殊な薬物の服用など，心疾患の発生との関連が強い環境要因もありますので，これらに対する注意も必要です。また，特殊な不整脈や心筋症など，遺伝子異常の合併が確認された心疾患では，特に注意が必要となります。 ● 避妊法として，子宮内避妊器具，低用量避妊薬，卵管結紮（永久不妊術）などがあります。パートナーの避妊法としては，コンドーム法や，精管結紮（永久不妊術）などがあります。
妊娠中の 心臓検査	● 心疾患担当医は，妊娠が判明した時点で，最初の心臓検査を行い，現在の心疾患の状態と，出産前後も含む妊娠中の注意点について，産科担当医に情報を提供します。比較的リスクの低い心疾患では，妊娠中期後半（26〜30週）に，2回目の心臓検査を行います。リスクの高い心疾患では，さらに頻回の検査が必要となります。妊娠中は，基本的にX線検査を行いませんが，診療上不可欠と判断した場合は，腹部への放射線照射を最低限にしつつ行う場合もあります。
胎児の評価	● 胎児の健康状態や発育状態を評価するために，産科において，胎児心拍数図検査や胎児超音波検査を行います。 ● 両親のどちらかが心疾患をもつ場合は，心疾患のリスクが高くなることが多いため，胎児心臓超音波検査をおすすめしています。妊娠20週前後は胎児の心臓の観察が最も容易な時期なので，この時期に初回検査を行うことが多くなっています。妊娠末期に心臓の形態異常が明らかになる場合もあるため，妊娠30週前後に再検することが望ましいとされています。
感染性心内膜炎 の予防	● 妊娠中や出産後に感染性心内膜炎になることは少ないとされています。しかし，発症した場合には，長期の抗生剤治療が必要とされ，妊娠中に外科手術が必要となることもまれながらあります。そこで，感染症心内膜炎のリスクが高い心疾患では，出産時においても抗生物質の予防投与を行うことが推奨されています。予防投与の対象となる患者さんは，心疾患や出産の状況によって異なります。

表1-17（つづき）

妊娠を管理する医療施設	・妊娠を管理する医療施設は，心疾患の重症度と地域の医療事情などを考慮して，決定されます。心疾患の大部分を占める，ごく軽症の心疾患の場合は，妊娠・出産のリスクは一般と同程度であるため，心疾患担当医からの情報提供に従って，産科医が中心となって妊娠を管理します（心疾患を専門とする施設でなくても，管理可能です）。中等症以上の心疾患では，妊娠・出産時に合併症を生じる場合もあり，胎児リスクも高くなります。このような場合は，計画的に妊娠する必要があり，妊娠後は心疾患を専門とする施設で産科的管理を受けることが，推奨されます。早産・低出生体重児の出産が予想される場合は，新生児集中治療室（NICU）も必要となります。 ・施設内ですべての診療を行うことが困難な場合は，医療機関同士の緊密な連携のもとに，妊娠・出産を管理します。
薬物療法	・妊娠中に薬物を使用する際は，母体と胎児に対する有効性と危険性のバランスについて検討します。薬物の胎児への有害作用には，大きく分けて，催奇形性と胎児毒性の二つがあります。妊娠を計画しているか，妊娠の可能性がある場合は，比較的安全な薬物へ変更する場合があります。薬物の母乳中への移行はごく少量にとどまりますが，一部の薬物では，濃縮効果のために，母乳中の薬物濃度が高くなる場合もあります。 ・妊娠中の使用に特に厳重な注意を要する心疾患治療薬として，アンジオテンシン変換酵素阻害薬，アンジオテンシン受容体拮抗薬，ワルファリン，一部の抗不整脈薬などがあります。
侵襲的な治療	・弁狭窄症などに伴う妊娠・出産で，妊娠中のカテーテル治療が必要になる場合があります。妊娠中に心臓血管外科手術が必要となることはまれですが，その場合は，母体と胎児への影響はきわめて大きなものとなります。
産科的な管理	・母体の病状が悪化し，母体の健康ないし生命が著しく脅かされることが予測される場合には，妊娠の中断（中絶ないし早期の分娩）を考慮します。母体の病状の悪化のために，胎児の健康状態や発育状態が悪化した場合も，妊娠の中断（早期の分娩）を検討します。 ・産科的管理のための薬物（陣痛誘発薬や陣痛抑制薬など）を使用する際は，母体の心疾患や胎児に対する影響に十分に注意します。出産は，一般的に経腟分娩を目指しますが，一部の例外的な症例や，母体・胎児の急変時には，帝王切開術を行います。硬膜外麻酔を行って，出産時の心負荷の軽減と疼痛緩和を行う場合もあります。
出産後の管理	・病状によっては，長期入院か，頻回の外来通院が必要となる場合もあります。母体の病状や治療薬によっては，母乳栄養を断念せざるを得ない場合があります。また，育児参加が困難となる場合もあります。早産を余儀なくされた場合は，新生児の集中治療や長期入院が必要となる場合もあります。家族による心身のサポートは，母体や新生児にとって，大きな助けとなります。

注）この表は，心疾患女性の妊娠カウンセリングや診療を行う際の便宜を考慮して，一般的な説明内容をまとめたものである。説明の際のチェックリストとして，あるいは，患者さんに手渡す資料として使用可能である。個々の症例の病状や社会的環境などを考慮して，適宜改変する必要がある。

出典／日本循環器学会，日本産科婦人科学会編：心疾患患者の妊娠・出産の適応，管理に関するガイドライン（2018年改訂版），2019, p.103-104. https://www.j-circ.or.jp/cms/wp-content/uploads/2020/02/JCS2018_akagi_ikeda.pdf（最終アクセス日：2022/6/10）

2 | アセスメントのポイント

　心身のアセスメントとして，統合失調症の発病のきっかけ（失恋，勉学，転居，いじめなど）や年齢，および入院・治療歴，妊娠してから現在の状況を把握することが重要である。そして，普段の陰性症状，陽性症状や病識を十分に傾聴し，妊娠してからの服薬や睡眠・休養状況および外見からもアセスメントすることが重要である。

　統合失調症というと，陽性症状の妄想や幻覚を体験し，奇異な行動をとる印象が強い。しかし，軽症の患者には，漠然とした不安や緊張が高まりイライラし，休む間もないほど高揚した行動をすることがある。妊婦は妊娠経過に伴ううれしい体験でも高揚した気分になる。休息をうまく取れなくなり，服薬を無断で中断すると妄想や幻覚が出現し，陰性症状の抑うつ傾向も増強して希死願望が生じ得ることもある。再発のきっかけはつらい出来事だけではなく，うれしいことも引き金になることを覚えておくとよい。

第
6
編

1
妊娠期における
母子の異常と看護

2
分娩期における
母子の異常と看護

3
産褥期における
母子の異常と看護

4
胎児・新生児の
異常への看護

3 | 看護

　統合失調症を抱えた女性が結婚や妊娠をどのように受容しているか，パートナーや親の理解や協力状況を情報収集する。統合失調症の発病の誘因や年齢，および入院・治療歴，現在の状況を把握する。そして，妊娠判明後の陰性症状，陽性症状や病識を十分に傾聴する。さらに，統合失調症の回復のための3本柱といえる，①服薬は胎児への影響を主治医と相談し必要最小限の使用とすることを理解し，②睡眠・休養の量と質，生活リズム，③ストレスへの対応が重要である[56]。外見から服装や髪の乱れ，緊張様の顔貌などを見て，どのような精神状態にあるのかを妊婦健康診査などで把握し，医師や助産師と連携をとり対応する必要がある。

　妊婦はつわりや腹部増大に伴うマイナートラブル，および些細なライフイベントなどがストレスになり，統合失調症の悪化を招くことがあることも状況をみながら伝える。そして，主治医と決めた服薬量を守り，睡眠・休養不足にならないよう生活を整えることを説明し，理解を得ることが大切である。統合失調症が遺伝しないかと悩み，出生前診断の受診を悩む妊婦もいるため，不安を傾聴し，適切な情報提供をすることも重要な役割である。

　出産が近づくにつれ，陣痛の痛さや分娩時への恐怖が募り睡眠不足に陥りやすい。看護者は心配ごとを傾聴し，ストレスに上手に付き合うことを助言する。たとえば，①身体を休ませる，②心を休ませる，③助けを借りる，④生活リズムをつける（夜寝る，日中に散歩する，3食べる，入浴するなど）[57]，などの情報提供が望ましい。

▌ 2. うつ病（気分障害）のある妊婦と家族の看護

1 | うつ病（気分障害）のある妊婦の背景

　DSM-IVではうつ病と双極性障害が「気分障害」という1つのカテゴリーになっていたが，最新の診断基準DSM-5は別カテゴリーになったため，ここではうつ病について述べる。妊娠期のうつ病有病率は6.5～12.9％，8～12人に1人が経験している。

2 | アセスメントのポイント

　妊娠は子どもを授かるという，うれしい「獲得体験」と思われがちであるが，ホルモンバランスの変動とともに妊娠前の心身の状態を失い，母親の部分が強調されるなど心理社会的要因でうつ病に罹患することがある。心身のアセスメントとして，発病のきっかけは予期せぬ妊娠，未婚者，流早産後，中絶後，家庭内暴力，家庭不和，夫の無理解，経済的問題，職場の人間関係悪化，昇進，転居などの「喪失体験」[58]が多いため，そのことを傾聴することが重要である。他者からは「なくした」体験としてとらえにくい「未婚者」「昇進」などという体験が，それまでの生活や人間関係などに対して喪失感につながる[59]。また，入院・治療歴，妊娠してから現在の状況を把握することも重要である。具体的には，

妊娠の受容，切迫早産での長期入院，合併妊娠，分娩（ぶんべん）・疼痛（とうつう）への不安，過去の妊娠・分娩での心的外傷後ストレス障害（post traumatic stress disease；PTSD），母子分離などの体験[60]についてアセスメントする。妊娠期のうつ病は，産後うつに移行することも多いため，出産に向けた心理社会的状況をアセスメントすることは重要である。

3 | 看護

産婦人科外来の問診時に簡単なセルフチェックをし，うつ病治療の3本柱といえる，①服薬に対する理解，②心理的治療への理解，③環境調整への対応など不安や心配ごと[61]を傾聴することが重要である。うつ病の9大症状である，①抑うつ気分，②興味や喜びの喪失，③食欲の減退・増加，④睡眠障害，⑤精神運動の障害，⑥疲れやすい・意欲の減退，⑦罪悪感，⑧思考力や集中力の低下，⑨死への願望[62]，には注意したい。1日のうちでも午前中に比べて午後は調子がよいなど，症状の出かたも変化することを念頭に置き，産科医から精神科医へ早目につないで治療を受けるようにする。特に，自殺企図・希死念慮（きしねんりょ）をもつ場合では，早急な精神科への受診が必要となる。

産婦人科外来助産師と精神看護専門看護師[*]，保健センター保健師などの多職種カンファレンスをとおして，病状や本人・家族の意向，家族の支援状況，利用できる保健サービス，分娩や育児をみすえた連携が重要となる。

Ⓖ 妊娠高血圧症候群のある妊婦と家族の看護

1 | 妊娠高血圧症候群とは

妊娠高血圧症候群は，妊娠20週以降，分娩後12週まで高血圧がみられる状態であり，尿たんぱくを伴うことがある。初産婦や高年齢の妊娠，肥満，糖尿病，高血圧などの基礎疾患，多胎妊娠，前回の妊娠で妊娠高血圧症候群になったことがある妊婦は，妊娠高血圧症候群になりやすい。妊娠高血圧症候群が重症化すると，母児共に危険を伴う。

2 | アセスメントのポイント

妊娠高血圧症候群の発症を予防し，発症した場合には適切な治療が受けられるように，日本妊娠高血圧学会が定めた「妊娠高血圧症候群の新定義・分類」（表1-7参照）に従い，アセスメントすることが基本である。また，妊娠高血圧症候群を発症した場合は，妊娠を終了することが症状を改善する根本的な治療となるため，妊娠高血圧症候群のある妊婦と家族の分娩時期や分娩方法などの受け入れ状態についてもアセスメントする。

＊ 精神看護専門看護師：日本看護協会が認定する精神看護分野の専門看護師。精神疾患患者に対して水準の高い看護を提供する。一般病院でも心のケアを行う「リエゾン精神看護」の役割を提供する。

3 | 身体的支援

妊婦が妊娠高血圧症候群の症状をセルフチェックし，早期に受診することができるように予防的に指導する。高血圧と尿たんぱくが認められ，入院となった場合は，定期的な血圧測定と尿検査を行い，全身状態を観察する。1週間に3.0kg以上の急激な体重増加には注意する。また，できるだけ安静に過ごすことができるように環境を整え，家族の理解と協力を得られるように援助する。食事療法（食事指導）は適度な塩分摂取（7～10g/日）とする。水分制限は原則として行わない。総摂取カロリーは，非妊娠時のBMIに応じて算出する。

降圧薬を投与する場合は，頻回な血圧測定による適切な観察を行う。妊娠高血圧症候群のある妊婦は，常位胎盤早期剥離やHELLP症候群*，子癇*を発症するリスクが高いため，頭痛や頭重感，眼華閃発のような症状の悪化に伴う自覚症状の出現についても注意するように伝える。常位胎盤早期剥離やHELLP症候群，子癇を発症した場合は母体の救命が優先であり，急速遂娩の準備を速やかに行う。胎児の健康状態は，胎児心拍数モニタリングによる観察だけではなく，妊娠高血圧症候群のある妊婦に胎動減少感がある場合は伝えるように説明する。

4 | 心理・社会的支援

妊娠高血圧症候群のある妊婦と家族は，妊婦の健康状態だけではなく，胎児の健康状態に対する不安も抱いている。そのため，妊娠高血圧症候群のある妊婦と家族には，日常生活を整えることが，児の健康状態を改善することにつながると説明する。また，分娩時期や分娩方法だけではなく，早産となった場合に備えて，児の成長・発達の状態についても説明し，妊娠中から胎児との愛着形成を促進するように援助を行う。

H 妊娠悪阻のある妊婦と家族の看護

1 | 妊娠悪阻とは

妊娠悪阻は，妊娠初期に悪心や嘔吐，食欲不振のような消化器症状を主とするつわりが悪化し，全身状態が著しく悪化した状態である。妊娠の成立とともに，多くの妊婦につわりの症状がみられ，そのなかで少ないが，妊娠悪阻と診断されて入院となる妊婦がある。

＊ **HELLP症候群**：溶血（hemolysis），肝酵素上昇（elevated liver enzyme），血小板減少（low platele）の3主徴がみられる疾患であるが，この3主徴が必ずしもそろわないことがある。

＊ **子癇**：妊娠20週以降に初めてけいれん発作を起こし，てんかんや2次性けいれんが否定されるものである。けいれんの起こった時期により，妊娠子癇，分娩子癇，産褥子癇とする[63]。

2 | アセスメントのポイント

つわりや妊娠悪阻の症状の悪化を予防し，身体的な苦痛を緩和するためには，消化器症状や体重，栄養・脱水状態などの全身状態だけではなく，飲水量や食事摂取状況を合わせてアセスメントする。また，妊娠悪阻の症状が認められる妊娠初期は胎動の自覚がまだなく，妊婦は日常生活のなかで胎児の存在を感じにくい。妊娠初期の妊婦は，妊娠に対して喜びだけではなく，戸惑いや不安も抱き，不安定になりやすい。そのため，妊娠悪阻のある妊婦と家族の，妊娠に対する思いや受け入れ状況についてもアセスメントする。

3 | 身体的支援

全身状態の悪化を予防するために，食事摂取や水分補給を促す。空腹が悪心や嘔吐を誘発することもあり，たんぱく質と炭水化物を中心に，少量でも食べることができる量を可能なときに摂取できるように工夫する。アイスクリームや冷やしたゼリー，柑橘系ジュースは摂取しやすい。全身状態が悪化し，入院となった場合は，消化器症状や体重，尿量，尿ケトン体，血液検査や電解質異常を確認し，栄養・脱水状態に注意する。経口摂取ができない場合は補液の管理が必要となる。ビタミン B_1 は糖質代謝に必須の補酵素であり，ウェルニッケ脳症の発症を予防するために投与される。補液量は，悪心や嘔吐の回数，飲水量，食事摂取状態とのバランスで調整されるため，妊娠悪阻の症状の観察とともに食事管理が重要である。脱水状態のまま安静が続くと，深部静脈血栓症を発症するリスクがあり，下肢の浮腫や疼痛，下肢の周囲径の左右差，ホーマンズ徴候の有無を観察する。

4 | 心理・社会的支援

妊娠悪阻の症状によりストレスを感じる妊婦は少なくない。また，妊娠悪阻の症状は胎児の存在を直接的に感じることができない時期にみられるため，超音波検査のように胎児の存在や成長・発達の状態を認識することができる機会には，妊婦と家族と共に喜びを分かち合うことも大切である。妊娠悪阻のある妊婦と家族が，妊娠を前向きにとらえ，胎児との愛着形成を促進することができるように援助を行う。また，妊娠悪阻のある妊婦が安心して休養をとることができるように，家族の理解や協力を得られるように援助する。全身状態が悪化し，入院となった場合には，家族だけではなく職場の理解や協力も求められる。

Ｉ 妊娠性貧血のある妊婦と家族の看護

1 | 妊娠性貧血とは

妊娠すると胎児への栄養や酸素を供給するため，妊娠中期に向けて血液量が増加する。しかし，赤血球の増加よりも循環血液量が増加するため，相対的には希釈され，妊娠中は

第
6
編

1
妊娠期における
母子の異常と看護

2
分娩期における
母子の異常と看護

3
産褥期における
母子の異常と看護

4
胎児・新生児の
異常への看護

生理的に貧血になりやすい。日本では，20歳以上の女性の約10％がやせ体形（BMI18.5未満）である[64]。女性は月経により鉄が奪われることもあり，妊娠前からバランスのとれた食事と適正な体重管理を行い，貧血を改善することが求められている。

2 アセスメントのポイント

妊娠性貧血では，胎児のために鉄が使われるため鉄欠乏貧血の割合が多くを占める。そのため，妊娠性貧血にある妊婦は鉄分を摂取する必要があり，妊娠性貧血の症状だけではなく，食事内容や食事時間，欠食の有無のような日常の食生活とともに，妊娠中に必要な栄養素や食事摂取基準に関する知識や関心についても把握し，アセスメントする。

3 身体的支援

妊娠性貧血の予防と対応では，食事指導が非常に重要である。食品から摂取することができる鉄分には，肉や魚などの動物性食品に含まれるヘム鉄と，穀物や野菜などに含まれる非ヘム鉄の2つがあり，ヘム鉄は非ヘム鉄より吸収率が高いため，赤身の肉や魚を摂取するように促す。非ヘム鉄は，たんぱく質やビタミンCを合わせて摂取すると吸収率が高まる[65]。摂取量を高めるためには，鉄分を含む食品の紹介ではなく，具体的な献立を提案することが必要である。ほうれん草やひじきという食品名より，ほうれん草のお浸しやひじきの煮物といった副菜名を加えて説明するほうが妊婦は行動に移しやすい。また，妊婦の食生活をより良くするには，管理栄養士と連携しながら個別性に配慮した援助を行うことが重要である。鉄分と葉酸を同時に摂取することができるサプリメントを利用することもある。

妊娠性貧血の症状が改善しない場合は鉄剤を投与するため，内服の管理を行う。鉄剤を内服すると，悪心や胸焼け，便秘のような有害作用が認められることがあり注意する。軽度の妊娠貧血では無症状の場合もあるが，動悸や息切れ，めまいのような身体症状がある場合は無理をしないように促す。

4 心理・社会的支援

妊娠性貧血による倦怠感，疲労感から，やる気が出なかったり，落ち込みやすくなったりすることがあるため，妊娠性貧血のある妊婦が休養をとることができるように援助する。また出産後には，倦怠感や疲れやすさから育児をつらく感じることがあるため，家族の理解や協力が得られるように支援する。

J 切迫流産・早産の妊婦と家族の看護

1 | 切迫流産・早産とは

　1日でも長く妊娠を継続することが，出生後の児の健康状態には重要である。女性が社会で活躍する割合が増え，仕事をもつ妊婦は増加している。しかし，身体的・心理的な負担がある仕事では流産・早産しやすく，仕事をもつ妊婦のなかで切迫流産・早産となった妊婦は，出産まで順調だった妊婦よりも労働時間が長いことが報告されている[66]。切迫流産・早産の妊婦と家族の支援には，社会の理解と協力が求められている。

2 | アセスメントのポイント

　性器出血や下腹部痛，腹部緊満感などの切迫流産・早産の徴候や症状だけではなく，家庭や職場における過ごし方などの日常生活についてもアセスメントする。また，切迫流産・早産となった場合は治療の効果や有害作用をアセスメントし，1日でも長く妊娠が継続できるように支援する。

3 | 身体的支援

　妊婦が切迫流産・早産の徴候をセルフチェックし，早期に受診することができるように支援する。性器出血や下腹部痛，子宮収縮の自覚には注意するように指導する。家庭や職場における活動量を調整し，ゆっくりとした歩行や余裕のあるスケジュールでなるべく安静に日常生活を過ごすように促す。入院となり，リトドリン塩酸塩や硫酸マグネシウムのような子宮収縮抑制薬を投与する場合は，基本的な輸液管理と，熱感や動悸（どうき），顔面紅潮，倦怠感（けんたいかん）などの有害作用を観察する。肺水腫や呼吸抑制のような重篤（じゅうとく）な有害作用も認められることがあり，適切な観察が求められる。また，外陰部の清潔を保ち，子宮内感染を予防することが必要である。入院による安静は筋力低下や深部静脈血栓症を発症するリスクがあり，足首の屈曲と伸展を繰り返すような簡単なストレッチを取り入れる。

4 | 心理・社会的支援

　切迫流産・早産の妊婦と家族は，胎児の健康状態に関する不安を常に抱えている。入院生活が続くと，抑うつやストレス，自己効力感の低下が起こりやすいため，切迫流産・早産の妊婦と家族の思いを傾聴し，共有することが大切である。切迫流産・早産の妊婦と家族の受け入れ状態も妊娠経過とともに随時，把握する。また，働く女性が増え，切迫流産・早産を予防するには，家庭だけではなく仕事をする時間や仕事の内容に関する職場の支援も必要である。職場で適切な措置を講じてもらうために母性健康管理指導事項連絡カードを活用することができる。切迫流産・早産の場合は休業（自宅療養または入院加療）の措置が

受けられる。社会の理解と協力が求められる。

　流産・死産となった場合は，妊婦と家族の悲しみや喪失感に寄り添い，胎児の死を受け入れられるように援助する。早産となった場合は，児が新生児集中治療室（neonatal intensive care unit：NICU）に入院することになり，妊婦が思い描いていた児の姿や育児との違いから，ショックを受けたり戸惑ったりすることがある。切迫流産・早産の妊婦と家族には，妊娠中から流産・早産後まで継続した支援を行う必要がある。

Ⓚ 多胎妊婦と家族の看護

1 多胎妊娠とは

　2021（令和 3）年の分娩件数 81 万 8724 件のうち多胎（複産）は 9023 件（約 1％）で，その大多数が双胎である[67]。多胎妊娠は，通常の妊娠よりも早産や妊娠高血圧症候群，胎児発育不全などの産科合併症を発症するリスクが高い。また，多胎児特有の成長・発達の状態に対する配慮も必要であり，2 人以上の妊娠・出産・育児による精神的な負担や経済的な問題もある。そのため，妊娠中からの多胎妊娠ならではの切れ目ない支援が求められる。

2 アセスメントのポイント

　多胎妊婦は妊娠や分娩に対するリスクが高いため，産科合併症を予防し，多胎妊婦が安全に妊娠を継続できるように，母児の全身状態をアセスメントする。産科合併症を発症した場合には，治療の効果や有害作用も併せてアセスメントする。また，多胎児の育児には，身体的・心理的な負担だけではなく，経済的な負担がある。多胎児特有の成長・発達の状態もあり，妊娠中から，妊婦の育児や授乳に関する知識や技術，家族の協力体制などをアセスメントし，切れ目のない支援を受けられるように地域社会につなげていく。多胎妊婦と家族が安心して過ごせるように，医療機関と保健所などが連携し，支援することが求められる。

3 身体的支援

　多胎妊婦は，産科合併症を発症するリスクとともに，低出生体重児や児の障害を生じさせるリスクが高い。そのため，通常の単胎妊娠よりも頻回な妊婦定期健康診査において，母児の全身状態を総合的に観察する。また，腹部増大による腰痛や背部痛，頻尿，息切れのようなマイナートラブルが出現しやすい。そのため，多胎妊婦が主体的に血圧管理や体重コントロール，食事管理を行い，日常生活を整えられるように，セルフケア能力を高める指導が重要である。安心して安全に出産できるように，母児の全身状態に応じて経腟分娩と帝王切開について説明する。児の健康状態にも注意していく。

4 ｜ 心理・社会的支援

　妊娠中から，出産後の育児を含めた日常生活について具体的にイメージすることができるように支援する。多胎育児経験者（ピア）の情報や，地域社会で利用することができる家事・育児支援サービスに関する情報を提供する。また，多胎妊婦の家族が家事・育児に積極的に参加するには，男性が育児休暇を取得しやすい社会の実現が求められる。

　多胎児は低出生体重児が多く，NICU に入院することになり，多胎妊婦は児に対する罪悪感を抱きやすい。単胎児と同じ基準で判断することは難しいため，多胎児それぞれの個別性を尊重し，その児の成長・発達の状態を多胎妊婦と夫と共に共有し，喜びを分かち合い，不安を軽減する。また，多胎児では母乳育児の割合が低いため，授乳に関する支援も妊娠中から行う必要がある。

文献

1）　日本産科婦人科学会編：産科婦人科用語集・用語解説集，改訂第 4 版，日本産科婦人科学会，2018，p.302.
2）　日本産科婦人科学会，日本産婦人科医会編・監：産婦人科診療ガイドライン；産科編 2020，日本産科婦人科学会，2020，p.49-51.
3）　日本産婦人科医会：妊娠等について悩まれている方のための相談援助事業連携マニュアル；妊産婦のメンタルヘルスケア体制の構築をめざして，改訂版，日本産婦人科医会，2014.
4）　日本産科婦人科学会，日本産婦人科医会編・監：産婦人科診療ガイドライン；産科編 2020，日本産科婦人科学会，2020，p.8-12.
5）　厚生労働省政策統括官（統計・情報政策担当）編：平成 30 年我が国の人口動態；平成 28 年までの動向，厚生労働統計協会，2018.
6）　Duckitt K., et al.：Risk factors for pre-eclampsia at antenatal booking：systematic review of controlled studies，BMJ，330（7491）：565，2005.
7）　日本産科婦人科学会編：産科婦人科用語集・用語解説集，改訂第 4 版，日本産科婦人科学会，2018，p.288.
8）　日本産科婦人科学会，日本産婦人科医会編・監：産婦人科診療ガイドライン；産科編 2014，日本産科婦人科学会，p.119-124，2014.
9）　前掲 7）.
10）　前掲 8）.
11）　日本産科婦人科学会，日本病理学会編：絨毛性疾患取扱い規約，第 3 版，金原出版，2011，p.10-31.
12）　前掲 11）.
13）　Golan A, et al.：Incompetency of the uterine cervix，Obstet Gynecol Surv，44：96-107，1989.
14）　斉藤滋：厚生労働省科学研究費補助金成育疾患克服等次世代育成基盤研究事業「不育症治療に関する再評価と新たなる治療法の開発に関する研究」平成 20 ～ 22 年度総合研究報告書，2011.
15）　前掲 8）.
16）　Roberts JM：Preeclampsia; What we know and what we do not know.，Semin Perinatol，24：24-28，2000.
17）　日本産科婦人科学会，日本産婦人科医会編・監：産婦人科診療ガイドライン；産科編 2020，日本産科婦人科学会，2020，p.172-176.
18）　Brown, M. A., et al.：Hypertensive Disorders of Pregnancy, Hypertension, 72：24-43, 2018.
19）　母子衛生研究会編：母子保健の主なる統計，母子保健事業団，2018，p.53-55.
20）　前掲 19）.
21）　日本産科婦人科学会，日本産婦人科医会編・監：産婦人科診療ガイドライン；産科編 2020，日本産科婦人科学会，2020，p.220-222.
22）　日本産科婦人科学会編：産科婦人科用語集・用語解説集，改訂第 4 版，日本産科婦人科学会，2018，p.203.
23）　日本医学会出生前検査認証制度等運営委員会：NIPT 等の出生前検査に関する情報提供及び施設（医療機関・検査分析機関）認証の指針，2022，p.13．https://jams.med.or.jp/news/061_2_2.pdf（最終アクセス日：2022/6/10）
24）　日本産科婦人科学会，日本産婦人科医会編・監：産婦人科診療ガイドライン；産科編 2020，日本産科婦人科学会，2020，p.79-87.
25）　三宅秀彦，小杉眞司：遺伝カウンセリング，公衆衛生，78（3）：167-171，2014.
26）　和泉美希子：検査の種類・進め方とケーススタディ，ペリネイタルケア，35（9）：833-840，2016.
27）　日本産科婦人科学会編：産科婦人科用語集・用語解説集，改訂第 4 版，日本産科婦人科学会，2018，p.75.
28）　石橋真輝帆，他：高齢妊娠の産科リスク，産婦人科の実際，64（4）：473-479，2015.
29）　政府統計の総合窓口：人口動態調査　人口動態統計　確定数　出生　表 4-6 母の年齢（5 歳階級）別にみた年次別出生数・百分率及び出生率（女性人口千対）．https://www.e-stat.go.jp/dbview?sid=0003411599（最終アクセス日：2023/9/29）
30）　厚生労働省：令和 3 年度衛生行政報告例の概況．（最終アクセス日：2023/9/29）
31）　小川久貴子，他：10 代妊婦に関する研究内容の分析と今後の課題，日本助産学会誌，20（2）：50-63，2006.

第
6
編

1
妊娠期における
母子の異常と看護

2
分娩期における
母子の異常と看護

3
産褥期における
母子の異常と看護

4
胎児・新生児の
異常への看護

32) Kukiko Ogawa, et. al.：The transition of cognitive appraisals through the interpersonal relationships in stressful life events among Japanese adolescent pregnant woman, The Journal of Japan Academy of Health Sciences, 13（4），2015.
33) 前掲 32).
34) 前掲 31).
35) 小川久貴子，他：若年妊婦の自己肯定感に作用する ICT 活用プログラムの前後比較：日本母子看護学会誌，15（2）：36-45，2022.
36) 小川久貴子，他：10 代母支援 Web サイト「ティーンズママルーム」の構築：日本母子看護学会誌，12（2）：1-10，2019.
37) 周燕飛：シングルマザーへの就業支援，Business Labor Trend，495：6-9，2016.
38) 國富千智，他：妊娠中の体重増加を厳しく制限してはいけない，周産期医学，45（増刊号）：143-145，2015.
39) 村岡光恵，他：肥満妊婦と周産期予後，周産期医学，46（12）：1486-1488，2016.
40) 日本産科婦人科学会，日本産婦人科医会編・監：産婦人科診療ガイドライン；産科編 2020，日本産科婦人科学会，2020，p.25-28.
41) 日本糖尿病学会：糖尿病診療ガイドライン 2019.
42) 日本糖尿病療養指導士認定機構：CDEJ（日本糖尿病療養指導士）とは. http://www.cdej.gr.jp/modules/general/index.php?content_id=1（最終アクセス日：2022/6/10）
43) 丹羽公一郎：合併症を伴った妊婦さんの治療法 心疾患・高血圧，診断と治療，105（10）：1311-1316，2017.
44) 丹羽公一郎，他：心疾患患者の妊娠・出産の適応，管理に関するガイドライン（2010 年改訂版）. http://www.j-circ.or.jp/guideline/pdf/JCS2010niwa.h.pdf（最終アクセス日：2018/12/25）
45) 桂木真司：心疾患合併妊娠，ペリネイタルケア，夏季増刊（33）：194-208，2014.
46) 前掲 44).
47) 吉松淳：ハイリスク妊婦の管理 心疾患，臨床婦人科産科，69（4）：325-329，2015.
48) 前掲 45).
49) 陌間亮一，他：心疾患合併妊娠と食事療法，周産期医学，46（12）：1530-1533，2016.
50) 水野芳子：先天性心疾患患者の妊娠・出産に関わる心理的サポートの実際，日本小児循環器学会雑誌，25（2）：84-86，2009.
51) 前掲 47).
52) 中野仁雄，他：妊産褥婦および乳幼児のメンタルヘルスシステム作りに関する研究：平成 12 年度厚生科学研究（子ども家庭総合研究事業）報告書，2001.
53) 竹田省：日本の周産期メンタルヘルス対策に関する産科医からの提言，総合病院精神医学，30：312-317，2018.
54) 前掲 53).
55) 前掲 52).
56) 石郷岡純編：チームで実践！レジリアンスモデルによる統合失調症のサイコエデュケーション，改訂版，医薬ジャーナル社，2014，p.38-44.
57) 前掲 56)，p.82-87.
58) 大野裕監，朝日新聞厚生文化事業団編：みんなのうつ＜ With シリーズ＞，クリエイツかもがわ，2012，p.14-15.
59) 前掲 28)，p.48-49，62-63.
60) 前掲 58).
61) 堀内勁監：周産期精神保健への誘い；親子のはじまりを支える多職種連携，メディカ出版，2015，p.132-133.
62) 前掲 61).
63) 日本産科婦人科学会編：産科婦人科用語集，改訂第 4 版，日本産科婦人科学会事務局，2018，p.107.
64) 厚生労働省：令和元年国民健康・栄養調査の概要，Ⅱ 結果の概要 第 2 部 基本項目 第 1 章 身体状況 及び糖尿病等に関する状況 1. 肥満及びやせの状況. https://www.mhlw.go.jp/content/10900000/000687163.pdf（最終アクセス日：2022/6/10）
65) 厚生労働省：妊産婦の食生活指針；「健やか親子 21」推進検討会報告書 3「妊産婦のための食生活指針」について （2)「妊産婦のための食生活指針」の内容及び解説；からだづくりの基礎となる「主菜」は適量を. https://www.mhlw.go.jp/houdou/2006/02/dl/h0201-3a3-02d.pdf（最終アクセス日：2022/6/10）
66) 日本労働組合総連合会：世論調査 働く女性の妊娠に関する調査. https://www.jtuc-rengo.or.jp/info/chousa/data/20150223.pdf（最終アクセス日：2022/6/10）
67) 政府統計の総合窓口：人口動態調査 人口動態統計 確定数 出生 年次 2021 表 4-36 単産－複産（複産の種類・出生－死産の組合せ）別にみた年次別分娩件数. http://www.e-stat.go.jp/dbview?sid=0003411624（最終アクセス日：2023/9/29）

参考文献

・Cunningham FG, et al.：Prenatal Care；Williams Obstetrics 25 th ed, McGraw-Hill, 2018, p.163-164, 755-802.
・Seki H：Balance between antiangiogenic and angiogenic factors in the etiology of preeclampsia, Acta Obstet Gynecol Scand. (in press)
・Hannaford P, et al.：Cardiovascular sequelae of toxemia of pregnancy, Heart, 77：154-158, 1997.
・全国周産期医療（MFICU）連絡協議会編：MFICU マニュアル改訂 3 版，メディカ出版，p. 223-227，2015.
・浮田昌彦：血液型不適合妊娠，臨床婦人科産科，47：510-512，1993.
・Page EW：Abruptio placentae：Dangers of delay in delivery, Obstet, Gynecol, 3：385-393, 1954.
・川目裕：出生前診断の遺伝カウンセリング，日本医師会雑誌，143（6）：1153-1157，2014.
・中田真木：高年妊娠 高年出産後の産後指導；健康管理，QOL，次回妊娠の視点から，周産期医学，43（7）：865-868，2013.
・日本糖尿病療養指導士認定機構：糖尿病療養指導ガイドブック 2018；糖尿病療養指導士の学習目標と課題，メディカルレビュー社，2018，p.54-73.
・吉松淳編：心疾患合併妊娠の管理，メジカルビュー社，2018.
・吉田隆明：高齢妊娠，日本赤十字社和歌山医療センター医学雑誌，34：3-8，2017.
・橋本貢士：周産期から一般内科への連携 糖尿病合併妊娠および妊娠糖尿病，日本産科婦人科学会雑誌，67（9）：1976-1979，2015.
・川松直人，椎名由美：先天性心疾患，周産期医学，46（10）：1235-1239，2016.

・伊藤順一郎：統合失調症とつきあう；治療・リハビリ・対処の仕方，第 14 版，保健同人社，2011, p.91-92.
・竹田省：日本の周産期メンタルヘルス対策に関する産科医からの提言，総合病院精神医学，2018, p.312-317.
・日本産科婦人科学会，日本産婦人科医会編・監：産婦人科診療ガイドライン；産科編 2017, 日本産科婦人科学会，2017.
・みずほ情報総研株式会社　小さく産まれた赤ちゃんへの保健指導のあり方に関する調査研究会：厚生労働省　平成 30 年度子ど
　も・子育て支援推進調査研究事業　小さく産まれた赤ちゃんへの保健指導のあり方に関する調査研究事業　多胎児支援のポイ
　ント　ふたご・みつご等の赤ちゃんの地域支援，2019. https://www.mhlw.go.jp/content/11900000/000592913.pdf（最終アクセス
　日：2022/6/10）

第 **2** 章

分娩期における母子の異常と看護

この章では

● 分娩の 3 要素ごとの産婦にみられる異常（難産）について学習する。
● 胎児および胎児付属物の異常による分娩障害について学習する。
● 産科処置・手術の適応と術式について学習する。
● 分娩期に起こり得る異常と，その処置やアセスメント項目について学ぶ。
● 分娩期に異常をきたしている産婦の看護を理解する。
● 帝王切開術を受けた産婦の看護を理解する。

I 分娩経過における異常

A 破水の異常

▶ **定義・概念**　破水とは, 卵膜が破綻して羊水の漏出をきたした状態をいう。卵膜は脱落膜, 絨毛膜・羊膜から構成されているが, 卵膜の強度を維持しているのは絨毛膜と羊膜である。胎児は卵膜に包まれていることから, 帝王切開であっても出生には破水が不可欠である。

　破水はその発生時期により, 子宮口全開大後の**適時破水**, 陣痛発来後全開大までの**早期破水**, 陣痛発来前の**前期破水**の3種類に分類され, 通常, 適時破水を正常ととらえる。破綻の部位が内子宮口より離れているものを高位破水と表現する場合もある (**図 2-1**)。分娩第2期や帝王切開時の児を娩出させるため, あるいは分娩誘発, 陣痛促進のために人工的に卵膜を破ることを, 人工破膜あるいは単に破膜とよび, 通常の破水とは別に分類することが多い。

　卵膜は半透明の薄い膜であるが, かなり強靱であり, 通常, 陣痛発来前の咳や努責などの子宮内圧の上昇のみでは, 破れることはない。しかし, 感染などにより卵膜が脆弱化した場合, あるいは内診・卵膜剝離などの上行性の刺激が加わった場合でも, 早期破水あるいは前期破水が発生する。

▶ **原因・病態**

- **早期破水**：陣痛発来後, 全開大前の分娩第1期に発生する破水である。分娩の進行が順調であれば, 分娩管理上大きな問題をきたすこともない。しかし, 次に述べる前期破水と同様に, 子宮内感染や, 臍帯圧迫による羊水混濁, 胎児機能不全の原因にもなる。内診・卵膜剝離などの実施後にも発生するが, 特に誘因がないことも多い。

- **前期破水**：陣痛発来を待機した正期産妊婦の入院理由のうち, 前期破水が約20％を占めることから, 前期破水の発症頻度はこの程度であると推定される。破水後は, 胎児が存在する羊水腔が無菌的ではなくなるため, 子宮内感染 (絨毛膜羊膜炎, 胎児感染) のリス

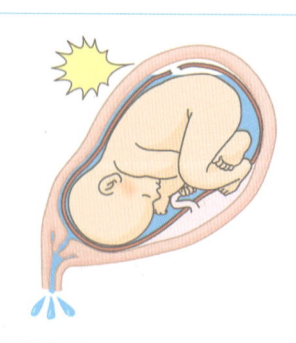

内子宮口から離れた位置での破水。

図 2-1 高位破水

第6編

妊娠期における
母子の異常と看護

分娩期における
母子の異常と看護

産褥期における
母子の異常と看護

胎児・新生児の
異常への看護

クが高い。また，羊水流出によって羊水が少なくなり，陣痛に伴って臍帯が子宮壁と胎児の間で圧迫されることが多くなる。

▶ 検査・診断　妊産婦が水様性帯下を自覚したら，破水を疑う。尿漏れや偽破水といわれる水様性帯下を否定することで診断が可能である。内診によって児の先進部（毛髪など）を触知することで診断されることもある。腟鏡診で十分量の水様性帯下が腟部から流出することが確認できれば，診断可能である。

客観的な検査方法としては BTB 試験が用いられる。一般的に羊水は中性～弱アルカリ性である一方，腟分泌物は酸性を示すので，水様性帯下が羊水であることを診断するためにこの違いを利用し，BTB 試薬，BTB 試験紙，あるいは pH キット（エムニケーター®）を用いることが多い。黄色が青色に変化したらアルカリ性であり，破水を疑う。

▶ 治療・対策　前期破水妊婦の約 50% は，24 時間以内に自然陣痛が発来するため，子宮内感染にまで及ばない例もみられるが，前期破水，早期破水では，破水後の時間経過とともに子宮内感染である絨毛膜羊膜炎の発生頻度が上昇する。そのため，正期産，過期産での前期破水では，陣痛発来を待機する方法以外に分娩誘発も行われる。

また，臨床的絨毛膜羊膜炎*あるいはその予防のために，抗菌薬が投与されることが多い。臨床的絨毛膜羊膜炎になると，母体・胎児にとって早期娩出が必要なため，分娩誘発や緊急帝王切開術も実施される。

胎児心拍数モニタリングでは，臍帯圧迫による変動一過性徐脈が発生しやすい。変動一過性徐脈が繰り返し発生すると，陣痛時の圧迫に伴う低酸素が徐々に進行し，アシドーシスになると，羊水混濁（流出する羊水が黄色あるいは緑色に変色）や胎児機能不全となる。羊水が混濁したり，変動一過性徐脈が軽度から重度に移行したり，基線細変動が減少したりするなどの変化がみられたら，胎児機能不全を疑う。また，混濁した羊水を児が吸引すると，**胎便吸引症候群**（meconium aspiration syndrome：MAS）による呼吸障害も懸念されるため，新生児蘇生を行えるよう，蘇生の準備も整える。

Ⓑ 陣痛の異常

▶ 定義・分類　異常な陣痛は，分娩陣痛が正常より強い（過強陣痛），弱い（微弱陣痛）で分類される。日本産科婦人科学会では，分娩中の子宮内圧（mmHg）で表現し，基準より強い，または弱いことにより陣痛の異常を診断している（表2-1）。しかし，日本では分娩中の子宮収縮を，内測法ではなく，外測法で評価していることが多い。外測法での胎児心拍数陣痛図に表示される子宮収縮の圧力は，参考値である。そのため，臨床症状名としての過強陣痛，微弱陣痛が広く利用されている。

子宮収縮（陣痛）が異常に強く，その持続が異常に長いものを臨床症状名の過強陣痛と

＊ **臨床的絨毛膜羊膜炎**：絨毛膜羊膜炎は，分娩後に胎盤・卵膜の病理検査で診断するが，妊娠・分娩時の母体発熱，子宮圧痛，母児の頻脈，羊水悪臭，白血球増多といった症状・所見を認める場合を臨床的絨毛膜羊膜炎としている。

表2-1 分娩中の子宮内圧

	子宮口4〜6cm	子宮口7〜8cm	子宮口9cm〜分娩第2期
平均	40mmHg	45mmHg	50mmHg
過強陣痛	70mmHg 以上	80mmHg 以上	55mmHg 以上
微弱陣痛	10mmHg 未満	10mmHg 未満	40mmHg 未満

いう。過強陣痛（じんつう）は，母体，胎児の組織の損傷あるいは機能障害の危険性が高い。一方，子宮収縮（陣痛）が不十分であることにより分娩（ぶんべん）が進行しないものを微弱陣痛という。分娩開始直後から発生する原発性と，分娩進行後に発生する続発性に分類される。

▶ 原因・病態

- **過強陣痛**：表 2-2 の原因・病態がある。
- **微弱陣痛**：表 2-3 の原因・病態がある。

▶ 検査・診断　過強陣痛の多くは，まず陣痛周期が短くなるため，陣痛周期に注意を払う。図 2-2 は 10 分間の陣痛回数が 5 回を超えており，**子宮頻収縮**（tachysystole）とよばれる。こうして陣痛周期が短くなった分娩のなかで，胎児・母体に異常が発生した場合に，臨床的に過強陣痛と診断する。図 2-3 は子宮収縮薬（オキシトシン）投与開始直後の子宮頻収縮に続き，その後に胎児心拍数が徐脈を示している。オキシトシンに対して強く反応して過剰な子宮収縮が発生し，それに続いて胎児機能不全が起こる典型的な過強陣痛である。

　微弱陣痛の多くは，胎児心拍数モニタリングと分娩進行を示すパルトグラムから，総合的に判断する。図 2-4 に微弱陣痛の胎児心拍数陣痛図を示す。この例では，初産婦で子宮口 8cm まで開大したものの，その後 2 時間経過しても進行がなく，停滞した。陣痛が 7 〜 8 分周期となっている。

▶ 治療・対策　微弱陣痛で分娩がまだ潜伏期にある場合は，休息を取ることが推奨される。我慢できない痛みでなければ，水分摂取を勧（すす）め，眠るために病室を暗くするなど落ち着いた環境で産婦を管理する。すでに活動期，あるいは分娩第 2 期に入っている場合には，子宮収縮薬による陣痛促進を考慮する。分娩誘発・陣痛促進を行うための子宮収縮薬の投与

表2-2 過強陣痛の原因・病態

子宮収縮薬の投与	薬剤の過量投与によって過剰な子宮収縮が起こり，過強陣痛となることが知られているが，適切な投与でも子宮の反応性が強ければ発生する。
狭骨盤，軟産道強靭，胎位・胎勢の異常	分娩進行が妨げられると，反応性に子宮収縮が増強し，やがて微弱陣痛となる。

表2-3 微弱陣痛の原因・病態

無痛分娩	無痛分娩では分娩の進行が遅延することが知られているが，特に分娩第 2 期の遅延が著明である。
子宮内感染	細菌感染が子宮筋の適切な収縮を阻害すると考えられている。
母体疲労	分娩に対する母体の疲労により，陣痛が弱く，周期が延長し，分娩の進行が滞る。休息，脱水の改善などによる回復が期待される。
産科的異常	狭骨盤，軟産道強靭，胎位・胎勢の異常などが原因としてあげられる。

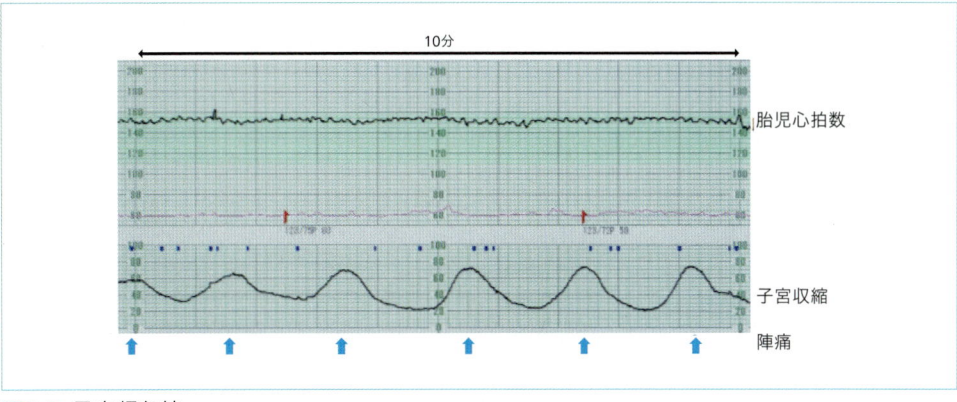

図2-2 子宮頻収縮

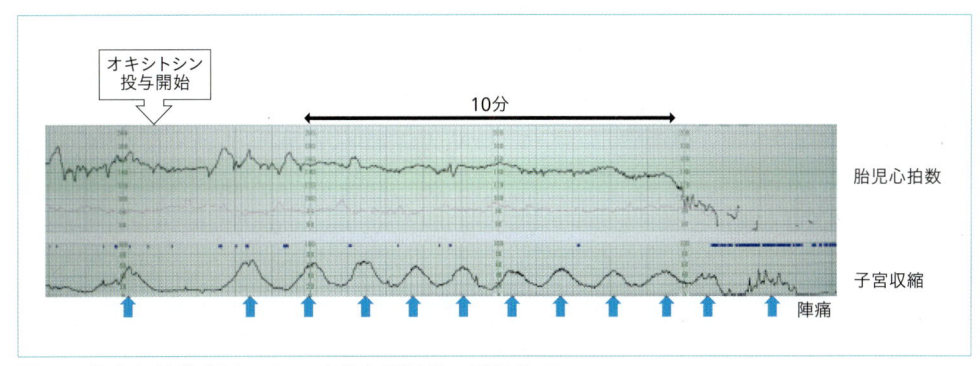

図2-3 子宮収縮薬（オキシトシン）投与開始時の過強陣痛

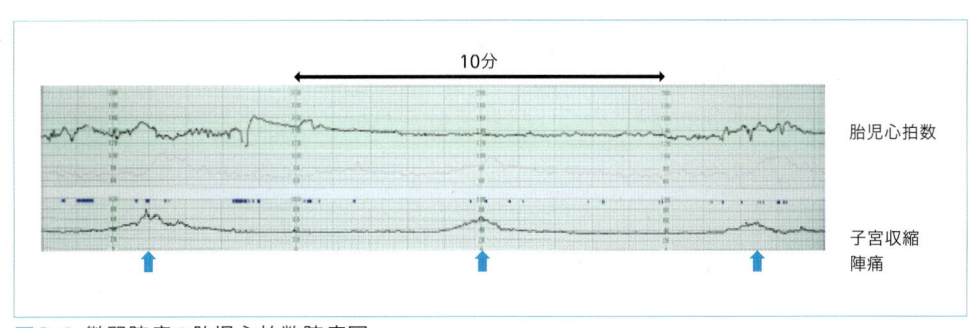

図2-4 微弱陣痛の胎児心拍数陣痛図

には，文書による説明と同意が必要である。

　突然の胎児機能不全が発生した場合には，過強陣痛であることも考慮して，医師の応援をよび，適切な対応を求める。医師到着までに酸素投与，子宮収縮薬の中止，左側臥位を行い，可能な限り子宮内蘇生に努める。多くの過強陣痛では，子宮頻収縮から子宮収縮が持続するため，産婦腹部の触診を行うと，硬い子宮を触知する。余裕があれば，産婦に声かけを行いながら，意識状態を確認し，血圧，脈拍などのバイタルサインを収集する。さらに，救急カートをベッドサイドに運び，緊急帝王切開術の準備も考慮する。緊急子宮弛

緩を目的として，ニトログリセリンやリトドリン塩酸塩が投与されることもある。

C 腹圧の異常（微弱腹圧）

▶ **定義・概念** 分娩の3要素のうち娩出力は，陣痛と腹圧によって構成されている。分娩第2期には児を娩出させるための娩出力が必要で，腹圧が重要となる。胎児の下降とともに腹圧は陣痛に一致して反射的に起こる。さらに下降すると腹圧は不随意的に発生するようになり，共圧陣痛とよばれる。この腹圧が異常に弱い場合を，**微弱腹圧**とよぶ。

▶ **原因・病態** 母体の疲労，神経・筋疾患が原因となる。産痛を自覚しない無痛分娩では，努責感がなくなるため，意図的に腹圧をかける必要があり，不随意的に発生する腹圧より弱くなることが多い。

▶ **検査・診断** 診断の多くは主観的で，腹圧の持続時間あるいは児頭下降の程度によって判断される。

▶ **治療・対策** 母体疲労や混乱などで有効な腹圧がかけられない場合は，指導によって改善を図る。吸引娩出術・鉗子娩出術が可能な適位まで下降，回旋している場合には，これらによる急速遂娩が選択されることがある。

D 産道の異常

1 広骨盤

　骨盤の諸径線が，正常より著しく大きいものをいう。一般的に，骨盤径線の一部または全部が標準上限より2cm以上長いものを，広骨盤とする。骨産道の抵抗が少ないため急産になりやすく，産道裂傷が発生しやすい。

2 狭骨盤

　骨盤径線の一部ないし全部が，基準値を逸脱して短縮した状態である（表2-4）。境界域の骨盤を**比較的狭骨盤**とよぶ。臨床的には，次に述べる児頭骨盤不均衡の概念によって検討されることが多い。

表2-4 狭骨盤と比較的狭骨盤の計測値

	狭骨盤	比較的狭骨盤
外結合線	18.0cm 未満	
産科真結合線	9.5cm 未満	9.5〜10.5cm 未満
入口横径	10.5cm 未満	10.5〜11.5cm 未満

3 児頭骨盤不均衡

▶ **定義・概念**　日本産科婦人科学会では「児頭と骨盤の間に大きさの不均衡が存在するために分娩が停止するか，母児に障害をきたすか，あるいは障害をきたすことが予想される場合」を，児頭骨盤不均衡（cephalopelvic disproportion；CPD）としている。児頭の骨盤通過可能性の可否を判定するほうが合理的であるということから生まれた概念で，一般的に，入口面を児頭最大周囲径が通過すれば，経腟分娩可能と考える。

▶ **原因・病態**　狭骨盤や巨大児などが不均衡をきたす要素であるが，児頭と骨盤のバランスによって決まる。

▶ **検査・診断**　分娩開始前には，経腟分娩可能（児頭骨盤不均衡なし）であるかを判断することは困難な場合が多い。比較的狭骨盤や巨大児が予測される妊婦では，妊婦の体格や各計測値を目安とすべきであろう。

- ザイツ（Seitz）法：分娩開始後，レオポルド第4法で児頭が恥骨結合より低ければザイツ（−）で，CPDも陰性といえるが，同一平面ならザイツ（±）で，CPDが疑われ，高い位置にあればザイツ（＋）でCPDが強く疑われる（図2-5）。
- X線診断法（図2-6）：**骨盤入口撮影法**（座位撮影法，マルチウス法）と**骨盤側面撮影法**（グースマン法）の2方向撮影が基本である（第5編図2-5，6，7参照）。マルチウス法で撮影した画像から通過可能か判断する方法が入口面法である。また，グースマン法は仙骨の形状がわかるため，分娩進行の予測にも有用と考えられる。しかし，胎児が放射線に曝露されること，X線診断法を行うことにより，帝王切開術による分娩が増加するとの近年の研究報告もあり，諸外国では撮影されなくなっている。日本ではクリニックでの分娩が多く，緊急帝王切開術はリスクが高いため，クリニックを中心にX線診断法が広く行われている。

▶ **治療・対策**　CPDと診断されたら，帝王切開術による分娩を行う。前述のザイツ（±）などCPDの診断が困難な産婦に対して，経腟分娩が可能か否かを判定する目的で試験的

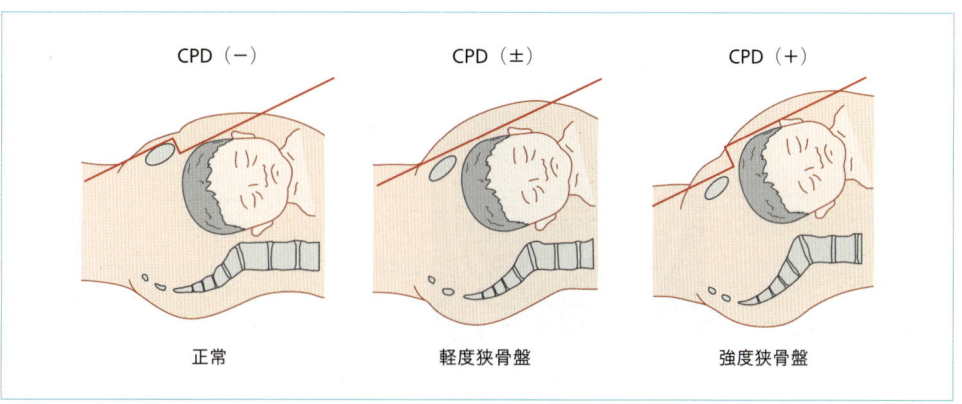

図2-5　ザイツ（Seitz）法

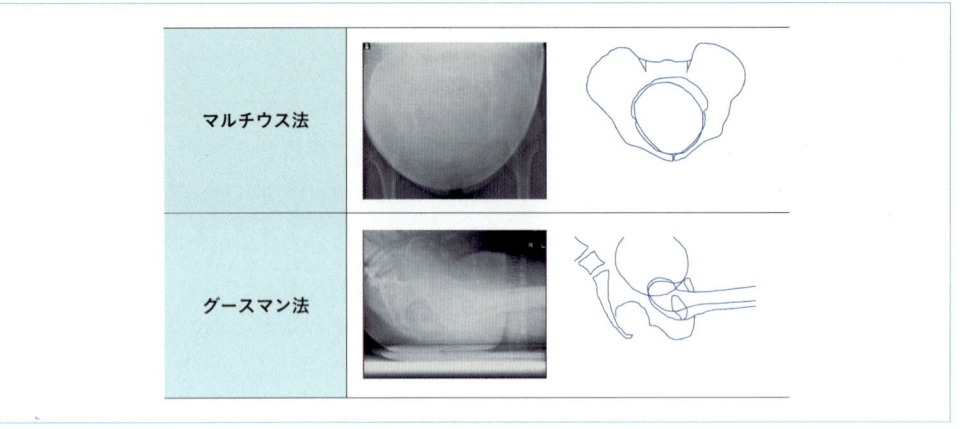

図2-6 X線診断法

に<ruby>分娩<rt>ぶんべん</rt></ruby>を進める方法を**試験分娩**という。経腟分娩が不可能，あるいは母児に危険な徴候，あるいはその発生が強く疑われた場合には帝王切開分娩の方針とするため，あらかじめ術前検査など，帝王切開術実施の準備を行っておく。

4 | 軟産道の異常

分娩が妨げられるほど子宮下部，<ruby>子宮頸部<rt>けいぶ</rt></ruby>，腟，外陰部の<ruby>潤軟化<rt>じゅんなんか</rt></ruby>や伸展力が不足するものを**<ruby>軟産道強靱<rt>きょうじん</rt></ruby>**という。分娩中に骨産道の異常もなく，<ruby>娩出力<rt>べんしゅつりょく</rt></ruby>（<ruby>陣痛<rt>じんつう</rt></ruby>，腹圧），胎児の大きさや回旋に異常を示さないにもかかわらず，産道の伸展が悪く分娩が停止あるいは<ruby>遷延<rt>せんえん</rt></ruby>した際に診断される。高年初産婦（35歳以上）は，加齢に伴い軟産道組織に結合組織が増加するために発生しやすい。重度の産道裂傷や分娩遷延の原因にもなると考えられるが，通常，疾患名として軟産道強靱があげられた場合には，緊急帝王切開術による分娩が選択される。

5 | 子宮下部の子宮筋腫

<ruby>子宮筋腫<rt>きんしゅ</rt></ruby>は，子宮層内に発生する良性の<ruby>腫瘍<rt>しゅよう</rt></ruby>である。30歳代女性の20〜30％に合併しているため，母体の高齢化に伴い，子宮筋腫合併妊娠に遭遇する機会が増加している。

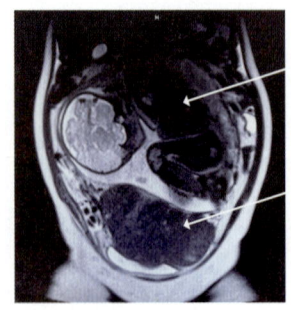

胎児

子宮筋腫

子宮下部の子宮筋腫によって，経腟分娩不可能と考えられ，帝王切開分娩となった。

図2-7 妊娠32週の腹部MRI矢状断像

子宮筋腫はエストロゲン感受性があるため，妊娠中に著増するエストロゲンによって，大きくなることが多い。多くの子宮筋腫は分娩障害にならないが，付着部位が低い子宮下節や頸部の子宮筋腫は通過障害を引き起こし経腟分娩できないために，帝王切開分娩が必要となる（図2-7）。

II 胎児および胎児付属物の異常

A 胎位の異常

　胎位とは，子宮の縦軸に対する胎児の縦軸の関係であり，両者が平行なものを**縦位**（じゅうい）といい，その方向から頭位と骨盤位に分類される。両者が直交するものを**横位**（おうい），斜めに交差するものを**斜位**（しゃい）とよぶ。

1. 骨盤位

▶ **定義**　縦位のなかで，胎児尾側が骨盤方向，頭側が子宮底側にあるものを骨盤位という。さらに分娩時の肢位によって，殿位（でんい），膝位（しつい），足位（そくい）に分類される（表2-5）。先進部で分類するのではなく，あくまで分娩時の股関節と膝関節の屈曲・伸展によって分類されていることに注意する。胎向は児背が母体左側にある（頭位と同様に，レオポルド触診法第2段で術者の右手に児背を触れる）ものを第1胎向，右側にあるものを第2胎向とよぶ。

▶ **原因**　先天性子宮形態異常（子宮奇形），子宮内癒着（ゆちゃく），子宮筋腫，前置胎盤などの子宮腔（くう）の変形あるいは水頭症（すいとうしょう）などの明らかな児頭骨盤不均衡，双胎の後続児，羊水過多（ようすい）など先進部が固定しにくいものなどがあげられるが，多くは原因不明である。分娩時まで骨盤位である頻度は2〜3％程度である（図2-8）。

▶ **診断**　外診による診察が基本である。レオポルド触診法第1段で，浮球感といわれる可

表2-5　骨盤位の分類と関節の屈曲・伸展

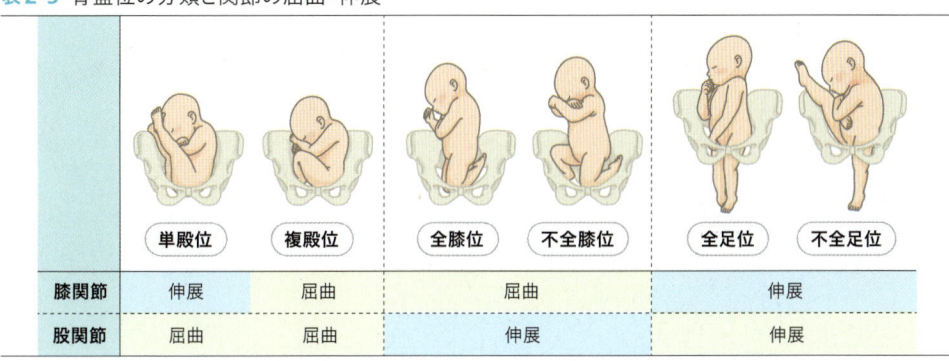

	単殿位	複殿位	全膝位	不全膝位	全足位	不全足位
膝関節	伸展	屈曲	屈曲		伸展	
股関節	屈曲	屈曲	伸展		伸展	

動性のある球状の児頭を触診することで診断可能である。児心音を母体の臍<ruby>臍<rt>さい</rt></ruby>より頭側で聴取できることでも疑われる。内診では破水して子宮口が開大していれば，頭蓋骨<ruby>頭蓋骨<rt>とうがいこつ</rt></ruby>とは異なる凹凸<ruby>凹凸<rt>おうとつ</rt></ruby>のある軟らかい組織を触知することで疑うことができる。しかし，顔位でも同様な所見を得ることがあり注意が必要である。定期健診を受診している妊婦であれば，外来超音波検査ですでに診断されているが，稀<ruby>稀<rt>まれ</rt></ruby>に分娩<ruby>分娩<rt>ぶんべん</rt></ruby>直前に自然矯正することもある。外診，内診などの診察で骨盤位を疑う所見を認めたら，超音波検査を実施する。

▶ **治療**　経腟骨盤位分娩は，帝王切開分娩に比較して有意に予後が悪い児が多いことが大規模ランダム化比較試験で示されて以降，帝王切開術で娩出<ruby>娩出<rt>べんしゅつ</rt></ruby>されることが多い。経腟骨盤位分娩は，骨盤位牽出術<ruby>牽出<rt>けんしゅつ</rt></ruby>が必要になることが多く，また緊急帝王切開術も多いことから，これらが提供可能な一部の施設で，妊婦への説明と同意の下で実施されている。

▶ **分娩経過**　最大周囲径をもつ児頭の娩出が最後であるため，産道の十分な伸展を促すために，先進部の牽引をむやみに行わないことが大切であるとされる。しかし，臍部が産道に入った時点で臍帯に強い圧迫が発生し虚血になるため，それ以降は迅速な進行が求められる。

　上肢が挙上してしまうと肩甲<ruby>肩甲<rt>けんこう</rt></ruby>・児頭の娩出が困難となり（図2-9），さらに児頭の娩出は

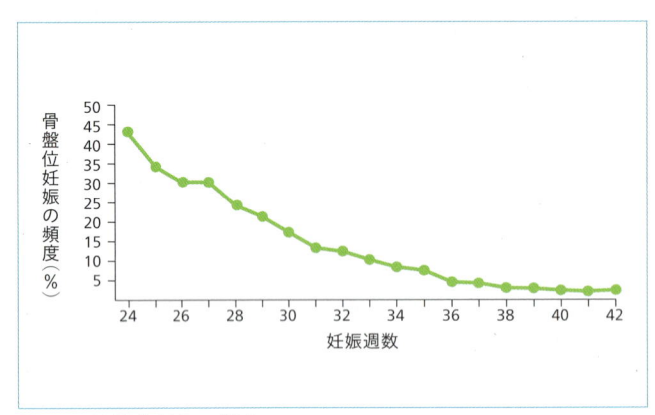

図2-8　骨盤位妊娠の頻度

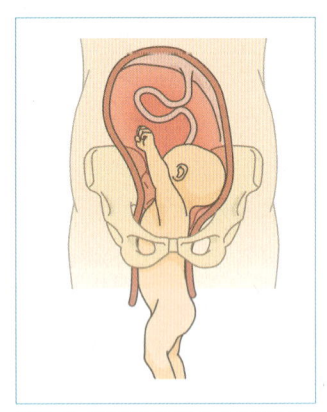

図2-9　骨盤位の際の上肢挙上

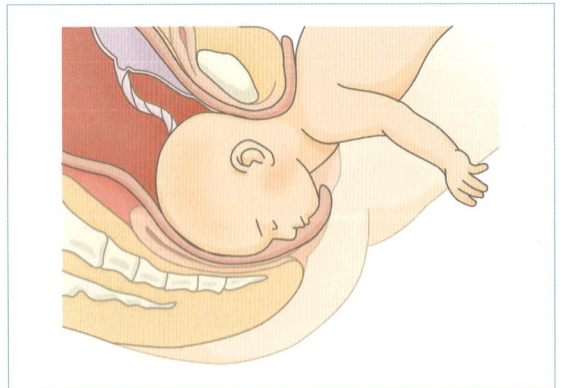

図2-10　骨盤位分娩での児頭娩出

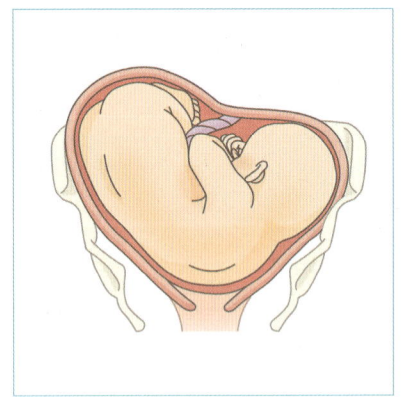

図2-11　遷延横位（第1胎向）

頭位分娩と同様に恥骨裏面を支点とする回旋であるが（図2-10），頤（下あご）を胸部につける頭位とは反対方向への回旋が必要であるため，骨盤位牽出術が必要となることが多い。

2. 横位

▶ **定義** 母体・胎児の縦軸が直交しているものを横位とよぶ。胎向は児頭が母体左側にある（レオポルド触診法第2段で，術者の右手に児頭を触れる）ものを第1胎向，右側にあるものを第2胎向とよぶ。

▶ **原因** 一般的には分娩直前に，頭位あるいは骨盤位の縦位に自然矯正するが，骨盤位と同様に子宮腔の変形などによって，横位が継続する遷延横位の状態となることもある（図2-11）。

▶ **治療** 陣痛発来後も矯正されない遷延横位では，帝王切開術が必要となる。

B 回旋進入の異常

1. 反屈位

反屈位は，妊娠・分娩時に第1回旋が起こらず，児頭が伸展・反屈し胎児が頸椎を後方に屈して頤（下あご）が胸壁から離れた姿勢をいう。反屈の程度により，反屈が軽度の前頭位，さらに高度になると額位，顔位へと先進部が変化する（図2-12）。

1 | 前頭位

前頭位では大泉門が先進し，多くの場合，先進する前頭が前方に回旋し，前方前頭位となる。広骨盤，経産婦，無痛分娩など，産道の抵抗が少なく，児頭の十分な屈曲が不要な場合に起こりやすい。さらに，多胎の後続児分娩時に，児頭固定前に人工破膜などを行った時に起こることもある。

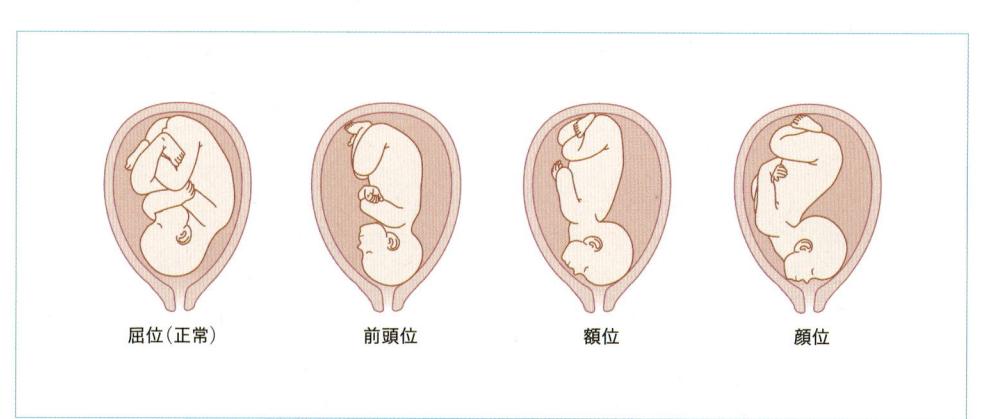

屈位（正常）　　前頭位　　額位　　顔位

図2-12 反屈位のいろいろ

内診所見では，矢状縫合は通常の前方後頭位と同様に触れるが，先進部が小泉門ではなく，大泉門であることを確認することが最も重要である。矢状縫合から泉門を触知すると，その先に縫合が続いていることで大泉門であることを認識できる。

分娩機転で後頭位と大きく異なるのは，先進する前頭部が前方に回旋するために，前方前頭位では第2回旋から児の顔面が母体の腹側を向くことである（図2-13）。第3回旋では前額部を支点として屈曲胎勢への回旋を行い，後頭が娩出した後に反屈胎勢に回旋して，児頭の娩出を完了する。児頭の産道通過面は前方後頭位より大きいので，それだけ産道の抵抗も大きく，分娩進行は遅くなる。

2 | 額位

額位は最大通過面積が最も大きく，反屈の程度が不安定なため，産道の抵抗によって，顔位や前頭位あるいは後頭位に分娩途中で変化することが多い。内診所見では，矢状縫合は前頭位と同様に触知するが，額位の第1分類では大泉門が母体の左側に触れ，右側には児の眼窩も触知可能である。しかし，口は触れない。

分娩機転はおおむね前頭位と同様であるが，鼻根部が恥骨弓下で支点となり第3回旋が起こる。児頭の産道通過面は前頭位よりさらに大きいため，自然分娩不可能な場合が多い。児頭の下向が十分であれば鉗子娩出術などで分娩できることもあるが，多くは帝王切開術が必要である。

3 | 顔位

顔位は高度の反屈胎勢によって顔面が先進するが，原因としてはほかの反屈位と同様である。内診所見では矢状縫合や泉門は触知できず，児の鼻，口，頤を触れることができる。分娩機転はほかの反屈位と同様に進行し，頤を支点として第3回旋が起こる。頤が後方に回旋する後方顔位では第3回旋が起こり得ないため，経腟分娩不可能である（図2-14）。前方顔位では額位と同様で経腟分娩が不可能ではないが，多くの場合，自然分娩ができず帝王切開術を必要とする。

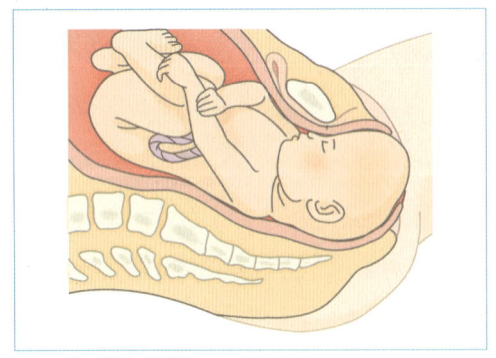

図2-13 前方前頭位

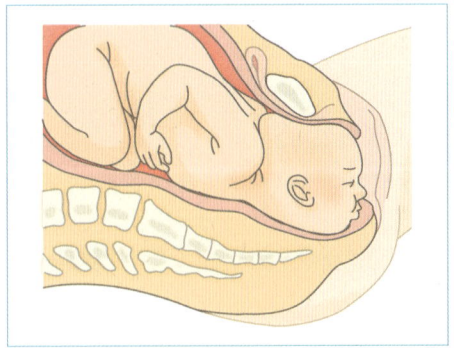

図2-14 後方顔位

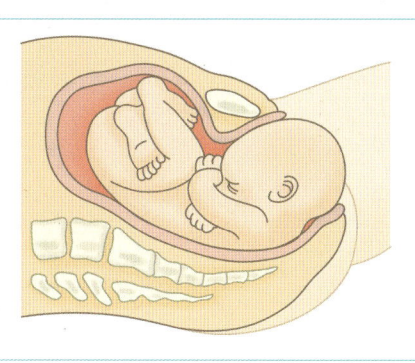

図2-15 後方後頭位

2. 後方後頭位

▶ 定義　先進部が大泉門である後頭位の後方回旋では，児の顔面は母体腹側を向き（図2-15），頭頂位，額位，顔面位では母体背側を向く。第2回旋終了時には，小泉門が背側に，大泉門は母体腹側に高く触れる。

▶ 原因　骨盤の前方が狭い男性型骨盤では大きな後頭部の通過が困難で，後方回旋を起こしやすい。

▶ 診断　内診では先進部が小泉門であり，これが後方回旋するため，後方後頭位では第2回旋から児の顔面が母体の腹側を向くことで診断される。

▶ 対策　大きな後頭部が狭い骨盤背側を通過するため，産道抵抗が大きく分娩は遷延する傾向があり，過強陣痛・微弱陣痛，胎児機能不全になりやすい。また，狭骨盤が理由で後方回旋したものなどは経腟分娩不可能となり，帝王切開術が必要となることも多い。

3. 低在横定位

▶ 定義　児頭が第2回旋を行うことなく下降して骨盤底に達し，矢状縫合が骨盤横径に一致した状態で分娩進行が停止した状態をいう。

▶ 病態　子宮筋収縮不全により児頭の下降と回旋が同調しない時，あるいは扁平骨盤や扁平仙骨の時にみられる。

▶ 対策　子宮筋収縮不全などが原因の場合には，回旋鉗子あるいは吸引分娩で回旋が期待されるが，狭骨盤の場合には帝王切開術が必要となることもある。

4. 高在縦定位

児頭の矢状縫合が骨盤入口の前後径に一致した状態でとどまり，分娩停止した状態をいう（図2-16）。狭骨盤や骨盤の異常にみられることがある。後頭が恥骨結合に向かう前高在縦定位では，定位の矯正後に経腟分娩が期待できる。

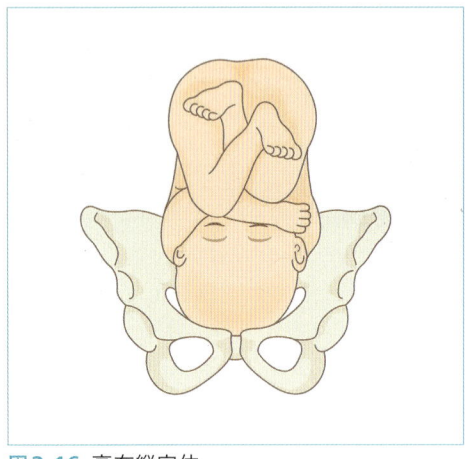

図2-16 高在縦定位

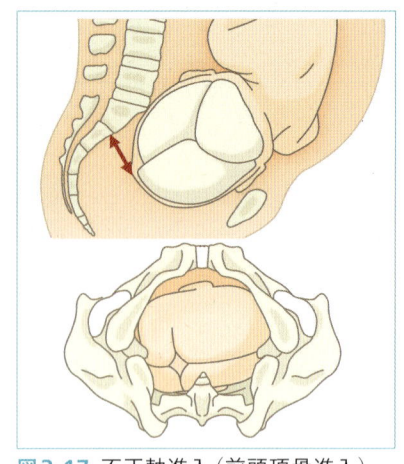

図2-17 不正軸進入（前頭頂骨進入）

5. 不正軸進入

▶ 定義　児頭が骨盤腔へ進入してくる際に，矢状縫合が骨盤軸から前方あるいは後方にずれた状態で下降する様式を，不正軸進入という（図2-17）。矢状縫合が前方（腹側）にずれれば後頭頂骨進入，後方にずれれば前頭頂骨進入という。

▶ 原因・病態　狭骨盤や扁平仙骨などで比較的発生しやすい。いずれも難産が予想され，児頭下降がなく矢状縫合のずれが進行すれば，帝王切開術が必要となることも多い。しかし，骨盤に異常がない無痛分娩でも発生することがあり，この場合は用手回旋などで是正すると，その後に自然経腟分娩に進行することもある。

Ｃ 胎盤の異常

1. 癒着胎盤

▶ 定義　胎盤絨毛が子宮筋層内に侵入し，胎盤の一部または全部が子宮壁に強く癒着して，胎盤の剝離が困難なものをいう。癒着の程度によって，単純癒着胎盤，侵入胎盤，穿通胎盤の3つに分類される（図2-18）。

▶ 原因・病態　着床後，胎盤絨毛は脱落膜内に侵入する。脱落膜（子宮内膜）が菲薄化あるいは欠損している場合に，胎盤絨毛が直接筋層内に深く侵入して癒着胎盤となる。帝王切開術や子宮筋腫核出術の既往，子宮内膜炎の既往が多い。児娩出後の出血が多く，特に前置癒着胎盤では産科危機的出血となり，妊産婦死亡の原因ともなる。

▶ 検査・診断　前置癒着胎盤では術前に疑うことはある程度可能であるが，常位癒着胎盤では児娩出まで診断されないことが多い。

▶ 治療・対策　癒着の程度，癒着の位置，次回妊娠の希望の有無によって，治療法は大きく変わる。経過観察して自然消失を待つ場合から，血管内バルーンカテーテルを利用して

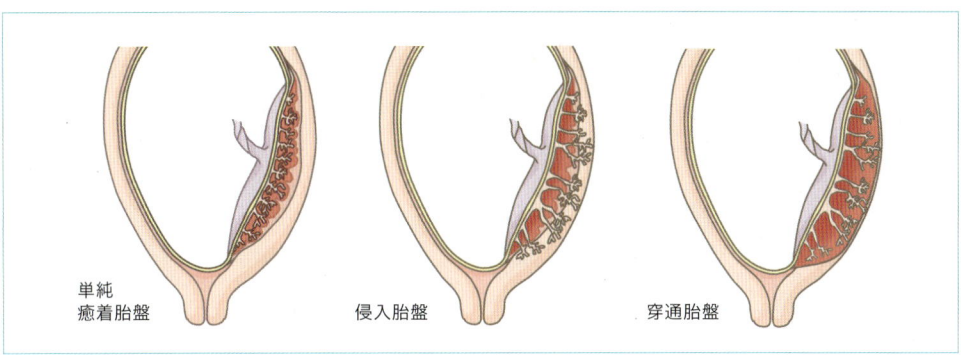

図 2-18 癒着胎盤の分類

出血量を減らして帝王切開術で子宮摘出を行う方法まで，様々ある。

2. 胎盤嵌頓

▶ **定義**　児娩出後に胎盤が子宮壁から剝離しているが，娩出が遅延しているものを，胎盤嵌頓という。

▶ **原因・病態**　児娩出後，子宮頸部の痙攣性収縮により，開大していた頸管が狭くなり，胎盤が娩出できない状態になる。

▶ **検査・診断**　胎盤剝離徴候を認めるものの娩出しないことで診断できる。

▶ **治療・対策**　クレーデ圧出法で娩出可能な場合もあるが（図 2-19），子宮頸部の収縮が著しい場合は，ニトログリセリンなどで子宮を弛緩させて娩出させることもある。

D 臍帯の異常

1. 臍帯巻絡

▶ **定義**　臍帯が胎児の身体部分（頸部，四肢または体幹）に巻きついた状態をいう（図 2-20）。

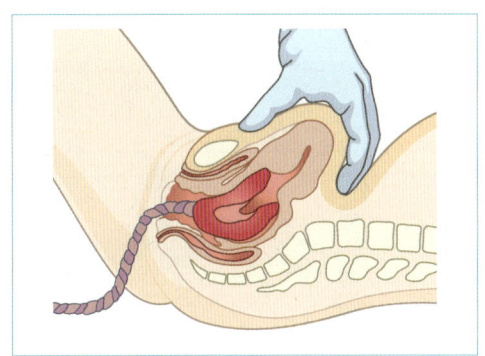

図 2-19 胎盤嵌頓時のクレーデ圧出法

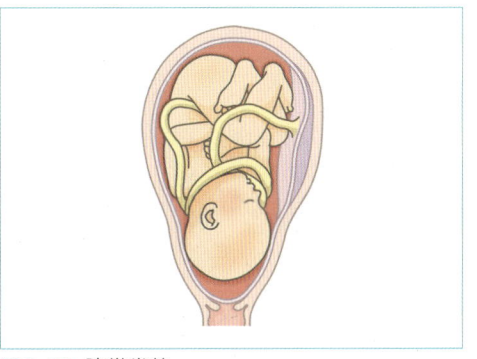

図 2-20 臍帯巻絡

▶ **原因・病態**　原因は不明である。全分娩の 3 〜 4 割に合併し，多くは正常分娩となる。しかし 3 回以上の巻絡では，臍帯圧迫による血流障害で新生児仮死や胎便吸引症候群の発生頻度が高まる。頸部の巻絡が最も多い。

▶ **検査・診断**　胎児期の超音波検査で診断されることはあるが，必ずしも分娩時の所見と同一ではなく，児娩出時に診断される。

┃ 2. 臍帯下垂・臍帯脱出

▶ **定義**　破水前に先進胎児部分の側方または下方に臍帯が存在するか，あるいは内診で臍帯を触知するものを**臍帯下垂**といい，破水後で産道内または陰裂間に臍帯が懸垂している状態を**臍帯脱出**という（図 2-21）。

▶ **原因・病態**　先進胎児部分と骨盤の間に広い間隙がある場合（広骨盤, 骨盤位, 横位）に多い。臍帯脱出になると，多くは胎児が窒息状態となる。

▶ **治療・対策**　分娩中に臍帯下垂を認めたら，帝王切開術に切り替える。臍帯脱出を認めたら，児頭を挙上したまま，超緊急帝王切開術を実施する。臍帯還納（臍帯を戻すこと）は行わない。人工破膜を行う際には，臍帯下垂がないことを確認する。

┃ 3. 臍帯真結節

▶ **定義**　臍帯にできる結び目（図 2-22）である。

▶ **原因**　子宮内で胎児が運動している間に，臍帯係蹄（ループ）内を通過して発生する。多くは無症候性であるが，胎児死亡の原因ともなる。

▶ **診断**　多くは児娩出時に診断される。

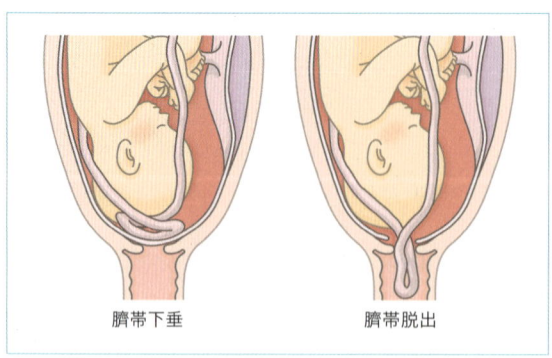

臍帯下垂　　　　臍帯脱出

図 2-21　臍帯下垂・臍帯脱出

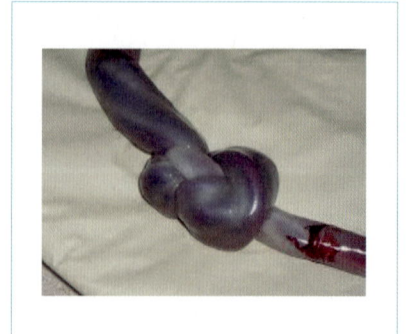

図 2-22　臍帯真結節

III その他の分娩の異常

1. 分娩停止

▶ **定義**　陣痛が発来して分娩が進行していたが，それまで同様の陣痛が続いているにもかかわらず，2時間以上にわたって分娩の進行が認められない状態を，分娩停止とよぶ。

▶ **原因**　児頭骨盤不均衡や回旋異常が原因となることが多い。

▶ **診断**　パルトグラム上，進行が完全に停止していることで診断される。

▶ **対策**　まずその原因を確認する。陣痛周期や強さは適切であるか，子宮筋腫や卵巣嚢胞，腟中隔などの産道通過障害はないか，児頭骨盤不均衡や回旋異常はないか，などを内診，触診などで注意深く探索する。産道通過障害や児頭骨盤不均衡がなく，経腟急速遂娩可能である場合は，吸引娩出術・鉗子娩出術を行う。腟中隔が分娩障害となっている場合は切離する。しかし，それ以外の多くは帝王切開術による分娩が選択される。

　分娩停止は，胎児機能不全や新生児仮死などの児の合併症を増加させるだけでなく，子宮破裂や産道裂傷などの母体の重篤な損傷の原因ともなる。分娩の進行が停止した場合，過強陣痛を示したり，収縮輪の上昇（バンドル収縮輪，図2-23）や疼痛を強く訴えたりするなど産婦に異常を認めた場合は，2時間を待たずに分娩停止と同様に対応するべきである。分娩停止のパルトグラムの例を図2-24a に示す。図中の破線が分娩停止の典型的なパルトグラムであり，順調であった分娩経過がその時点から進行していない。

2. 遷延分娩

▶ **定義**　分娩開始後，初産婦で30時間，経産婦で15時間を経過しても児娩出に至らないものをいう。

▶ **原因**　発生した場合には，分娩の3要素のいずれかあるいは複数に異常があると考える。

▶ **診断**　分娩停止もそのまま放置しておけば遷延分娩となるが，分娩停止はその時点で介

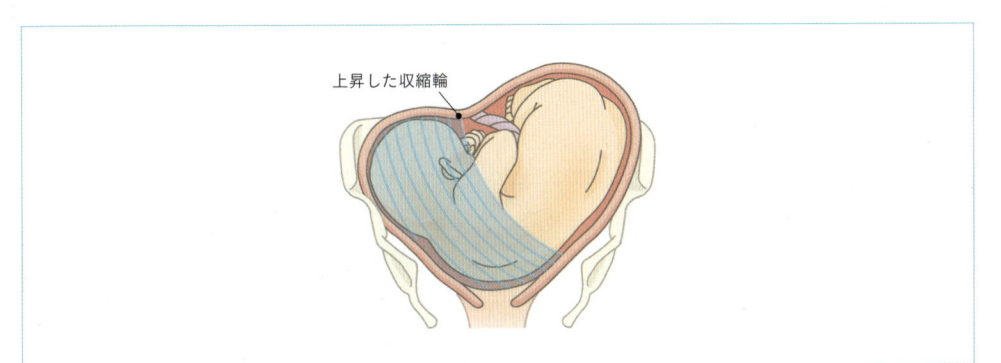

上昇した収縮輪

図2-23 斜位による収縮輪の上昇

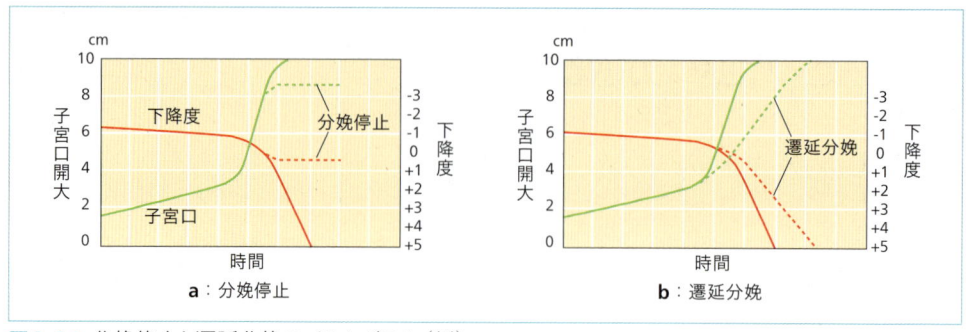

図2-24 分娩停止と遷延分娩のパルトグラム（例）

入することが多い。そのため，遷延分娩は軟産道強靱（きょうじん）や微弱陣痛などによって分娩進行が遅延していることが多い。活動期に入った分娩が分娩曲線からはずれると，遷延する可能性が高い。図2-24b に遷延分娩のパルトグラムの例を破線で示す。分娩停止とは異なり，進行が遅延しているものの，停止はしてしない。

▶ **対策** 遷延分娩では，胎児機能不全や羊水（ようすい）混濁，新生児仮死など胎児の合併症を起こすだけでなく，弛緩（しかん）出血などの産後の母体合併症も増加するため，微弱陣痛が原因であった場合には子宮収縮薬による分娩促進を行う。除去可能な原因以外で分娩停止に至った場合，吸引娩出術・鉗子娩出術が可能な状態でない限り，帝王切開術を行う。

■ 3. 多胎分娩

多胎妊娠（たたい）の分娩様式（ぶんべん）については，日本の産科診療ではまだ十分なコンセンサスは得られてはいない。3胎（品胎）以上あるいは1絨毛膜（じゅうもうまく）1羊膜双胎は帝王切開術が選択されることは，ほぼコンセンサスであるが，双胎でも全例帝王切開術による分娩を実施している施設もある。

先進児が骨盤位，後続児が頭位の場合は，**懸鉤**（けんこう）（**インターロッキング**）が懸念される（図2-25）。先進児が娩出（べんしゅつ）したあとに後続児の胎位が変わることもあるため，先進児が骨盤位ならば，後続児の胎位にかかわらず帝王切開術が選択される。双胎経腟分娩では子宮筋が

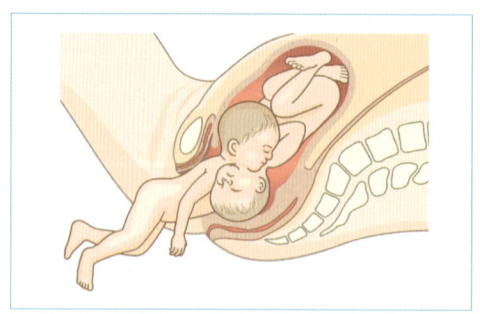

図2-25 双胎分娩における懸鉤
（インターロッキング）

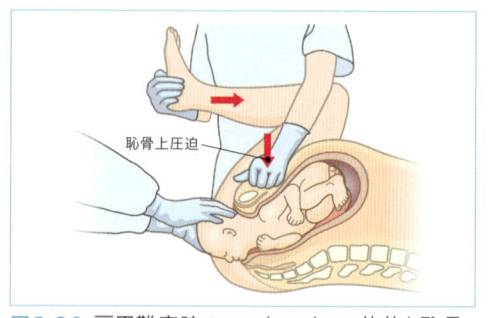

図2-26 肩甲難産時のマックロバーツ体位と恥骨上圧迫

第
6
編

妊娠期における
母子の異常と看護

分娩期における
母子の異常と看護

産褥期における
母子の異常と看護

胎児・新生児の
異常への看護

過度に伸展しているため，微弱陣痛となることが多い。さらに先進児が娩出した後，後続児の胎位異常あるいは胎盤剥離の進行などにより，後続児が胎児機能不全や回旋異常を起こすことがあり，後続児のみ帝王切開術となることもある。

4. 肩甲難産

▶ **定義**　児頭が娩出された後，通常の軽い牽引では肩甲が娩出されない状態をいう。

▶ **原因**　児の肩幅が異常に広く強靱な場合，肩甲の回旋に異常をきたしたもの。すなわち前在の肩甲が恥骨につかえたり，過度に回旋した場合など，児の胸郭が異常に大きい場合，などがある。糖尿病合併妊娠および巨大児の場合に発生しやすい。

▶ **対策**　産婦の大腿が腹部につくほど足底を頭側に引き上げ（マックロバーツ体位），恥骨上圧迫を行う。これを，第1頭位ならば産婦の右側から，第2頭位なら産婦の左側から実施する（図2-26）。このとき子宮底圧迫は行わない。

　肩甲難産が発生した場合は応援を依頼するが，複数の介助者がいる場合には，足底の引き上げと恥骨上圧迫は別々に行うほうが効果的である。その際は，恥骨上圧迫を行う介助者は足台に乗って高い位置から，垂直方向に両手で恥骨上を圧迫する。それでも児頭が娩出しない場合には，両側切開を加えてルービン（Rubin）法などの肩甲解出術を実施する。

IV　分娩時母体損傷

　妊娠・分娩時の母体合併症のなかで，子宮の収縮や胎児の通過によって，母体臓器や組織に損傷が加わるもので，子宮破裂，頸管裂傷，腟・会陰裂傷に分類される。

1. 子宮破裂

▶ **定義**　妊娠子宮の体部や下部が，妊娠中あるいは分娩中に裂傷を起こしたものを子宮破裂という。破裂創の程度によって，漿膜まで達している完全破裂と，筋層のみが破裂している不全破裂に分類される。

▶ **原因・病態**　人工操作や外傷などがなく自然に破裂した場合と，交通事故や不適切な産科的操作によって起こる外傷性破裂の場合に分類できる。子宮壁の瘢痕（帝王切開術，子宮筋腫核出術，子宮形成術，子宮穿孔，癒着胎盤などの既往），多胎・羊水過多などによる過度の子宮伸展，子宮収縮薬による陣痛誘発・促進での過強陣痛なども原因となる。子宮破裂の出血は破裂創面からであるため，腹腔内出血が主となることもあるが，子宮の血管破綻や胎盤剥離からの出血が加わると，外出血が増量する。

▶ **検査・診断**　分娩中の破裂時には，激しい腹痛，ショック症状，そして胎児心拍数モニタリングでは突然持続する胎児徐脈がみられる。破裂して胎児が子宮外に脱出すると（図2-27），胎児心音の消失や，超音波上で腹腔内に胎児の存在あるいは血液の貯留などで診断

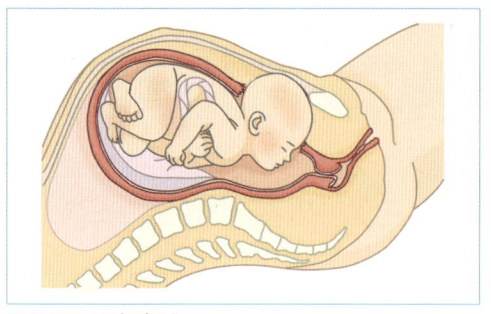

図2-27 子宮破裂

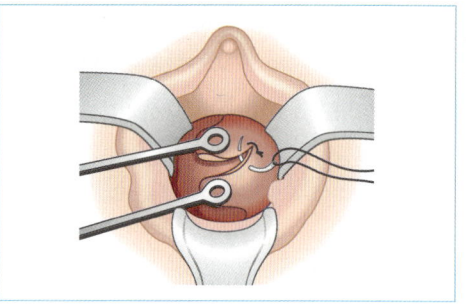

図2-28 頸管裂傷縫合

できる。分娩後，子宮収縮は良好で，頸管裂傷，腟壁裂傷がないにもかかわらず，子宮出血の持続および腹腔内出血の貯留増加，後腹膜血腫などがみられて診断されることもある。

▶ 治療・対策　子宮の修復あるいは摘出が必要となるため，開腹手術を行う。破裂部位の縫合によって止血できれば子宮温存も可能であるが，子宮弛緩やDICを合併していると温存が困難となり，子宮摘出を必要とする。

┃ 2. 頸管裂傷

▶ 定義　子宮腟部外子宮口から子宮下部の下端に至るまでの裂傷をいう。裂傷が大きく血管を損傷しているものは大出血となる。

▶ 原因・病態　吸引娩出術・鉗子娩出術などの産科手術，急速に進行した分娩，子宮頸がんなどが原因となる。分娩時に左右の側壁，すなわち，術者から見て3時方向と9時方向に発生することが多い。

▶ 検査・診断　胎盤が娩出する前の胎児娩出直後から，動脈性の鮮血の出血が持続し，出血が子宮収縮と無関係であることによって，弛緩出血との鑑別を行う。また，内診で頸管裂傷を触知し，腟鏡診で裂傷部分と出血部位を確認できれば診断可能である。

▶ 治療・対策　大きな裂傷の場合，裂傷部分を2本の鉗子で止血し，裂口を確認して裂傷縫合を行う（図2-28）。わずかな裂傷の場合は無処置のこともある。

┃ 3. 腟・会陰裂傷

▶ 定義　会陰組織の裂傷をいう。分娩時には腟壁裂傷を伴うことが多い。会陰裂傷は，裂傷の程度により，次の4種類に分類される（表2-6）。

- **第1度会陰裂傷**：最も軽度なもので，会陰皮膚および腟粘膜にのみ限局した裂傷。
- **第2度会陰裂傷**：会陰の皮膚のみならず組織・筋層の裂傷を伴うが，肛門括約筋は損傷されないもの。
- **第3度会陰裂傷**：さらに裂傷が深層に及び，肛門括約筋や直腸腟中隔の一部が断裂したもの。
- **第4度会陰裂傷**：裂傷が肛門粘膜ならびに直腸粘膜に及んだもの。

表2-6 会陰裂傷の分類

第1度	第2度	第3度	第4度
会陰部の皮膚および腟粘膜に限局した裂傷	会陰部の筋層（球海綿体筋や浅会陰横筋）に及ぶ裂傷	外肛門括約筋や直腸腟中隔に達する裂傷	肛門粘膜や直腸粘膜の損傷を伴う裂傷

▶ 原因　会陰伸展不良，胎児先進部過大と急激な出口通過などの際にみられる。

▶ 診断　視診，内診，腟鏡診，直腸診によって診断される。

▶ 治療　第1度の場合に無処置とすることもあるが，基本的には裂傷を縫合する。1次治癒を目指して裂傷部位を合わせることも必要であるが，止血も必要であるため，創縁を越えた部位から縫合を行う。第3度会陰裂傷では，断裂した肛門括約筋を縫合する。第4度会陰裂傷では，創部を洗浄し，抗菌薬を投与しながら直腸粘膜を確実に縫合する。

▶ 予防　会陰裂傷を予防するためには会陰保護を十分に行い，裂傷が回避できないと判断されたら，会陰切開を行う。

V　分娩時異常出血, 産科ショック

　分娩時異常出血とは，分娩開始から分娩後2時間以内の異常出血で，胎盤排出後2時間までの出血をいう。一方，分娩後異常出血とは胎盤排出後から産後12週までの時期に発生した産後の異常出血をいう。胎盤排出後2時間以内の出血は両者が重複している。胎盤排出後24時間以降の異常出血は，後期分娩後異常出血とよぶ（図2-29）。

　異常出血の明確な基準はないが，単胎経腟分娩の90パーセンタイル*が出血量800mL，帝王切開では1500mLであることから，これを目安とする。また，計測された出血量が実際より過小評価されることが多く，後述する**産科危機的出血**では，出血量のみならずショックインデックスを診断の目安としている。

1. 弛緩出血

▶ 定義　分娩第3期，または胎盤排出直後に，子宮筋の収縮不全に起因して起こる異常出

＊ **90パーセンタイル**：データを小さい順に並べた時，最小値から数えて90％に位置する値。

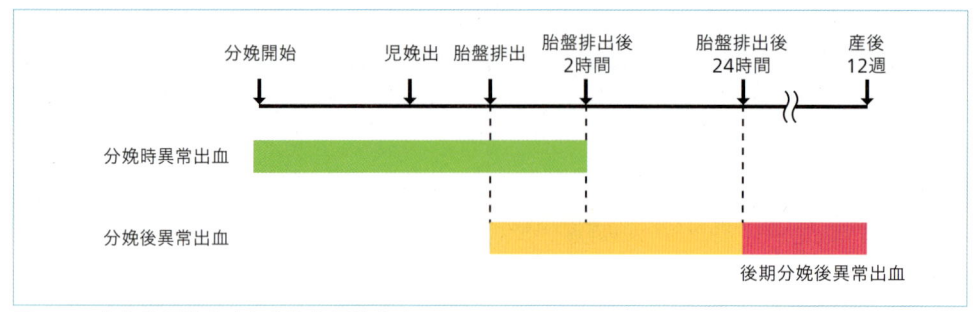

図 2-29 分娩時異常出血と分娩後異常出血

血である。全分娩の5%程度にみられ，分娩時異常出血・分娩後異常出血の最多原因である。

▶ 原因・病態　胎盤剥離面からの出血は，子宮筋の収縮によって血管を圧迫して止血するが，分娩遷延や栄養失調などによる衰弱，急産などの急速遂娩，多胎・羊水過多などの子宮筋の過度の伸展，子宮筋腫，筋腫核出術などによって子宮筋が収縮不全となることが原因になる。

▶ 診断　子宮筋の収縮不全によって胎盤剥離面から出血するので，胎盤剥離後の分娩第3期またはその直後からの強出血として出現する。血液の性状は，静脈成分を多く含むため暗赤色であり，腹壁から触知する子宮収縮は悪く，柔軟である。

▶ 治療・対策　弛緩出血への対応手順を表2-7に示す。産科危機的出血，出血性ショックへの対応は後述する。

表 2-7　弛緩出血への対応

❶子宮体の輪状マッサージ
❷子宮収縮薬（オキシトシン）の点滴による急速静注，麦角剤の静脈内投与
❸子宮底への冷罨法
❹双手圧迫法（図 2-30）
❺子宮腔内バルーンタンポナーデ法（図 2-31）
❻血管内カテーテルによる子宮動脈塞栓術
❼開腹による内腸骨動脈結紮術，子宮摘出術

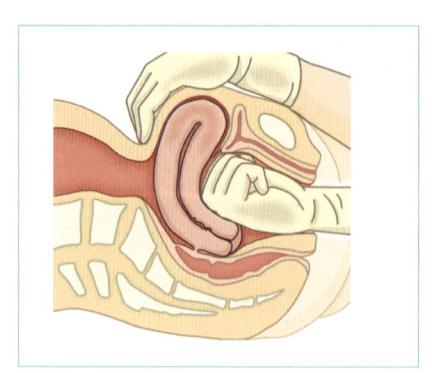

図 2-30　双手圧迫法

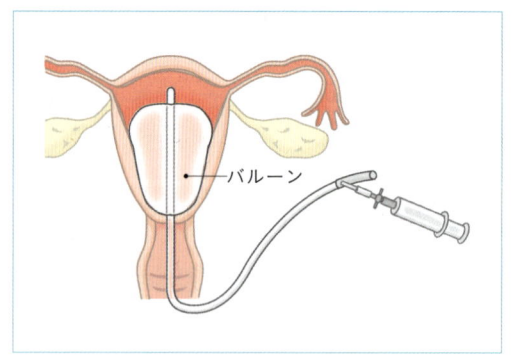

図 2-31　子宮腔内バルーンタンポナーデ法

第
6
編

妊娠期における
母子の異常と看護

2
分娩期における
母子の異常と看護

3
産褥期における
母子の異常と看護

4
胎児・新生児の
異常への看護

2. 羊水塞栓症

▶ **定義**　分娩時に何らかの原因で羊水成分が母体血中に流入し，母体に呼吸不全，循環不全，ショック，播種性血管内凝固症候群（DIC）を引き起こす重篤な疾患である。

▶ **原因・病態**　主な原因は，破水や帝王切開，子宮破裂などで子宮筋に羊水が触れる場合に発生する。羊水成分による母体肺動脈の器械的塞栓だけでなく，肺血管の攣縮やアナフィラキシー反応が病態の中心と考えられている。破水，帝王切開術後に突然発症する呼吸不全，チアノーゼ，DIC を伴う大量出血で発症する。産科危機的出血による妊産婦死亡の最多の原因と考えられている。

▶ **診断**　破水後あるいは帝王切開術後に突然発症する呼吸不全やチアノーゼは，確定診断がなくても，治療を開始する。DIC で発症した場合には，凝血塊を伴わない大量出血が発生するため，その場合はただちに治療を開始する。血液凝固系検査では，凝固障害の特徴的な異常を呈する。

▶ **治療**　呼吸不全に対しては人工換気を行い，産科危機的出血ならば宣言を行ったうえで，凝固障害に対して凝固因子を含む輸血・血液製剤の補充を行いながら，あらゆる方法によって救命を目指す。

3. 子宮内反症

▶ **定義**　子宮が内膜面を外方に反転した状態で，子宮底が陥没または下垂反転し，時には子宮内壁が腟内または外陰に露出する。程度により全内反症，不全内反症，子宮圧痕に分類される。

▶ **原因・病態**　分娩時の子宮内反は，胎盤剝離前あるいは癒着胎盤で臍帯を牽引することによる医原性の病態もあるが，先天的あるいは後天的に支持組織が弛緩していることも原因となり得る。自然または外力によって反転し，裏返しになり子宮内膜面が腟内あるいは腟外に露出し，胎盤剝離面から出血が続く状態である。

▶ **診断**　胎盤排出時に極めて強い疼痛・ショック症状とともに，子宮の内膜面が露出して，出血してくる。また，子宮底部は触知できない。一部反転している不全型では，経腹超音波断層法で，子宮が折りたたむようになっていることで診断される。

▶ **治療・対策**　分娩直後に診断できた場合は，用手整復術が可能な例も多く，ショック対策を十分に行いつつ，まずは分娩室で整復術を試みる（図 2-32）。そのままでは整復困難な場合は，全身麻酔下あるいは，ニトログリセリンの投与下で子宮頸部を弛緩させて整復を試みる。それでも成功しない場合は，開腹し円靱帯挙上も併用するが，子宮全摘術が必要な場合もある。整復後も再度の内反や出血性ショックが発生することもあるため，しばらく注意が必要である。

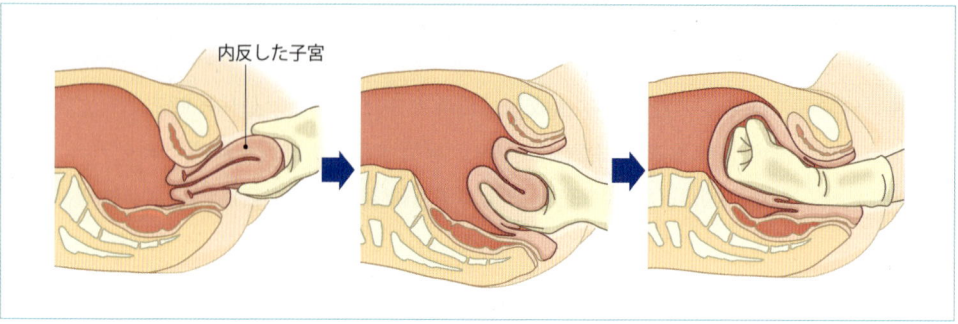

図2-32 子宮内反症の用手整復術

4. 産科危機的出血

▶ 定義　妊産褥婦の生命にかかわる産科出血を総称し，迅速な輸血と集約的なチーム管理を必要とする危機的状態をいう。

▶ 原因　弛緩出血，子宮内反症，羊水塞栓症や分娩時母体損傷（子宮破裂，頸管裂傷，腟・会陰裂傷），および前置胎盤，常位胎盤早期剝離などが原因となる。児娩出後，あるいは胎盤排出後より性器出血が増量することが多い。

▶ 診断　主に分娩時に発症する。多量の出血に伴ってショックインデックス（SI：心拍数／収縮期血圧）が 1.0 以上の場合はその発症を考慮し，SI が 1.5 以上，産科 DIC スコア 8 点以上，あるいはフィブリノゲン 150mg/dL 未満ならば産科危機的出血と診断される。

▶ 対応　分娩時異常出血，分娩後異常出血がみられたら，産科危機的出血に至る前に出血の原因を検索し，早期に対応することが大切である。それでも出血が進行し SI が 1.0 を超えたら，出血性ショックに対する対応を開始する。この際，急速輸液を可能にするため太めの針で血管を確保し，輸液を晶質液（電解質輸液）から人工膠質液（多糖類などのコロイドが入った製剤）に変更し，輸血の準備あるいは高次施設への搬送の準備を開始する。

　それでも SI の上昇を認め 1.5 を超えたら，産科危機的出血を宣言する。この場合，ほかの業務を一時停止してでも，この患者の救命に全力を尽くす。まず，救命チーム内でコマンダー（責任者）を決定する。次に高次施設への搬送あるいは輸血を開始する。輸血する場合には赤血球液だけでなく，新鮮凍結血漿も輸血する。そのほか，他科への応援依頼，バイタルサインのチェックや記録をそれぞれの係が担当するように設定する。出血原因にあわせた適切な止血処置を実施する。

5. 肺血栓塞栓症

▶ 定義　肺動脈が血栓塞栓子により閉塞する疾患である。

▶ 原因・病態　塞栓源の約 90% は下肢あるいは骨盤内の静脈で形成された血栓で，遊離して肺血管床を閉塞するが，その程度によりショック状態や突然死に至る可能性がある。下肢に血栓が残存している場合，引き続いての血栓遊離によってさらなる肺血栓塞栓症が生

第
6
編

妊娠期における
母子の異常と看護

2
分娩期における
母子の異常と看護

3
産褥期における
母子の異常と看護

4
胎児・新生児の
異常への看護

じる可能性があるため，注意が必要である。

▶ 診断　典型的な発症は，臥床によって形成された深部静脈血栓が，歩行開始時に遊離して肺血栓塞栓症となる。一般的には D-ダイマーがマーカーとなるが，妊産婦は肺血栓塞栓症がなくても D-ダイマーが上昇するため注意を要する。ベッドサイドでの診断は心臓超音波検査で右室負荷を認めることである。確定診断には，胸部造影 CT で肺動脈に血栓を確認する。

▶ 治療　肺動脈血栓の除去が必要で，抗凝固療法，血管内カテーテル，開胸手術などの方法があるが，死亡率の高い病態である。

6. 仰臥位低血圧症候群

▶ 定義　妊婦が仰臥位になったとき，増大した妊娠子宮により下大静脈が圧迫され静脈還流が阻害された結果，心拍出量が減少し血圧低下をきたす病態をいう。

▶ 原因・病態　静脈還流量の減少と右房圧の低下により心拍出量が低下するため血圧が低下し，大動脈弓に存在する圧受容体の代償作用によって心拍数が増加し，頻脈を呈する。帝王切開時の脊椎麻酔，妊婦健診時の超音波検査，ノンストレステスト（NST）などで発症することが多い。

▶ 診断　仰臥位の妊婦が悪心・嘔吐，めまい，気分不快，あくび，しびれ感，冷汗，頭重感，心悸亢進などを訴えたら，血圧を測定し診断する。

▶ 対策　仰臥位から左側臥位へ体位変換し，下大静脈への圧迫を解除することが治療となる。脊椎麻酔では昇圧薬を必要とすることもある。腰椎麻酔前の十分な輸液や麻酔後執刀前に手術台を 10 〜 15 度左側低位へ傾けることなどで予防する。

7. 播種性血管内凝固症候群（DIC）

▶ 定義　何らかの基礎疾患によって血液の凝固線溶の平衡が崩れ，血液の過凝固と 2 次線溶が交互に繰り返され，全身的な微小血栓の形成と出血傾向をきたす病態である。

▶ 原因・病態　常位胎盤早期剥離，羊水塞栓症，子癇，感染流産などが原因となる。産科で DIC が発生すると大量出血を伴う一方，基礎疾患がない大量出血を輸液で補うと血液凝固因子濃度が低下し凝固障害が発生するため，こうして発生した凝固障害も産科 DIC と同様に対応する。

▶ 診断　血液凝固検査での異常によって診断されるが，大量出血を伴うために検査結果を待つことができない。そのため，産科 DIC 診断基準で診断されることが多い（表 2-8）。

▶ 管理　凝固障害の是正とともに，大量出血に対する全身管理と止血処置を同時に行う必要がある。多くの場合，産科危機的出血であるため，宣言を行いコマンダーの下で管理する。凝固因子の補充は多くの場合新鮮凍結血漿で行われるが，低フィブリノゲン血症では乾燥人フィブリノゲンの投与が検討される。

表2-8 改版産科DIC診断基準（案）　2022（令和4）年10月現在

I. 基礎疾患・徴候	点数	II. 凝固系検査		点数	III. 線溶系検査		点数
a. 常位胎盤早期剝離	4	フィブリノゲン（mg/dL）	300 ≦	0	a. FDP（μg/mL）	＜30	0
			200 ≦　＜300	1		30 ≦　＜60	1
b. 羊水塞栓症	4		150 ≦　＜200	2		60 ≦	2
			100 ≦　＜150	3	b. D-dimer（μg/mL）		
c. 非凝固性分娩後異常出血	4		＜100	4		＜15	0
						15 ≦　＜25	1
						25 ≦	2

- 止血困難な分娩後異常出血の産褥婦に対して，基礎疾患・徴候，凝固系検査，線溶系検査各項目の該当するものを1つだけ選び合計する．8点以上となった産婦をDICと診断する．
- 非凝固性分娩後異常出血；分娩後異常出血のうち，出血に凝血塊を伴わないものを指す．膿盆などの容器に集めて凝血塊（血餅）が形成しないことを確認することが望ましい．
- この診断基準は分娩後異常出血の管理に「産科危機的出血への対応指針（最新版）」と併せて利用することを目的に作成された．
出典／周産期委員会：令和3年度委員会報告．日本産科婦人科学会雑誌，74（6）：712，2022．

VI　産科処置・産科手術

1. 陣痛誘発（分娩誘発）

▶ **定義**　**陣痛誘発**（**分娩誘発**）とは，分娩が開始していない状態で，人工的に陣痛を誘発することであり，プロスタグランジン，オキシトシンなどの薬物による方法と，メトロイリンテルなど医療器具を用いた物理的方法がある．また，妊婦健診で実施される卵膜用手剝離も，分娩誘発に分類されている．すでに分娩が開始している状態で陣痛を強める方法は，**陣痛促進**（**分娩促進**）とよんで区別している．

▶ **適応**　薬物や器械を用いた陣痛誘発（分娩誘発）を行う際の適応を**表2-9**に，記載する．陣痛誘発は，本来自然に発来する陣痛を人工的に起こすものであり，陣痛誘発による合併症で母児へ傷害が及んだ場合，その影響は計り知れない．そのため，必ず適応のある場合にのみ陣痛誘発を実施する（適応のない妊婦に陣痛誘発を行ってはならないのであって，適応があったら必ず陣痛誘発を行うというものではない）．また，児頭骨盤不均衡や前置胎盤など経腟分娩が不可能な妊婦や，胎児心拍数モニタリングで重度胎児機能不全と診断された場合は，陣痛誘発は禁忌である．薬物や器械を用いた陣痛誘発を行う前には十分な説明と同意が必要で，日本産科婦人科学会では文書による説明と同意の取得を求めている．

▶ **手順**　分娩はわずか1〜2日のイベントであるが，生命の誕生という生物にとって最も大切な事象であり，母児ともに生命に最も危険が及ぶ現象でもある．そのため，陣痛誘発の適応や手順，器械および薬剤の使用については，厳格なルールに則って実施されなければならない．必ず守らなければならないのは，子宮収縮薬の添付文書であるが，日本産科婦人科学会・日本産婦人科医会編集・監修の『産婦人科診療ガイドライン―産科編』は，日本の産婦人科医が最も遵守しており，添付文書の記載と一致しているので利用しやすい．

❶**卵膜用手剝離**：内子宮口周辺の卵膜を子宮壁から用手的に剝離する方法である（**図**

第
6
編

妊娠期における
母子の異常と看護

2 分娩期における
母子の異常と看護

産褥期における
母子の異常と看護

胎児・新生児の
異常への看護

表2-9 陣痛誘発もしくは陣痛促進の適応となり得る場合

医学的適応	胎児側の因子	1. 児救命などのために新生児治療を必要とする場合 2. 絨毛膜羊膜炎 3. 過期妊娠またはその予防 4. 糖尿病合併妊娠 5. 胎児発育不全 6. 巨大児が予想される場合 7. 子宮内胎児死亡 8. そのほか，児早期娩出が必要と判断された場合
	母体側の因子	1. 微弱陣痛 2. 前期破水 3. 妊娠高血圧症候群 4. 急産予防 5. 妊娠継続が母体の危険を招くおそれがある場合
社会的適応		妊産婦側の希望など

2-33）。陣痛誘発に含まれる手技であるが，外来の妊婦健診時に内診を行う際も実施可能な処置であり，陣痛誘発の適応がまだない妊婦に対しても実施されている。合併症を増加させることもなく，その後の薬物などによる陣痛誘発を減少させるが，死産や巨大児を減少させるとの有益性は示されていない。児頭下降がみられ，子宮頸管がある程度開大して，内診指が頸管内に挿入可能な状態なら実施可能である。

❷頸管熟化促進：開大・展退などが不十分な，頸管未成熟な状態で子宮収縮薬を投与しても，分娩を進行させる効果を示さないことが多い。そのため，子宮収縮薬投与前に子宮頸管をあらかじめ開大させるなど，分娩を誘発しやすくすることも必要となる。

　子宮頸管の熟化促進には，器械的拡張と薬物による頸管熟化法がある。器械的拡張には，ラミナリア桿，ダイラパンS など（図2-34）の吸湿性頸管拡張材とよばれる棒状の器具と，メトロイリンテルとよばれるバルーン（図2-41参照）がある。これらを頸管内に挿入すると，数時間から1日かけて徐々に頸管を拡張，熟化させ，子宮収縮薬の投与による効果を高める。これらの処置によって分娩が誘発されて，子宮収縮薬の投与が不要になることもある。

❸メトロイリンテル：メトロイリンテルには，主に頸管熟化を目的とした小さいタイプ（内用量40mL程度）と，陣痛誘発まで行う大きいタイプ（内用量150mL以下）がある。小さ

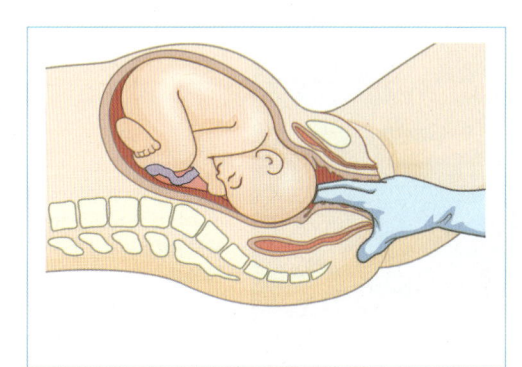

図2-33 卵膜用手剝離の操作

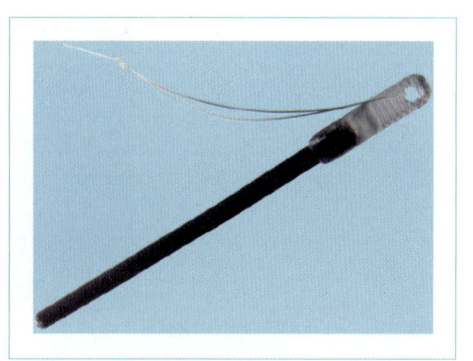

図2-34 吸湿性頸管拡張材（ダイラパンS）

いタイプは頸管熟化した後は抜去して，子宮収縮薬を投与することも多い。一方，大きいタイプは陣痛を誘発する効果があるため，分娩が進行するまで，頸管熟化後も引き続き留置することが多い。子宮収縮薬より過強陣痛が起きにくい利点がある一方，稀ではあるが，児にとって極めて重篤な臍帯脱出を合併するリスクがあるため，その選択は慎重に行う。

❹ジノプロストン腟内留置用製剤（プロウペス®腟用剤 10mg）（図 2-35）：頸管が未熟な妊婦に対して腟内に挿入して頸管熟化を図るために，器械的頸管熟化（上記❶，❷）の代わりに使用する。腟内に最長 12 時間まで挿入する。挿入中は連続胎児心拍数モニタリングを実施し，陣痛発来や破水が起これば抜去する。頸管熟化剤であるが子宮収縮効果もあるため，過強陣痛の発生にも注意する。

❺子宮収縮薬投与：現在日本で陣痛誘発，陣痛促進を目的として使用されている子宮収縮薬には，内服薬としてプロスタグランジン E_2，注射薬としてオキシトシン，プロスタグランジン $F_2\alpha$ がある。プロスタグランジン E_2 錠は頸管熟化作用もあるため，未成熟な頸管の妊婦にも使用可能である。しかし，持続投与する注射薬に比べ調節性に乏しいため，胎児心拍数の異常や子宮収縮が過剰を示した場合は，以降の投与を中止する。

オキシトシンとプロスタグランジン $F_2\alpha$ はともに注射薬であり，500mL のブドウ糖液などに希釈して持続点滴から投与する。投与量を厳密にする必要があるため必ず輸液ポンプを用い，また頸管が成熟している妊婦を対象とする。最も危惧する有害事象は過強陣痛である。個人の感受性が大きく異なるため，ごく微量から開始して至適投与量まで 30 分おきに増量していく。そのため，分娩監視装置を投与開始前から装着して胎児心拍数と子宮収縮を連続的に記録し，胎児が陣痛誘発に耐え得る状態であるか，子宮収縮が過剰（子宮頻収縮）でないかを確認しながら誘発を進める。さらに，子宮収縮薬の副作用に高血圧もあり，子宮破裂などの有害事象が起きた際のことも考慮し，産婦の血圧と脈拍数を定期的にチェックする。

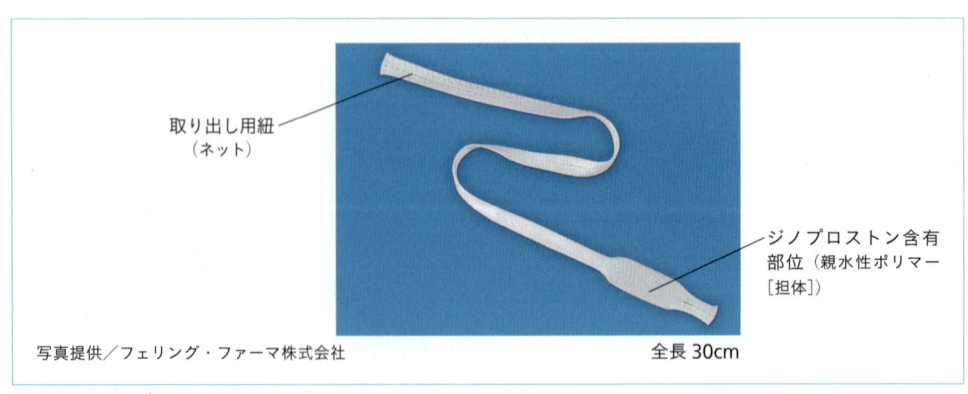

取り出し用紐
（ネット）

ジノプロストン含有
部位（親水性ポリマー
［担体］）

写真提供／フェリング・ファーマ株式会社　　　　　全長 30cm

図 2-35 ジノプロストン腟内留置用製剤

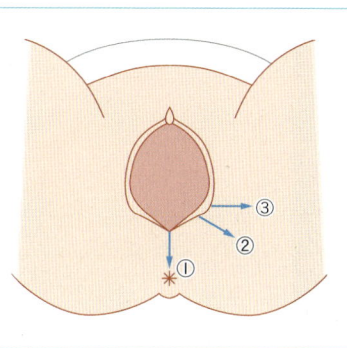

①正中会陰切開
②正中側会陰切開
③側会陰切開

図2-36 会陰切開の種類

2. 会陰切開

▶ **定義・分類**　児の娩出を容易に進めるため，腟口を広げ，またその下にある筋膜と筋とを保護する目的で，会陰と腟に行う切開をいう。方法として正中会陰切開，正中側会陰切開，側会陰切開がある（図2-36）。

▶ **適応**　会陰裂傷を回避することが目的であるため，会陰部が強靱で伸展に乏しく会陰の抵抗が強い場合（高年妊娠，初産など）に対して実施することが多い。また，胎児機能不全あるいは吸引娩出術・鉗子娩出術のため，会陰の伸展を待たずに児の娩出が必要な場合に実施する。

▶ **手順**　分娩の進行と会陰伸展の程度や胎児心拍数などから，総合的に判断して実施する。胎児先進部の抵抗となる部分が会陰に達し，陣痛発作時に会陰が膨隆するタイミングで局所麻酔下に，剪刀を用いて切開する。伸展が不十分なタイミングで切開すると，出血が多くなるため，切開後1～2回以内の陣痛発作で児が娩出する時期に実施する。

　正中会陰切開は切開後の痛みが弱いとされるが，創部が延長して第3，4度裂傷となるリスクがあるため，出血を防ぐ目的で正中側会陰切開が選択されることも多い。側会陰切開は特殊な場合以外には行わない。切開部は胎盤排出後，子宮収縮やほかに裂傷がないことを確認した後に縫合する。縫合は可溶糸を用い，結節縫合あるいは連続縫合を実施する。可溶糸でも疼痛が強い場合は抜糸することもあるが，埋没縫合の場合は行わない。

3. 急速遂娩（吸引娩出術・鉗子娩出術）

▶ **定義・分類**　急速遂娩法のうち，吸引娩出術と鉗子娩出術は経腟的に児を娩出するために実施する器械分娩であり，産科手術に分類される。**吸引娩出術**は，陰圧を利用して吸引カップを児頭に装着し，連結したハンドルあるいはチューブを牽引して娩出力を増強する（図2-37）。**鉗子娩出術**は，産科鉗子を児頭に装着し娩出力を増強する（図2-38）。いずれも陣痛と腹圧による娩出力を増強し，迅速に児を娩出させる。

　鉗子娩出術は吸引娩出術に比べて高度な技術を必要とするが，牽引力が強く，1～2回

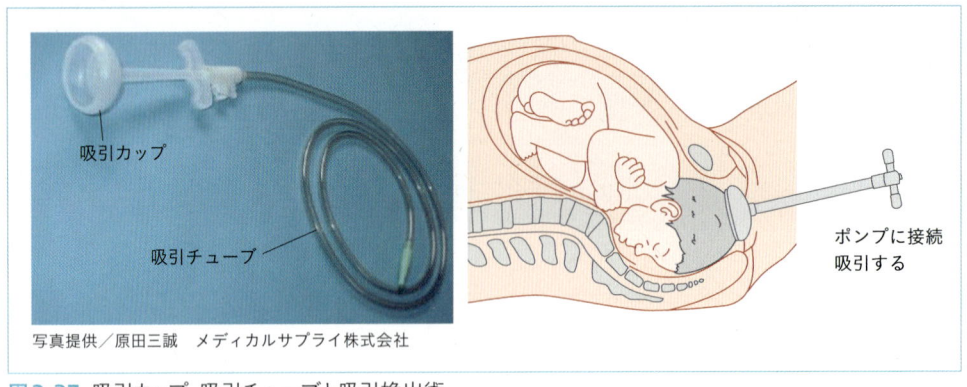

吸引カップ

吸引チューブ

写真提供／原田三誠　メディカルサプライ株式会社

図2-37 吸引カップ，吸引チューブと吸引娩出術

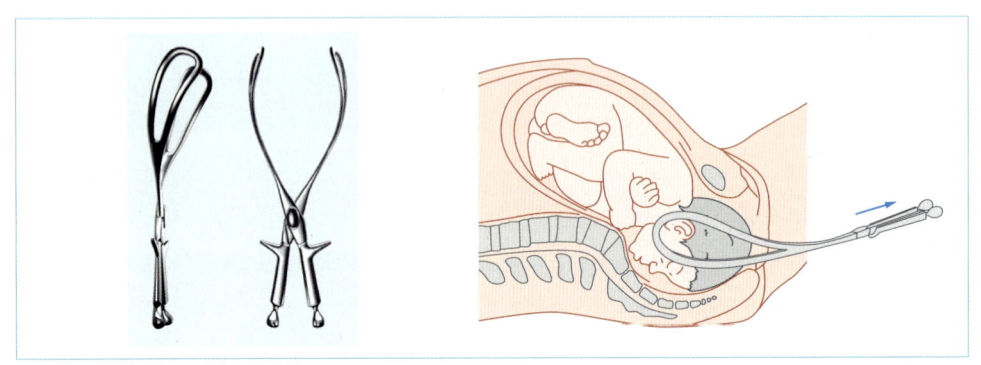

図2-38 産科鉗子と鉗子娩出術

の牽引回数で児を娩出できる。一方，吸引娩出術は鉗子ほどの牽引力増強が行えないため，牽引回数が数回に及ぶこともあり，子宮底圧迫による娩出力の補完を必要とすることがある。

▶ **適応・要約**

吸引娩出術・鉗子娩出術ともに，適応は次の3つの場合に限られる。

①胎児機能不全

②分娩第2期遷延または分娩第2期停止

③母体合併症または著しい母体疲労のため，分娩第2期短縮が必要と判断された場合

また，吸引娩出術・鉗子娩出術の実施にあたっては適応とともに，次に示す要約をすべて満たすことが求められる。

①子宮口全開大かつ既破水

②児頭が嵌入している

鉗子娩出術ではさらに，児頭下降が良好で，かつ矢状縫合が縦径に近い。

▶ **手順**　吸引娩出術に使用する吸引カップには，持続陰圧ポンプに接続するタイプと，手動で陰圧を発生させるタイプがある。いずれも吸引カップを児頭に装着する。鉗子娩出術ではネーゲレ鉗子が多く用いられる。陣痛間欠期に鉗子の右葉・左葉を別々に挿入し児頭に装着する。いずれも，陣痛と努責に合わせて術者が牽引する。

第
6
編

1
妊娠期における
母子の異常と看護

2
分娩期における
母子の異常と看護

3
産褥期における
母子の異常と看護

4
胎児・新生児の
異常への看護

吸引カップは陰圧で児頭に装着しているため，牽引力が強すぎる場合，あるいは児頭下降がない場合に滑脱する。また，吸引娩出術，鉗子娩出術のいずれを実施しても児が娩出しないこともある。そのため，『産婦人科診療ガイドライン―産科編』では吸引娩出術は牽引回数を5回，牽引時間を20分以内とし，それを超える場合は帝王切開術などに切り替えることが推奨されている。

いずれも，手術による母体合併症として産道裂傷がある。そのため，多くの吸引分娩，鉗子分娩時に会陰切開を加える。それでも第3，4度裂傷，頸管裂傷，深部腟壁裂傷などの産道裂傷を発生することがある。児に対する合併症としては，吸引娩出術では頭血腫，帽状腱膜下血腫，鉗子娩出術では顔面損傷がある。

4. 子宮底圧迫法

産婦の上腹部を圧迫して娩出力を増強する方法で，**クリステレル胎児圧出法**ともよばれる（図2-39）。この方法は，母体の子宮や肝臓の破裂および新生児損傷などの重篤な合併症が報告されており，長らく教科書からも消えていた。しかし，『産婦人科診療ガイドライン―産科編』には，子宮底圧迫法の適応と実施法について記載されている。それによると，吸引娩出術，鉗子娩出術での娩出力を補完するために子宮底圧迫法を併用する場合と，緊急性が高く吸引娩出術，鉗子娩出術が間に合わないときに代替法として実施する場合が述べられている。

5. 骨盤位牽出術

経腟骨盤位分娩は減少しており，骨盤位牽出術が実際に行われる機会は減少したが，双胎第2子分娩など，骨盤位分娩の機会は存在する。児にとって通過面積が最大となる頭部が最後に娩出すること，上肢の挙上，児頭の反屈など娩出が困難な姿勢となることがあり，これを矯正して娩出を図る必要がある（本章 - Ⅱ -A-1「骨盤位」参照）。

▶ **手技**　体幹・上肢娩出の介助術としてブラハト（Brachat）法，横8の字法があり，児頭娩出術としてファイト‐スメリー（Veit-Smellie）法（図2-40），鉗子による後続児頭娩出法

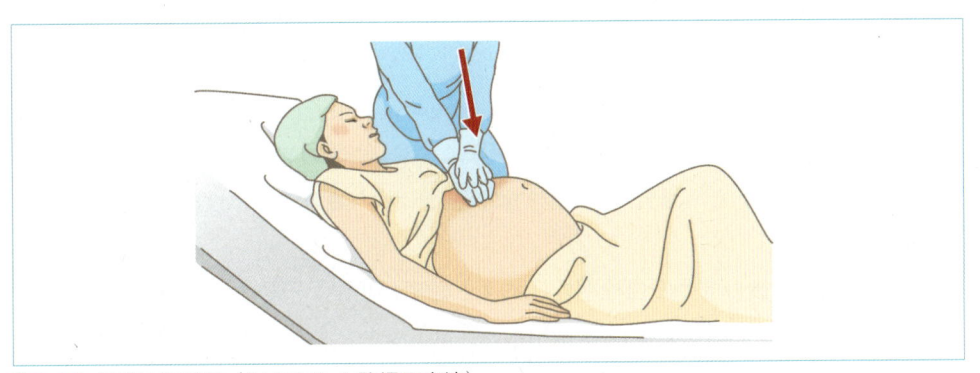

図2-39　子宮底圧迫法（クリステレル胎児圧出法）

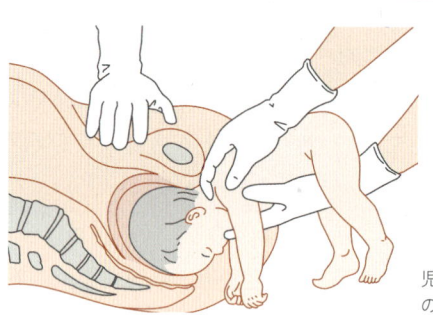

児頭が反屈しないように，胎児の口に術者が指を挿入している。

図2-40 ファイト－スメリー法

などがある。

6. 帝王切開術

▶ **定義・分類** 子宮に切開を加えて児を娩出する方法である。日本では1950年代以降，娩出困難な胎児，あるいは状態が悪化した胎児を救命するために実施されている。陣痛発来前から決定される**予定帝王切開術**（選択［的］帝王切開術ともいわれる）と，陣痛発来あるいは前期破水発生後に実施が決定される**緊急帝王切開術**に分類される。

▶ **適応** 経腟分娩が不可能な場合や，母児のいずれかにとって経腟分娩が危険である場合，そして，直ちに妊娠を終結させる必要がある場合に選択される手術である。一般的な適応としては，児頭骨盤不均衡，前置胎盤，胎児機能不全，骨盤位，既往子宮手術などがあげられる。手術であるため，事前に十分な説明と同意が必要で，『産婦人科診療ガイドライン―産科編』では，文書による説明と同意の取得を求めている。

▶ **対策**

- **麻酔**：全身麻酔あるいは区域麻酔（腰椎麻酔，硬膜外麻酔）で行うが，いわゆる下半身麻酔による区域麻酔で行われることが多い。区域麻酔導入直後に血圧低下がみられる仰臥位低血圧症候群が発生することがある。

- **手術**：妊婦の下腹部（臍下）を横あるいは縦に切開し開腹するが，特別な場合を除いて，子宮は子宮下部（下節）を横切開とする。その後，子宮を切開して児を娩出し，続いて胎盤を排出し，子宮内に残存物や出血の持続がないことなどを確認しながら，切開した子宮，腹壁の創部を縫合して終了する。

- **感染予防**：術野にかかる陰毛は，感染予防のため，剃毛ではなくクリッパーによる除毛を行うことが一般的で，術野の消毒はクロルヘキシジンのアルコール製剤で行うことが多い。感染を伴わない場合でも予防的に抗菌薬は投与されるが，投与時期は腹壁切開直前が望ましい。

- **血栓症予防**：術後の肺動脈血栓塞栓症による妊産婦死亡を予防するために，膝窩部を圧迫しない体位で手術を実施し，手術中に弾性ストッキングの着用や間欠的空気圧迫法，術後に抗凝固薬の投与が行われる。しかし，早期離床と歩行時の観察が何より大切である。

　分娩期に起こる異常は，母子の予後や生命に大きく関連するものがほとんどである。分娩が正常に経過するためには，まず産婦が本来もつ力を最大限に発揮して，分娩経過が正常に進行するようにケアを行うことが大切である。そして，産婦の背景因子および身体的，精神的状況に加え，これまでの経過や現状から考えられるリスクを踏まえた観察を行い，異常の徴候および早期発見に努めることが非常に重要である。

　異常時は医師への報告，迅速に適切な処置やケアを行い，母子ともに異常なく分娩が終了できるよう援助すること，産婦の不安や緊張，苦痛を最小限にするための心理的ケアを行うとともに，医療者側の言動の一致に留意し，医師の説明に同席し，産婦や家族が十分に理解できるよう調整していく。また，分娩期に異常があると，産婦が思い描いていたものとは異なった出産体験になり得るため，産婦に喪失感や，児や家族に対する自責感を生じることがある。そのため産褥期において分娩期の体験を振り返り，母子や家族の気持ちに寄り添ったケアを行っていくことが必要となる。

 ## 異常のある産婦の看護

1. 前期破水のある産婦の看護

　分娩開始前に卵膜の破綻をきたし，羊水が流出している状態を**前期破水**という。破水することにより外部環境に胎児がさらされるため，入院とし，様々なリスクに応じた管理を行いながら，分娩までの経過を観察していく。

❶アセスメントのポイント

▶ 胎児および胎児付属物の状態　前期破水が確認されたときは，直ちに胎児の心拍，臍帯脱出の有無を確認する。これらが生じた場合，胎児と胎盤の血行が阻害され，胎児に重篤な影響を与える。また，破水したことにより羊水が流出するため，臍帯が胎児と子宮壁に圧迫されることによる胎児機能不全や，子宮内圧の急減な減少による胎盤早期剝離を引き起こすリスクが生じる。

▶ 感染徴候　破水後の時間の経過とともに，感染のリスクが高まる。そのために，まず破水が生じた時間の確認をすること，分娩進行中は感染防止のための処置や看護ケアを行うとともに，感染徴候の観察・早期発見に努める必要がある。

❷観察およびケアの実際

　破水後は歩行時や腹圧がかかった時などに，羊水が断続的に流出する。3〜4時間ごとにパッドを交換して外陰部の清潔を保ち，なるべく羊水が流出しないよう横になり来院してもらう。入院後は必要に応じ，抗菌薬の投与など薬物治療が行われる。定期的なバイタ

ルサインの測定や血液検査とともに全身状態および羊水（量，性状，色，臭気など）の観察を行い，感染徴候の有無や，胎児および胎児付属物に異常がないか確認することが必要である。

❸ 産婦や家族への心理・社会的援助

前期破水は突然生じるため，産婦や家族は予期しない経過に不安や動揺を感じることが多い。そのような気持ちを受け止め，十分なインフォームドコンセントを行い，できるだけ安心して分娩に臨めるよう支援することが必要である。

▌2. 胎児機能不全のリスクのある産婦の看護

胎児機能不全（non-reassuring fetal status；NRFS）は，胎児が妊娠中あるいは分娩中に低酸素状態に陥ることによる呼吸・循環障害であり，「妊娠中あるいは分娩中に胎児の状態を評価する臨床検査において，"正常ではない所見"が存在し，胎児の健康状態に問題がある，あるいは将来問題が生じるかもしれないと判断される場合」と定義されている（日本産科婦人科学会）。胎児機能不全はその程度や胎児の状態，およびその原因により予後は大きく分かれるが，数分で重篤な状況につながるため，発症要因とリスクを十分に理解し，早期発見と対応を念頭に観察とケアを行っていく必要がある。

❶ 原因

主な原因として，母体因子（胎児の発育環境を阻害するような基礎疾患の存在：気管支喘息，てんかん，糖尿病，心疾患など），胎児因子（発育状態，在胎週数，先天性心疾患など），胎児付属物因子（臍帯圧迫や臍帯脱出，常位胎盤早期剝離，胎盤機能不全など）があげられる。また，過強陣痛などにより，胎盤の循環障害および過度の子宮収縮による胎児の低酸素状態など様々な原因があげられる。

❷ 診断とアセスメントの視点

▶ **診断** 分娩時の胎児機能不全は，**胎児心拍数陣痛図**（胎児心拍数モニタリング）で診断する。連続的に心拍数を記録し，心拍数基線，基線細変動，一過性徐脈（早発一過性徐脈，変動一過性徐脈，遅発一過性徐脈，遷延一過性徐脈）の有無を観察する（第5編-第1章-Ⅶ-E-2「胎児心拍数陣痛図」参照）。これらの3つの項目を判定し，レベル1〜5に分類し（第5編図2-24，表2-6参照），レベル3以上を胎児機能不全としている。レベル2以上で胎児心拍の連続監視と医師への報告が必要となることがある。なお，このレベル分類は妊娠32週以降に適応される。

▶ **病態と分娩進行状態の把握** 胎児機能不全を引き起こしている因子（❶「原因」参照）を把握したうえで，現在の分娩進行状態（子宮口の開大度や児頭の下降度と回旋および陣痛の状態：陣痛周期・発作および間欠，陣痛の強さなど），胎児機能不全の程度，産婦の状態（バイタルサインおよび一般状態，陣痛への対処行動，緊張や不安の状態など）について観察し，胎児心拍数陣痛図により胎児機能不全の程度を評価し，そのレベルに応じた対応を行っていくことが必要である。

❸治療およびケアの実際

　胎児心拍数モニタリングにより胎児機能不全が認められた場合，すぐに医師に報告するとともに，胎児機能不全の原因として頻度の高い臍帯圧迫を軽減し，胎盤血流の改善や下大静脈の圧迫の解除を目的として，産婦の体位交換（左側臥位が有効である）を行い，母体への酸素投与を行う。産婦に対し深い呼吸を促し，呼吸を整え，酸素吸入が有効になるようにかかわる。改善しない場合は分娩の進行度と胎児機能不全の程度から判断し，急速遂娩が検討される。子宮口が全開大し児頭が下降している場合は，吸引娩出術，鉗子娩出術が行われ，それ以外は帝王切開術が実施される。

　胎児機能不全の経過をたどり，急速遂娩となった場合，新生児蘇生の準備を行う。重症新生児仮死が予測される場合は，小児科専門医の立ち会いが望ましい。

❹心理的ケア

　産婦に対し様々な処置が迅速に行われ，慌しい雰囲気のなかで産婦は不安と恐怖を抱き，取り残された感覚になることが多い。できるだけ寄り添い，頻繁な声かけ，適宜説明を行い，産婦やその家族が分娩経過や現在の状況を理解できるようかかわることが重要となる。

3. 陣痛異常のある産婦の看護

　分娩が進行するためには，分娩の3要素（①産道［骨産道・軟産道］，②娩出力［陣痛・腹圧］，③娩出物［胎児・胎児付属物］）が重要である。このうち娩出力である陣痛の異常には微弱陣痛と過強陣痛があり，いずれも母児にとって安全な分娩進行が阻害される。そのため陣痛の状態を常に把握し，正常か否かの判断をして適切な対応が迅速に行われることが重要である。また，分娩進行が正常に経過しない状況のなか，産婦の不安や緊張，恐怖が増大し，さらなる微弱陣痛を招く原因となるため，疲労を取り除くケアや陣痛を促進するだけでなく精神的ケアが重要である。

1　微弱陣痛

❶分娩進行中（分娩第1期〜第3期）

▶ **観察ポイント**　陣痛の状態（周期，発作および間欠時間），内診所見（子宮口開大度や児頭下降度，頸管の展退など）から分娩進行状態を把握する。微弱陣痛には母体の疲労が大きく関係するため，陣痛開始時刻からの経過時間を把握するとともに，食事摂取状況や睡眠や休息の状態を確認する。また，不安や恐怖など分娩に対する気持ちなどを表情や行動などから観察する。胎児心拍数モニタリングも行い，適宜観察し，健康度を確認する。

▶ **看護ケア**　分娩がイメージどおりに進行しない状況のなか，産婦やその家族は不安と焦り，緊張を抱くことが少なくない。現在の経過や処置について適宜説明し，疑問点があれば対応し，産婦の気持ちに寄り添うこと，できるだけリラックスして過ごせるよう，楽な体位の工夫や環境の整備，足浴や温罨法などを，産婦の希望や状態に合わせて実施する。また，自然に陣痛を促進する目的でも，体位の工夫やリラックスは効果的である。緊張や

陣痛による痛みのために食欲が減少していることが多いが，食事摂取が不足していることは疲労にもつながるため，できるだけ食事が摂れるよう，食べやすく消化の良いものを勧める。同時に，呼吸法や発汗などによる不感蒸泄が増加することにより脱水に陥りやすいため，水分摂取も適宜勧めていく。

微弱陣痛では多くの産婦に子宮収縮薬が投与される（本項-4「陣痛誘発（分娩誘発），陣痛促進時の看護」参照）。また，分娩第2期では鉗子分娩，吸引分娩となることが多いため，医師の指示を受けた場合は迅速に実施できるよう準備を行う。実施の際は医師が産婦に説明し，助産師，看護師は産婦の疑問や不安などをフォローする。呼吸法や努責のかけ方などについて声かけを行い，励まし，分娩に立ち向かえるよう援助していく。分娩第3期に胎盤排出が終了した後は弛緩出血に留意する。

❷分娩終了後

微弱陣痛は弛緩出血のリスクが高いため，子宮収縮状態や出血（悪露）の量を注意深く確認する。

2 | 過強陣痛

過強陣痛が認められた場合は，医師の指示のもと，子宮収縮薬の減量や中止，必要に応じて子宮収縮抑制薬や鎮痛薬の投与など，適切な対応を進めていく。強い痛みのため産婦は取り乱し，不安や恐怖に陥ることが多いため，まず疼痛へのケアを行うこと，励ましの声かけ，寄り添うことが必要である。

4. 陣痛誘発（分娩誘発），陣痛促進時の看護

経腟分娩を目的として，器械的な方法や薬剤により子宮頸管を熟化させるなどで，陣痛を誘発することを陣痛誘発（分娩誘発）といい，多くは医学的適応により行われる。陣痛誘発の種類として，子宮頸管熟化法，陣痛誘発法がある。頸管成熟度（ビショップ［Bishop］スコア）が9点以上で成熟していると判断され，通常7〜8点が陣痛誘発の条件とされている。これ以下では陣痛誘発が困難であることが多いため，まず積極的に子宮頸管の熟化促進が図られる。

1 | 陣痛誘発の条件

陣痛誘発の要約として，児頭骨盤不均衡（CPD）がなく分娩準備状態が整っており（自発子宮収縮があり，ビショップスコアが7点以上である）経腟分娩が可能であること，母体の疲労や合併症など長時間の陣痛負荷に耐え得る身体的状態であること，さらに，速やかな子宮内胎児蘇生，帝王切開の実施が可能で新生児蘇生の準備が整っている施設で行うことがあげられる。陣痛誘発の医学的適応は，児救命等のために新生児治療を必要とする場合の胎児因子（過期妊娠，糖尿病合併妊娠，胎児機能不全，巨大児など），微弱陣痛，前期破水，妊娠高血圧症候群，墜落分娩予防，妊娠継続が母体の危険を招く恐れがあるなどの母体因子によ

る適応のほか，妊産婦側の希望などによる社会的適応がある。

陣痛誘発は母児共に多くのリスクがあるため，厳重な分娩管理のもとに行われる。不測の事態に備え，迅速な対応が可能な医療的環境（人的資源，帝王切開術の準備，新生児管理が十分可能な設備）が整っていることも重要である。なお陣痛誘発時には，産婦や家族に対して処置の内容やリスクなど，十分なインフォームドコンセントが行われる。

2 子宮頸管熟化法

子宮頸管の熟化が不良であると判断された場合，まず子宮頸管を熟化させることが必要である。主として，器械的方法が行われる。比較的安全な方法であり母児への危険性は低いが，感染のリスクが高いため，適宜検温，採血による感染徴候の確認や，状況（前期破水があり，さらに感染のリスクが高いなど）に応じて抗菌薬の投与が考慮される。

❶吸湿性頸管拡張材

吸湿性頸管拡張材として主に用いられるものに，ラミナリア桿やダイラパンＳがあげられる。ラミナリア桿は天然海藻を原料とする円柱状の棒であり，水分を吸収すると約24時間で2〜3倍の太さになる。親水性ポリマーを原料とするダイラパンＳは膨張時間がより早く，4〜6時間で2〜3倍となる。処置の際には清潔操作に留意するとともに，挿入された本数が抜去されているか確認をすることが重要である。

❷メトロイリンテル

メトロイリンテル（風船状の器具であり，子宮腔内へ挿入後に生理食塩水を入れて膨張させる）を子宮腔内に挿置することにより子宮容積が増加，子宮内圧が高まり，子宮体部および頸部が刺激され子宮収縮が誘発される（図2-41）。子宮頸部に加えられる物理的な刺激が，子宮収縮との相互作用で頸管の成熟・開大を促進させる。産婦は月経痛のような痛みを感じることが多いため，疼痛緩和を図ることが必要である。挿入したメトロイリンテルにより児頭先進部が押し上げられ，胎位，胎向の異常を起こすことによる臍帯の下垂や脱出，子宮内圧の異常亢進による頸管裂傷や子宮破裂などの可能性があげられる。そのため，分娩

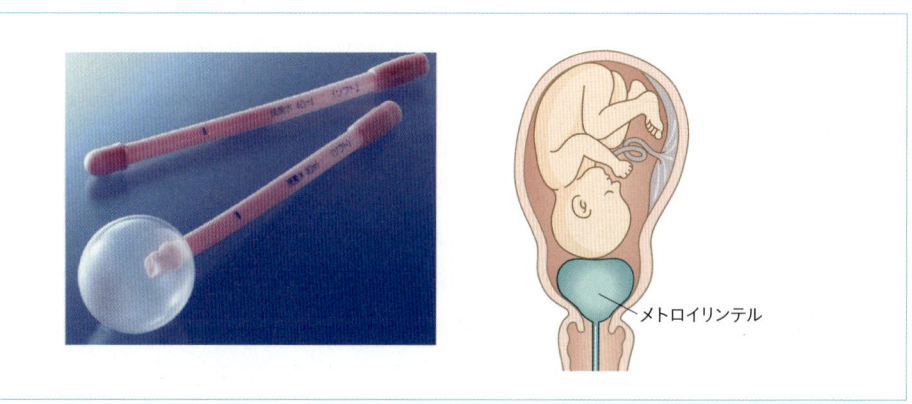

図2-41 メトロイリンテルと挿入の位置

監視装置により腹筋および陣痛（じんつう）の状態や胎児の well-being を確認することが重要である。

❸ 子宮頸管熟化剤

　子宮頸管熟化剤として，子宮頸管に直接作用し，生理的な頸管熟化に近い分娩進行（ぶんべん）が期待できるとされるプロスタグランジン E_2 製剤であるジノプロストン（プロウペス®腔用剤 10mg）が主に使用されている。過強陣痛やそれに伴う胎児機能不全，子宮破裂，頸管裂傷，羊水塞栓（ようすいそくせん）などのリスクがあり，母体や児が重篤な転機に至った症例が報告されているため，投与の際には医師の指示のもと，母体および胎児の状態を十分に観察したうえで慎重に判断される。また，子宮筋層の切開を伴う手術歴（帝王切開，筋腫核出術（きんしゅ）など），子宮破裂の既往のある産婦への使用は，子宮破裂のリスクが高いため禁忌である。

　本剤を投与する際には，患者に本剤を用いた頸管熟化の必要性および危険性を十分説明し，同意を得てから使用を開始する。投与中は分娩監視装置を用いて連続的にモニタリングし，過強陣痛や胎児心拍異常の有無，さらに副作用として悪心（おしん）・嘔吐（おうと），顔面紅潮や動悸（どうき），血圧上昇が認められることもあるため，あわせて観察を行う。異常が認められた場合には医師に報告し，指示を受けて適切な処置を行う。

3 ｜ 子宮収縮薬投与

　薬剤による陣痛誘発を目的に使用する。比較的容易に行えるが，陣痛誘発・陣痛促進に対する効力が強いため，頸管の成熟度，母児の状態および適応を十分に考慮したうえで，慎重に投与される。母体・胎児に対する安全性から，オキシトシンとプロスタグランジン（PG）が使用されている。点滴による投与が主であるが，プロスタグランジン製剤として PGE_2 の経口投与が行われることもある。しかし調節性に欠け，過強陣痛や血圧上昇，悪心・嘔吐などの有害作用が強く現れることがある。

▶ **陣痛誘発，陣痛促進の実際と観察ポイント**　過強陣痛および子宮破裂，胎児機能不全などのリスクが高いため，子宮収縮薬投与前から分娩監視装置を装着し，子宮収縮の状態（陣痛が起こっていれば陣痛周期や発作・間欠時間），胎児の健康状態を持続的に観察する。子宮収縮薬を点滴により投与する場合は，少量から始め子宮収縮や胎児の状態を観察しながら投与量を増加させていく。厳密に流量をコントロールする必要があるため，精密持続点滴装置（輸液ポンプ）を使用する。また，子宮収縮薬の有害作用として血圧の上昇，不整脈や頻脈が生じる場合があるため，原則 1 時間ごとに血圧と脈拍の測定・観察を行う。

▶ **看護ケア**　産婦に対し，陣痛誘発・陣痛促進に関する医師の説明や処置について疑問点や不安がないか確認すること，および陣痛による痛みのケアとともに，適宜，経過の説明を行うことが重要である。また，頸管成熟が十分でない状態で陣痛誘発が行われた場合，1 度の誘発で分娩に至らない場合がある。産婦の気持ちに寄り添い，思いを傾聴し，心理的ケアを十分に行っていく必要がある。身体的にも疲弊している状態であれば，可能な範囲で休息をとらせ，回復を図ることも大切である。

5. 子宮筋腫のある産婦の看護

子宮筋腫の約 22 〜 32% 程度は妊娠中に増大するとされ，筋腫部位の疼痛，流産・早産のリスク，胎盤形成過程における子宮胎盤間の血管形成の障害など，妊娠期における障害が認められている。

分娩期のリスクとしては，胎盤付着面の血流減少に起因した常位胎盤早期剝離のほか，胎児の通過障害，陣痛異常（微弱陣痛，稀に過強陣痛）や子宮復古不全，弛緩出血があげられる。これらは子宮筋腫の大きさ（5cm 以上），数，部位（子宮下部や胎盤付着部位に近い）により，リスクは増大する。そのため，子宮筋腫の状態や疼痛などの症状についての情報を踏まえたうえで，リスクに応じて必要な観察を行うことが必要である。

B 異常分娩時の看護

1. 帝王切開術を受ける産婦の看護

帝王切開術とは，子宮壁を切開して胎児を娩出させる方法をいう。帝王切開術の適応がある場合にあらかじめ日時を決めて行う**予定（選択的）帝王切開術**と，妊娠・分娩中の緊急事態が発生することにより行う**緊急帝王切開術**がある。近年，高齢出産や合併症などのリスクをもつ女性の増加，不妊治療による多胎妊娠の増加などにより，帝王切開術の割合が上昇してきている。

帝王切開術に伴う様々なリスクや合併症を十分に理解し，良好な術後経過がたどれるように援助していく必要がある。

1 帝王切開術の流れ

❶術前

（1）インフォームドコンセント

帝王切開術が決定した場合，医師より次の説明が行われる。

- 適応となる診断名
- 手術方法（日程，術式，麻酔，手術所要時間など）
- 手術前後の処置について
- 手術の合併症について

看護師は説明に立ち会い，産婦や家族の反応や言動から，手術に対する受け止めや不安，疑問の有無について確認し，帝王切開術に向けて産婦やその家族が身体的・心理的に準備ができるよう支援する。

（2）バースプラン作成

帝王切開分娩も経腟分娩と同様に，産婦や家族の希望を聞き，期待する出産となるよう

支援していく必要がある。もちろん母児ともに安全に分娩が終了することが最優先であるため，手術室の看護師に確認を取りながら，可能な範囲で調整する。バースプランの作成を行うことで，産婦が主体的に分娩について考えて思い描くことで，母親役割獲得の準備につながる。

(3) 術前検査

手術による身体的侵襲の事前評価や，術中および術後の状況と比較することができるため，予定帝王切開術の場合は，手術前に次のような術前検査が行われる。

- 心電図検査（循環器系の影響）
- 胸部 X 線撮影（呼吸器系への影響，心不全）
- 血液検査（感染症，血液型，血算，凝固系，生化学）

(4) 術前オリエンテーション

クリニカルパス（表 2-10）に沿って手術のスケジュール（術前から術後，退院まで）を説明し，不安や疑問点について確認する。また，バースプランに沿って必要物品（例：カメラ，産婦が好む音楽の CD など）を預かり，手術室へ持参する準備を行う。

手術時の麻酔については，麻酔科医師より説明が行われる。さらに，手術室での手術の流れに関するオリエンテーションについて，手術室看護師から説明が行われることがある。

表 2-10 帝王切開手術のクリニカルパス（例）

	入院前日まで	入院当日	手術前日	手術当日	術後 1 日目
検査・処置[1]	胸部レントゲン，心電図，採血	身長・体重計測，超音波断層法・診察，尿・血液検査，NST	NST	輸液，弾性ストッキングの着用，間欠的空気圧迫法	（尿検査，血液検査）
安静度				術後はベッド上，体位交換	歩行開始
食事			夜から絶飲食	絶飲食	腸蠕動の確認，飲水開始
排泄				尿カテーテル留置	尿カテーテル抜去，トイレ歩行
清潔					清拭，寝衣交換
授乳[2]				直母開始（臥位にてベッド上）	直母開始（座位にて）

	術後 2 日目	術後 3 日目	術後 4 日目	術後 5 ～ 6 日目	術後 7 ～ 8 日目
検査・処置[1]	点滴抜去		尿検査，血圧測定		退院
安静度	病棟内フリー	→			→
食事	排ガス確認，食事開始（流動食～ 3 分粥）	5 分粥～ 7 分粥	全粥～常食		→
排泄	フリー	→			→
清潔		シャワー			→
授乳[2]		→			→

1) 医師の指示や産婦の状態により，検査・処置等の内容・日程は変更となることがある。
2) 褥婦の状態により，授乳の日程や方法を考慮する。

第
6
編

妊娠期における
母子の異常と看護

2
分娩期における
母子の異常と看護

産褥期における
母子の異常と看護

胎児・新生児の
異常への看護

❷手術当日

（1）母体・胎児の健康状態の観察

手術直前の母体・胎児の健康状態を把握する。

▶ **母体**　次の状態を観察する。

- バイタルサインの測定
- 最終の飲食時間
- 点滴や内服についての状況確認
- 子宮収縮状態，破水，出血など分娩徴候の有無

▶ **胎児**　次の状態を観察する。

- 胎児心拍数モニタリング

（2）術前処置

▶ **身体的準備**　次の状態を観察する。

- 貴金属や化粧，マニキュア，コンタクトレンズの除去
- 臍処置：術野の汚染を防止するために行う。オイルをつけた綿棒で汚れを除去する。
- 臍部〜恥骨上部までの剃毛，もしくはクリッパーによる除毛

▶ **手術に向けた準備**　術中および術後の出血による末梢循環不全防止の目的で，留置針（輸血施行の可能性を考慮して，太めの針を使用する）にて静脈ルートを確保する。

（3）術後ベッドおよび新生児受けの準備

▶ **術後ベッドの作成**　帝王切開術終了後に過ごすためのベッドの環境を整える。パルスオキシメーターや心電図，体温計，酸素マスク，ガーグルベースン，点滴台などを，使いやすいようにベッド周囲および床頭台に配置しておく。ベッドは産婦の術後の低体温に備えて温めておくとともに，術後の出血などによる汚染に備え，防水シーツおよび横シーツを敷いておく。

▶ **新生児受けの準備**　帰室後に使用するために，新生児の状態（在胎週数，EFBW〔estimated fetal body weight：推定体重〕，児の健康状態など）に合わせてコットあるいは保育器の準備を行う（出生直後の新生児のケアについては（5）参照）。

（4）出棟，手術室入室と申し送り

術前準備が整ったら，手術室入室時間に間に合うように出棟する。手術室に到着したら，手術室看護師へ申し送りを行う（手術同意書，手術の内容，適応，妊娠週数，感染症およびアレルギーなど）。手術室に入ったら，手術のための準備（主に新生児の処置のためのインファントウォーマーやパルスオキシメーター，児の観察や蘇生に必要な物品）を行うとともに，胎児心拍数の確認と仰臥位低血圧症候群に注意する。母親に適宜声かけを行い，不安の軽減に努める。

（5）母体および新生児の観察とケア

▶ **母体の観察とケア**　帝王切開分娩後の母体は，産褥期であるとともに術後の状態である。したがって，両面の視点をもち，産後の復古状態に加えて，術後の経過および起こり得る合併症やリスクについて十分に観察（2「術後管理および合併症の観察とケア」参照）を行い，

良好な経過を促進できるようなケアを進めていく必要がある。また，手術当日はベッド上で安静臥床（がしょう）が続き，同一体位であることによる腰痛・褥瘡（じょくそう）が生じる場合がある。そのため，可能な範囲で動いてもらい，必要時は体位変換の援助やクッションなどを使用して楽な体位を工夫する。

▶ **出生直後の新生児の観察とケア**

• **手術室における出生直後のケア**：出生時間の確認および臍帯切断（さいたい）が行われたのち，新生児はインファントウォーマーへ運ばれ，新生児蘇生法アルゴリズム（第5編図4-5参照）に則り，状態評価と必要な処置が行われる。新生児の状態により，小児科（NICU，GCU＊）へ入院となることもあるが，通常は産科病棟新生児室の搬送用クベース（保育器）に運ばれる。母子共に良好な経過であれば，愛着形成促進のため，希望に応じて早期母子接触を行うこともよい。出生直後からの状態や実施した処置について記録を行う。

• **新生児室へ帰室後のケア**：帝王切開分娩（ぶんべん）で出生した新生児は，新生児一過性多呼吸（transient tachypnea of the newborn；TTN）を生ずることがある。これは，新生児適応障害の一つであり，肺胞液の吸収遅延に起因した呼吸障害である。出生直後からの多呼吸および中心性チアノーゼが主な症状であり，陥没呼吸（かんぼつ）などの努力呼吸を呈する呼吸障害がみられることもある。呼吸状態の観察，パルスオキシメーターの装着，状況により酸素投与が行われ，多くは生後2〜3日で改善する。経腟分娩で出生した新生児のケアと同様に，引き続き呼吸・循環動態の確立，体温保持が行えているか，バイタルサインの測定や全身状態の観察を行い，十分な保温を行う。状態が落ち着けば，体重・身長，頭位および胸囲などの測定を進めていく。

このほか，母体の合併症（糖尿病など）や出生直後の新生児の状態や在胎週数，出生体重など，分娩経過，麻酔の方法などにより生じる新生児へのリスクに応じて，必要な検査や処置が行われる。特に全身麻酔によって帝王切開術が行われた場合，胎児への麻酔薬の移行が生じ，出生後に呼吸障害や低血圧を呈することがある。

❸ 手術翌日

▶ **離床時のケア**　早期離床をすることで，子宮復古促進や悪露（おろ）の順調な排泄，深部静脈血栓症やイレウスの予防につながるため，術後の経過が順調であれば通常，手術翌日から離床を進めていく。

歩行施行前に，母体のバイタルサイン測定や一般状態，子宮収縮状態や疼痛（とうつう）の程度などを確認したうえで，ベッドのギャッチアップによる座位，端座位，立位と少しずつ段階を踏み，めまい，ふらつきなどの症状を確認しながら歩行まで進めていく。術後合併症である肺血栓塞栓症（そくせん）は，初回歩行の際に生じることが多いため，必ず付き添い，呼吸状態や呼吸苦の訴えがないかなどを観察する。膀胱（ぼうこう）留置カテーテルを抜去後，トイレまで歩行し排尿を確認する。

＊ **GCU**：growing care unit。入室する基準は施設ごとに多少差があるが，NICU に入室するほどの状態ではないものの，継続的な治療が必要な状態の児が入室する。

▶ **飲食の開始**　腸蠕動音を確認し，手術翌日（術後1日目）に飲水開始，続いて流動食から食事摂取開始としている施設が多い。

2 ┃ 術後管理および合併症の観察とケア

▶ 術後経過

- **麻酔の覚醒，呼吸，循環状態**：帰室直後はまず，意識の観察やバイタルサインの測定，心電図およびパルスオキシメーターを装着し，呼吸・循環状態の観察を行う。特に全身麻酔で帝王切開術が行われた場合は呼吸が抑制されているため，呼吸状態の観察が重要である。また手術直後は，麻酔による末梢血管拡張，輸液などの影響から低体温に陥るリスクが高い。そのため，術後は積極的に保温に努め，検温，四肢冷感やチアノーゼの有無についての観察を行う。

- **in-outバランス**：帝王切開術では，術後出血に伴う循環不全をきたしやすい。出血量（悪露），尿量，輸液量からin-outバランスを計算し，尿量0.5 mL/kg/時で循環不全を疑う。

▶ **産後の復古状態**　子宮底の高さ，硬度，出血（悪露）の量などで子宮の復古状態を観察する。50g/時以上の出血は子宮収縮不良を疑う。帝王切開術直後は安静臥位の状態であることに加え，子宮口開大が不十分な状態で分娩に至っているため，悪露が停滞することがある。そのため，麻酔覚醒後はベッド上で体位変換などを行い，悪露の排泄を促す。

▶ **術後出血（創出血，弛緩出血）**　帝王切開術では陣痛未発来の状態で分娩に至ることから，オキシトシン分泌が不十分である。そのため，子宮収縮不全による弛緩出血や，子宮切開創の生物学的結紮（子宮収縮による止血機序）が妨げられ，創出血をきたすことがある。さらに子宮筋腫合併，多胎，遷延分娩や前置胎盤などの子宮収縮不全のハイリスク因子があれば，リスクは増大する。

▶ **創部の異常**　帝王切開術の縫合部位は通常，ステープラー，テープあるいは埋没縫合により縫合されている。切開創はおよそ24〜48時間で癒合が完了するため，それまではドレッシング材*で被覆されている。ドレッシング材が貼付されている時期は，その上から創部の状態を観察する。ドレッシング材を超えて鮮血がみられる場合は，縫合不全を疑う。加えて創部の感染徴候（発赤，腫脹，疼痛など）にも留意する。創部の保護のために腹帯を使用することも多い。

▶ **産褥熱**　帝王切開術では，胎盤剥離部位に加え子宮切開創からの細菌感染も起こり得るため，産褥熱のリスクが高い（経腟分娩の5〜13倍）。症状としては，発熱のほかに悪臭を伴う膿性の悪露や下腹部痛を生じる。なお，乳腺炎や腎盂腎炎などの性器や子宮以外の感染による発熱は産褥熱には含まれない。

▶ **静脈血栓塞栓症**　妊娠そのものが血栓症の大きなリスク因子であることに加え，帝王切

---

*　**ドレッシング材**：創部を保護することで外部からの感染を防ぎ，治癒を促進する保護フィルム，シートのことをいう。

1
妊娠期における
母子の異常と看護

2
分娩期における
母子の異常と看護

3
産褥期における
母子の異常と看護

4
胎児・新生児の
異常への看護

開術後の早期離床の遅れに起因した血流の停滞や，手術時の操作による静脈血管壁の損傷が加わることにより，血栓形成のリスクがさらに高まる。そのため血栓症予防として，手術前〜離床まで弾性ストッキングの着用，間欠的空気圧迫法の装着，加えて下肢の挙上や屈伸を積極的に行うとともに，脱水予防に留意する。下肢静脈血栓の徴候として，浮腫性の腫脹，ホーマンズ徴候（足関節を背屈させた時に腓腹部に生じる疼痛）の出現があげられる。肺塞栓症が生じると，呼吸苦，ショック症状を呈する。

▶ **イレウス**　手術後に腸管運動が抑制されている状態のことをイレウス（腸閉塞）という。腸管の内容物が停滞するため排ガスが停止し，そのために生じる腸管拡張により腹痛や腹部膨満，悪心，嘔吐を呈する。通常，術後の生理的イレウスは，24〜48時間以内で改善するが，48時間以上腹鳴や排ガスがみられない場合，重篤なイレウスに移行する可能性が高い。腸蠕動促進のため，術後早期より，離床を進めるケアを進めていく。

▶ **硬膜穿刺後頭痛**　硬膜穿刺後頭痛（post-dural puncture headache：PDPH）は，脊髄クモ膜下麻酔により帝王切開術が行われた場合にみられる。硬膜を穿刺するために，クモ膜下腔の髄液が流出，脳脊髄液圧の低下が起こり，脳実質が牽引される。そのために頭痛や気分不快，悪心および嘔吐が生じることがある。また，徐脈や不整脈，血圧低下などがみられることもあるため，バイタルサイン測定を行い観察する。頭痛に対しては頭部の冷罨法などを行い，症状の緩和に努める。

▶ **疼痛**　術後，麻酔から覚醒すると，創痛や後陣痛などの疼痛を自覚する。自制の範囲内を超える疼痛は，早期離床，ADL拡大を阻害するため，自覚症状に合わせて薬剤による疼痛コントロールが行われる。飲食が開始になるまで，注射薬を用いる。

3 ｜ 帝王切開術後の母乳ケア

授乳は愛着形成のために重要であり，子宮復古の促進などからも，母児の状態が良好であれば手術当日から積極的に進めていくことが大切である。母親のADLの状態により，術後間もない時期であればベッド上で側臥位をとるなど体位の工夫，座位をとれる状態であれば，クッションやバスタオルなどを用いて楽な体位で授乳が行えるよう，安全にも留意して援助する。特に帝王切開術では創部があるため，児の体位を工夫することも必要である。また，授乳前にあらかじめ，創痛や後陣痛をコントロールしておくことも重要である。

4 ｜ 帝王切開術後の母親の心理状態とケア

帝王切開術による出産を経験した母親は，自分のイメージしていた出産と異なっていたと感じることがあり，それを失敗体験ととらえ，自己肯定感の低下，喪失感，自責の念を抱くことがある。そのような感情が続くことは，児への愛着形成，母親役割の獲得に影響を与える場合がある。母親の言動，児への接し方などを観察し，母親自身が出産体験を振り返り受け止めることができるような支援をとおして，必要に応じた心理的ケアを行う必要がある。

第
6
編

1
妊娠期における
母子の異常と看護

2
分娩期における
母子の異常と看護

3
産褥期における
母子の異常と看護

4
胎児・新生児の
異常への看護

2. 急速遂娩(吸引娩出術・鉗子娩出術)を受ける産婦の看護

　急速遂娩の方法は，分娩第2期における進行状態および母児の状態により考慮される。母児共に危険が迫っており緊急性が高い状況であるため，急速遂娩が決定したら直ちに処置が行えるよう，迅速に準備を行う。また，新生児蘇生に備えた準備も行っておく。説明は医師から行われるが，看護者は同席して産婦の反応を確認し，分娩に立ち向かえるよう援助する。

1 ｜ 吸引娩出術，鉗子娩出術

　妊娠34週以降子宮口が全開大しており，児頭の位置が牽引可能な位置まで下降していること，既破水であること（未破水であれば人工破膜を施行する），児頭骨盤不均衡（CPD）がないことが条件である。児頭の娩出を容易にするために，あらかじめ導尿や会陰切開術が行われる。産後のリスクとしては，軟産道損傷（特に鉗子娩出術に多い），血腫の形成がある。児は頭血腫がある。

▶ **吸引娩出術**　滅菌された吸引チューブと吸引カップ（金属製またはシリコン製）を準備し，吸引器に接続する。吸引カップと児頭の間に母体軟産道組織をはさみ込んでいないことを確認しながら装着し，陣痛発作に合わせて努責をかけさせながら吸引圧を徐々に上げ，児頭の後頭結節が滑脱したら吸引圧を下げ，吸引カップをはずす。娩出力の状態により，子宮底圧迫法（クリステレル［Kristeller］胎児圧出法）が併用されることがある（本章-VI-4「子宮底圧迫法」参照）。

▶ **鉗子娩出術**　滅菌された鉗子を準備する。鉗子の種類として一般的なものはネーゲレ鉗子である。鉗子娩出術は，吸引娩出術よりも牽引力が強く確実性がある娩出方法であるが，軟産道損傷のリスクが高い。

3. 骨盤位分娩をする産婦の看護

　骨盤位分娩では，胎児の最も大きい部分である頭部が最後に娩出されるため，難産，胎児機能不全および新生児仮死，分娩時外傷などの頻度が高くなるなど，様々なリスクがある。そのため，異常発生時には迅速に対応できるよう，緊急帝王切開術や新生児蘇生などの必要性が生じた場合，速やかに行えるようあらかじめ準備を行っておく必要がある。

1 ｜ 分娩進行中のケア（分娩第1期〜第3期）

　胎児小部分（下肢）が先行するため破水を起こしやすく，それに伴い臍帯脱出のリスクが高い。骨盤位分娩の進行中はできるだけ産婦のそばに寄り添い，不安を最小限にするとともに必要な観察を行い，異常発生時は迅速に対応できるようにする。また分娩第1期，第2期（児娩出直前まで）とも努責がかからないようできるだけ陣痛を逃し，力を抜いて過ごせるようなケアも併せて行っていく。

❶ 破水時のケア

破水時に臍帯脱出が生じると，胎児−胎盤循環が途絶え，胎児が重篤な状況に陥る。そのため，胎児心拍の確認を行うとともに，臍帯脱出の有無を確認することが重要である。もし臍帯脱出がみられ胎児が徐脈となっている場合，直ちに医師へ報告するとともに母体への酸素投与，骨盤高位をとらせる。また，羊水の状態（色，量，性状など）についても観察していく。

❷ 娩出時のケア

児殿部が排臨する前後の時点で必要時会陰切開が行われ，十分に産道の広さを確保したうえで**骨盤位牽出術**が施行される。努責時は，そのタイミングと努責のかけ方を産婦に伝え，一緒に行っていく。胎児が娩出された後，胎盤排出中は，通常の経腟分娩と同様に力を抜いてリラックスしながら過ごせるよう声かけを行う。

2 | 分娩後のケア

不安や緊張のなかでの分娩であり，母親は身体的にも精神的にも疲労していることが多い。そのため，十分な休息や食事をとり，回復を促すためのケアを行っていく。母親は新生児の状態について心配していることが多いので，適宜，経過を説明する。児の状態により小児科医の説明が行われるため，看護師も同席のうえ，母親の反応や言動を確認し，心理的ケアにつなげる。

C 分娩時異常出血のある産婦の看護

分娩第3期（胎児が娩出してから胎盤が娩出されるまで）から分娩後2時間にかけては，弛緩出血や頸管裂傷による大出血が突発し得る時期である。このような分娩時異常出血が生じた場合，適切な止血方法や処置を実施するために，出血の原因をまず査定することが大切である。出血量の判断基準としては，分娩時出血は分娩後2時間までに500mL以下，かつ50mL/時以下が正常範囲である。それを超えた場合は異常出血と判断し，「産科危機的出血への対応指針」（日本産科婦人科学会など6団体がまとめ，公表したガイドライン）に沿って，医師の指示のもとに適切な対応や処置を行う必要がある。

1. 弛緩出血のある産婦の看護

弛緩出血の主な原因としては，子宮筋腫合併や先天性子宮形態異常（子宮奇形）など母体の合併症に起因するもの，巨大児，羊水過多や分娩後の胎盤遺残など胎児や胎児付属物に起因するもの，分娩経過に起因するもの（微弱陣痛など）など，多岐にわたる（表2-11）。

子宮収縮が不良であるために，胎盤剝離面で開口している血管が絞扼されないことにより，止血に至らず生じる出血である。暗赤色の波状的な静脈性の出血が特徴であり，出血の開始は突如として起こるものから徐々に始まるものもある。まずは，止血を行うことや

第6編

1
妊娠期における
母子の異常と看護

2
分娩期における
母子の異常と看護

3
産褥期における
母子の異常と看護

4
胎児・新生児の
異常への看護

表2-11 弛緩出血の主な原因

❶子宮筋の異常
- 子宮筋の過伸展（多胎，羊水過多，巨大児）
- 子宮筋腫，子宮腺筋症，先天性子宮形態異常（子宮奇形）

❷妊娠・分娩経過の異常
- 前置胎盤
- 微弱陣痛，遷延分娩
- 墜落産，急速遂娩術
- 常位胎盤早期剝離，胎盤剝離遅延，副胎盤

- 子宮収縮抑制薬の長期間使用（切迫早産の治療など）
- 子宮収縮促進薬の長時間使用（微弱陣痛による）

❸胎盤剝離面，遺残など
- 胎盤，卵膜遺残，子宮内腔凝血塊貯留

❹その他
- 膀胱，直腸の充満
- 母体疲労

子宮収縮状態を改善するための処置や治療（**双手圧迫法**による止血や，点滴による子宮収縮促進薬の使用）が医師の指示のもとに行われ，改善がみられれば，出血の状態および身体状態が落ち着くことが多い。しかし，出血の持続や出血量が多量である場合は出血性ショック，播種性血管内凝固症候群（DIC）を併発することがあるため，弛緩出血は早期に発見し，早期に対応することが重要である。

▶ **観察のポイントとケア**　バイタルサイン，一般状態（顔色，意識，気分不快など），出血の状態（量，色，流出の状態など），子宮収縮状態（高さ，硬度），子宮収縮に関連する因子（膀胱充満や胎盤遺残の確認など）を観察し，異常があれば医師に報告する。出血量が多い場合は，頻脈や血圧低下，呼吸数の上昇，顔色不良およびチアノーゼ，意識など，ショック状態の有無について確認する。DIC 合併の有無を確認するために，血算，血液凝固系の検査（フィブリノゲン，PT，APTT，AT，FDP）が行われるため，データを確認して状態を把握する。

出血による血圧低下のみならず，子宮収縮薬に血圧上昇の副作用があるため，子宮収縮薬が投与された場合，適宜血圧測定を行い，血圧変動に注意すること，子宮底の輪状マッサージや冷罨法，導尿などを行い，子宮収縮を促進させるケアを行うことが必要である。子宮収縮がいったん良好となり，出血状態が落ち着いても，弛緩出血のリスク因子をもつ産婦に対しては，継続して注意深く観察を続けることが重要である。

2. 頸管裂傷のある産婦の看護

頸管裂傷は，分娩時に生じた外子宮口から子宮体部下端におよぶ裂傷のことであり，弛緩出血とともに，分娩期における大量出血の原因となる。弛緩出血とは異なり，子宮収縮が良好であるものの鮮血が持続的にみられることが特徴である。初産婦で 1.2％，経産婦で 0.5％程度の発生率とされており，初産婦にやや多いものの頻度が低い分娩時損傷である。大きな動脈枝が断裂されると急速に大出血をきたすため，適切な診断と迅速な治療が必要である。分娩中，頸管の急激な伸展（頸管全開大前の吸引娩出術・鉗子娩出術，骨盤位牽出術などの産科手術の施行や，子宮収縮薬の使用による過強陣痛，急速な分娩進行など），頸管の過度の伸展（巨大児など），頸管の異常（高年初産婦および子宮発育不全などによる伸展性不良，子宮頸部円錐切除術や頸管裂傷の既往に関連した子宮頸部瘢痕による頸管の脆弱性）が原因とされている。

▶ 症状と診断 児娩出前に頸管裂傷が生じていても，児に圧迫されているため出血は認められないが，児娩出直後より鮮紅色の持続性出血がみられる。子宮収縮が良好であり，外陰や腟に裂傷がない場合の出血には頸管裂傷を疑い，視診や内診により確認し診断される。出血量は裂傷の部位や程度により異なるが，子宮動脈下行枝に損傷が及んでいる場合は鮮紅色，拍動性の大量出血をきたすため，出血性ショックとなり得る。

- **腟鏡診**：大きな腟鏡にて子宮頸管を露出し，頸管の出血・裂傷部位を確認および観察する。
- **内診法**：示指と中指で頸管壁をはさみ，全周を触知して裂傷の有無を確認することで，2cm 以上の裂傷の診断が可能である。

▶ 治療とケア 出血がわずかであっても，1cm 以上の裂傷が認められている場合は，（子宮）頸管無力症などの原因ともなり得るため縫合を行う。処置中も出血が続くことが多いため，出血量のカウントやバイタルサインの測定，輸液および，必要に応じて輸血や抗菌薬などの準備，投与が行われる。

分娩時出血量が多くなるため，産後はバイタルサインや検査データとともに貧血症状の程度（疲労感やめまい，息切れなど）を確認し，状態によっては ADL の拡大を考慮したり，適宜休息が取れるような配慮が必要である。

3. 腟・会陰裂傷のある産婦の看護

腟・会陰裂傷は，分娩時に児が通過する際に発生する，頻度の高い分娩時損傷である。会陰裂傷の発生要因について表 2-12 に示す。会陰裂傷は軽度なものから，第 1 度（会陰皮膚および腟粘膜に限局した損傷），第 2 度（結合組織までの損傷），第 3 度（肛門括約筋の断裂），第 4 度（直腸の損傷）に分類される（表 2-6 参照）。腟壁は伸展性が良好であり，裂傷が起こることは少ないが，腟下部 1/3 や腟上部 1/3（腟円蓋部）では伸展性が劣るため裂傷が生じやすく，会陰裂傷に伴って起こる腟下方の縦走腟裂傷が多い。

▶ 症状と診断 視診および触診により診断され，会陰裂傷の直腸損傷の有無については直腸診にて確認される。腟壁裂傷が生じた場合は分娩直後より持続的な出血が認められる。

▶ 治療とケア

- **会陰裂傷**：第 2 度以上は縫合を必要とする（5「会陰切開を行った産婦の看護」参照）。第 4 度は直腸粘膜も損傷されているため，産後の排便が困難になる可能性が高い。排便のコ

表 2-12 会陰裂傷の発生要因

❶急速な分娩進行	● 急速遂娩術の施行（吸引・鉗子分娩，クリステレル胎児圧出法など） ● 過強陣痛による急速な分娩進行など
❷胎児の異常	● 巨大児，水頭症など ● 胎勢異常（顔位，額位などでの娩出）
❸会陰部の伸展性不良	● 高年初産婦，若年初産婦 ● 手術による瘢痕
❹その他	● 適切ではない会陰保護（圧力，方向など） ● 努責のかけ方

ントロールが必要となり，分娩後3〜4日は低残渣食の摂取，および緩下剤の処方が行われることが多い。また，内・外肛門括約筋や恥骨直腸筋に損傷がある場合に生じる排便障害についても観察を行う。

• 腟裂傷：裂傷の程度（深さ，大きさ）や部位，出血の状態により縫合，必要に応じてドレーン留置が検討される。縫合は破綻血管を結紮するように行われるが，縫合止血が有効でない場合は，腟内にガーゼを充塡し圧迫止血が行われる。縫合後は外陰痛や肛門痛に注意し，腟血腫発生の有無を観察していく必要がある。

　会陰裂傷，腟壁裂傷ともに，会陰切開の縫合部位と同様に清潔を保つこと，感染徴候の有無や創傷の治癒状態についての観察（発赤，腫脹，分泌物，浮腫や癒合状態など）や，疼痛の有無や程度の観察を行うことが必要である（5「会陰切開を行った産婦の看護」参照）。分娩後24時間以内には，創傷部位の浮腫により縫合糸のひきつれを感じることがある。疼痛により離床および日常生活，授乳などの育児行動に支障が生じる場合があるため，必要に応じて鎮痛薬の投与や，授乳などで座位をとるときには円座クッションや産褥椅子などを使用する。また，産婦は自身で創傷部の観察を行うことが困難であるため，治癒状態などの状況を伝え，不安を最小限にすることも大切である。

4. 腟血腫・外陰血腫のある産婦の看護

　腟血腫・外陰血腫は，分娩時に腟粘膜下組織内の血管が断裂したために形成された血腫をいう。裂傷，会陰切開創，静脈瘤などからの出血によるもの，急速に分娩が進行した正常分娩後に自然発生するものがある。

▶ **症状と診断**　症状としては外陰部痛，肛門痛，排便や尿意などがある。分娩後，数時間してから出現することが多い。視診および触診にて腟壁，外陰に弾力性のある有痛性の腫瘤を認めることで診断される。腟上部の血腫は，外陰より奥にあるため見逃されやすく，症状も著明でなく無症状で進行し，突然のショック症状で発見されることがある。

▶ **治療とケア**　血腫は程度により自然に吸収されるものがあるが，痛みを伴い増大する場合は処置が必要である。局所の圧迫や冷罨法を行い，腟血腫には腟強圧タンポンを使用し止血を試みる。血腫が大きい場合や増大傾向にある場合は，切開して血腫の除去を行い，出血部（断裂血管）の結紮止血を行う。出血部が確認できない場合は，ドレーン留置のうえ，1次縫合*し，腟内にガーゼタンポンを挿入する。あるいは血腫腔内に直接ガーゼを充塡したうえで腟内にタンポンを挿入し，12〜24時間程度，経過観察することもある。

　産後は血腫の増大がみとめられなくなるまで膀胱留置カテーテルを挿入のうえ，床上安静が必要となることがある。また，外陰部痛や肛門痛が持続することが多いため，必要時，鎮痛薬投与による疼痛コントロールを行う。さらに疼痛や努責をかけることへの不安などにより排便困難になることがあるため，予防的に緩下剤投与による排便コントロールを行

＊**1次縫合**：ドレーンを皮膚に固定するための縫合。

うことが多い。また，痛みや様々な処置による褥婦(じょくふ)の不安を最小限にするために，適宜説明をすることや不安の傾聴，苦痛を最小限にするようなケアなどを行っていく。

▌5. 会陰切開を行った産婦の看護

　会陰(えいん)切開は，会陰が硬く伸展性が不十分であるために児の娩出(べんしゅつ)を遅延させたり，娩出時に大きな裂傷が生じたりする可能性が高いと考えられる場合に適応となる。なかでも，巨大児や骨盤位分娩，急速遂娩(すいべん)（鉗子(かんし)娩出術，吸引娩出術）では産道の拡大のために行われることが多い。

❶会陰切開施行時のケア

▶ **産婦への説明と準備**　医師による産婦への会陰切開の必要性および麻酔投与についての説明を行う。同時に会陰切開術の準備（消毒薬や麻酔薬および投与のための注射針や注射筒）を進める。麻酔は切開予定部位に局所麻酔が投与されるので，投与時には身体を動かさないように産婦へ説明する。

▶ **会陰切開時のケア**　会陰切開は，児頭が娩出する直前まで下降し，陣痛発作が起きた時に医師により行われる。産婦の不安や動揺が最小限となるよう，必要に応じて声かけを行う。

▶ **縫合の準備とケア**　分娩終了後，医師により会陰切開部位の縫合が行われる。分娩を終えた産婦へのねぎらいや声かけ，必要な観察を行うとともに，縫合の準備（局所麻酔薬，持針器，縫合針や縫合糸など）を進める。縫合時は，産婦の痛みの自覚を確認しながら局所麻酔薬の追加を行うが，縫合部位が引っ張られるような感覚が生ずるなどの違和感があることを産婦に説明し，できるだけ力を抜いてリラックスして過ごせるようにかかわっていく。

▶ **縫合後のケア**　産婦には適宜声かけを行い，気分不快の有無など一般状態の観察を行うとともに，産婦の不安を最小限にするために縫合の進行状況の説明，励ましやねぎらいの言葉をかける。縫合が終了したのち，縫合部位は消毒が行われる。外陰部および殿部(でんぶ)など周囲が血液などで汚染されている場合は，消毒部位に触れないように注意を払いながら清潔なガーゼなどで拭(ふ)き取り，産褥(さんじょく)ナプキンを当てる。縫合部位の感染予防のために，産婦に対し縫合部位の清潔を保つこと，疼痛や腫脹(しゅちょう)などがある場合はすぐに伝えるよう説明するとともに，縫合部位の観察（発赤(ほっせき)，腫脹，縫合部位からの出血や縫合不全などの有無，表2-13），疼痛(とうつう)コントロールのケアを行う。

表2-13 REEDAスコア

ポイント	発赤	浮腫	皮下出血	分泌物	癒合
0	なし	なし	なし	なし	閉じている
1	創面の両側0.25cm 以下	会陰・創面から1cm以下	両側 0.25cm片側 0.5cm 以下	血清	皮膚の離解 3mmまたはそれ以下
2	創面の両側0.5cm 以下	会陰・陰唇または創面から1～2cm間	両側 0.25cm～1cm片側 0.5～2cm	持続性出血	皮膚と皮下脂肪が離解
3	創面の両側0.5cm 以上	会陰・陰唇・創面から2cm 以上	両側 1cm 以上片側 2cm 以上	出血・化膿	皮膚・皮下脂肪・筋肉層の離解

参考文献

・武谷雄二, 他監：プリンシプル産科婦人科学；1 婦人科編, 第 3 版, メジカルビュー社, 2014.
・進純郎：分娩介助学, 第 2 版, 医学書院, 2014.
・我部山キヨ子, 武谷雄二編：助産診断・技術学 II ［2］分娩期・産褥期；助産学講座 7, 第 5 版, 医学書院, 2013.
・日本産科婦人科学会, 日本産婦人科医会編・監：産婦人科診療ガイドライン；産科編 2020, 日本産科婦人科学会, 2020.

第6編

1 妊娠期における
母子の異常と看護

2 分娩期における
母子の異常と看護

3 産褥期における
母子の異常と看護

4 胎児・新生児の
異常への看護

第 **3** 章

産褥期における
母子の異常と看護

この章では

- 産褥期に起こる母体の器質的疾患について理解する。
- 健康問題をもった褥婦の看護について理解する。

I 産褥期における異常

A 子宮復古不全

▶ **定義**　子宮復古とは，妊娠により増大し，分娩により胎盤剝離や子宮頸管開大に伴って創傷面ができるなどの変化が起きた子宮が，妊娠前の状態に回復する現象をいう。したがって，**子宮復古不全**とは，これが障害された状態である。分娩後早期では弛緩出血があるが，一般には子宮復古が遅れて，子宮収縮不良と悪露が長く続く場合や悪露が滞留した場合をいう。

▶ **原因・病態**　障害物が子宮収縮を阻害する器質的な原因と，子宮筋の収縮が十分でない機能的な原因がある。①器質的な原因として，胎盤，卵膜，凝血塊・悪露などの子宮内の遺残がある。遺残した胎盤が壊死・変性し，ポリープ状に増大して胎盤ポリープとなることがある。また，子宮筋腫，先天性子宮形態異常（子宮奇形），膀胱・直腸の充満，子宮内感染により，子宮収縮が阻害されることもある。子宮復古不全では断続的な性器出血がみられ，時に大量出血を起こすことがある。②機能的な原因として，多胎妊娠，羊水過多などにより子宮筋の伸展が強かった場合や，微弱陣痛，遷延分娩などがあげられる。弛緩出血などに対して行われる子宮動脈塞栓術後も子宮復古不全になりやすい。

▶ **症状・検査・診断**　①産褥日数に比較して子宮が大きく軟らかく，②血性悪露が持続することをもって診断する。時には大量出血をすることがある。超音波断層法では，子宮内に凝血塊・悪露や卵膜，胎盤の遺残像などがみられることがある。器質的な原因の有無を探索すること，加えて，悪露の性状や炎症所見により感染の有無を評価することが重要である。

▶ **治療・対策**　図 3-1 に示す。

①早期離床，母乳授乳の促進，子宮底マッサージ，排便・排尿の促進などに努める。

②子宮収縮薬使用による促進：分娩当日はオキシトシンやプロスタグランジン F2α の点滴静脈注射が有効である。産褥数日を経た場合には，メチルエルゴメトリンマレイン酸塩などの麦角製剤の投与も行われる。

③胎盤・卵膜遺残，凝血塊の除去：子宮内の遺残物が少ない場合は，自然排出が期待できる。遺残が多く自然排出が期待できない場合は，子宮頸管拡張や子宮内容除去術を検討する。ただし，子宮内容除去術をきっかけに大量出血を起こす子宮仮性動脈瘤（子宮動脈領域の動脈壁が一部脆弱化し瘤を形成したもの）があるので注意を要する。したがって，器械的な除去を検討する場合は，カラードプラ法（超音波検査）を用いて，慎重に血管の走行や血流を評価してから行うことが望ましい。

④抗菌薬の投与：子宮内の感染が疑われる場合は，抗菌薬を投与する。

第6編

1
妊娠期における
母子の異常と看護

2
分娩期における
母子の異常と看護

3
産褥期における
母子の異常と看護

4
胎児・新生児の
異常への看護

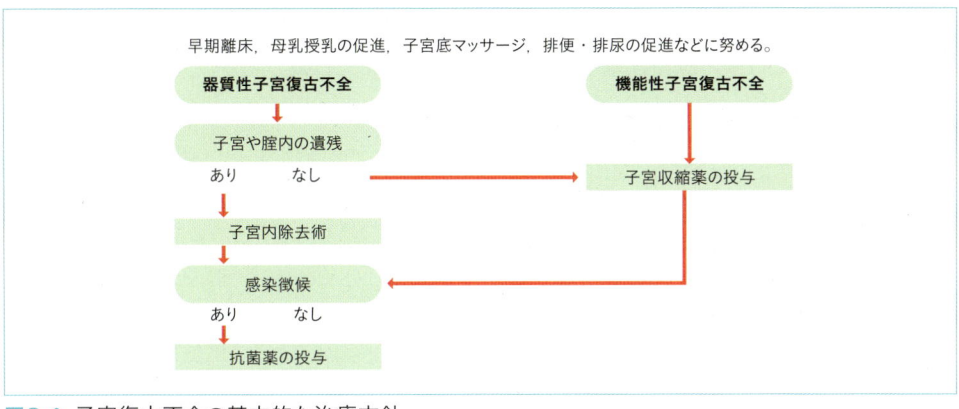

早期離床，母乳授乳の促進，子宮底マッサージ，排便・排尿の促進などに努める。

図3-1 子宮復古不全の基本的な治療方針

▶ **胎盤・卵膜遺残について**　正常な分娩経過をたどった場合でも，胎盤や卵膜の遺残を伴うことがある。胎盤娩出はできる限り分娩機転に沿って待機的に対処すべきであるが，胎盤を娩出しても胎盤の一部が子宮内に残存することがある。したがって，胎盤娩出直後には胎盤の欠損の有無をチェックしておくことが大切である。また，卵膜の一部が断裂して子宮内に残存してしまう場合がある。残存量が少ない場合には，子宮収縮に伴い自然に排出されるのを待つ。

Ｂ 産褥血栓症，肺血栓塞栓症

▶ **定義・分類**　**産褥血栓症**には，次のものがある。

❶血栓性静脈炎：四肢の表在静脈に血栓閉塞_{へいそく}をきたし，無菌性の炎症を併発したものをいう。

❷深部静脈血栓塞栓症：深部の静脈で血栓が形成され，血栓閉塞をきたしたものをいう。

❸肺血栓塞栓症：血栓が肺血管を閉塞し，肺循環障害をきたしたものをいう。

▶ **原因・病態**　妊娠・産褥期は，①非妊娠時に比べて血液の凝固系が亢進_{こうしん}しており，②静脈還流量の増加，③妊娠で増大した子宮による下大静脈などの圧迫，④安静などによる下肢の静脈の血流が停滞，⑤産褥期の感染による血管の障害などにより，静脈に血栓が生じやすい状態になっている。さらに，帝王切開分娩は血管壁損傷などによる無菌的炎症により，血栓症のリスクを増大する。したがって，これらを考慮した静脈血栓症予防策を行う必要がある。

▶ **症状・検査・診断**　深部静脈血栓塞栓症では，局所の循環障害により下肢の浮腫，腫脹，発赤，熱感，痛み，圧痛を生じる（特に左側下肢）。**ホーマンズ徴候**（足関節の背屈による腓腹筋の痛み）や腓腹筋の把握痛などがみられる。肺血栓塞栓症では，突発的に起こる胸部痛と呼吸困難が最も多い。咳嗽，血痰やショックを伴う症例もある。術後1〜2日目頃の動作，ベッド上での体位変換，歩行開始，排便・排尿などに伴って起こることが多い。深部静脈

血栓塞栓症を疑う場合は，Dダイマーの血液検査，下肢の超音波断層法や造影CT検査などを用いて診断を行う。肺血栓塞栓症を強く疑う場合は，心臓の超音波断層法も行う。

▶ **治療・対策** 分娩後に，脱水の回避および改善を図り，早期離床を勧めることが大切である。離床の時期としては，可能な限り術後1日目までが望ましい。脱水は静脈血栓塞栓症のリスク因子であるため，経腟分娩および帝王切開分娩のいずれにおいても，飲水，輸液による母体の脱水回避に留意する。分娩後の静脈血栓塞栓症の予防について，表 3-1 の内容に準拠して血栓塞栓症予防に努めることが重要である。表 3-1 に示すリスク因子がある場合は，分娩後に下肢の挙上，足関節運動，弾性ストッキング着用などを勧める。帝王切開では弾性ストッキングの着用あるいは間欠的空気圧迫法を行い，術後には早期離床を勧める。

発症した場合は，ヘパリン，ワルファリンなど抗凝固療法を行う。褥婦にヘパリンやワルファリンの投与を行っても，授乳は可能である。

C 恥骨結合離開

▶ **定義** 分娩による恥骨結合部の組織（靱帯）の損傷である。

▶ **原因・病態** 妊娠中は，プロゲステロンやリラキシンなどのホルモンにより，恥骨結合

表3-1 分娩後の静脈血栓塞栓症（VTE）リスク分類

第1群．分娩後 VTE の高リスク
- 以下の条件に当てはまる女性は分娩後の抗凝固療法あるいは分娩後抗凝固療法と間欠的空気圧迫法との併用を行う
1) VTE の既往
2) 妊娠中に VTE 予防のために抗凝固療法が行われている

第2群．分娩後 VTE の中間リスク
- 以下の条件に当てはまる女性は分娩後の抗凝固療法あるいは間欠的空気圧迫法を行う
1) VTE 既往はないが血栓性素因*があり，第3群に示すリスク因子が存在
2) 帝王切開分娩で第3群に示すリスク因子が2つ以上存在
3) 帝王切開分娩で VTE 既往はないが血栓性素因*がある
4) 母体に下記の疾患（状態）が存在
　　分娩前 BMI35kg/m^2 以上，心疾患，肺疾患，SLE（免疫抑制剤の使用中），悪性腫瘍，炎症性腸疾患，炎症性多発性関節症，四肢麻痺・片麻痺等，ネフローゼ症候群，鎌状赤血球症（日本人には稀）

第3群．分娩後 VTE の低リスク
（リスク因子がない妊娠よりも危険性が高い）
- 以下の条件に当てはまる女性は分娩後の抗凝固療法あるいは間欠的空気圧迫法を検討する
1) 帝王切開分娩で下記のリスク因子が1つ存在
2) VTE 既往はないが血栓性素因*がある
3) 下記のリスク因子が2つ以上存在
　　35歳以上，3回以上経産婦，分娩前 BMI25kg/m^2 以上 BMI35kg/m^2 未満，喫煙者，分娩前安静臥床，表在性静脈瘤が顕著，全身性感染症，第1度近親者に VTE 既往歴，産褥期の外科手術，妊娠高血圧腎症，遷延分娩，分娩時出血多量（輸血を必要とする程度）

表に示すリスク因子を有する女性には下肢の挙上，足関節運動，弾性ストッキング着用などを勧める。ただし，帝王切開を受けるすべての女性では弾性ストッキング着用（あるいは間欠的空気圧迫法）を行い，術後の早期離床を勧める。
＊先天性素因としてアンチトロンビン，プロテインC，プロテインSの欠損症（もしくは欠乏症），後天性素因としては抗リン脂質抗体症候群（診断は札幌クライテリア・シドニー改変に準じる：CQ204 表1参照）が含まれる。
出典／日本産科婦人科学会，日本産婦人科医会編・監：産婦人科診療ガイドライン；産科編2020，日本産科婦人科学会，2020，p.14.

部が弛緩しやすくなる。通常，非妊娠時の恥骨結合部は 2 〜 6mm であり，妊娠や分娩でさらに 3 〜 5mm 広がり，分娩後は約 5 か月で元に戻る。

恥骨結合離開となる原因として，①脊柱前彎症など骨盤の構造的な異常，②コラーゲン形成の障害，③ホルモンの過剰分泌による組織の脆弱，④炎症性疾患，⑤児が大きい，⑥母体の年齢，⑦多産，⑧前回の難産などがある。

▶ 症状・検査・診断　恥骨結合部に痛みがあり，動作時の痛み，歩行障害や尿閉などを伴うことがある。画像診断は，超音波断層法や CT，MRI，X 線検査で行う。

▶ 治療・対策　鎮痛薬や氷嚢を使用する。症状が強い場合は，骨盤底強化など理学療法，骨盤ベルトを使用する。痛みが 4 〜 6 か月以上続く場合は手術を考慮する。

D 産褥期の感染症

1. 産褥熱

▶ 定義・分類　産褥熱は，①分娩により生じた創傷に起きた感染と，②それに続発する感染症によって，分娩終了後 24 時間〜産褥 10 日間に，38℃以上の発熱が 2 日間以上持続する状態である。

▶ 原因・病態　産褥の**子宮内膜炎**は，腟内に存在する複数の菌の混合感染によって発症する。好気性のグラム陰性桿菌とグラム陽性球菌が多いが，抗菌薬の進歩や，妊娠・分娩管理がより清潔化されたことによって，腸内細菌や嫌気性菌などの弱毒菌やクラミジアを起炎菌とすることも多くなっている。そして，薬剤耐性菌が出現し，産褥熱の原因となっていることは最近の大きな問題の一つである。劇症型 A 群溶血性レンサ球菌（group A *Streptococcus pyogenes*）による，発症後短時間での死亡例も報告されている。

誘因として，①分娩前：前期破水，頻回の内診，産道の器械的操作，細菌性腟症，絨毛膜羊膜炎，②分娩中：帝王切開術などの産科手術，頻回の内診，胎盤用手剝離術，遷延分娩，胎便による羊水混濁，死産など，③産褥期：裂傷などの縫合時の操作，子宮内遺残（胎盤，卵膜，ガーゼなど），子宮筋腫などによる悪露滞留など，④母体：低栄養，初産，肥満，妊娠高血圧症候群，糖尿病，自己免疫疾患，免疫力低下（ステロイド内服）などがある。

▶ 治療・対策　起炎菌の同定ができていない場合は，広域スペクトラムの抗菌薬を早期に投与することを心がける。細菌学的検査で起因菌が同定された後は，感受性を考慮した薬剤に変更する。

軽症の子宮内膜炎に対して抗菌薬の内服投与で改善することが多い。しかし，中等度から重症例，子宮筋層炎および子宮傍結合織炎に対しては，静脈投与が必要となる。なお，授乳している場合は抗菌薬の乳汁への移行を考慮する必要があるが，抗菌薬の多くは問題なく投与可能である。膿瘍を認めた場合は，破裂すると骨盤腹膜炎，汎腹膜炎に移行することもあり，ドレナージや摘出術などの外科的処置を行うことを考慮する。

1 | 子宮および子宮の結合組織に限局された感染症

▶ **原因・病態**　子宮および子宮の結合組織に生じる感染症は，胎盤遺残，悪露滞留が原因となることが多い。経腟分娩では胎盤付着部位，脱落膜，子宮筋層に，帝王切開分娩では子宮切開部位に感染を生じ，これがしだいに拡大していく。したがって，産道の損傷部位の適切な修復，産褥期の子宮収縮の促進や悪露の排泄・性状への注意，外陰部の保清がその予防に重要である。

▶ **症状・検査・診断**　自覚症状として下腹部痛を訴える場合が多く，腟鏡診では膿血性で悪臭のある悪露を，内診では子宮体部および子宮傍結合織に圧痛を認めることが多い。38〜39℃の発熱を呈する場合もある。悪寒戦慄を伴えば菌血症を疑う必要がある。帝王切開分娩後ではその頻度も高く，母体白血球数増加，CRP（C反応性たんぱく）値上昇など，一般的な感染や炎症に関連する検査値に留意する。

2 | 子宮内より骨盤腔に進展した感染症

❶産褥付属器炎

▶ **病態**　細菌が子宮内より卵巣・卵管などの付属器に上行し，感染をきたした状態をいう。
▶ **症状・検査・診断**　内診では子宮の圧痛に加え，付属器の圧痛，牽引痛を認め，発熱も高度となる。膿瘍を形成すると，内診で付属器領域に強い圧痛を伴う腫瘤を触れ，超音波断層法では不整形の腫瘤像を認める。

❷産褥腹膜炎

▶ **病態**　細菌が腹膜に感染をきたした状態をいう。
▶ **症状**　腹膜炎を発症すると，腹部の疼痛は高度となり腹膜刺激症状を認めたり，麻痺性イレウスによる腸管の拡張がみられることがある。

3 | 産褥敗血症

▶ **原因・病態**　骨盤内の感染巣に対して適切な治療が行われないために，細菌が血中に侵入増殖し，細菌毒素が全身を循環した状態をいう。
▶ **症状**　発熱，悪寒，白血球増多やショックなどの臨床症状を呈する。敗血症性ショックを発症し持続すれば，致死的となる場合がある。

2. 劇症型A群溶血性レンサ球菌感染症

▶ **定義・分類**　A群溶血性レンサ球菌による突発的で非常に重篤な感染症である。基礎疾患のない健康な妊婦にも突然発症することがある。

▶ **原因・病態**　上気道感染などからの血行性や，腟からの感染が考えられている。症状出現から数十時間以内に，敗血症，DIC，多臓器不全などを併発する。妊娠中の場合は，強い子宮収縮を誘発して分娩を進行させる。高率に胎児や母体の死亡をもたらす。

▶ 症状・診断　初発症状は，発熱，上気道炎，筋肉痛など非特異的なウイルス感染症のような症状から始まることが多い。したがって，早期に本症と診断することは難しい。

▶ 治療・対策　本症が疑われる場合は，高次施設と連携をとりながら，速やかな治療開始が必要である。抗菌薬はアンピシリン大量投与とクリンダマイシンとの併用が推奨されている。

3. 尿路感染症

▶ 定義　尿道，膀胱，尿管や腎臓の感染症である。

▶ 原因・病態　妊娠時は尿路感染症を起こしやすい。また，分娩後は，膀胱麻痺や膀胱粘膜の浮腫やうっ血，骨盤底筋弛緩に加えて，会陰切開創や分娩時裂傷の疼痛により，諸種の排尿障害が起こる。したがって，産褥期も妊娠中と同じく尿路感染をきたしやすい。

▶ 症状・診断　症状は排尿時痛，残尿感，頻尿などが一般的であるが，膀胱麻痺を起こしている場合や，分娩後には尿意・自尿がなく症状が明確でない場合がある。炎症が波及して腎盂腎炎をきたすと，発熱や腰背部痛がみられる。診断の留意点として，尿検査には悪露の混入があること，生理的な後陣痛や排尿障害の混在で診断がつきにくいことがある。産褥熱や乳腺炎に起因する感染症や発熱との鑑別に注意を要する。

▶ 治療・対策　抗菌薬の投与など，一般の尿路感染症の治療に準じる。

Ｅ 乳房・乳頭のトラブル

1. 乳頭の形態異常・乳頭の損傷

1 | 乳頭の形態異常

▶ 定義・分類　哺乳には適当な長さと大きさの乳頭が必要であり，図 3-2 に示すように乳頭の大きさの異常（小乳頭，巨大乳頭）や形態の異常（扁平乳頭や陥没乳頭など）があると，授乳に障害が起こる場合がある。①乳頭が扁平なものを扁平乳頭，②陥没状のものを陥没乳

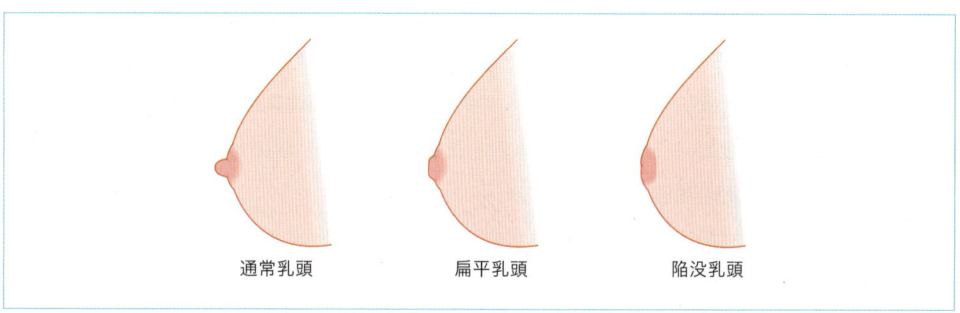

通常乳頭　　　扁平乳頭　　　陥没乳頭

図 3-2　乳頭の形態

頭という。陥没乳頭は，刺激により陥没が解消される仮性陥没乳頭，解消されない真性陥没乳頭に分類される。

▶ **症状**　乳頭の形態異常は新生児の哺乳障害を起こすとともに，乳汁うっ滞や乳腺炎を合併しやすい。

▶ **治療・対策**　従来，乳頭の管理としては妊娠中からの乳頭の手入れが重要で，マッサージや用手的な乳頭の牽引により乳頭の伸展性を高めてやれば，児が吸啜（きゅうてつ）しやすくなるとされてきた。しかし，その有効性は明らかではないという指摘もある。また，乳頭刺激には子宮収縮作用があるため，施行時期や切迫早産徴候には注意が必要である。授乳にあたっては，すぐ断念せずに根気よく授乳をすることも重要とされる。ただし，なかには直接授乳することが不可能なものもあり，用手または搾乳器（さくにゅう）を用いた搾乳，さらには外科的な乳頭形成術を要する場合もある。

2 ┃ 乳頭の損傷

▶ **原因**　乳頭表皮の損傷は吸啜時（きゅうてつ）の物理的刺激などによって起こるほか，下着のかぶれのような化学的刺激によっても生じやすい。児の抱き方が悪いことなどにより，乳頭のくわえさせ方が浅い場合や，乳頭を引っ張って吸啜される場合にも起こりやすい。

▶ **症状**　表皮の剝離（はくり）や乳頭の亀裂が起こると，比較的強い疼痛（とうつう）を伴い，そのため授乳困難となることもある。損傷部位に細菌感染を生じると，乳頭炎・乳輪炎から2次的に化膿性（かのう）乳腺炎（きゅうせん）などを生じる原因となる。

▶ **治療・対策**　正しい授乳姿勢や授乳時の乳頭の手入れなど，日頃の予防が重要である。乳頭の損傷を生じた場合は，感染予防を行い，早期の治療により授乳障害を回避することが必要である。

　日常的な予防として，下着による刺激はなるべく避けるようにする。また，乳房・乳頭に触れる際の手指の汚れにも留意する。長時間の授乳を避ける，授乳回数や左右の乳房を交互に授乳させるなどの工夫も行う。

　乳頭損傷にはビタミン含有軟膏薬（なんこう）を，感染が疑われる場合には抗菌薬含有軟膏薬を塗布する。疼痛が強い場合は，リドカインなどの塗布とともに，直接授乳を中止し，搾乳器での搾乳（陰圧がかかり亀裂が悪化する場合は，手での搾乳もすすめたい）を行う。

▌ 2. 乳腺炎

▶ **定義・分類**　乳腺炎には①**うっ滞性乳腺炎**（非感染性）と②**感染性乳腺炎**がある。通常，うっ滞性乳腺炎に感染が加わると感染性乳腺炎となり，症状はさらに重症化して，局所の発赤（せき），腫脹（しゅちょう）や硬結，有痛性腫瘤（しゅりゅう）が顕著となる。

▶ **原因・病態**　乳汁の排出不全が原因である乳房緊満は，乳房痛や硬結をきたすもので，産褥早期（さんじょく）（1週以内）に発生してくることが多い。乳管が開通して乳汁分泌（ぶんぴつ）がスムーズに行われるようになると，症状は軽快する。適切な処置によっても24時間以内に症状が改善

しない場合や，急速に症状が悪化する場合には乳腺炎を考慮する。感染性乳腺炎の主たる病原菌は，黄色ブドウ球菌である。

▶ 症状・検査・診断　うっ滞性乳腺炎と感染性乳腺炎の鑑別が重要である。感染性乳腺炎は，うっ滞性乳腺炎に比較して強い症状と，末梢血（まっしょうけつ）の白血球増加，CRP 値の上昇，乳汁検査などによって診断を行う。

▶ 治療・対策　うっ滞した乳汁の排出と再発予防に努める。痛いからといって放置するのではなく，むしろ積極的に授乳を行い，搾乳や乳房マッサージによりうっ滞を解消させる。授乳回数や時間の制限は乳汁のうっ滞の原因となり得るので，授乳スケジュールの柔軟性も大切である。疼痛や腫脹が強い場合は，冷罨法（れいあんぽう）や鎮痛薬の投与を行う。感染性乳腺炎には，抗菌薬投与も行う。乳腺炎を起こしている乳房からの授乳が，子どもへ有害な影響を及ぼす可能性は否定されている。乳腺炎治療中でも搾乳のうえ，授乳を継続することが可能である。

▌ 3. 乳汁分泌不全

▶ 定義　子どもの正常な発達のために必要な量の母乳を分泌できない状態をいう。

▶ 原因・病態　乳汁分泌不全の原因は，①プロラクチン分泌が減少している中枢性（ちゅうすう），②乳腺組織の発育不全や乳頭の陥没（かんぼつ）・扁平（へんぺい）などの形態異常など末梢性，③児の吸啜力の不足や口腔（こうくう）の形態異常による哺乳障害（ほにゅう），④育児放棄などの社会的要因，などがある。

▶ 診断　産後約 1 週間になっても乳汁分泌が確立せず，児の発育が十分でないことから診断する。臨床的には，表 3-2 に示す乳汁分泌不全の診断基準に沿う。

▶ 治療・対策　乳房マッサージなどと薬物療法の組み合わせによる。薬物療法としては，プロラクチン分泌の増加効果があるメトクロプラミド，スルピリドやオキシトシンが用いられる。

表3-2　乳汁分泌不全の診断基準

❶母乳分泌量が産褥 4 日目以降も 100mL 以下
❷産褥 4 日目以降も乳房緊満がなく，また，乳汁分泌が開始しない
❸授乳後 3 時間を経過しても乳房緊満がみられない
❹20 分間以上哺乳しても児が泣いたり，乳頭を離さない
❺母乳のみの哺育で生後 1 週間以上経過しても出生体重に戻らない
❻混合栄養で人工乳の割合が多い時

出典／牧野田知，他：産褥異常の管理と治療，日産婦誌，61（12）：N-635，2009.

F 産褥期精神障害・ボンディング障害

1. マタニティブルーズ

▶ 定義　**マタニティブルーズ**とは，産後 10 日以内に生じる一過性の情動障害である。発症率は，欧米では 50 〜 80% であるが，日本では約 30% という報告がある。

▶ 原因　分娩を契機とした急激な性腺系などのホルモンバランスの変化が関与すると推定されている。リスク要因として，①妊娠中の合併症，②胎児あるいは新生児の異常，③長期入院，④母児隔離などがある。

▶ 症状・診断　①精神症状として，涙もろさを主とした抑うつ状態・気分の落ち込み，不安，緊張感など，②身体的症状として，疲労感，不眠，食欲不振，などから診断する。表 3-3 に示す「マタニティブルーズの自己質問表」（Stein 考案）を用い，合計点が 8 点以上であった場合，マタニティブルーズを経験したものと考える。

▶ 治療・対策　約 1 〜 2 週間で消失する一過性の情動障害であることを伝えて，家族の協力を得ながら育児支援を行う。本症が 2 週間以上続く場合は，産後うつ病など産褥期精神障害に移行することがあり，退院後にも，家庭・地域保健との連携で対応するなど，社会全体でフォローしていく体制が必要である。

2. 産後うつ病

▶ 定義　産後 2 週間〜数か月で発症し，1 日中続く抑うつ気分，あるいは 1 日中日常生活での興味や喜びを感じにくくなることが 2 週間以上持続し，育児や家事などの日常生活に支障をきたした病態をいう精神障害である。頻度は約 10 〜 15 % である。

▶ 原因・病態　産後うつ病の病因は明らかではないが，①産褥期のホルモンの急速な変動に代表される神経内分泌学的要因，②母親になるという新たな役割の変化や，家族（特に夫）の支援が少ないことによる精神的ストレスなどの社会心理学的要因，③仕事熱心，凝り性，几帳面などの病前性格，④遺伝学的要因などが相互に関連して発症すると考えられている。リスク要因としては，若年，うつ病の既往，マタニティブルーズの発症が知られる。

▶ 症状・検査・診断　産後約 1 か月以内に，表 3-4 に示すエジンバラ産後うつ病自己評価票（Edinburgh postnatal depression scale：EPDS）などを用いてスクリーニングを行う。9 点以上を産後うつ病の疑いありとする。その場合，うつ病を含めた気分障害の有無に関する客観的な確定診断を，うつ病診断基準に沿って行う。スクリーニング陽性者のうち約 50 %がうつ病と診断される。産後うつ病と診断された褥婦の約 50 % が妊娠中にうつ病をすでに発症しているので，妊娠中からのスクリーニングが推奨されている。

▶ 治療・対策　心理療法やカウンセリング，薬物療法が用いられる。使用する薬剤によって，抗うつ薬の母乳中への移行を考慮して，授乳の可否をよく検討する必要がある。説明

表3-3　マタニティブルーズの自己質問表

出産の次の日より，毎日5日間寝る前に本日の気分をふり返って記入してください。

【産後】　　日目【日時】　月　日　　時

今日のあなたの状態について当てはまるものに○をつけてください。2つ以上当てはまる場合には番号の大きな方に○をつけてください。また質問表のはじめには名前と日時をお忘れなくご記入ください。

【質問】

A.　0.　気分はふさいでいない。
　　1.　少し気分がふさぐ。
　　2.　気分がふさぐ。
　　3.　非常に気分がふさぐ。

B.　0.　泣きたいと思わない。
　　1.　泣きたい気分になるが，実際には泣かない。
　　2.　少し泣けてきた。
　　3.　数分間泣けてしまった。
　　4.　半時間以上泣けてしまった。

C.　0.　不安や心配事はない。
　　1.　時々不安になる。
　　2.　かなり不安で心配になる。
　　3.　不安でじっとしていられない。

D.　0.　リラックスしている。
　　1.　少し緊張している。
　　2.　非常に緊張している。

E.　0.　落ち着いている。
　　1.　少し落ち着きがない。
　　2.　非常に落ち着かずどうしていいかわからない。

F.　0.　疲れていない。
　　1.　少し元気がない。
　　2.　一日中疲れている。

G.　0.　昨晩は夢を見なかった。
　　1.　昨晩は夢を見た。
　　2.　昨晩は夢で目覚めた。

H.　0.　普段と同じように食欲がある。
　　1.　普段に比べてやや食欲がない。
　　2.　食欲がない。
　　3.　一日中まったく食欲がない。

次の質問については，"はい"または"いいえ"で答えてください。

I.　　頭痛がする。　　　　　　　　　はい　　いいえ

J.　　イライラする。　　　　　　　　はい　　いいえ

K.　　集中しにくい。　　　　　　　　はい　　いいえ

L.　　物忘れしやすい。　　　　　　　はい　　いいえ

M.　　どうしていいのかわからない。　はい　　いいえ

配点方法：A～Hの症状に対する得点は各番号の数字に該当し，I～Mの症状に対する得点は「はい」と答えた場合に1点とする。
出典／Stein, G. S.：The Pattern of mental change and body weight change in the first postpartum week, J. Psychosomatec Reserch, 24（3-4）：165-171, 1980（山下洋，他訳）.

と不安の除去など褥婦へのサポートとともに，子どもに対する情緒的な絆（ボンディング）の形成を妨げないように，安易な母児分離は避けるべきである。また，配偶者，家族の理解も重要であり，環境の形成に努める。適切な治療が行われれば，一般に予後は良好である。重症例では母親の子どもへの愛着形成が障害され，子どもの認知発達に悪影響を及ぼし得る。医療機関のみならず，行政と連携した母子保健サービスの提供が重要である。

表3-4 エジンバラ産後うつ病自己評価票

母氏名 _____ 実施日 年 月 日（産後 日目）

ご出産おめでとうございます。ご出産から今までのあいだにどのようにお感じになったかをお知らせください。今日だけでなく，**過去7日間**にあなたが感じたことに最も近い答えに○をつけてください。必ず10項目全部に答えてください。

例）**幸せだと感じた。**
　（ ）はい，常にそうだった
　（○）はい，たいていそうだった
　（ ）いいえ，あまり度々ではなかった
　（ ）いいえ，まったくそうではなかった
"はい，たいていそうだった" と答えた場合は過去7日間のことをいいます。このような方法で質問にお答えください。

1. 笑うことができたし，物事のおかしい面もわかった。
　（0）いつもと同様にできた
　（1）あまりできなかった
　（2）明らかにできなかった
　（3）まったくできなかった

2. 物事を楽しみにして待った。
　（0）いつもと同様にできた
　（1）あまりできなかった
　（2）明らかにできなかった
　（3）まったくできなかった

3. 物事が悪くいった時，自分を不必要に責めた。
　（3）はい，たいていそうだった
　（2）はい，時々そうだった
　（1）いいえ，あまり度々ではない
　（0）いいえ，そうではなかった

4. はっきりした理由もないのに不安になったり，心配した。
　（0）いいえ，そうではなかった
　（1）ほとんどそうではなかった
　（2）はい，時々あった
　（3）はい，しょっちゅうあった

5. はっきりした理由もないのに恐怖に襲われた。
　（3）はい，しょっちゅうあった
　（2）はい，時々あった
　（1）いいえ，めったになかった
　（0）いいえ，まったくなかった

6. することがたくさんあって大変だった。
　（3）はい，たいてい対処できなかった
　（2）はい，いつものようにはうまく対処しなかった
　（1）いいえ，たいていうまく対処した
　（0）いいえ，普段通りに対処した

7. 不幸せなので，眠りにくかった。
　（3）はい，ほとんどいつもそうだった
　（2）はい，時々そうだった
　（1）いいえ，あまり度々ではなかった
　（0）いいえ，まったくなかった

8. 悲しくなったり，惨めになった。
　（3）はい，たいていそうだった
　（2）はい，かなりしばしばそうだった
　（1）いいえ，あまり度々ではなかった
　（0）いいえ，まったくそうではなかった

9. 不幸せで，泣けてきた。
　（3）はい，たいていそうだった
　（2）はい，かなりしばしばそうだった
　（1）ほんの時々あった
　（0）いいえ，まったくそうではなかった

10. 自分自身を傷つけるという考えが浮かんできた。
　（3）はい，かなりしばしばそうだった
　（2）時々そうだった
　（1）めったになかった
　（0）まったくなかった

出典／©1987 The Royal College of Psychiatrists. Cox, J. L. et al. : Detection of postnatal depression. Development of the 10-item Edinburgh Postnatal Depression Scale, British Journal of Psychiatry, 150 (6)：782-786, 1987.

3. 産褥精神病

▶ **定義**　分娩後，数週間以内に発症する重篤な急性多形成精神障害で，幻覚や妄想，まとまりのない会話，錯乱，意識障害などの多彩な症状が変動して出現する。

▶ **原因・病態**　疾病学的位置づけについては議論が分かれるが，多くの研究から，産褥精神病は双極性障害との関連が示唆されている。

▶ 症状・診断 　不眠，不安，焦燥，困惑，奇妙な言動などが初発症状で，これが急激に悪化し，数日で情動が不安定になり，幻覚や妄想がみられるようになる。発症率は 0.1 ～ 0.2%と低いが，自殺のリスクが高く，早期の対応が必要である。産褥期に突然精神病症状が出現したら本症を疑う。

▶ 治療・対策 　精神科救急の対象である抗精神病薬を中心とした薬物療法の適応であり，自殺企図や希死念慮があり，その気持ちを自分で抑えることができない場合や，切迫した精神病症状がみられる場合には，速やかに精神科における治療導入が推奨される。

4. ボンディング障害（情緒的な絆の障害）

▶ 定義 　わが子を愛おしく思い，親として守ってあげたいと思うといった，親が子どもに抱く情緒的な絆を**ボンディング**という。ボンディング障害には，①子どもとの情緒的な絆を感じられず，子どもに無関心な状態，②子どもを拒絶する，③子どもへの怒りがある。

▶ 原因・病態 　原因として，母親の望まない妊娠，子どもの病気や障害などに伴う社会的反応の遅れ，親自身の否定的な養育体験などがある。その背景に，パートナーとの不仲関係，自分の親との関係，経済的事情などの要因が存在することもある。

▶ 症状・検査・診断 　赤ちゃんへの気持ち質問票などで評価する（表 3-5）。得点が高いほど子どもへの否定的な感情が強い。明確なカットオフ値はないが，3 ～ 5 点以上で支援が必要と判断する。

▶ 治療・対策 　うつ病などの精神治療があれば，その治療を行う。母親が子どもとの関係について抱えているあらゆる心配について，話し合い，関係改善のための情報の提供と治療を行う。ボンディング障害は，児童虐待のリスクでもあることから，行政と連携した母

表3-5 赤ちゃんへの気持ち質問票

あなたの赤ちゃんについてどのように感じていますか。 下にあげているそれぞれについて，今のあなたの気持ちにいちばん近いと感じられる表現に○をつけてください。				
質問項目	ほとんど いつも 強く感じる	たまに強く そう感じる	たまに少し そう感じる	全然そう 感じない
1. 赤ちゃんをいとしいと感じる。	(0)	(1)	(2)	(3)
2. 赤ちゃんのためにしないといけないことがあるのに，おろおろしてどうしていいかわからない時がある。	(3)	(2)	(1)	(0)
3. 赤ちゃんのことが腹立たしくいやになる。	(3)	(2)	(1)	(0)
4. 赤ちゃんに対して何も特別な気持ちがわかない。	(3)	(2)	(1)	(0)
5. 赤ちゃんに対して怒りがこみあげる。	(3)	(2)	(1)	(0)
6. 赤ちゃんの世話を楽しみながらしている。	(0)	(1)	(2)	(3)
7. こんな子でなかったらなあと思う。	(3)	(2)	(1)	(0)
8. 赤ちゃんを守ってあげたいと感じる。	(0)	(1)	(2)	(3)
9. この子がいなかったらなあと思う。	(3)	(2)	(1)	(0)
10. 赤ちゃんをとても身近に感じる。	(0)	(1)	(2)	(3)

出典／吉田敬子監：産後の母親と家族のメンタルヘルス；自己記入式質問票を活用した育児支援マニュアル，第 4 版，母子保健事業団，2012.

子保健サービスなども重要である。

Ⅱ 産褥期の異常への看護

Ⓐ 感染症のある褥婦と家族の看護

1 | 産褥熱の看護

産褥熱は，分娩時に子宮や性器に生じた創傷から細菌が侵入し，その細菌により感染が起こる熱性疾患の総称である。産褥熱は身体的消耗だけでなく，授乳をはじめ母親役割の遂行や，児との愛着形成に影響を及ぼす可能性があるため，早期の看護ケアが重要である。

❶ アセスメントのポイント

- 分娩後 38℃以上の発熱が 2 日以上持続，悪寒戦慄の有無
- 子宮底高，硬度，前日との比較
- 子宮底の圧痛の有無
- 悪露の量，性状，臭気，混入物の有無
- 外陰部や腟の浮腫，発赤，腫脹，疼痛，潰瘍形成の有無
- 白血球の増加，CRP 上昇，血液・悪露の培養検査の結果
- 排尿回数，排尿時痛，残尿感，尿の性状
- 食欲，睡眠状態，全身状態

❷ 身体的支援

▶ **身体的苦痛の緩和** 安静が保てるような環境や安楽な体位の工夫を行う（第 5 編**図 3-6** 参照）。その際，悪露の排泄が妨げられないような体位に調整することが必要である。会陰縫合部などの疼痛の場合は円座クッションなどを活用する。また，腫脹や疼痛が強い場合は，冷罨法としてアイスノンや氷嚢を使用する。清拭や足浴，寝衣交換を行い，衣類や寝具の調整を行う。

▶ **2 次感染予防** 2 次感染を防ぐために，パッドは 3 ～ 4 時間ごとに交換し，会陰縫合部や外陰部の清潔保持に努める。また，乳頭も清潔保持に努める。抗菌薬の確実な内服が必要であり，医療処置の際の清潔操作を徹底する。看護者自身も手洗いを励行する。

▶ **体力の維持・回復** 食事は食べやすいゼリーやプリン，果物などを摂取できるように工夫する。また，水分摂取を促す。睡眠や休息をとりやすい温度や湿度を調整し，アロマテラピーや音楽などでリラックスできるものを取り入れる。

❸ 心理・社会的支援

▶ **精神的苦痛の緩和** 褥婦は母親役割を遂行できないことや，マタニティブルーズの時期

第
6
編

1
妊娠期における
母子の異常と看護

2
分娩期における
母子の異常と看護

3
産褥期における
母子の異常と看護

4
胎児・新生児の
異常への看護

も重なり，精神的苦痛が強い。受け持ち制で，同じ看護師や助産師が看護することや，話を傾聴するための環境および時間調整を行い，不安の軽減に努める。

▶ **母親役割や母子愛着形成のための援助**　児との面会や接触の調整を行い，面会できない場合は児の情報提供を行う。短時間で授乳できるように授乳介助を行う。直接授乳が困難な場合は，搾乳介助を行う。

▶ **夫や家族への説明や役割調整**　褥婦は母親役割が遂行できないことのみならず，妻役割や娘役割を遂行できないことについて焦燥感をもつ可能性がある。看護者は夫をはじめ，家族成員に産褥熱の病態や看護ケアについて説明し，褥婦がサポートを受けることができるように調整する。

2 ｜ 尿路感染症の看護

　産褥期は，分娩時の創傷などや悪露が原因で，膀胱内に細菌の侵入の頻度が高くなり上行感染しやすい状況である。また，分娩所要時間が長い分娩では，膀胱機能が麻痺し，排尿困難となり，尿の貯留時間が長く細菌の繁殖が起こりやすい。尿路感染による膀胱炎や腎盂腎炎では看護ケアが重要である。ここでは，この2つについて解説する。

❶アセスメントのポイント

▶ **膀胱炎**　尿意頻度，排尿時痛，残尿感，尿混濁，尿沈渣（白血球，細菌，膀胱上皮），分娩・産褥経過のアセスメントを行う。

▶ **腎盂腎炎**　尿混濁，尿たんぱく，尿沈渣（白血球・細菌），腎機能，悪寒，高熱，悪心・嘔吐，患側の腎および尿管部の疼痛，圧痛，分娩・産褥経過のアセスメントを行う。

❷身体的支援

▶ **膀胱炎**　下腹部の保温や温罨法を行い，身体を温める。また，十分な水分量を摂取し，循環血液量や尿量を増やし，膀胱内の細菌を洗い流すようにする。排尿後消毒や時間ごとのパッド交換を行い，陰部の保清潔について指導する。

　抗菌薬が処方されている場合は，内服の確認と，十分な休養と栄養補給が回復を促進することを説明する。

▶ **腎盂腎炎**　安静臥床とし，冷罨法を行う。また，十分な水分量を摂取し，循環血液量や利尿を促すようにする。導尿の際は無菌操作を徹底する。排尿後消毒や時間ごとのパッド交換を行い，陰部の保清潔について指導する。抗菌薬や点滴が処方されている場合は，確実な投与と，十分な休養と栄養補給が回復を促進することを説明する。

❸心理・社会的支援

　授乳の介助や，直接授乳が困難な場合は搾乳の介助を行う。また，児の面会や世話を行えない場合は，児の情報提供を行い，母子関係の形成に努める。

3 ｜ 乳腺炎の看護

　乳腺炎は，乳管の閉鎖あるいは狭窄などにより，乳腺胞に乳汁のうっ滞をきたし，炎症

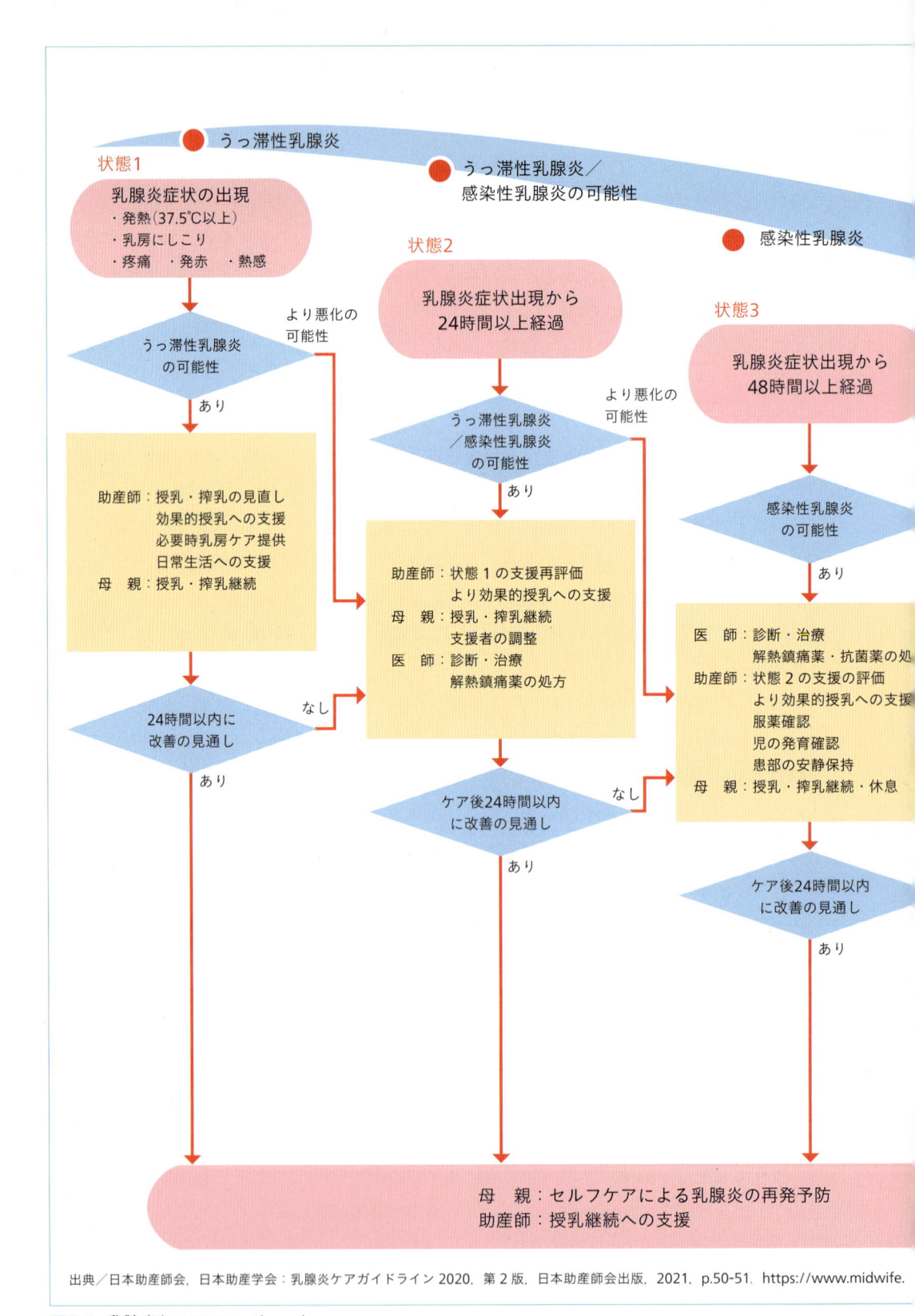

（状態1）

うっ滞性乳腺炎

状態1

乳腺炎症状の出現
・発熱（37.5℃以上）
・乳房にしこり
・疼痛 ・発赤 ・熱感

↓

うっ滞性乳腺炎
の可能性

あり ↓

助産師：授乳・搾乳の見直し
　　　効果的授乳への支援
　　　必要時乳房ケア提供
　　　日常生活への支援
母　親：授乳・搾乳継続

↓

24時間以内に
改善の見通し

あり ↓

より悪化の
可能性 →

うっ滞性乳腺炎／
感染性乳腺炎の可能性

状態2

乳腺炎症状出現から
24時間以上経過

↓

うっ滞性乳腺炎
／感染性乳腺炎
の可能性

あり ↓

なし → 助産師：状態1の支援再評価
　　　　より効果的授乳への支援
　　　母　親：授乳・搾乳継続
　　　　支援者の調整
　　　医　師：診断・治療
　　　　解熱鎮痛薬の処方

↓

ケア後24時間以内
に改善の見通し

あり ↓

より悪化の
可能性 →

感染性乳腺炎

状態3

乳腺炎症状出現から
48時間以上経過

↓

感染性乳腺炎
の可能性

あり ↓

なし → 医　師：診断・治療
　　　　解熱鎮痛薬・抗菌薬の処
　　　助産師：状態2の支援の評価
　　　　より効果的授乳への支援
　　　　服薬確認
　　　　児の発育確認
　　　　患部の安静保持
　　　母　親：授乳・搾乳継続・休息

↓

ケア後24時間以内
に改善の見通し

あり ↓

母　親：セルフケアによる乳腺炎の再発予防
助産師：授乳継続への支援

出典／日本助産師会，日本助産学会：乳腺炎ケアガイドライン 2020，第 2 版，日本助産師会出版，2021，p.50-51. https://www.midwife.

図3-3 乳腺炎ケアのフローチャート

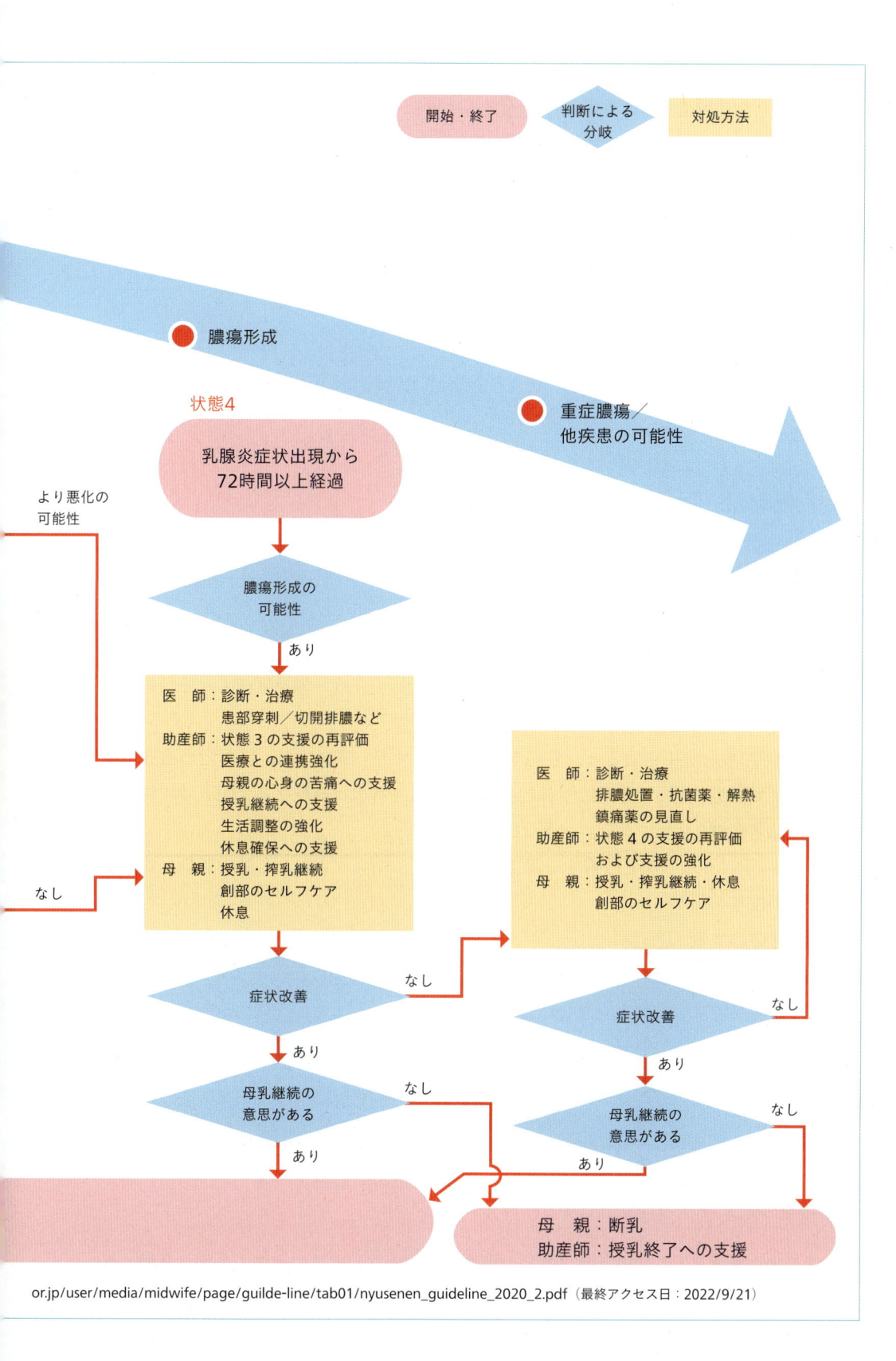

開始・終了　判断による分岐　対処方法

膿瘍形成

状態4

重症膿瘍／他疾患の可能性

乳腺炎症状出現から72時間以上経過

より悪化の可能性

膿瘍形成の可能性

あり

医　師：診断・治療
　　　　患部穿刺／切開排膿など
助産師：状態3の支援の再評価
　　　　医療との連携強化
　　　　母親の心身の苦痛への支援
　　　　授乳継続への支援
　　　　生活調整の強化
　　　　休息確保への支援
母　親：授乳・搾乳継続
　　　　創部のセルフケア
　　　　休息

なし

医　師：診断・治療
　　　　排膿処置・抗菌薬・解熱
　　　　鎮痛薬の見直し
助産師：状態4の支援の再評価
　　　　および支援の強化
母　親：授乳・搾乳継続・休息
　　　　創部のセルフケア

症状改善　なし

あり

症状改善　なし

あり

母乳継続の意思がある　なし

あり

母乳継続の意思がある　なし

あり

母　親：断乳
助産師：授乳終了への支援

or.jp/user/media/midwife/page/guilde-line/tab01/nyusenen_guideline_2020_2.pdf（最終アクセス日：2022/9/21）

を生じたものである。乳汁の排出が十分に行われないことが原因であるうっ滞性乳腺炎と，乳汁うっ滞に細菌感染を生じた感染性乳腺炎とがある。乳腺炎を生じると，局所のみならず全身の身体的苦痛が伴う。また，授乳をはじめ，児の世話に支障をきたすため，治療や看護ケアが重要である（図3-3）。

❶ アセスメントのポイント

乳腺炎のアセスメントのポイントを次にまとめた。

- 40℃近い発熱，乳房痛（自発痛・圧痛），発赤，倦怠感，かぜのような症状
- 乳汁分泌状態，乳汁の性状，乳管の閉塞
- 授乳姿勢，児の乳頭への吸着
- 外出などによる授乳間隔の延長
- 高カロリー食の摂取
- きついブラジャーなどによる乳腺組織の圧迫
- 疲労などによる抵抗力減弱

❷ 身体的支援

▶ **うっ滞乳汁の排出** 搾乳などによる乳汁の排出を行う。うっ滞部位は，炎症を起こしているため触れるだけでも痛いことが多いので，注意する。

▶ **患部の安静と炎症の鎮静** 発症初期にはうっ滞部位に冷罨法を施行し，炎症の鎮静化を図る。冷罨法は熱感のある乳房に心地よい安楽をもたらし，うっ滞を軽減させる効果がある。

▶ **授乳は継続** 授乳を中止すると，乳房全体にますますうっ滞を生じ，乳房内の血液循環を低下させて治癒を遅らせる可能性があるため，授乳や搾乳は継続する。授乳時に痛みを伴う場合は苦痛のないポジショニングを探す。

▶ **薬物療法** 乳汁のうっ滞を改善する漢方薬や抗菌薬，消炎作用のある酵素製剤，解熱鎮痛薬などの投与を行う。

❸ 心理・社会的支援

発熱や授乳時の痛みのために全身が消耗しているので，安楽に過ごせるケアでリラックスを促して全身の血液循環を促進し，炎症の治癒に努める。また，児の体重や様子の情報提供を行い，母子関係の形成を促進する。

Ⓑ 乳房・乳頭のトラブルのある褥婦と家族の看護

1 | 乳頭のトラブルの看護

乳頭の痛みを生じる乳頭のトラブルは，乳頭の形態異常，乳頭の損傷，乳頭・乳輪の炎症などから引き起こされる（表3-6）。

第
6
編

1
妊娠期における
母子の異常と看護

2
分娩期における
母子の異常と看護

3
産褥期における
母子の異常と看護

4
胎児・新生児の
異常への看護

表3-6　乳頭のトラブルの分類

乳頭の形態異常	陥没乳頭，扁平乳頭，短小乳頭，巨大乳頭，その他の特殊な形態
乳頭の損傷	乳頭変形（ゆがみ・つぶし），乳頭亀裂，乳頭咬傷
乳頭・乳輪の炎症	乳口炎，乳輪炎，乳頭・乳輪カンジダ症

❶アセスメントのポイント

　乳頭の損傷である乳頭亀裂は，授乳の開始時に児の吸綴による圧迫刺激によって乳頭上の皮膚に擦過傷を生じた状態である。産褥早期には乳頭・乳輪が硬く，伸展性の悪い場合や乳頭の皮膚が脆弱な場合，児の吸綴刺激が強過ぎる場合に起こる。

❷身体的支援

▶ **乳房緊満をできるだけ抑える**　乳房緊満は乳頭・乳輪の伸展性を悪くし，乳頭トラブルを生じる原因になる。乳房緊満をきたさないためのケアが，乳頭トラブルの予防になる。

▶ **正しいポジショニング（授乳姿勢）**　リラックスして背筋を伸ばし，真っ直ぐに正しい姿勢をとり，前屈にならないように乳房を突き出すようにする。児の臍と母の臍が合うようなポジションをとる（児の口と乳房が垂直）ことが重要である。

▶ **正しいラッチオン（含ませ方・はずし方）**　乳房を「C」の形で持ち，乳頭を真っ直ぐにして，乳輪部まで深く含ませる。児が大きな口を開けたタイミングで児を引き寄せる（乳房を持っていくのではない）。

　乳頭のはずし方は，小指を児の口角から口内に入れて，陰圧になっている口内に空気を入れてはずす，または児の口角に近い乳房を指で押して空気を入れてはずす。

▶ **皮膚の保護**　乳頭にグリセリン，コールドクリーム，純粋ラノリンなどの塗布薬を用いる。重症な場合は，医師により抗菌薬やステロイド含有の軟膏が処方されることもある。

▶ **乳頭マッサージ**　乳頭周囲の血液の循環を良くする目的で，乳頭マッサージを痛くない程度に行う。

❸心理・社会的援助

　褥婦は痛みがあるため，授乳に消極的になる場合があるが，授乳介助を行い，必ず治癒することを伝え，心理的ケアに努める。

2　乳房緊満の看護

　分娩後，胎盤から分泌されていたプロゲステロンの抑制解除が起こると，プロラクチンが乳腺に作用し，乳汁産生に向けて，乳房内への血液流入量は急激に増加する。分娩後すぐは循環があまり良くないために，乳房内に血液は貯留し，乳房内圧が上がり，乳房間質の組織を圧迫し，乳房組織に浮腫を引き起こす。浮腫が起こると，乳房内の血管やリンパ管，乳管はさらに圧迫され，静脈血の還流が阻害され浮腫が増強する。次に乳管が圧迫され，乳汁排出はますます困難となり，亢進した乳房内圧がさらに悪化し，乳房がうっ積をきたす。これを乳房緊満という。

❶ **アセスメントのポイント**
- 乳房緊満の程度
- 乳房の熱感
- 限局した硬結の有無
- 乳頭の扁平化の程度
- 乳輪部の硬さ

❷ **身体的支援**

▶ **緊満する前に授乳する** 産褥早期から積極的に直接授乳を行う支援が乳房緊満の予防につながる。頻回授乳を行うことで，乳房の循環が良くなり，乳管開通が促進される。

▶ **乳管の開通を促す** 乳管を開通させて，乳汁の排出を促し，乳房内圧を低下させるようなマッサージを行う。

▶ **乳汁産生を刺激するものを避ける** 脂肪分，糖分の多い食事や過剰な水分摂取を控える。

▶ **痛いマッサージはしない** 乳房うっ積時は少し触っただけで飛び上がるほどに痛いため，褥婦の苦痛を優先して痛くないマッサージを行う。マッサージによる乳管の開通が起こると，乳房内圧が低下して乳房内の循環が良くなる。

❸ **心理・社会的支援**

母親自身が，児が吸いやすいように乳頭・乳輪部を軟らかくするように指導する。直接授乳だけでは乳房緊満が軽減しない場合は，授乳と授乳の間に，緊満感が楽になるまで搾乳するように提案する。また，全身のリラクセーションの目的で，温かいシャワーやマッサージを行うことも乳汁の流出を助けることを伝え，乳房を締め付けるような下着の代わりに，ハーフトップ，さらし，タオルなどで乳房を支えるものを使用するように指導する。

3 | 乳汁うっ滞の看護

乳汁うっ滞は，乳管の狭窄や乳栓・乳頭水疱による乳管閉塞のために，産生された乳汁が乳管や乳腺の腺房に貯留した状態である。急性の乳管閉塞は，急性うっ滞性乳腺炎をきたす。慢性の乳管狭窄や閉塞が続くと，しだいに乳腺組織の萎縮や硬結をきたし，分泌機能低下をきたす。

❶ **アセスメントのポイント**
- 産褥早期のうっ滞は乳房全体に及ぶことが多く，日数が経ち局所に限局する。うっ滞が生じやすい部位は乳房外側上部 1/4 であり，乳腺炎の好発部位でもある。
- 不適切な抱き方や児の吸啜に問題があり，乳房の全体を均一に吸啜できないような場合は，乳汁うっ滞が起こりやすい。

❷ **身体的支援**

▶ **うっ滞部の改善** 硬結部位からの排乳を促す際には，痛みを生じないよう，生卵を手のひらでそっと包み込むように把持し，硬結部全体に圧を加えるようにほぐすようにマッサージをする。毎回，患側から授乳することを指導する。

第6編

妊娠期における
母子の異常と看護

分娩期における
母子の異常と看護

産褥期における
母子の異常と看護

胎児・新生児の
異常への看護

▶ **ポジショニング（授乳姿勢）** 乳汁うっ滞部位に下顎（かがく）方向を一致させるようにポジショニングをとる。児の吸啜によってうっ滞が解除できるように介助する。

▶ **罨法** 急性の乳汁うっ滞には，うっ滞部への冷罨法（れいあんぽう）により，分泌を抑制し，うっ滞の軽減を図る。慢性的に経過した乳汁うっ滞には，硬結部位への温罨法による循環促進効果によって，うっ滞の軽減を図る。

❸ **心理・社会的支援**

　乳汁うっ滞には，肩こりや背部痛を伴っていることが多い。肩甲骨（けんこうこつ）周辺と乳房は，血管の支配領域が共通しているため，背部の循環を促進することは，乳房への血液循環を良くする。マッサージや温罨法，足浴によってリラックスを図る。

C 新生児に健康課題のある褥婦・死産と周産期死亡時の看護

　死産には，子宮内胎児死亡と，妊娠22週未満の時期に人工的に妊娠を終結させる人工妊娠中絶とが含まれる（本編 - 第4章 - I -D-3「子宮内胎児死亡」参照）。子宮内胎児死亡の原因は，染色体異常や心臓や脳の異常で生存できない場合や，常位胎盤早期剝離（はくり）などで胎児に酸素が供給されなかった結果などである。また，**周産期死亡**は，出生後7日未満に新生児が亡くなる早期新生児死亡と，妊娠22週以降の死産を合わせたものである（図3-4）。日本では，早期新生児死亡よりも妊娠22週以降の死産のほうが多い。周産期死亡の主なる原因は，妊娠や分娩（ぶんべん）の合併症による影響や先天異常によるものである。

1 死産した母親と家族の看護

　流産，死産，新生児死亡などの喪失体験を**ペリネイタルロス**という。喪失体験に伴う身体的・情緒的・認知的・行動的症状の大混乱から，受容や適応に至るプロセスは，数年間持続するといわれる。ペリネイタルロスへの看護は，喪失体験に伴う様々な症状や反応である大混乱状態に対するていねいなケアと，児との面会，そして別離とが大切である。

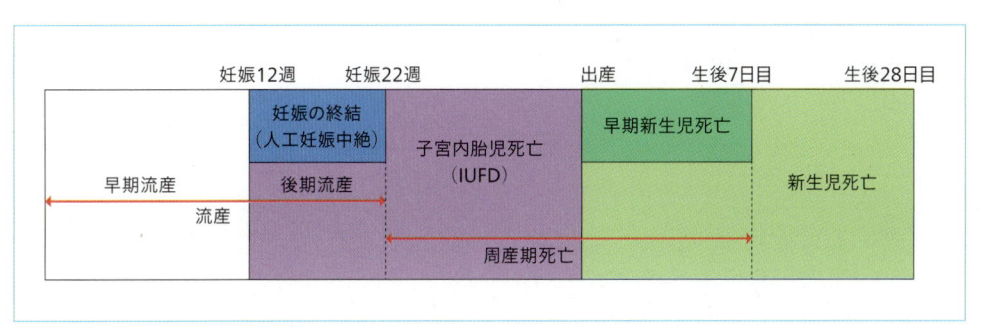

図3-4　周産期死亡の時間区分

❶アセスメントのポイント

　胎内に生命の存在を実感し，腹部超音波検査で胎児の姿を確認し，胎動を実感していた母親にとって，児はかけがえのない存在であり，その対象を喪失するという現実は急性の情緒危機となり，図3-5のような症状を引き起こす。児の死を受容していくには段階を踏むことが重要であり，児との心理的分離にはプロセスがあり，その時期に見合った看護が必要である。一方では，この世に生まれてこなかった胎児の存在を目にすることなくだれとも共有することができず，母親や家族にとって児は心象的体験のまま残る。そのため，死亡した児との面会と別離が児の死を受容し，今後の生活に適応していく第一歩となる（図3-6）。

❷身体的・心理社会的支援

▶ **悲しみへのケア**　亡くなった児の看取りの場面を共有し，付き添い，気持ちに寄り添って母親の言動を十分に傾聴する。看護者も悲しみのなかにあり，また，母親や児を取り巻

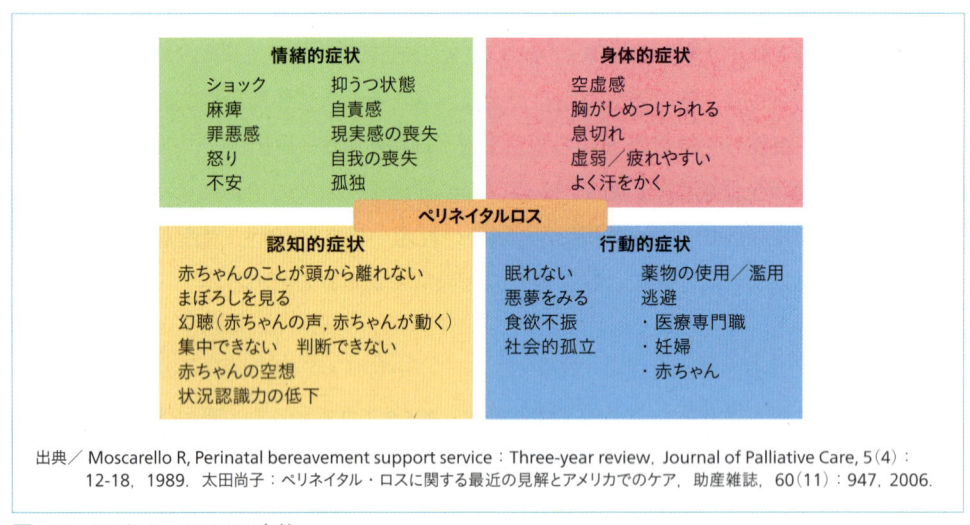

出典／Moscarello R, Perinatal bereavement support service：Three-year review, Journal of Palliative Care, 5（4）：12-18, 1989. 太田尚子：ペリネイタル・ロスに関する最近の見解とアメリカでのケア，助産雑誌，60（11）：947, 2006.

図3-5 ペリネイタルロスの症状

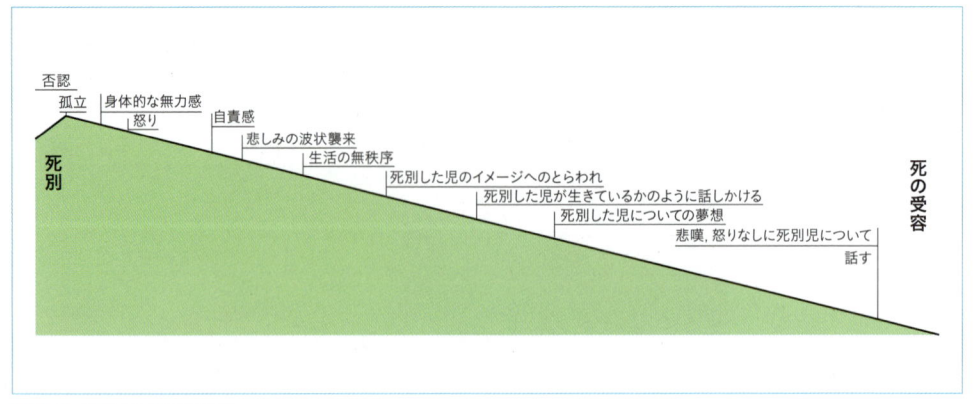

図3-6 悲哀の心理過程

写真提供／アメジスト大衛株式会社

図3-7 思い出をつくるケア

く家族の気持ちを理解・共有しようとする意識が，ケアそのものにつながる。そして，受け止めや反応は，家族であっても一人ひとり異なることに留意し，アセスメントに沿った継続的ケアを行う。また，母親や家族が十分に児の死を悲しむことができるように，個室などを準備して時間の確保や環境に配慮する。

▶ **親になることへのケア**　亡くなった児に面会する時間や場所を設け，抱っこや沐浴を行い，母親役割が遂行できるようにケアする。ニーズがあれば母子同室で一晩過ごすことができるようにし，家族での写真撮影やベビードレスの着衣を計画してもよい。児とともに過ごす時間は貴重な瞬間の連続であり，死の受容を支援するものとして大切である。

▶ **思い出を作るケア**　児との別離のセレモニーとして，看護者もお花を供えることやお線香をあげることもケアの一つとなる。また，送別の言葉を贈り，児の手形・足形など，思い出になるものを計画する（図3-7）。

▶ **退院後の早期ケア**　これまでに起こったこと，これから起こる心身の変化について指導する。また，死産の時期によるが，乳房緊満や乳汁分泌への対処として，冷罨法や搾乳しないことなどを指導する。プロラクチンの分泌を抑制する薬剤（カベルゴリン［カバサール®］）が処方されることもある。また，死産証明書や葬儀の手配などの手続きについても説明する。死産後の母親の1か月健診は，一般の母子の1か月健診とは別に設定することや，いつでも相談や面談ができることを伝える。また，ピアグループ（年齢・社会的立場・境遇などがほぼ同じ人たちで構成されるグループ）や相談窓口の情報を提供する。

2 ｜ 障害のある新生児を出産した母親と家族の看護

　先天異常とよばれる染色体異常，代謝などの機能異常や先天異常など，および胎児機能不全などの分娩時障害など，将来何らかの障害を残す可能性の高い児を出産した母親とその家族は，様々な思いを抱えている。特に，出生前診断で胎児異常を伝えられた場合は妊娠中からの葛藤が続くことも多い。また，夢にまで見た児の出生時に，障害があることを知らされた場合もある。いずれにしても児の障害を受け入れ，愛着を形成していくための

看護ケアがとても大切である。

❶アセスメントのポイント

　先天異常をもつ児に対する親の反応として，第1～第5段階までの過程があるといわれている（表3-7，図3-8）。障害の重さや家族間でも第5段階の再起にたどり着くまでには差があることに留意し，母親とその家族一人ひとりの段階を確かめながら，ケアにあたる必要がある。

❷身体的・心理社会的支援

▶障害のある児を受け入れるための段階に沿ったケア　母親や家族の反応が第1～第3段階にあるときは，親としての課題について説明したり，児へのかかわり方を指導したりすべきではない。母親は「満足に産んであげられなかった」という自責の念をもつことが多いため，不安や否定的な気持ちをもつことは当然であると認識し，十分な分娩体験の想起を行うことが重要である。ショック，感情を抑圧したり否定したりせずにその感情の表出を助けるケアを行う。傾聴的態度で接し，プライバシーが守られる場を設けることが大切である。第4～第5段階では，児の健康状態や治療の経過などをわかりやすく具体的に伝える必要がある。医療者からの病状説明などで十分に理解できなかった内容については，ていねいに何度も説明する。

表3-7　先天異常をもつ子どもの誕生に対する親の反応－Drotarらの仮説モデル

第1段階　ショック	自分の子どもに異常があることを知ったとき，親が最初に示す反応は耐え難いショックである。ふだんの感情が急に崩れ落ちるような反応と感覚。
第2段階　否認	自分の子どもに異常があることを認めるのを避けようとしたり，大きな打撃を和らげようとする。その状況から逃げ出したい，あるいはその衝撃を否定したい気持ち。
第3段階　悲しみ・怒り	否認の段階には，強い悲しみと怒りの感情を伴ったり，それに引き続き起こる，最もよくみられる情動反応は悲しみである。
第4段階　適応	不安と強い情動反応が徐々に薄れ，情動的な混乱が静まるにつれ，自分たちの置かれている状況に慣れ，子どもの世話ができることに自信を覚えるようになる。
第5段階　再起	子どもの問題に責任をもって対応する。長期にわたり子どもを積極的に受け入れていくためには，両親が相互に支え合うことが重要。

出典／クラウス，M.H.，ケンネル，J. H. 著，竹内徹，他訳：親と子のきずな，医学書院，1985，p.334-336．を参考に作成．

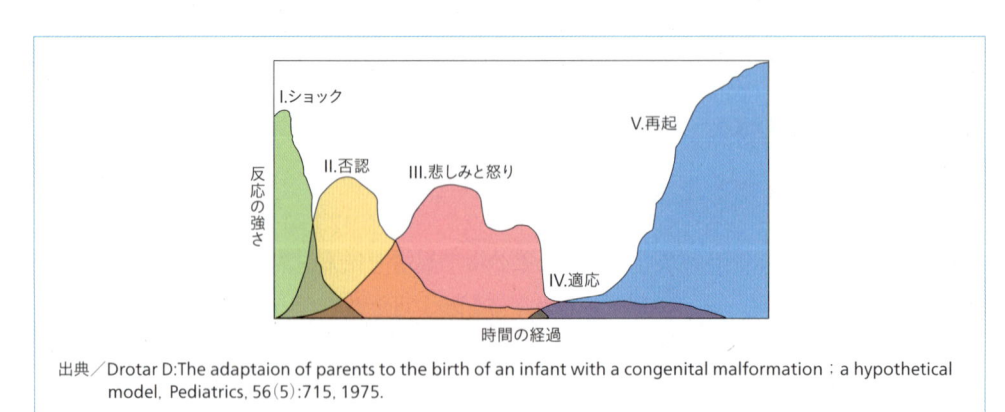

出典／Drotar D:The adaptaion of parents to the birth of an infant with a congenital malformation：a hypothetical model. Pediatrics, 56（5）:715, 1975.

図3-8　先天異常をもつ子どもの両親の反応の強さと変化（Drotarらによる）

第
6
編

1
妊娠期における
母子の異常と看護

2
分娩期における
母子の異常と看護

3
産褥期における
母子の異常と看護

4
胎児・新生児の
異常への看護

▶ **障害のある児への愛着形成のためのケア**　第4～第5段階の時期において児の生命の存続が保障されて，分娩体験の想起ができた頃より，生まれてきた児は大切なかけがえのない存在であることを伝えると同時に，看護者も生命の誕生を祝福する態度でケアにあたる。しかし，母親や家族に対して必要以上に気をつかったり腫れものに触ったりするような接し方はしない。児への愛着形成がスムーズに構築されるために，面会時以外の時間の児の様子を伝え，児の受け持ち看護師との交換日記などを行うのも愛着形成のためのケアとなる。また，実際に児の抱っこや授乳や沐浴をとおして，母親役割のための育児技術を指導していく。

▶ **心身疲労へのケア**　児の健康問題や医療者からの病状説明などで，母親には緊張した状態が何日も続くことが考えられる。障害のある児にばかり目がいきやすいが，母親は産後であることに留意し，正常な産褥経過からの逸脱がないかを観察し，退行性変化および進行性変化へのケアを行う。また，心身共に疲労状態にあるため，十分な休息や栄養摂取についても計画する。

Ⓓ 産褥期精神障害のある褥婦と家族の看護

　妊娠・分娩をとおして大きく変化した身体は，分娩終了とともに非妊娠時の状態に戻り始める。それに伴い，ホルモンの急激な変化が起こり，これは精神面にも影響を与える。また，産後は分娩による疲労や母親役割の遂行，環境の変化などが母親の精神面に大きな負担を与える。これらのことが産後の精神障害を引き起こす原因となる。

1 ｜ マタニティブルーズのある褥婦と家族の看護

　マタニティブルーズは，産褥10日以内に発症する，一過性の軽いうつ状態をいう。発生頻度は30%弱といわれる。生理的なものであり治療は必要としない。症状は軽度で育児や環境変化に適応していくことで消失する（多くは2週間以内に軽快する）が，症状が2週間以上続く場合は，産褥期精神障害の発症との鑑別が必要である。スクリーニングにはマタニティブルーズの自己質問票がある（表3-3 参照）。

❶アセスメントのポイント
　①抑うつ感，②不安感，③涙もろさ・情緒不安定，④集中力の低下，⑤食欲の低下・不眠

❷身体的支援
　身体的緊張を緩和し，十分な休養ができる環境に調整する。睡眠，食事や保清などのセルフケアについても低下していないか観察する。また，精神的な症状により産褥期の退行性変化や進行性変化についてケアする。ホルモンの急激な変化や役割や生活の変化によって引き起こされる症状であることを説明する。

❸心理・社会的支援
　褥婦の不安や抑うつ的な気分など，ありのままの状態を語ってもらう。そのためには，

話しやすい雰囲気や信頼できるコミュニケーションが重要である。心理的不安や育児への負担感について把握し，家族間の役割調整を行う。また，母親役割をスムーズに遂行できるように，特に授乳時には介助し，育児技術の習得を援助する。

　母親が退院後の育児について不安を訴える場合は，退院後もスムーズに地域でフォローするために，早めに新生児訪問を受けられるよう調整をしたり，入院中の医療機関から市町村保健師などに情報提供を行ったりする。

2 | 産後うつ病のある母親と家族の看護

　産褥期に起こる精神障害のなかで約半数を占める。発生頻度は褥婦の 10 〜 15% 前後であり，発生時期は産後 2 〜 3 週目が多い。産後うつ病の要因は，精神力動要因（夫や家族からのサポートの欠如や両親との関係, 性格の発達など），社会文化要因（役割の変化や婚姻状態など），生物学的要因（ホルモン, 遺伝, 産科合併症や児の気質など）といわれる。産後うつ病の問題点は，発症率が高いこと，育児疲れや育児不安として見逃されることが多いこと，重症例では自傷や自殺が引き起こされることである。また，母親自身はもちろん，児の養護や発達に与える影響が大きく，近年では児童虐待との関連も指摘されている。

❶ アセスメントのポイント

　表 3-8 にあげた症状が 2 週間以上続くと産後うつ病が疑われるが，スクリーニングとしてはエジンバラ産後うつ病自己評価票（EPDS）が用いられている（表 3-4 参照）。

❷ 身体的・心理社会的支援

　産後うつ病の要因に対しては妊娠中からの予防が重要である。妊婦健康診査時にリスク要因を把握し，改善に向けたケアを行う。特に，母親自身の性格や養育歴，夫・パートナーや実母との関係は十分に把握しておく。

　軽症例では看護者への相談で軽快する場合があり，現在の症状や育児や生活への支障の程度をていねいに聞く。「指導」はしないことを念頭に置き，育児が楽になる方法について支援する。また，周囲の理解で症状はかなり軽減することから，夫・パートナーや家族にも産後うつ病の症状やケアについて説明する。退院後も定期的な健診や，相談の場を設け，育児サークルなどの社会資源の活用について説明する。

　重症例では，精神科との連携で精神療法や薬物療法を支援する。また，地域における継続ケアが必要となるため，保健センターや保健所，福祉事務所などと連携する。

表3-8　産後うつ病のアセスメントのポイント

❶ 抑うつ気分	❻ 罪悪感や無価値感
❷ 興味・喜びの減退	❼ 思考力や集中力の減退
❸ 食欲の低下または増加	❽ 死について繰り返し考える
❹ 不眠または睡眠過多	❾ 生活機能への障害
❺ 疲れやすさ・気力の減退	

1
妊娠期における
母子の異常と看護

2
分娩期における
母子の異常と看護

3
産褥期における
母子の異常と看護

4
胎児・新生児の
異常への看護

3 | 産褥精神病のある褥婦と家族の看護

産褥精神病は，産褥期の精神疾患のなかで最も重症である。分娩後 5 日から 2 〜 3 週間の間で急激に起こる。発生頻度は 1/1000 といわれるが，再発率が高く，次の出産で 30 〜 50% に起こる。症状は不眠の後に急激に幻覚妄想状態や錯乱状態に陥り，時には意識障害が加わる。産褥精神病は母子双方の生命にかかわる状況に至るため，早急な治療と看護が必要である。

❶ アセスメントのポイント

①精神科の既往歴，②前駆症状：不眠，気分変調，抑うつ，悲哀感，疲労感，頭痛，食欲不振，③錯乱，④子どもに関する妄想が多い

❷ 身体・心理社会的支援

精神科の専門的判断を仰ぎ，速やかに適切な治療を行う。症状に対応した薬物療法が早期に行われる。

参考文献
・日本産科婦人科学会編・監：産婦人科研修の必修知識 2016-2018. 日本産科婦人科学会，2016.
・日本産科婦人科学会・日本産婦人科医会編・監：産婦人科診療ガイドライン；産科編 2017，日本産科婦人科学会，2017.
・日本周産期メンタルヘルス学会編：周産期メンタルヘルスコンセンサスガイド 2017.
・日本産婦人科医会編：妊産婦メンタルヘルスケアマニュアル；産後ケアの切れ目のない支援に向けて，2017.
・Herren C., et al.：Peripartum pubic symphysis separation；Current strategies in diagnosis and therapy and presentation of two cases, Injury, 46（6）：1074-80, 2015.
・厚生労働省：平成 28 年人口動態統計資料．
・伊藤美奈子：流産による悲嘆反応とそれをめぐる関連要因，心理臨床学研究，34（1）：4-14, 2016.
・Saflund,K., et al.：The Role of Caregivers after a Stillbirth；Views and Experiences of Parents, Birth, 31(2)：132-137, 2004.
・堀内成子，他：周産期喪失を経験した家族を支えるグリーフケア；小冊子と天使キットの評価，日本助産学会誌，25（1）：13-26, 2011.
・和田浩：グリーフケア；新生児科・小児科，周産期医学，46（3）：309-312, 2016.
・Kafumi Sugishita,et al.：The Inter Relationship of Mental State between Antepartum and Postpartum Assessed by Depression and Bonding Scales in Mothers, Health, 8（12）：1234-1243, 2016.
・John Cox，Jeni Holden 著，岡野禎治，宗田聡訳：産後うつ病ガイドブック；EPDS を活用するために，南山堂，2006.
・杉下佳文，上別府圭子：妊娠うつと産後うつの関連；エジンバラ産後うつ病自己評価票を用いた検討，母性衛生，53（4）：444-450, 2013.
・岡野禎治：マタニティ・ブルーズから産褥精神病まで，女性心身医学，9（1）：82-86, 2013.

第 **4** 章

胎児・新生児の異常への看護

この章では

● 新生児にみられる異常にはどのようなものがあるかを学ぶ。
● 健康問題をもつ新生児の看護について理解する。

I 胎児にみられる異常

A 胎児の形態異常

1. 頭部・脊椎の異常

1 無脳症・無頭蓋症

　無脳症は神経管閉鎖不全によって生じる。頭蓋冠が欠損した無頭蓋症では，脳組織がむき出しになっており，子宮内で損傷されてしだいに消失すると考えられている。超音波断層法で頭蓋冠の欠如を確認できるため，出生前診断は比較的容易である。初期は，しばしば脳組織が不正な形で描出される（図 4-1）。最近では，ほとんどの無脳症は妊娠初期から中期までに超音波断層法で出生前診断されている。

2 水頭症

　水頭症は，髄液の産生，循環，吸収の不均衡により，頭蓋内に異常に髄液が貯留した状態をいう。多くは，髄液が脳室に貯留し，脳室が拡張する（図 4-2）。先天性水頭症の原因として，中脳水道狭窄症，第 4 脳室閉塞，腫瘍や囊胞などの占拠物，二分脊椎に伴うものなどがあるが，不明のものも多い。原因不明なもののなかに遺伝性水頭症も含まれる。

　超音波断層法や MRI で脳室拡大を描出することにより，出生前診断ができることもある。出生後に脳室腹腔シャント術*を行う。

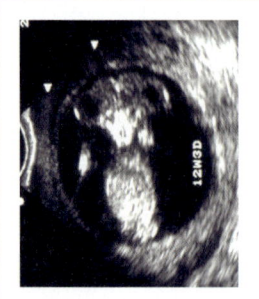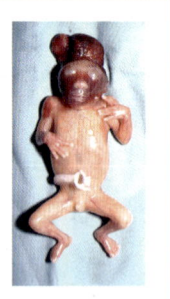

左：妊娠 12 週で診断された無脳症の胎児超音波像。
右：娩出した胎児（約 5cm）。
妊娠初期に発見される無脳症は，頭蓋冠は欠損するが脳組織はいまだ存在している。

図 4-1 無脳症（無頭蓋冠）

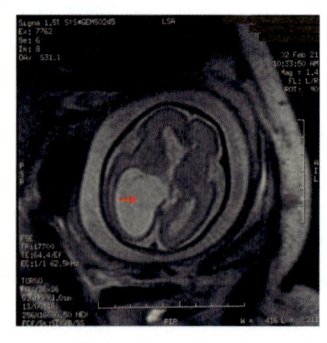

胎児期の MRI 像で，片方の側脳室は髄液が貯留して拡張している（→）。

図 4-2 水頭症

---

* **脳室腹腔シャント術**：脳室内の髄液を腹腔へ流出させる手術。

3 | 二分脊椎

二分脊椎は椎弓の癒合不全により生じ，髄膜と脊髄の露出を伴った状態である。胎児期に見つかるほとんどのものは顕在性神経管閉鎖不全であり，腰仙部の脊髄髄膜瘤の頻度が高い。その発生部位によって排尿排便障害，脊椎や下肢の変形などを伴う。また，二分脊椎の多くにキアリⅡ型奇形*を伴い，水頭症を併発する場合が多い。妊娠中に超音波断層法で診断される場合が増加している。出生後に修復術を行う。

2. 胸部の異常

1 | 横隔膜ヘルニア

横隔膜ヘルニアは，横隔膜に欠損があるために，腹腔内臓器が胸腔に脱出する疾患である。横隔膜後方が欠損した胸腹膜裂孔ヘルニア（ボホダレクヘルニア）の発生頻度が高く，その多くは左側に発生する。胸腔に脱出した胃や小腸，時に肝臓などの臓器で肺や心臓が圧迫され，重度な場合は肺低形成のために新生児期に死亡することもある。超音波断層法やMRIによって出生前診断される（図4-3）。出生後に横隔膜の修復術が行われる。

3. 腹部の異常

1 | 臍帯ヘルニア

臍帯ヘルニアは，腸管や肝臓などがヘルニア嚢に包まれて臍帯中に脱出している状態であり，超音波断層法による出生前診断が可能である（図4-4）。しかし，妊娠12週以前の胎児

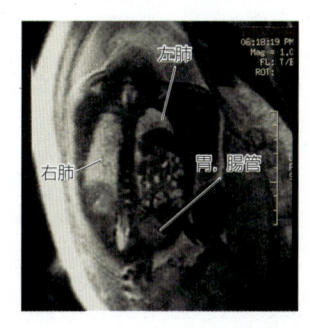

胎児期のMRI像であり，左の胸郭内に胃と腸管が嵌入して，左肺を圧迫している。右肺は正常である。

図4-3 横隔膜ヘルニア

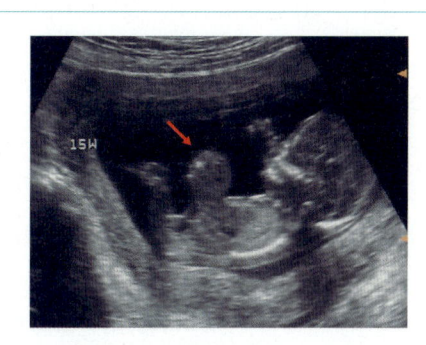

妊娠15週に超音波断層法で診断された臍帯ヘルニアで，腹部から内臓が脱出している（矢印）。

図4-4 臍帯ヘルニアの出生前超音波像

---

* キアリⅡ型奇形：小脳虫部や脳幹が脊柱管内に下垂するもので，原則として脊髄髄膜瘤を伴う。

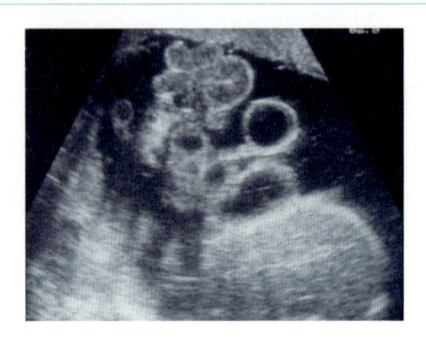

胎児期の超音波像で，腹壁欠損部から脱出した内臓が羊膜腔内を浮遊している。

図4-5 腹膜破裂の出生前超音波像

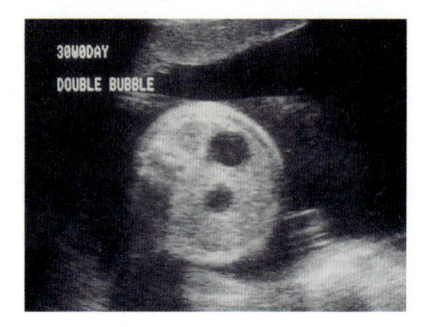

胎児期の超音波像で，腹部に胃および十二指腸からなる2つの囊胞像が認められる。

図4-6 十二指腸閉鎖の出生前超音波像

は腸の大部分が臍帯内に存在しており，病的な臍帯ヘルニアとの鑑別は容易ではない。染色体異常や形態異常の合併頻度が高い。出生後に手術により臓器を還納し，腹壁を閉鎖する。

2 │ 腹壁破裂

先天性の腹壁欠損部をとおして内臓が脱出する疾患で，超音波断層法による出生前診断が可能である（図4-5）。腹壁破裂は平均年齢20歳ほどの若年妊娠でよくみられ，染色体異常のリスク増加はないとされる。先天性十二指腸閉鎖などの腸管の異常が合併することがある。出生後に手術により臓器を還納し，腹壁を閉鎖する。

3 │ 消化管閉鎖

先天性に消化管が閉鎖している状態で，食道閉鎖，十二指腸閉鎖，小腸閉鎖，鎖肛などがある。

▶ **食道閉鎖**　食道閉鎖では，食道の閉鎖とともに食道と気管の間に異常な交通（気管支食道瘻）を有することが多い。出生前に超音波像で胃が見えにくい場合や羊水過多がみられる場合に疑う。気管支食道瘻を介して胃に液体が流入している場合には，診断が困難である。染色体異常や形態異常の合併頻度が高い。出生後に気管食道瘻を切断し，食道の上下を吻合する。

▶ **十二指腸閉鎖**　十二指腸閉鎖は，超音波断層法で胃と十二指腸の拡張像（ダブルバブルサイン）がみられ，羊水過多を伴うことから出生前診断される（図4-6）。約30%に染色体異常や形態異常の合併がみられ，染色体異常では21トリソミー（ダウン症候群）の頻度が高い。出生後，口側と肛門側の十二指腸を吻合する。

▶ **小腸閉鎖**　小腸閉鎖では，超音波断層法で蠕動を伴う多くの囊胞像がみられる。羊水過多は軽度であり，閉鎖部位が下位になるほど頻度も低くなる。出生後に口側と肛門側の腸管を吻合する。

▶ **鎖肛**　鎖肛は直腸肛門の形成異常で，閉鎖部位により高位，中間位，低位に分類される。

第
6
編

妊娠期における
母子の異常と看護

分娩期における
母子の異常と看護

産褥期における
母子の異常と看護

4
胎児・新生児の
異常への看護

直腸腟瘻や直腸尿道瘻を合併することがある。低位鎖肛は根治術を行うが，高位鎖肛はまず人工肛門造設術を行い，数か月後に根治術を行う。

4. 腎尿路系の異常

1 　腎無形成（腎形成不全）

　腎無形成とは先天性に腎が形成されない疾患で，片側性であれば症状はなく，発見されることも少ない。両側性の場合は，尿が産生されないために重度の羊水過少となり，肺低形成をきたす致死性疾患となる。これを**ポッター（Potter）症候群**という。特有の老人様顔貌（ポッター顔貌）がみられる。超音波断層法で重度の羊水過少であれば，ポッター症候群を疑う。

2 　囊胞腎

　囊胞腎は小児型と成人型に分類される。小児型囊胞腎は両側腎に 1 〜 2mm の多数の小囊胞が生じる。尿は産生されず致死性である。超音波断層法で，胎児腹部は腫大した両側腎に占拠され，羊水過少となる。成人型囊胞腎では大小の囊胞が混在して腎不全をきたすことがある。

3 　多囊胞性異形成腎

　腎に種々の大きさの囊胞が発生して，腎の機能が不完全になる状態を，**多囊胞性異形成腎**という（図 4-7）。腎臓以外の形態異常を合併する場合がある。多くは一側性であり，合併形態異常を伴わない場合，予後良好である。両側性であれば重度の羊水過少となり，致死性である。

4 　水腎症

　水腎症とは，尿路の様々な通過障害により腎盂・腎杯が拡張したものをいう。男児に多

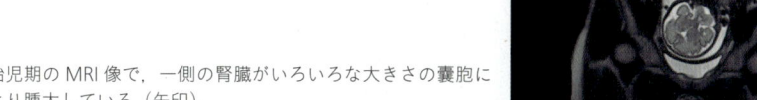

胎児期の MRI 像で，一側の腎臓がいろいろな大きさの囊胞により腫大している（矢印）。

図4-7 多囊胞性異形成腎

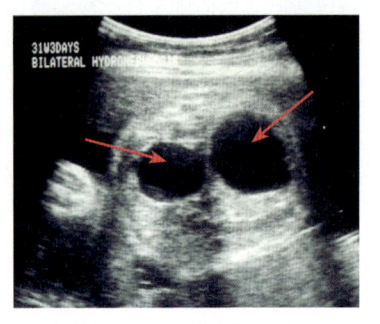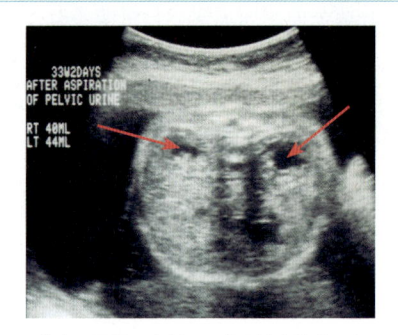

胎児期の超音波像。両側腎は嚢胞状に腫大している。　　子宮内で腎盂を穿刺して内容液を除去した。

図4-8 胎児期の水腎症の出生前超音波像

い。先天性のものは腎盂尿管移行部の狭窄によるものが多い。尿管膀胱移行部の狭窄では，水腎症とともに水尿管症を伴う。機能性尿道閉鎖（後部尿道弁閉鎖）の男児では，さらに尿道拡張も認められる。これらの所見を超音波断層法で確認することで出生前診断が可能である（図4-8）。症状の程度によっては出生後に経皮的腎瘻造設や腎盂形成術などが必要であるが，軽度であれば出生後軽快することも少なくない。

5. 四肢骨格の異常

　四肢骨格の異常の多くは，骨系統疾患にみられる。骨系統疾患は，骨や軟骨の発生・発達のいずれかの段階で問題が生じ，全身の骨格の形態や構造に異常をきたす疾患の総称である。

▶ **タナトフォリック骨異形成症**　骨系統疾患のなかでは最も多く，生命予後は一般的に悪く，生後まもなく死亡することが多い。著明な四肢短縮，体幹に比べて大きな頭部，狭く小さい胸部と膨満した腹部などの外見を有し，肺低形成を生じる。羊水過多を合併する。クローバー状頭蓋，大腿骨の受話器様変形，四肢の皮膚の皺壁などの所見から，出生前に超音波断層法あるいは CT で診断される場合が増えている。

▶ **軟骨無発生症**　強度に短縮した四肢と，不均衡に大きな頭部，短い頸部と体幹，腹部膨満などの特徴的な外見を呈する。極めて予後不良であり，死産ないしは出生直後に死亡する。

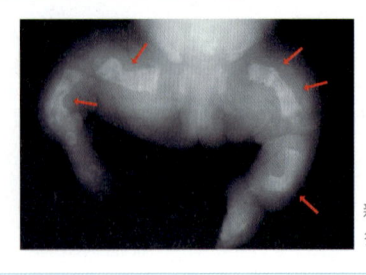

新生児期の X 線像。子宮内で生じた多発骨折（矢印）が認められる。

図4-9 骨形成不全症

▶ **軟骨無形成症**　予後良好な四肢短縮型低身長症の代表的疾患である。頭蓋が大きく，前頭部突出と鼻根部陥凹（かんおう）などの特徴的な顔貌（がんぼう）を示し，四肢の短縮が認められる。胎児期，出生時に見逃される場合もある。低身長に対して，成長ホルモン投与や四肢延長術などが行われる場合もある。

▶ **骨形成不全症**　Ⅰ～Ⅳ型があり，Ⅱ型は致死性である。超音波断層法で長管骨の多発骨折，変形を認める。図4-9には，出生後のX線像を示す。頭蓋骨は骨化不全のため軟らかく，超音波探触子で母体腹壁を圧迫すると頭蓋が変形するのが観察される。

Ⓑ 胎児の発育異常

1. 胎児発育不全

　胎児の発育が抑制された状態を**胎児発育不全**（fetal growth restriction；FGR）という。超音波断層法で推定体重を計測することにより診断する。病因や病態は様々であり，単に個体差として小さい胎児や，妊娠初期から発育抑制因子が作用した場合に起こる均衡型発育不全と，妊娠後半期から慢性低酸素症の状態のために起こる不均衡型発育不全に分類される。不均衡型発育不全の場合，頭囲に比較して腹囲が小さいことが特徴である（図4-10）。不均衡型発育不全児は子宮収縮などのストレスによって胎児機能不全をきたしやすい。均衡型発育不全では原因検索が必要である。

2. 胎児水腫

　胎児水腫（すいしゅ）とは，先天性の異常ではなく，胎児期に母児間血液型不適合や，先天性心疾患による心不全や胎児感染症などが原因で，全身の浮腫（ふしゅ）および胸水（きょうすい）・腹水（ふくすい）などの水分貯留をきたす疾患である（図4-11）。最近では胎児輸血などの治療が試みられている。

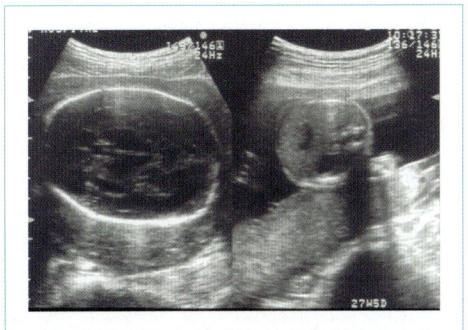

胎児の超音波像。頭部（左）と腹部（右）のいずれも横断像である。断面積は明らかに頭部＞腹部なので，不均衡型の発育遅延である。

図4-10 胎児発育不全

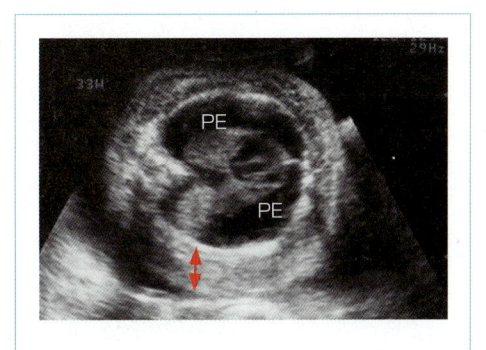

胎児の超音波胸部横断像。皮下浮腫（矢印）および胸水（PE）が認められる。

図4-11 胎児水腫

C 胎児機能不全

胎児機能不全とは，妊娠中に胎児の状態を評価する臨床検査において，"正常ではない所見"が存在し，胎児の健康に問題がある，あるいは将来問題が生じるかもしれないと判断された場合をいう。胎児機能不全の原因には，母体因子，胎児因子，臍帯因子，胎盤因子，子宮因子があり，多岐にわたる。診断の多くは胎児心拍数モニタリングによってなされ，原因によって対策がとられる。

D そのほかの異常

▌1. 双胎間輸血症候群

　双胎には，2個の受精卵による2卵性双胎と，1個の受精卵の多胚化による1卵性双胎がある。2卵性双胎は2個の胎盤を有し，常に2絨毛膜2羊膜をもつ。一方，1卵性双胎は遺伝的に同一である。1卵性双胎の発生過程において，卵が受精後直ちに分離すると2絨毛膜2羊膜となり，分離の時期によって1絨毛膜2羊膜，1絨毛膜1羊膜となる。1絨毛膜2羊膜の頻度が多く，このうち10～20%に双胎間輸血症候群が生じる。**双胎間輸血症候群**とは，共通胎盤上の吻合血管をとおして引き起こされる血流移動のアンバランスによって，両児の循環不全を生じる病態を指す。受血児の羊水過多から早産をきたすほか，心機能の悪化により児の娩出を余儀なくさせられることも多い。

▌2. 血液型不適合妊娠

　血液型不適合妊娠とは母児間に血液型不適合のみられる妊娠のことで，血液型不適合とは母体にない血液型抗原が胎児にあるものをいう。Rh式血液型不適合妊娠，特に抗D抗体によるものが最も頻度が高く，重症度の点からも重要である。Rh(-)の女性がRh(+)の児を妊娠した場合，児に胎児貧血や新生児溶血性疾患が起こる。胎児貧血が重度な場合，胎児水腫に陥る場合もある。妊娠後，間接クームス試験を含む不規則抗体スクリーニングが実施されている。胎児貧血の評価は超音波断層法により行われ，状態により治療が行われる。また，未感作の妊婦に対して抗Dヒト免疫グロブリン投与が行われる。

▌3. 子宮内胎児死亡

　妊娠時期を問わず，子宮内で胎児生存が確認されたあと，胎児心拍動，運動などの生命現象が全くなくなり死亡したものをいう。原因は，糖尿病，妊娠高血圧症候群，感染などの母体因子，常位胎盤早期剝離などの胎盤因子，臍帯過捻転などの臍帯因子，形態異常・染色体異常などの胎児因子に分類される。超音波断層法による胎児死亡の診断がつきしだ

第6編

1
妊娠期における
母子の異常と看護

2
分娩期における
母子の異常と看護

3
産褥期における
母子の異常と看護

4
胎児・新生児の
異常への看護

い，速やかに胎児および付属物を娩出する。母親とその家族に対する精神的支援が求められる。

Ⅱ 新生児にみられる異常

A 新生児の分類と異常

1. 早産児, 過期産児（在胎期間による分類）

在胎 37 週 0 日～在胎 41 週 6 日の分娩を正期産（満期）とよび，在胎 36 週 6 日以前に生まれた児を**早産児**，在胎 42 週 0 日以降に生まれた児を**過期産児**とよぶ。なお，未熟児という用語は，かつては早産児・低出生体重児のことを意味していたが，現在では臨床的に未熟性のある児全般を意味しており，在胎期間や出生体重による定義ではない。一般に在胎期間が少ないほど未熟性は高度になり，出生後の環境に適応しきれずに様々な後遺症のリスクが高くなる。在胎 21 週 6 日以前に出生した場合は流産として扱われる。

2. 低出生体重児, 巨大児（出生体重による分類）

在胎期間にかかわらず，出生体重が 2500g 未満の児を**低出生体重児**，出生体重が 1500g 未満の児を**極低出生体重児**，出生体重が 1000g 未満の児を**超低出生体重児**とよぶ。反対に，出生体重が 4000g を超える児を**巨大児**とよぶ。

3. 在胎期間と出生体重・身長による分類

正常な胎児発育であれば，在胎期間に応じて体重も増加していく。基準値は大まかにいえば，在胎 30 週 0 日は 1500g，その後 3 週間ごとに 500g ずつ増えていく。何らかの理由で胎児の発育が阻害されたり過度になったりすると，「在胎期間の標準体格に比して小さい / 大きい」児が出生する。在胎期間の標準体格に比して小さい児が small for dates（SFD）児，週数の割に大きい児が large for dates 児である。国際疾病分類では SFD 児とは，出生時の身長，体重とも 10 パーセンタイル未満の児と定義されている。ほかにも，体重と身長のバランスで様々な名称がある（第 5 編 **表 4-5** 参照）。小さい / 大きいのが体重だけなのか，身長も伴うのか，という分類である。

B 分娩時外傷

新生児は狭い産道を通って出生する過程で，様々な外傷を受けることがある。

1. 頭血腫, 産瘤

　頭位分娩で出生した児は出生時は頭部が先進するため，必然的に頭部への外傷が多くなる。なかでも多いのが，骨膜下に出血する**頭血腫**と皮膚軟部組織の浮腫である**産瘤**である（図4-12）。いずれも吸引分娩でリスクが高くなる。

▶ **症状, 診断**　両者の見分け方は，頭血腫は血液がたまっているため触れたときに波動があり，境界は比較的はっきりしている。産瘤は浮腫なので圧迫したときに圧痕を残し，境界は不明瞭である。ただし，両者は合併することもあるので注意深い触診が必要である。

　鑑別で重要なポイントは，頭血腫は骨縫合を越えない点である。骨と密着した骨膜の下に出血するため，2つの骨をまたいでは広がらない。産瘤は軟部組織の浮腫のため，骨縫合とは無関係に広がる。触診で波動を認めて骨縫合を越える場合は，次に述べる帽状腱膜下血腫の可能性がある。

▶ **治療**　産瘤は通常24～36時間で消失するが，頭血腫は数週間残存することがある。いずれも自然に治癒するため，穿刺などの治療は不要である。むしろ穿刺部の感染のリスクがあるため禁忌である。狭い範囲の出血である頭血腫では通常，貧血には至らないが，血球成分が吸収される過程で高ビリルビン血症をきたすことがあるので，視診で黄疸の程度を評価する，経皮的ビリルビン測定を行う，などのフォローアップが重要である。

2. 帽状腱膜下血腫

　出生時に帽状腱膜下の結合組織が断裂し出血するのが**帽状腱膜下血腫**である（図4-12）。帽状腱膜下の組織は密ではないため液体成分が広がりやすい。出生時は目立たなくとも，時間とともにどんどん出血が進行し，貧血やショックに陥ることすらあるため，頭血腫と区別して注意深い経過観察が重要である。重要なのは，帽状腱膜下血腫は骨縫合を越えるという点である。

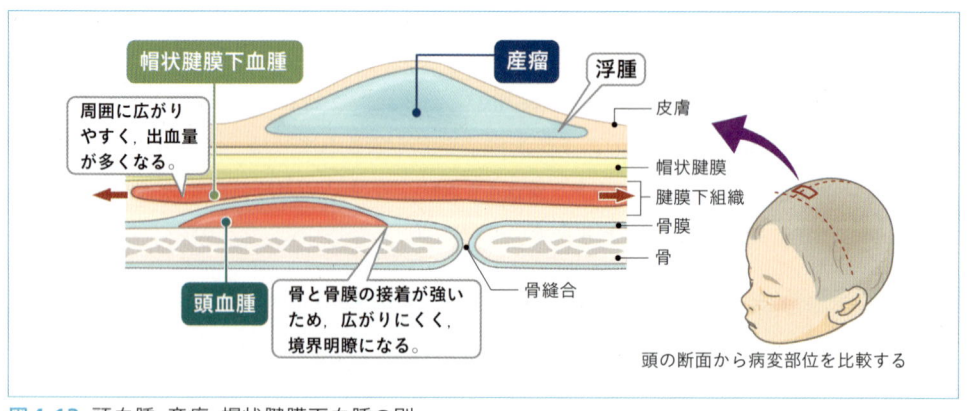

図4-12 頭血腫, 産瘤, 帽状腱膜下血腫の別

3. 顔面神経麻痺

　通常の分娩時や鉗子分娩時の顔面圧迫により起こる。啼泣時に患側の口角だけが下がって気づかれることが多い。鼻唇溝，額のしわ，閉眼の強さなどにも左右差がみられる。多くは生後3か月頃までには自然に軽快するため経過観察でよいが，閉眼できない場合は角膜保護が重要である。また，鉗子分娩の場合は，鉗子痕が眼球に及んでいないかの注意が必要である。鑑別疾患として，先天性口角下制筋欠損があるが，この場合は筋肉の欠損なので，自然軽快しない。

4. 腕神経叢損傷

　分娩時に，新生児の頸部が強く伸展されることにより，腕神経叢（第5頸神経根［C5］から第1胸神経根［Th1］の5つの神経根より構成されている）が損傷されるものである。肩甲難産や骨盤位の経腟分娩で起こりやすい。損傷部位で上腕型と前腕型に分類される。いずれも頸部の伸展で増悪するので，抱き上げたり寝かしたりする際は要注意である。生後3週頃からリハビリテーションを行い，改善が乏しい場合は，神経修復術が必要なこともある。

1 ┃ 上腕型（上位型）：エルブ麻痺

　新生児診察で，患側のモロー反射が出なくなって気づかれる（図4-13）。上腕が挙上できないが，手を握ったり手首を動かしたりすることはできる。C5，C6の障害である。

2 ┃ 前腕型（下位型）：クルンプケ麻痺

　鷲の手のような特徴的な指の形で気づかれる。手指がほとんど動かせず，把握反射が消失する。C7，C8，Th1の障害である。出生時から単独でみられることは稀で，上肢全体の麻痺から徐々に上位型の症状が改善することにより，下位型の症状だけが残ることが多い。

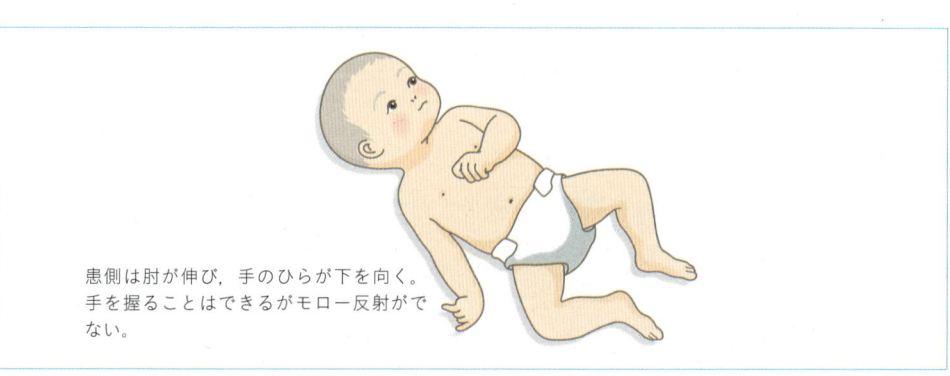

　患側は肘が伸び，手のひらが下を向く。手を握ることはできるがモロー反射がでない。

図4-13　エルブ麻痺

5. 骨折

　分娩時の骨折で最も多いのは，鎖骨骨折である。安静時は無症状なことも多いが，上肢の動きに左右差があったり，触診で握雪感があったり痛がったりすることから気づかれる。鎖骨骨折は自然治癒する。四肢の骨折も時に起こるが，この場合は，副木など整形外科的処置が必要になる。鉗子分娩などで頭部を強く圧迫すると，頭蓋骨陥没骨折や頭蓋内出血を起こすこともある。

6. 腹腔内内臓損傷

　分娩時の新生児に，肝臓破裂，脾臓破裂，副腎出血などが起きることがある。分娩時の胸腔内圧上昇や仮死（低酸素）が関連している。頻度は多くはない。ただし「出生直後は元気だったのに，生後数時間〜数日後にだんだん具合が悪くなり，ショックに至る」という経過をたどることがあるため，見逃さないように，一見元気な児でも全身状態の観察をしっかりと行うことが重要である。

新生児の呼吸障害

1. 呼吸窮迫症候群（RDS）

▶ **原因・病態**　肺胞が呼気時に虚脱せずにいられるのは，肺胞Ⅱ型上皮細胞より**肺サーファクタント**（肺表面活性物質）が分泌されて肺胞の膨らみを維持しているからである。**呼吸窮迫症候群**（respiratory distress syndrome；RDS）は，肺サーファクタントが欠乏するために肺胞が虚脱することで起こる。在胎34週未満の早産・低出生体重児では肺サーファクタントの分泌が不足しているため，早産児に多い疾患である。新生児仮死，低酸素血症や低体温症などでは肺サーファクタントの働きが抑制され，同様の呼吸障害をきたすことがある。

▶ **症状**　多呼吸，陥没呼吸，呻吟，チアノーゼを呈する。

▶ **検査・診断**
- **胸部X線検査**：網状顆粒状陰影や気管支透亮像，肺野の透過性低下をきたす。
- **胃液を用いたマイクロバブルテスト**：胃液の中にある肺サーファクタントを検出する*。

▶ **治療・対策**
- **酸素吸入療法**
- **人工換気療法**：軽症例では持続陽圧呼吸で管理できるが，中等症から重症では気管挿管のうえで人工呼吸器による管理を行う。
- **肺サーファクタント補充療法**：人工肺サーファクタントの気管内投与を行う。

＊ 胃液を回収して，胃液中に肺から流れて移行したサーファクタントを検出するテスト。直接はできないので胃液を泡立てて，顕微鏡で小さな泡の数を調べる。

2. 胎便吸引症候群（MAS）

▶ **原因・病態**　胎児が胎内で低酸素やストレスにさらされると，胎児機能不全の症候として副交感神経が優位となり，腸管蠕動運動が亢進，肛門括約筋が弛緩し，胎内で胎便を排泄することがある。**胎便吸引症候群**（meconium aspiration syndrome；MAS）は，この胎便で汚染された羊水を吸引することによって起こる呼吸障害である。過期産児に多い。胎便による気道閉塞で生じる肺気腫や無気肺，エアリーク，肺炎が主な病態である。

▶ **症状**　多呼吸，陥没呼吸，呻吟，チアノーゼを呈する。

▶ **検査・診断**　下記の状況，検査より診断を行う。

- **周産期歴**：胎児機能不全（NRFS），新生児仮死，羊水混濁の病歴，臍帯や皮膚の黄染，気管からの胎便の吸引。
- **胸部X線検査**：肺門部から末梢にかけての粗大索状陰影，不均一な斑状陰影。

▶ **治療**　酸素療法，抗菌薬投与，人工換気療法（持続陽圧呼吸，気管挿管のうえでの呼吸管理）を行う。重症例では，一酸化窒素吸入療法や膜型人工肺を要する場合もある。

3. 新生児一過性多呼吸（TTN）

▶ **原因・病態**　胎児期には肺胞は肺水で満たされている。**新生児一過性多呼吸**（transient tachypnea of the newborn；TTN）は，この肺水の吸収・排泄遅延により引き起こされる呼吸障害である。新生児期の呼吸障害のなかでは最も高頻度にみられる。正期産児，帝王切開で出生した児に多い。

▶ **症状**　多呼吸，陥没呼吸，呻吟，鼻翼呼吸，チアノーゼを呈する。

▶ **検査・診断**　上記症状および胸部X線写真から，また呼吸障害をきたすほかの疾患の除外をすることで診断する。胸部X線写真では，肺門部の血管陰影の増強，肺の過膨張，葉間胸水がみられる。

▶ **治療・対策**　酸素療法，人工換気療法（持続陽圧呼吸，気管挿管のうえでの呼吸管理）を行う。

4. 未熟児無呼吸発作

▶ **原因・病態**　無呼吸発作とは，20秒以上続く無呼吸，または20秒未満でもチアノーゼや徐脈（100回/分以下）のみられるものを指す。早産児に起こる無呼吸発作を**未熟児無呼吸発作**とよぶ。そのほかに，中枢神経疾患，呼吸器疾患，先天性心疾患，感染症，低血糖，電解質異常，脱水，低体温，母体や児に投与された薬剤による影響などによる続発性無呼吸発作がある。

▶ **検査・診断**　未熟児無呼吸発作と診断するためには，続発性無呼吸発作の原因を除外する必要がある。

▶ **治療・対策**　腹臥位，触刺激，酸素療法，薬物投与（カフェイン，ドキサプラム），人工換気療法を行う。

▍5. 新生児慢性肺疾患

▶ **原因・病態**　胎児期の絨毛膜羊膜炎（じゅうもうまくようまくえん）などの子宮内炎症や，出生後の人工換気による肺の圧損傷や酸素毒性が原因としてあげられる。

▶ **症状**　長期の**酸素依存性**，多呼吸，陥没（かんぼつ）呼吸を呈する。重症例では肺高血圧症を合併することもある。

▶ **検査・診断**　「先天奇形を除く肺の異常により，生後 28 日を超えて酸素投与を必要とする児」で定義・診断されることが多い。修正 36 週*以降に酸素投与が必要な児は，特に重症とされる。胸部 X 線写真ではびまん性の泡沫状（ほうまつじょう）陰影，索状（さくじょう）陰影，気腫状（きしゅじょう）陰影を呈する。

▶ **治療・対策**　ステロイド投与，酸素療法（在宅酸素療法を含む），高頻度振動換気法を含む人工換気療法，利尿薬，水分制限を行う。肺高血圧症を生じた場合には，酸素や血管拡張薬を使用する場合もある。

▍D 新生児の循環器疾患

▍1. 先天性心疾患

1 ｜ 先天性心疾患の分類

　先天性心疾患は多岐にわたっており，各疾患の詳細は医学書を参照されたい。本項では先天性心疾患を分類し，その特徴について記載する。

❶チアノーゼによる分類

　チアノーゼ性心疾患には，完全大血管転位，ファロー四徴症，総肺静脈還流異常症，エプシュタイン病，両大血管右室起始症などがある。左心低形成症候群や大動脈縮窄（しゅくさく）複合や心室中隔欠損症は，**非チアノーゼ性心疾患**である。

❷肺血流による分類

　先天性心疾患には，血行動態として肺血流が増加するものと減少するものがある。**肺血流増加型心疾患**には，総肺静脈還流異常症，完全大血管転位，左心低形成症候群，大動脈縮窄複合，心室中隔欠損症，動脈管開存症，心房中隔欠損症などがある。**肺血流減少型心疾患**には，肺動脈閉鎖，ファロー四徴症などがある。

❸動脈管依存性の場合の分類

　先天性心疾患には，生存のために動脈管が必須である疾患がある。そのうち，**肺血流を動脈管に依存する疾患**としては，肺動脈閉鎖症，ファロー四徴症などがある。**体血流を動脈管に依存する疾患**としては，左心低形成症候群，大動脈閉鎖，大動脈縮窄複合，大動脈離

---

* 出生予定日を在胎 40 週 0 日としたときの週数を修正週数という。たとえば，出産予定日より 2 週早く生まれた場合，生後 2 週で修正週数 0 週と数える。

断症などがある。

2 | 症状

❶チアノーゼ

生後早期の先天性心疾患の診断契機としては最も多い。心疾患においては，呼吸状態が安定しているのにもかかわらずチアノーゼが目立つことが特徴である。酸素投与により経皮的酸素飽和度（SpO$_2$）が95%よりも上昇する場合には，呼吸器疾患によるものであることが多い。

❷心雑音

心雑音は心疾患を疑う大切な所見である。しかし，先天性心疾患のなかには心雑音を聴取しないものも存在するため，心雑音の有無のみで心疾患の有無を決めてはならない。

❸多呼吸

呼吸器疾患に伴う多呼吸では，呻吟や陥没呼吸が出現することが多い一方，先天性心疾患に伴う多呼吸では，安静時にも多呼吸が持続していることがある。

❹ショック

主に動脈管依存性心疾患において，動脈管の閉鎖に伴って呼吸障害，腎不全，肝不全などのショック状態に至ることがある。

3 | 検査・診断

❶胎児期の検査・診断

胎児心臓超音波検査の進歩により，胎児期に診断される先天性心疾患が増えてきた。専門施設へ紹介し，適切な周産期管理を行う。

❷新生児期の検査・診断

上記の症状および心臓超音波検査で診断する。そのほかにも，下記のバイタルサインは重要である。

▶ **SpO$_2$ 測定** 四肢で測定することにより，血行動態把握の一助となることもある。

▶ **血圧測定** SpO$_2$ 同様，四肢で測定することが有用である。

▶ **尿量測定** 血圧や循環動態の指標となる。血圧や腎血流の低下に伴って尿量は減少する。

4 | 治療・対策

治療の基本は外科的な修復術であるが，それまでに児の状態を保つための内科的治療を行う。

❶内科的治療

動脈管依存性の心疾患の場合には，プロスタグランジン E$_1$ 製剤を使用して，動脈管の開存を維持する。チアノーゼ性心疾患における酸素投与は慎重であるべきである。心疾患が動脈管依存性である場合には，酸素が動脈管を閉鎖させることもあるので使用してはな

らない。また，酸素は肺血管抵抗を減らし，肺血流を増加させ，児の状態を悪化させることもあるため，先天性心疾患を疑った際には超音波検査を迅速に行い，診断に基づき酸素投与の可否を決定する。

❷外科的治療

先天性心疾患の根治術は，外科的な修復術が基本である。外科的手術においても，一期的に修復できる心疾患もあれば，姑息術を行ったうえで根治術を行う必要のある心疾患もある。近年では，心臓カテーテル治療の技術が進歩しており，いくつかの先天性心疾患ではカテーテル治療が可能となっている。

▌ 2. 未熟児動脈管開存症

▶ **原因・病態**　動脈管は，主肺動脈と大動脈をつなぐ管であり，胎児循環においては必須であるが出生後は不要となる。正期産児では自然閉鎖するが，早産児（未熟児）では動脈管の血管平滑筋の酸素に対する反応性の弱さなどから，動脈管の閉鎖遅延をきたす。

▶ **症状**　心拍数の増加，心雑音，脈圧の増大，胸部 X 線での心胸郭比の増大，心尖拍動を認める。動脈管を介する**肺血流増加**に伴い，肺うっ血をきたし，心不全，呼吸不全，肺出血をきたすことがある。また，動脈管を介して血流が肺へと逃げるため**体血流低下**をきたし，脳，腎臓，消化管など全身の臓器への血流が低下し，脳障害，腎障害，腸管の壊死や穿孔をきたすことがある。

▶ **検査・診断**　心臓の超音波検査で動脈管開存を同定することで診断を行う。治療を要する動脈管開存症ばかりではない。超音波検査で心拡大の有無，動脈管の血流や臓器血流を評価し，治療の適応を決める。自然に閉鎖する場合もある。

▶ **治療・対策**　過度の水分負荷の是正や薬物療法（インドメタシン）を行うが，これらの治療に不応な場合や合併症により薬物療法を選択できない場合には，外科的治療（動脈管結紮術）を行う。

Ⓔ 新生児の感染症

▌ 1. 敗血症

▶ **原因・病態**　**敗血症**とは，感染症により重篤な臓器障害が引き起こされた状態を指す。血液中に侵入した病原体の影響で，循環不全，凝固障害，臓器障害を生じ，重篤化すると播種性血管内凝固症候群を伴う多臓器不全に至る。

新生児は免疫能が未熟であり，加えて早産児では母体からの抗体移行が少ないため，細菌感染症のリスクが高い。新生児の敗血症はいったん発症すると急激に重篤化し，生命予後・神経予後に大きくかかわる。

▶ **発症時期による分類**

- **早発型**：生後72時間より前に発症するもの。起因菌としては，B群溶血性レンサ球菌（group B *Streptococcus*：GBS），大腸菌，リステリアがある。早発型GBS敗血症の予防に妊婦のGBS保菌スクリーニング結果に基づいた積極的な抗菌薬投与が行われている。
- **遅発型**：生後72時間以降に発症するもの。起因菌としては，表皮ブドウ球菌，黄色ブドウ球菌，GBS，大腸菌，緑膿菌，カンジダ属がある。分娩時に産道から児に移行した細菌（垂直感染）が，一定の期間を経てから敗血症を発症する場合と，出生後の水平感染により発症する場合がある。

▶ **症状**　発症初期の症状は非特異的であることが多く，何となく元気がない，哺乳不良，無呼吸発作，低体温または高体温，黄疸の増強，易刺激性などを呈する。血液培養，血液検査値を参考に診断する。早発型敗血症では髄膜炎を合併することも多い。

▶ **治療・対策**　治療は，推定菌をカバーする抗菌薬の投与を行い，菌種や薬剤感受性が判明した後は，有効な1剤に絞って必要十分な期間投与を継続する。血圧低下や呼吸障害などを伴う場合は，薬剤投与や人工呼吸療法などの必要な支持療法*を行う。最重症例では，血液中に存在する病原体やサイトカインを除去する目的で交換輸血や血液浄化療法を行うこともある。

2. 髄膜炎

新生児の**髄膜炎**は死亡や神経学的後遺症に関連する重大な疾患であり，ほとんどが細菌性髄膜炎である。

▶ **原因・病態**　感染経路としては，母体からの垂直感染，きょうだいなど家族からの水平感染，病院感染がある。早発型では，敗血症同様にGBS，大腸菌，リステリアが起因菌となる。遅発型では，GBSと大腸菌に加え，そのほかのグラム陰性桿菌，黄色ブドウ球菌，表皮ブドウ球菌が増加する。

▶ **症状**　新生児では，発熱・項部硬直・意識障害といった典型的な髄膜炎症状を認めることは稀である。何となく元気がない，ぐったりしている，哺乳力が落ちる，無呼吸，嘔吐などの非特異的な症状を認めることが多い。

▶ **診断**　髄膜炎の診断は，髄液検体からの起因菌検出による。髄液のグラム染色は，起因菌を推定するために有用である。

▶ **治療・対策**　治療は，推定菌をカバーする抗菌薬を最大量投与する。菌種と感受性が判明後は適切な抗菌薬へ変更し，十分な期間投与を行う。治療開始後24〜48時間で髄液検査を再検し，治療効果を判定する。脳炎，脳梗塞，脳膿瘍，硬膜下水腫・血腫などの合併症を伴うことがある。

---

* **支持療法**：血圧低下時は心機能を評価し，輸液の調節や強心剤投与などを行う。呼吸障害に対しては酸素投与や人工呼吸管理を行って対応する。

3. 医療関連感染症

医療関連感染症とは，医療施設において入院後，あるいは転棟後 48 時間以降に生じた感染症を指す。

1 | カテーテル関連血流感染

カテーテル関連血流感染は，輸液ラインおよび，その挿入や維持のための手技に由来して発生した血流感染症である。血管カテーテル挿入中に，感染徴候を認めるがほかの感染巣がなく，血液培養が陽性となった場合に診断される。

▶ 原因・病態　起因菌としては，グラム陽性球菌，特に表皮ブドウ球菌と黄色ブドウ球菌が大多数である。カテーテル長期留置例ではグラム陰性菌も増加し，早産児では真菌にも注意が必要である。

▶ 治療・対策　治療は，有効な抗菌薬を十分な期間投与することである。原因と考えられるカテーテルを抜去すべきかについては，治療への反応性や起因菌により決定される。予防が重要であり，カテーテル挿入時と挿入後の維持において，守るべき複数の項目を定めて医療者が遵守する（感染対策バンドル*）。

2 | 人工呼吸器関連肺炎

人工呼吸器関連肺炎（ventilator-associated pneumonia：VAP）は，人工呼吸器装着後 48 時間以降に発症する肺炎を指す。NICU に入院する新生児，特に早産児では VAP を発症するリスクが高い。

▶ 原因・病態　新生児での VAP の起因菌は，入院後早期では**ブドウ球菌**や**緑膿菌**が多い。常在菌が定着した後は **MRSA**（メチシリン耐性黄色ブドウ球菌），緑膿菌の頻度が増加し，早産児では真菌が原因となることもある。

▶ 治療・対策　治療は，有効な抗菌薬を十分な期間投与することである。また，VAP 予防には，医療者の適切な手指衛生，閉鎖式吸引システムの使用，口腔ケアが重要である。

3 | その他

カテーテル関連尿路感染症や，水頭症の治療として留置される脳室−腹腔内シャントの感染などがある。いずれも清潔な管理，感染症の早期発見と治療が重要である。

---

* **感染対策バンドル**：感染対策のうち特に有用とされる数個の対策をまとめて（束：バンドル）行う方法。

第
6
編

1
妊娠期における
母子の異常と看護

2
分娩期における
母子の異常と看護

3
産褥期における
母子の異常と看護

4
胎児・新生児の
異常への看護

Ｆ 新生児黄疸

1. 生理的黄疸

　黄疸の原因となる血中のビリルビンは，赤血球が壊れる際に生じるヘモグロビン由来の物質である。通常，ビリルビンは肝臓で処理され，尿や便中に排泄される。生後まもない新生児では，生理的に多血であることに加え，赤血球の寿命が短いためビリルビンの産生が多い。また，肝臓でのビリルビン排泄に必要なグルクロン酸抱合能が未熟であるなどの原因により，血中のビリルビンが上昇し黄疸を生じやすい。多くの新生児では，生後2〜3日で顔やからだの皮膚に黄染を認めるようになるが，生後5日程度でピークを越え，ピーク時の血清ビリルビン値は12〜14mg/dLとなる。生後1週間以降は改善傾向となる。このような生理的黄疸は自然に改善するため，経皮的黄疸計でビリルビン値を経時的に評価しながら経過観察を行う。

2. 病的黄疸

　病的黄疸には，早発黄疸，血清総ビリルビン値の急激な上昇，**高ビリルビン血症**，血清直接ビリルビン値の上昇，遷延性黄疸などが含まれる（表4-1）。新生児期の高ビリルビン血症は，**ビリルビン脳症**（核黄疸）を生じ，脳性麻痺などの後遺症にかかわることもあるため注意が必要である。

▶ 原因・病態　新生児期に病的黄疸を生じる原因は多岐にわたる（表4-2）。なかでも，**新生児溶血性黄疸**は早発黄疸を生じやすく注意が必要である。分娩前に溶血性疾患のリスクに関連した情報（出身国，家族歴，きょうだいの黄疸歴，母体の輸血歴，妊娠歴，血液型，不規則抗体の有無）を確認する。

▶ 治療・対策　経皮的黄疸計の値が高い場合は，採血により血中ビリルビン値を測定する。出生体重および日齢ごとの治療基準が定められているため，これを超えた場合は光線療法を行う。

　・光線療法：青色LEDなどの光を児の皮膚に照射することにより，ビリルビンを水溶性に変化させ，尿中への排泄を促進する（第5編表4-8①，②参照）。母乳黄疸が疑われる場

表4-1 病的黄疸の分類

早発黄疸	生後24時間以内に出現する顕性黄疸 血清総ビリルビン値　5〜7mg/dL以上
血清総ビリルビン値の急激な上昇	血清総ビリルビン値　5mg/dL/日以上
高ビリルビン血症	血清総ビリルビン値　15mg/dL以上（正期産児） 　　　　　　　　　　12mg/dL以上（早産児，低出生体重児）
血清直接ビリルビン値の上昇	血清直接ビリルビン値　1〜2mg/dL以上
遷延性黄疸	生後2週間以上持続。ただし，母乳性黄疸は生理的黄疸と考える

表4-2 黄疸の原因

主として間接型ビリルビンのみが上昇するもの	主として直接型ビリルビンが上昇するもの
❶ビリルビン生成の亢進 ・溶血性疾患：母児間血液型不適合 　　　　　　　遺伝性球状赤血球症ほか ・閉鎖性出血：頭血腫など ・敗血症など全身感染症 ・多血症 ❷ビリルビン抱合※の未熟性 ・生理的黄疸 ❸ビリルビンの取り込みから抱合に至る過程の異常・阻害 ・体質性黄疸 ・母乳性黄疸 ❹腸管循環の阻害 ・消化管の閉鎖・狭窄・機能不全 ❺そのほか ・先天性甲状腺機能低下症ほか	❶胆道の閉塞 ・先天性胆道閉鎖症 ・先天性胆道拡張症 ❷特発性肝内胆汁うっ滞 ❸代謝異常 ・先天性代謝異常症 ・経静脈栄養 ❹感染症 ・先天感染（TORCH） ・敗血症や尿路感染など ・新生児肝炎 ❺先天性心疾患 ・左心低形成ほか

※ビリルビンは肝臓でグルクロン酸の作用を受け，抱合ビリルビンとなる。水溶性が高いため，体外へ排泄されやすくなる。

合を含めて母乳を中止する必要はなく，積極的に授乳を行う。網膜の保護のため児にアイマスクを装着し，光線療法ユニットと児の距離は 50cm 以上離さないようにする。光の照射面積を増やすために肌着は脱がせる必要があり，体温管理に注意する。児の体位に制限はないが，腹臥位（ふくがい）とする場合は SIDS 防止のためパルスオキシメータ（SAT）を装着することが望ましい。光線療法の機器には，スタンド型やベッド一体型ユニットなどがある。ファイバー・オプティック・ライトによる光照射法では，コット（新生児用のキャリーベッド）で着衣のまま施行でき，母子同室を継続できるという利点がある。しかし，照射野が体幹に限られるため，治療適応については吟味する必要がある。

・**重症黄疸の場合**：複数の光線療法機器を用いたり，補液を行ったり，対応可能なものについては原疾患の治療を行う。ABO 式血液型不適合などが原因の同種免疫性溶血性の黄疸（おうだん）であれば，免疫グロブリンの投与も行う。これらの治療後もビリルビン値の上昇を抑制できない場合は，**交換輸血**を行う必要がある。

Ⓖ 新生児の神経疾患

▌1. 低酸素性虚血性脳症

低酸素性虚血性脳症（きょけつ）（hypoxic ischemic encephalopathy；HIE）は，低酸素・虚血によって神経細胞が障害され，意識障害，筋緊張低下，新生児発作などの症状を呈する疾患である。日本では，正期産児における中等度～重度の HIE は，出生 1000 に対して 0.39 の発症である。

▶ 原因・病態　HIE の病態は，受傷直後の低酸素・虚血による 1 次性神経細胞死と，遅発性エネルギー障害に伴う 2 次性神経細胞死が特徴である。

▶ 症状　意識障害，筋緊張低下，原始反射の消失，新生児発作などの神経症状が主体である。

▶ 検査・診断　病歴，臍帯血液ガス分析，神経学的理学所見，血液検査，神経生理学的検査，画像検査などに基づいて行う。神経生理学的検査として，新生児脳波または amplitude-integrated EEG（aEEG）が有用である。画像検査としては頭部 MRI が有用である。

▶ 治療　HIE に対して有効な治療法は低体温療法のみである。

2. 新生児発作

新生児発作の特徴は「臨床症状と脳波所見の乖離(かいり)」である。頻度は，正期産児で出生1000 に対して 3，早産児で出生 1000 に対して約 60 と報告されているが，現状においてその発生頻度はもっと高いと考えられる。

▶ 原因・病態　発作の原因としては，表4-3 に示すように様々な疾患・病態があげられる。最も頻度が高いものは**低酸素性虚血性脳症**であり，その多くが仮死出生と関連がある。

▶ 臨床症状と鑑別　新生児発作は，間代性や強直性運動だけではなく，無呼吸，徐脈，頻脈などのバイタルサインの異常を徴候とするものなど多彩な症状を呈する。また，新生児には振戦や jitteriness（新生児期にみられる手足のカタカタとした動き。手足をじっとさせているときは認めない）などの生理的運動や非痙攣(けいれん)性の動きがあり，新生児発作との鑑別が重要である。

▶ 検査・診断　新生児発作は「脳波所見と臨床症状の乖離」をする症例が多いため，新生児発作を臨床症状からのみ診断することは極めて困難であり，脳波検査や aEEG などの神経生理学的検査が必須となる。

▶ 治療・対策　新生児発作そのものに対する治療も重要であるが，全身状態の安定化や新生児発作の原因に対する治療も同時に行わなければならない。

3. 頭蓋内出血

早産児の頭蓋(とうがいない)内出血の多くを占める**脳室内出血**（intraventricular hemorrhage；IVH）についての発症頻度は，日本の極低出生体重児（2003［平成 15］～ 2012［平成 24］年出生）にお

表4-3 新生児発作の原因

頻度が高いもの	頻度が低いもの
● 低酸素性虚血性脳症 ● 急性代謝障害 　低カルシウム血症・低マグネシウム血症 　低血糖・高 / 低ナトリウム血症 ● 感染症 　敗血症・髄膜炎 　脳炎・脳症 　先天性感染症 ● 脳病変 　頭蓋内出血 　脳梗塞 　脳形成障害・脳形成異常	● 染色体異常 ● 先天異常症候群 ● 先天代謝異常症 　アミノ酸代謝異常 　有機酸血症 　尿素サイクル異常症 ● 神経皮膚症候群 ● ミトコンドリア異常症 ● ペルオキシゾーム病 ● 遺伝性 　良性家族性新生児痙攣など ● 薬物・毒物 ● 先天性悪性新生物

いては 12.8%，重症 IVH（III 度＋IV 度）は 4.6% であるが（周産期母子医療センターネットワークデータベースのデータより解析），正期産児における頭蓋内出血の発症頻度は不明である。

▶ 原因・病態　頭蓋内出血の病因・病態は早産児と正期産児では異なるため，ここでは早産児と正期産児に分けて解説する。

❶早産児の頭蓋内出血：早産児では IVH が圧倒的に多い。早産児の IVH の多くは，未熟な脳室上衣下胚層に起こる出血が脳室内に穿破したものである。この部位の血管は，壁が薄く非常に脆弱で破綻しやすい。高二酸化炭素血症，啼泣，気管内吸引，昇圧薬投与，急速高張液投与などは体血圧を変動させるため，IVH の誘引となり得る。

❷正期産児の頭蓋内出血：正期産児の頭蓋内出血の原因は，産道通過時の外傷出血が多く，ほかに周産期低酸素症，血液凝固異常，血管異常などがあり，原因不明の場合もある。

▶ 症状　頭蓋内出血の臨床症状は，新生児発作，無呼吸発作，発熱，血圧低下，貧血，ショック，黄疸などだが，特異性に乏しく，明らかな臨床症状がないことも多い。

▶ 検査・診断　出血の診断には，頭部超音波検査が広く用いられている。検査室への移動が可能な状態ならば，頭部 CT や頭部 MRI を行う。

▶ 治療・対策　早産児の IVH は予防が最も重要である。早産児の IVH は直接的な有効な治療法はなく，随伴症状への治療を行う。ショック，アシドーシスに対して適切な循環呼吸管理を行い，貧血・止血凝固異常に対して輸血を行う。

　正期産児の頭蓋内出血でも症状に対する治療を行う。基礎疾患がある場合は，その治療も行う。

▌ 4.脳室周囲白質軟化症

　脳室周囲白質軟化症（periventricular leukomalacia；PVL）は，主として在胎 32 週未満の早産児にみられる中枢神経障害の一つである。典型例では深部白質に囊胞を形成し（囊胞性 PVL），頭部エコー検査により診断されるが，囊胞形成を伴わない PVL（非囊胞性 PVL）では，頭部エコー検査では診断は難しく，頭部 MRI を撮像することでの診断が可能である。

▶ 原因・病態　早産児では，脳室周囲から深部白質に向かう動脈と，脳表面から脳室へ向かう動脈との灌流境界領域が深部白質にあるため，脈管構築上の特徴から深部白質が傷害を受けやすいことが PVL の病因の一つと考えられている。また，早産児においては脳血管の自動調節能が未熟なため，低血圧により容易に脳虚血に陥ることも PVL の発症要因の一つである。また，早産児の中枢神経ではオリゴデンドログリア前駆細胞が急速に分化しているが，虚血，フリーラジカル，興奮性アミノ酸，炎症性サイトカインが，分化過程にあるオリゴデンドログリア前駆細胞に損傷を与えることが知られている。

▶ 症状　入院中には PVL の特異的な症状を呈することは稀であり，頭部エコー検査などの画像検査から診断に至る。PVL の好発部位は側脳室後角であり，その部位には皮質脊髄路が存在するため，PVL を発症すると皮質脊髄路が損傷を受けるため，遠隔期においては多くの症例で痙性麻痺を呈する。

▶ **検査・診断** 頭部超音波検査や頭部 MRI などの画像検査で診断を行う。

▶ **治療・対策** PVL は不可逆性の中枢神経病変であるため，PVL そのものの治療は確立されていない。したがって，PVL の発症機序・危険因子を理解して，その発症予防に努めることが重要である。

H 新生児の代謝・内分泌疾患

1. 低血糖症

▶ **定義・分類** 低血糖とは血糖値が低下した状態をいう。低血糖による症状（交感神経刺激症状や中枢神経機能低下症状など。ただし新生児期の症状は非特異的）を認める場合，**低血糖症**という。血糖値と臨床症状は必ずしも一致せず，また神経学的障害の有無を決定する血糖値も明らかではないため，血糖値による低血糖の厳密な定義は確立していないが，低血糖の基準として 45 〜 50mg/dL 未満としていることが多い。週数を問わず，35mg/dL 未満は対応すべき血糖値である。新生児の低血糖は一過性か持続性かで分類されることが多く，頻度としては一過性がほとんどである。

▶ **原因・病態** 胎児期は臍帯を通じて母からグルコース（ブドウ糖）の供給がある。胎児の血糖値は母の血糖値と相関しており，母の血糖の 70 〜 80% である。出生し，母からの供給が途絶えると，血糖値は生後約 30 〜 90 分で最低値となる。その後，インスリンの分泌抑制，インスリンと拮抗するホルモン（グルカゴンなど）の分泌亢進などによるグリコーゲン分解，アミノ酸，乳酸，ピルビン酸などからの糖新生，脂肪分解で血糖が維持される。糖の利用と貯蔵にかかわる機能に問題があると，血糖異常をきたす。表 4-4 に低血糖の原因となる病態と疾患を示す。

▶ **検査・診断** 新生児の低血糖の症状は非特異的で，易刺激性，振戦，クローヌス（筋肉の不随意な収縮），痙攣，ミオクローヌス様の動き，モロー反射の亢進，かん高い泣き声，傾眠，筋緊張低下，チアノーゼ，無呼吸，不規則な呼吸，多呼吸，低体温，弱い吸啜，哺乳不良など様々であるが，無症状のこともある。敗血症や頭蓋内出血などほかの疾患でも同様な

表4-4 低血糖の原因となる病態と疾患

病態	疾患
ブドウ糖消費の増大	新生児仮死，低体温，多血症，呼吸不全，心不全，感染症など
ブドウ糖貯蔵不足	早産，低出生体重，SGA*
グリコーゲンからブドウ糖への変換障害	糖原病
糖新生の障害	糖新生にかかわる酵素の異常症，有機酸代謝異常症，早産
脂肪分解の障害	脂肪酸酸化異常症，早産
インスリン拮抗ホルモン分泌障害	汎下垂体機能低下症，副腎不全など
インスリン分泌過剰	糖尿病母体児，巨大児，SGA，新生児仮死

＊ small for gestational age，在胎期間相当の体格よりかなり小さく生まれた新生児の状態のこと。

症状を認めるため，鑑別となる疾患を除外する必要がある。検査では低血糖時に検体を採取することが重要となる。血糖，インスリン，遊離脂肪酸，ケトン体分画，血液ガス分析，一般生化学，アンモニア，乳酸などを測定する。新生児期に持続性の難治性低血糖で頻度が高いものとして**高インスリン血性低血糖症**がある。診断基準は血糖50mg/dL未満のときに，①インスリン値 > 2 ～ 5 μ IU/mL，②遊離脂肪酸 < 1.5mmol/L，③ β-ヒドロキシ酪酸 < 2.0mmol/L，のいずれか1つを認めた場合にその診断となる。

▶ 治療・対策　低血糖は脳障害をきたす可能性があり，予防と早期発見・治療が重要となる。低血糖のリスクがある児 (表4-4 の病態や疾患がある児) は生後1 ～ 2時間に血糖測定を行い，血糖値や症状に応じて，治療や血糖測定フォローを行う。低血糖を認めた場合，症候性では，静脈ライン確保のうえ，10% 糖液 2mL/kg をゆっくり投与し，糖液の持続点滴を行う。無症候性では**早期授乳**を行う。糖液の点滴を行っても低血糖が持続する場合，ステロイドやグルカゴンの投与を行い，低血糖が遷延する場合は糖液の点滴を行う。高インスリン血症があり，糖液のみでは改善がみられない場合，**ジアゾキシド**の内服や，オクトレオチドの皮下注射または持続点滴を行う。薬物治療で改善がない場合，膵臓の部分切除を考慮する。

▌ 2. 低カルシウム血症

▶ 定義・分類　**新生児低カルシウム血症**は，定まった数値の定義はないが，正期産児で8mg/dL未満，低出生体重児で7.0mg/dL未満と定義されることが多い。イオン化カルシウムが生理活性をもつため，イオン化カルシウムで1mmol/L未満と定義されることも多い。イオン化カルシウムが0.6mmol/L未満で症状が顕在化するといわれている。血清カルシウムはアルブミン値の影響を受けるので，補正*が必要である。発症時期により，**早発性** (生後72時間以内)，**遅発性** (生後72時間以降) に分類される。

▶ 原因・病態　早発性は生後24 ～ 48時間で認めることが多く，未熟性，過剰ストレス，新生児仮死，母体糖尿病，胎児発育不全などが原因となり，一過性のことが多い。遅発性は生後3 ～ 7日に発症することが多く，高リン血症，副甲状腺機能低下症，ビタミンD欠乏，低マグネシウム血症などが原因となる。

▶ 検査・診断　低カルシウム血症の多くは無症候性であるが，症状がある場合も，易刺激性，筋緊張亢進，痙攣，振戦，チアノーゼ，嘔吐，哺乳不良など非特異的で，他疾患との鑑別を要する。検査ではカルシウム，リン，マグネシウム，インタクトPTH，血液ガス分析，一般生化学などを測定する。

▶ 治療・対策　症候性の場合，8.5% グルコン酸カルシウム (カルチコール®) 1 ～ 2mL/kg を10分以上かけてゆっくり静注する。急速静注は徐脈や不整脈の原因となるため，心電図モニターをしながら投与する。低カルシウム血症が持続する場合，**乳酸カルシウムやビタミ**

＊ 補正カルシウムについては，補正カルシウム (mg/dL) ＝実測カルシウム (mg/dL) ＋ |4-Alb (g/dL)|，とする。

第
6
編

1
妊娠期における
母子の異常と看護

2
分娩期における
母子の異常と看護

3
産褥期における
母子の異常と看護

4
胎児・新生児の
異常への看護

ンＤの投与を行う。低マグネシウム血症があればマグネシウムの投与を行う。

3. 先天（性）代謝異常症

▶ **定義・分類**　体内で起こるエネルギー産生，必要な物質の合成や不要な物質の分解を代
謝という。**先天（性）代謝異常症**は，代謝の過程で作用する酵素や輸送体が正常に機能せず，
異常な物質が体内に貯留したり，必要な物質が欠乏したりする結果，様々な症状を起こす
疾患の総称である。障害を受ける栄養素（有機酸，脂肪酸，アミノ酸，糖など）により**有機酸代
謝異常症，脂肪酸代謝異常症，アミノ酸代謝異常症，糖代謝異常症**などに分類されている。

▶ **原因・病態**　代謝に関与する遺伝子異常が原因である。代謝過程で障害された部位の手
前までの物質は蓄積し，必要な物質が合成されなくなることで，蓄積物質による臓器障害
や必要物質の欠乏による障害などが起こる。各疾患で特に障害を受けやすい臓器がある。

▶ **検査・診断**　血液・尿検査での物質の低値／高値から疾患の疑いをつける。超音波検査
やＣＴ，ＭＲＩなどの画像検査，眼科的診察などは合併症の検索や診断の補助になる。酵素
活性の測定や遺伝子検査で確定診断できる疾患もある。

▶ **治療・対策**　治療は各疾患で異なるが，体内の代謝バランスの改善，毒性物質の除去，
欠乏物質の補充が原則となる。疾患によっては，**酵素補充療法**など特殊な治療が開発され
ている。先天（性）代謝異常症を対象としたタンデムマス法による**新生児マススクリーニン
グ**が導入され，早期発見により発症予防が期待されている。

Ⅱ 新生児の血液疾患

1. 新生児ビタミンＫ欠乏症

▶ **定義・分類**　ビタミンＫ（vitamin K；VK）欠乏症とは，体内におけるビタミンＫが不足
することから引き起こされる疾患である。体内にはビタミンＫを必要とする**ビタミンＫ依
存性たんぱく質**が多く存在する。特に重要なものに，血液凝固にかかわるプロトロンビン（第
Ⅱ因子），第Ⅶ因子，第Ⅸ因子，第Ⅹ因子がある。ビタミンＫが不足すると，これらの凝
固活性が低下するため出血しやすくなり，**新生児ビタミンＫ欠乏性出血症**を発症する。ビタ
ミンＫは血液凝固だけでなく，細胞周期の調節や細胞の接着，骨形成にも重要な役割を担っ
ている。ここでは，新生児期に最も重要となる新生児ビタミンＫ欠乏性出血症について
述べる。

　新生児ビタミンＫ欠乏性出血症は発症時期により，生後24時間以内に発症する**早発発
症型**，生後24時間〜7日に発症する**古典型**，それ以降に発症する**後期発症型**と，3つに分
類される（**表4-5**）。

▶ **原因・病態**　ビタミンＫは胎盤移行性が低く出生時の備蓄が少ないこと，母乳中のビタ
ミンＫ含有量が低いこと，新生児では腸内細菌叢が十分形成されておらずビタミンＫ摂

表4-5 発症時期による新生児ビタミンK欠乏性出血症の分類

	早発発症型	古典型	後期発症型
発症時期	生後 24 時間以内	生後 24 時間〜 7 日	生後 8 日目以降
出血部位	頭血腫, 臍, 皮膚, 頭蓋内, 腹腔内, 胸腔内, 消化管	消化管（新生児メレナ）, 臍, 鼻粘膜, 注射・採血部位, 包皮, 頭蓋内	頭蓋内, 皮下, 皮膚, 鼻粘膜, 消化管, 注射・採血部位, 臍, 腎泌尿器, 胸腔内
原因	母体の薬剤服用, クローン病などの母体腸疾患, 母体の高度経口摂取不良	母乳中のビタミンK低値, 授乳開始の遅れ, 授乳の不足	母乳栄養, 器質的疾患（乳児肝炎, 胆道閉鎖症など）

取とビタミンK産生能が低いことなどから，新生児にはビタミンKが欠乏しやすい。

ビタミンKの欠乏により様々な部位で出血がみられ，特に重篤なものは頭蓋内出血である。活気不良，痙攣，無呼吸などの症状がみられる。また，**新生児メレナ**という，吐血や下血（黒色便）を呈する症状もみられる。新生児メレナには，吐血や下血の血液が，児由来である「真性メレナ」と母体由来である「仮性メレナ」がある。真性メレナは消化管出血が要因となる。仮性メレナは，出生時の胎盤からの出血や母親の乳頭裂傷などによる出血を飲み込んだことが要因となる。両者の鑑別にはアプト試験*が用いられる。

早発発症型は，妊娠中の母体のビタミンKに関与する薬剤服用やクローン病などの母体の腸疾患，母体の高度経口摂取不良などが原因となる。

古典型では母乳中のビタミンK低値や授乳開始の遅れや授乳の不足などが原因となる。

後期発症型は，母乳栄養児でよくみられ，母乳栄養以外に明らかな原因のない特発性と，肝炎や胆道閉鎖症，遷延性の下痢など原因疾患がある 2 次性のものがある。

▶ **検査・診断** 発症時期により出血部位に特徴がある（表4-5）。ビタミンK欠乏では，ビタミンK依存性たんぱく質の前駆物質である PIVKA-Ⅱ（protein induced by vitamin K absence or antagonist-II）が増加する。新生児ビタミンK欠乏性出血症の診断基準として，PIVKA-Ⅱ値 1 μg/mL 以上，HPT（ヘパプラスチンテスト）値 10% 未満が用いられることが多い。

▶ **治療・対策** 新生児ビタミンK欠乏性出血症が疑われた場合は，凝固検体を採血し，**ビタミン K$_2$ 製剤（ケイツー ®N 静注 10mg）**を 0.5 〜 1.0mg 緩徐に静注する。止血効果は数十分から 2 時間でみられる。最重症例もしくは超低出生体重児では，新鮮凍結血漿 10 〜 15mL/kg の輸血，あるいは第Ⅸ因子複合体濃縮製剤 50 〜 100 単位 /kg の静注を併用する。

新生児ビタミンK欠乏性出血症の予防には，ビタミン K$_2$ シロップ剤（ケイツー ® シロップ 1mL;2mg）を 13 回（出生後に数回哺乳が確立した後，生後 1 週間または産院退院時，その後は生後 3 か月まで週 1 回）投与する。なお，1 か月健診の時点で人工栄養（ビタミンKの含有率が母乳より多い）が主体（概ね半分以上）の場合は，それ以降の内服を中止することも選択できる。

＊ **アプト試験**：新生児の血液中に多くあるヘモグロビンF（HbF）はアルカリ性に抵抗性がある。成人血のヘモグロビンA（HbA）は，アルカリ性では変性する。この違いを利用した検査で，検体に水酸化ナトリウムを加えると，本人の血液であれば変わらないが母体血であれば黄褐色に変色する。

第
6
編

1
妊娠期における
母子の異常と看護

2
分娩期における
母子の異常と看護

3
産褥期における
母子の異常と看護

4
胎児・新生児の
異常への看護

2. 未熟児貧血

▶ **定義・分類**　早産児にみられる，出血，溶血性貧血，先天性造血障害などによる貧血を除いた貧血である。発症時期と病態により，生後 4 ～ 8 週でみられる**早期貧血**と，おおむね生後 16 週以降にみられる**晩期貧血**に大別される。

▶ **原因・病態**　早期貧血は，造血に重要なエリスロポエチン産生能が低いことによる骨髄造血能の低下が主な原因である。晩期貧血は，貯蔵鉄の不足，鉄の需要増加による鉄欠乏が主な原因である。また，早産児は，出生時のヘモグロビン（hemoglobin：Hb）値が低い，赤血球寿命が短い，赤血球膜が脆弱で壊れやすい，採血量が循環血液量に対して多い，などから貧血が進行しやすい。

▶ **検査・診断**　貧血の進行に伴い皮膚色は蒼白化し，末梢組織への酸素供給不足を代償するため頻脈や多呼吸となる。無呼吸，体重増加不良，不活発などがみられることもある。診断には **Hb 値**とヘマトクリット（hematocrit：Ht）値，フェリチン，網状赤血球数を測定する。生後 7 日までは静脈血 Hb13g/dL 以下，生後 2 か月までは 10g/dL 以下を貧血とする。低出生体重児では，生後 1 ～ 3 か月までは 8g/dL 以下を病的貧血とみなす。

▶ **治療・対策**　Hb 値が 12g/dL 以下に低下した時期より，遺伝子組み換えヒト・エリスロポエチン製剤を 200 単位 /kg を週 2 回皮下注射する。Hb 値が 10g/dL を超えて貧血が回復してきたら終了する。また，出生体重 1500g 未満では，母乳 / ミルク摂取量が 100mL/kg/ 日を超えたら，**鉄剤**6mg/kg/ 日の投与を行う。呼吸障害や循環不全など全身状態によっては赤血球濃厚液の輸血も考慮する。

Ｊ 先天異常

　先天異常とは，生まれつきの臓器の形態異常や機能異常で，複数の臓器に先天異常を認めるものを**先天異常症候群**といい，新生児の約 5% に認める。このうち，染色体異常によるものが約 25%，遺伝子異常によるものが約 20% で，約 50% は原因不明である。

1. 染色体・遺伝子とは

　人のからだは約 37 兆個の細胞でできており，それぞれの細胞の核の中に 46 本の染色体が存在する。染色体には男女共通の常染色体（1 番染色体から 22 番染色体まで）と性染色体（X 染色体と Y 染色体）があり，常染色体がそれぞれ 2 本ずつと，男性では X 染色体と Y 染色体が各 1 本ずつ，女性では X 染色体 2 本がそれぞれ対になっている（図 4-14）。精子や卵子がつくられるときにはこれらが半分に分かれ，それぞれの染色体が 1 本ずつの 23 本となる。精子と卵子が受精すると再び 46 本となり，この受精卵が細胞分裂を繰り返して各臓器へと分化する。

　染色体には，二重らせん構造の DNA（デオキシリボ核酸）が細かく折りたたまれて存在

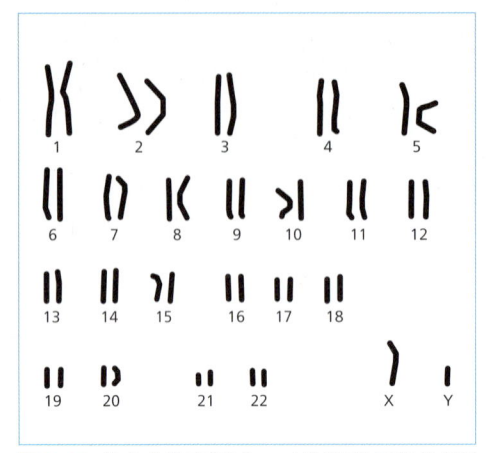
図4-14 染色体検査（G-band法〔男性正常核型〕）

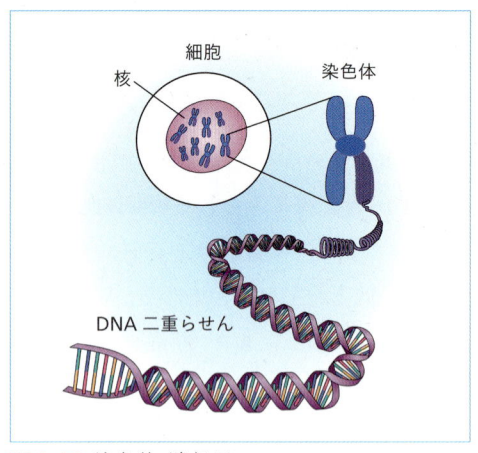
図4-15 染色体・遺伝子

する。DNA上には約2万個の遺伝子が散在しており，遺伝子から特定のたんぱく質がつくられてからだの中で作用する（図4-15）。染色体はいわばからだの設計図の入れ物であり，染色体や遺伝子が変化することにより，先天的な異常が生じ得る。

2. ダウン症候群

ダウン症候群は先天異常症候群のなかで頻度が高く，700〜1000人に1人の割合で出生する。ダウン症候群のうち約95%は21番染色体が3本あり，**21トリソミー**ともよばれる。21トリソミーは，染色体異常症の家族歴がなくても起こり得る染色体の変化である。

▶ **症状・診断** ダウン症候群では筋緊張が低く，哺乳不良や発達の遅れを認めることが多い。また，先天性心疾患や消化管閉鎖，甲状腺機能異常，眼の疾患，難聴などを合併することがある。これらの合併症や身体的な特徴から疾患を疑い，染色体検査で診断する。

▶ **治療** 合併症に対しては基本的には健常児と同様に治療を行うが，同じダウン症候群であっても個人個人で合併症はそれぞれ異なり，重症度も異なる。また合併症が多臓器にわたることが多く，各科との連携が大切である。発達遅滞，知的障害は療育手帳の対象となることがある。理学療法・作業療法・言語療法などのリハビリテーションや，親子通園などのグループ療育は，身体面や精神面の発達において重要である。また，きょうだいや家族へのケアを心がけることも忘れてはならない。家族会などを利用したピアサポートも重要である。

Ⓚ 新生児の外科系疾患

1. 壊死性腸炎

壊死性腸炎とは，消化管の血流障害と細菌感染が重複することにより腸が壊死する疾患

第
6
編

1 妊娠期における
母子の異常と看護

2 分娩期における
母子の異常と看護

3 産褥期における
母子の異常と看護

4 胎児・新生児の
異常への看護

表4-6 壊死性腸炎のベル分類

病期	症状	腹部X線所見
I期（疑い）	活気不良，体温不安定，頻脈，徐脈，無呼吸，哺乳不良，嘔吐，胃内残渣増加，腹部膨満，便潜血など	ほぼ正常，軽度腸管拡張
II期（確定）	上記に加え，腹部膨満増強，血便など	腸管拡張，門脈内ガス像
III期（進行）	上記に加え，低血圧，播種性血管内凝固症候群（DIC）など	腹腔内遊離ガス像

である。消化管や免疫能の未熟性に起因し，在胎32週以下の早産児や，出生体重1500g未満の極低出生体重児に多い。出生時の低酸素や人工栄養もリスク因子とされている。生命予後，神経学的予後が不良であり，ほかの腸疾患に比べても死亡率が高い。

▶ 症状・診断　症状や診断は，病期によって3つの段階に分類されている（ベル［Bell］分類，表4-6）。消化器症状として腹部膨満，嘔吐，血便などがあるが，初期の症状は活気不良，体温の変化，呼吸循環動態の変化などの非特異的なものである。病期が進むと腹膜炎や腸管穿孔を起こし，腹壁が発赤したり，濃緑色の病的な色調となったりする。I期の段階で壊死性腸炎を念頭に置いた治療，検査を進めていくことが重要である。

▶ 治療　I期とII期では内科的治療が中心となる。絶食として，胃管を挿入して腸管拡張の減圧を図り，抗菌薬の点滴を行う。絶食が長期になる場合には経静脈栄養を行う。III期へ進行し，腸管壊死が広範囲な場合や穿孔を起こしている場合には，手術適応となる。手術は壊死した腸管を切除し吻合するが，一期的手術*が難しい場合には，まず腸瘻造設を行い，全身状態の回復を待ってから吻合術を行う。

▌ 2. 未熟児網膜症

　網膜の血管は，在胎14週頃に視神経乳頭部から発生して眼底を前方へと伸びていき，36週頃に完成する。早産児では網膜の血管が完成する前に出生するため，不安定な環境下で生理的な血管成長が抑制される。未熟児網膜症は，在胎期間が短く，出生体重が少ないほど発症率が高く重症化しやすい。高濃度酸素吸入，呼吸窮迫症候群などもリスク因子とされている。小児における失明原因として最も頻度が高い。

▶ 症状・診断　出生体重1800g以下，在胎週数34週以下のハイリスク児には眼底検査を行う。未熟児網膜症の分類には，厚生省分類（1982［昭和57］年修正）と国際分類がある。厚生省分類では臨床経過と予後などから，緩徐に進行し自然治癒傾向が高いI型と，急速に進行し網膜剝離に至るII型に分けられる。II型は在胎週数の少ない超低出生体重児に起こりやすい。I型は進行の程度によって，網膜内血管新生期（1期），境界線形成期（2期），硝子体内滲出と増殖期（3期），部分網膜剝離期（4期），全網膜剝離期（5期）の5段階に分類される。国際分類では病期（stage）と病変範囲（zone）を記載する。

▶ 治療　治療の第1選択はレーザーによる**網膜光凝固術**で，無血管野を凝固することによっ

＊ **一期的手術**：同じ疾患に対し，手術を複数回に分けずに，一度に行うこと。

て血管新生因子の放出を抑える。光凝固術で未熟児網膜症の進行が抑えられず網膜剝離を起こした場合には，強膜輪状締結術や硝子体手術の適応となる。近年ではベバシズマブやラニビズマブ（抗 VEGF 抗体）の硝子体内投与が行われている。

Ⅲ 新生児の異常への看護

1. 低出生体重児の看護

正期産新生児の多くは，胎外生活への変化の時期をスムーズに乗り越えることができるが，低出生体重児，早産児は，子宮外生活に適応する能力を獲得する前に出生するため，呼吸，循環，栄養，代謝など多くのことを独立して自分の力で成し遂げることが難しく，新生児集中治療室（neonatal intensive care unit；NICU）での治療やケアが必要となる。

1 | 低出生体重児の分類

本章-Ⅱ-A「新生児の分類と異常」を参照。

2 | 低出生体重によるリスクとケアのポイント

低出生体重児のうち，極低出生体重児，超低出生体重児は，器官の発達が未熟であり，胎外生活への適応が十分でなく，低体温，皮膚の脆弱性，呼吸窮迫症候群，動脈管開存症，低血糖など，様々な病態が生じる可能性がある。

低出生体重児のケアで，まず大切なことは，低体温を防止することであり，熱バランス（熱産生−熱喪失）がマイナスにならない環境調整が重要となる。熱喪失の経路（第 5 編 - 第 4 章 - Ⅳ - A - 5「保温」参照）を理解し，熱喪失を最少にする。特に，保育器に収容されている児については，蒸散と輻射による熱喪失への注意が必要である。

次に，全身の詳細な観察に先立ち，すやすやと眠っているか，皮膚色に変化はないか，活気があるか，苦しそうにしていないか，顔をしかめていないか，もぞもぞと動いているかなどを観察し，「何となく元気がない」状態を把握する。

新生児は 1 回心拍出量が少なく，各臓器の血流を維持するために心拍数は 120 〜 160/分と，成人に比べて多い。循環状態の観察時は，徐脈や頻脈など心拍数の変化，心雑音の有無，脈圧差の確認，リズムの不整，尿量の変化，皮膚色や末梢の冷感を確認する必要がある。

呼吸状態は，皮膚色や皮膚温など，循環状態と併せて観察することが重要である。感染症や心疾患などでも呼吸状態は変化するからである。通常，呼吸数は 40 〜 60 回／分であるが，60 回／分を常に超えて多呼吸の場合は，鼻翼呼吸，肋間腔の陥没など，努力呼吸の有無に注意する必要がある。

第
6
編

1
妊娠期における
母子の異常と看護

2
分娩期における
母子の異常と看護

3
産褥期における
母子の異常と看護

4
胎児・新生児の
異常への看護

早産児では，通常でも 5 〜 10 秒間程度の呼吸休止を繰り返す周期性呼吸が認められる。しかし，注意が必要なのは**未熟児無呼吸発作**である。これは，在胎 37 週未満の早産児にみられ，20 秒以上の呼吸停止，または 20 秒以内であっても徐脈や酸素飽和度の低下を伴うものをいう。呼吸調整や化学受容体の未熟性によるものであるが，一般的なケアとしては，無呼吸発作の誘因を最少にすること，たとえば，授乳中の分泌物の貯留を避ける，吸引の際のカテーテルによる後咽頭の刺激を避ける，授乳量や授乳間隔の見直しをする，気道閉塞の原因となる頸部の過伸展や屈曲を避ける，環境温を中性温度環境の下限まで下げる，などである。

3 後期早産児のケア

後期早産児（late preterm infant，以下 LP 児）とは，在胎 34 週以上 37 週未満で出生した新生児である[1]。正期産児に比べ，低血糖や黄疸，低体温，呼吸障害，哺乳困難などの合併症を起こしやすく NICU での治療とケアが必要となることが多い。

かつては，正期産児と同様の経過をたどると考えられ near-term とよばれた。しかし，決して成熟しているわけではなく，むしろ未熟性に起因する問題が多いことから，2005 年にアメリカの National Institute of Child Health and Human Development は，後期早産児と呼称し，リスクを見逃さないよう注意を促した。よって，出生後早期から，体温，体重，呼吸状態，活動性，皮膚色（黄疸，チアノーゼ等），哺乳状態を注意深く観察し，異常の早期発見に努めることが重要となる。

LP 児が NICU に入院する原因の多くは，低血糖と無呼吸発作である。前者は，エネルギー源となるグリコーゲンの貯蔵が少なく，また，糖新生や脂肪分解能が未熟なために起こる。血糖値のモニタリングおよび低血糖症状の観察が必須である。無呼吸発作については，新生児蘇生法アルゴリズム（第 5 編図 4-5 参照）における蘇生後のケアに移行できたとしても，新生児生体情報モニターを装着し，呼吸休止や心拍数の低下，酸素飽和度の低下，チアノーゼの出現などを継続して観察する。

黄疸の発生頻度は，正期産児と比べ高率である。ビリルビン値のスクリーニングおよび皮膚色（黄染）や活動性，哺乳状態などを観察する。

哺乳困難は，後期早産児の 23.5％ に認められる。吸啜と嚥下，呼吸の協調運動は，在胎 35 週前後に確立するため，哺乳行動と呼吸状態の変動を関連づけながら授乳を進める必要がある。母親は，授乳の大変さや搾乳の虚しさに落ち込み，傷ついている場合が多い。大切なことは，どれくらい哺乳できたかではなく，母親の思いを受け止めながら，授乳をとおして母児が互いに没入する時間をもち，身体的交流の心地よさを感じ取れるよう，また，自己肯定の機会となるよう支援することである[2]。

4 ディベロップメンタルケア

近年，NICU では，低出生体重児の神経行動学的発達を支援するディベロップメンタル

ケアの重要性が認識され，多くの施設で実践されるようになっている。これは，本来，子宮内で育つべき時期に子宮内環境とはまったく異なる環境で育つ児に対して，成熟度や疾患の重症度に合わせ，ストレスに対する反応や痛み閾値をアセスメントし，ケアパターンの調整や個別化を行おうとするものである。

具体的には，日常的に実施されるケア，バイタルサインのチェック，処置などの手技は，できるだけ侵襲を避け（non-invasive care：非侵襲的ケア），必要最小限（minimal handling）に，児の反応を手がかりに実施する。新生児が，触られた感覚（タッチ）と痛みの感覚（ペイン）の区別ができるようになるのは，在胎35〜37週を経て生まれた場合であり，それ以前の早産児では，タッチであってもペインと同様のストレスを感じると考えられているからである。したがって，痛みやストレスと考えられる児の表情を見逃さずに対応することが求められる。

また，騒音や照度レベルを児のニーズに合わせ，ケアパターンについては，睡眠が中断されることがないように深睡眠時を避け，ケアをまとめて行うなどの配慮がなされている。さらに，ポジショニング（安静の保持，屈筋の緊張を高める，感覚運動経験の促進を目的とする）や自己鎮静を促進する非栄養的吸啜（non-nutritive sucking：NNS），カンガルーケアなどが行われている。

▍2. 高ビリルビン血症児の看護

黄疸は，眼球結膜や全身の皮膚の黄染であり，血中ビリルビンの上昇に伴い出現する症状である。ビリルビンの主たる起源は，赤血球の老化・崩壊にある。その結果生じたヘモグロビンが分解され，ヘムが生じ，さらに分解され最終的に水に不溶な非抱合型（間接型）ビリルビンが生じる。この非抱合型ビリルビンは，グルクロン酸転移酵素により水溶性の抱合型（直接型）ビリルビンに変換され，胆汁中から消化管へ，また，尿中へ排泄される。

病的な黄疸は，**早発黄疸**，**重症黄疸**である。前者は，生後24時間以内に黄疸が出現するものであり，後者は，ビリルビン値が日齢ごとの基準値を超えて高値を示すものである。

高ビリルビン血症児のケアに際しては，黄疸のみならず，活気・活動性や筋緊張，吸啜力，嗜眠傾向や大泉門の膨隆などの神経学的所見，摂取水分量，便や尿の色，量などを併せて観察する必要がある。

表4-7 血清総ビリルビン濃度による光線療法・交換輸血の適応基準（単位mg/dL）

出生体重	＜24時間		＜48時間		＜72時間		＜96時間		＜120時間		＞5日	
	光線／交輸		光線／交輸		光線／交輸		光線／交輸		光線／交輸		光線／交輸	
＜1000g	5/8		6/10		6/12		8/12		8/15		10/15	
＜1500g	6/10		8/12		8/15		10/15		10/18		12/18	
＜2500g	8/10		10/15		12/18		15/20		15/20		15/20	
≧2500g	10/12		12/18		15/20		18/22		18/25		18/25	

注）「光線」は光線療法，「交輸」は交換輸血
出典／河野寿夫，伊藤裕司編・著：ベッドサイドの新生児の診かた，改訂3版，南山堂，2016，p.224.

第
6
編

1
妊娠期における
母子の異常と看護

2
分娩期における
母子の異常と看護

3
産褥期における
母子の異常と看護

4
胎児・新生児の
異常への看護

血清総ビリルビン濃度による光線療法・交換輸血の適応基準を示す（表4-7）。

■ 3.帝王切開術で出生した児の看護

❶ 新生児一過性多呼吸と呼吸窮迫症候群

　帝王切開術で出生した新生児では，**新生児一過性多呼吸**（transient tachypnea of the newborn；TTN）と**呼吸窮迫症候群**（respiratory distress syndrome；RDS）のリスクが高まることから，出生直後の蘇生や予測される病態への対応が必要となる。

　山内は，新生児が経験する出産のストレスが出生直後の適応に欠かせないとし，「努責や陣痛による力学的な圧力，陣痛のたびに胎盤血行が障害されて oxygenation が悪化し，そのための非常に強い低酸素状態，そしてとうとう胎内よりも十数度低温の環境のなかに産み落とされます。しかし，それらのストレスは重要なのです。これらのストレスなくしては，この小さな新しい生命は第一歩を踏み出せないのです。このストレスによって，体の中にあふれるようにでてくるのがカテコールアミンです。アドレナリン，ノルアドレナリン，ドーパミンというようなカテコールアミンが分泌されます。そして，このカテコールアミンの洪水によって，はじめて呼吸・循環・体温調節が歩みはじめるのです。今まで，呼吸をしたことがなかった子どもの肺循環をなめらかに始動させるには，カテコールアミンが必要なのです」[3]と述べている。

　カテコールアミンは，肺水（あるいは肺液）の産生を抑えるとともに吸収を高める作用があり，陣痛や分娩のストレスがない状況で出生した児については，内因性のカテコールアミンやステロイド分泌が促されず，肺水の吸収遅延が起こると考えられている。

　TTN では通常，数日で呼吸状態が改善するが，重症 TTN では短期間ではあっても人工呼吸管理を必要とすることがある。また，前置胎盤の場合には，在胎週数に比べ RDS 発症の頻度が高いことが指摘されている。

❷ 帝王切開術によるそのほかのリスク

　通常，帝王切開術では脊髄麻酔が選択されるが，母体の急激な血圧低下，あるいは仰臥位低血圧症候群の場合には，臍帯血流量が減少し**新生児仮死**に至ることがある。また，緊急性の高い帝王切開術では，全身麻酔が行われるが，母体に使用する薬剤が胎児に移行し，出生時に自発呼吸が抑制される**スリーピングベビー**（sleeping baby）となる可能性もある。

　手術による影響としては，出生後，母体より高い位置で臍帯結紮が行われるため，経腟分娩に比べ，児への胎盤輸血が減少する。これにより，児の循環血液量が減少する可能性がある。したがって，呼吸障害や新生児仮死などが予測される場合は，新生児蘇生法アルゴリズムに基づき，適切な判断と処置が必要である。

　低血糖症についても注意が必要である。重度の低血糖は，神経学的後遺症の重大な原因の一つであり，低血糖を見逃さないことが重要である。臨床では，児の成熟度や体重などにかかわらず 40 ～ 45mg/dL を目安にしている。低出生体重児，新生児仮死，母体糖尿病，妊娠高血圧症候群などはリスク要因であり，易刺激性，活動性の低下，チアノーゼ，徐脈，

低体温などの出現に注意が必要である。

　母子関係については，帝王切開術では，母親と児との早期のスキンシップや授乳開始の遅れが懸念される。低出生体重児，早産児の場合は，緊急帝王切開術によることが多く，両親共に児を迎え入れる心の準備が十分でないことがある。そのため，母親の全身状態や心理状態，児の呼吸・循環状態などを適切に評価し，早期母子接触（early skin to skin contact）を支援していく必要がある。

文献

1) 日本産科婦人科学会，日本産婦人科医会編・監：産婦人科診療ガイドライン；産科編 2020，日本産科婦人科学会，2020，p.363-364.
2) 橋本洋子：後期早産児と母親のこころのケア，with NEO，33（4）：112-116，2020.
3) 山内逸郎：新生児医療の原点，NICU，4（7）：70-74，1991.

参考文献

・河野寿夫，伊藤裕司編著：ベッドサイドの新生児の診かた，改訂 3 版，南山堂，2016，p.224，251-252 .
・日本産科婦人科学会，日本産婦人科医会編・監：産婦人科診療ガイドライン；産科編 2020，日本産科婦人科学会，2020.

1 受精と着床についての説明で正しいのはどれか。　(110回 PM57)

1. 卵子が受精能をもつ期間は排卵後 48 時間である。
2. 卵管采で受精が起こる。
3. 受精卵は受精後 4, 5 日で子宮に到達する。
4. 受精卵は桑実胚の段階で着床する。

2 マタニティブルーズについて正しいのはどれか。　(111回 AM64)
　　maternity blues

1. 意欲低下が主症状である。
2. 症状は 2 週間以上持続する。
3. 好発時期は産後 1 か月ころである。
4. 産後のホルモンの変動が要因となる。

[状況設定問題]

　Aさん（30 歳, 初産婦）は X 年 2 月 5 日に妊婦健康診査のために来院した。X 年 2 月のカレンダーに A さんの受診日と分娩予定日を示す。

2 月

日	月	火	水	木	金	土
1	2	3	4	△5	6	7
8	9	10	11	12	13	14
15	16	17	18	19	20	21
22	23	24	25	26	27	○28

△は受診日, ○は分娩予定日を示す。

3 看護師は, 医師から A さんの母子健康手帳に受診時の妊娠週数と日数を記入するよう依頼された。
　　 A さんの受診時の妊娠週数および日数で正しいのはどれか。　(111回 AM103)

1. 妊娠 35 週 5 日　　2. 妊娠 35 週 6 日　　3. 妊娠 36 週 5 日　　4. 妊娠 36 週 6 日

4 A さんに Leopold 〈レオポルド〉 触診法で触診を行ったところ, 第 2 胎向で, 子宮底付近にやや柔らかい球状の塊を, 恥骨結合側に硬い球状のものを触れた。
　　 腹部前面を図に示す。

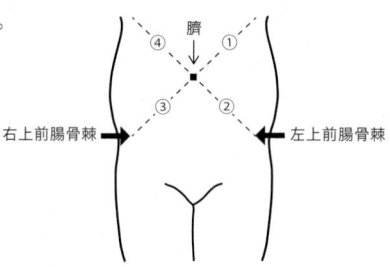

右上前腸骨棘　　左上前腸骨棘

　　 A さんの胎児心音聴取部位で適切なのはどれか。　(111回 AM104)

1. ①　　2. ②　　3. ③　　4. ④

5 Aさんは「自分の子どもが生まれて，どんなふうにあやすかな，とか，オムツを替える
かなと自分が子育てをしている場面を思い浮かべます」と笑顔で話している。看護
師はAさんの様子をルービン，R.が示した母親役割獲得過程に当てはめてどの段
_{Rubin, R.}
階にあるかをアセスメントした。

　　　Aさんのアセスメントで適切なのはどれか。　　　　　　　　　　　　(111回AM105)

1. 空想　　2. 模倣　　3. 取り込み　　4. ロールプレイ

［状況設定問題］
　Aさん（32歳，初産婦）は妊娠39週4日に3,200gの男児を経腟分娩で出産した。分
娩時に会陰切開縫合術を受けた。児のApgar〈アプガー〉スコアは1分後9点，5分
後10点であった。分娩時の出血量200mL，分娩所要時間12時間30分であった。
分娩室から病室に帰室する前に尿意を自覚したためトイレまで歩行し，排尿があった。

6 帰室時に看護師がAさんに行う説明で適切なのはどれか。　　　　(111回PM106)

1.「排泄後は会陰部を消毒しましょう」
2.「会陰縫合部が痛くなったら温めましょう」
3.「6時間おきにトイレに行って排尿しましょう」
4.「悪露に血の塊が混じったら看護師に知らせてください」

7 産褥2日，Aさんは，体温37.2℃，脈拍76/分，血圧112/80mmHg，子宮底を
臍下2横指に硬く触れ，悪露は赤褐色で少量。会陰縫合部の発赤なし，腫脹な
し。下肢の浮腫は認めない。乳房緊満があり，左右の乳頭に2本ずつ乳管が開
通しており，初乳がにじむ程度に分泌している。Aさんは，看護師に会陰縫合部が
痛くて歩きにくいと話している。

　　　Aさんのアセスメントで適切なのはどれか。　　　　　　　　　(111回PM107)

1. 会陰縫合部の感染を起こしている。
2. 乳房の変化は産褥日数相当である。
3. 深部静脈血栓症の疑いがある。
_{deep vein thrombosis}
4. 子宮復古が遅れている。

8 産褥4日，看護師はAさんに退院指導をすることにした。Aさんの児の経過は順調
である。

　　　Aさんと児が受けられるサービスとして，看護師が退院指導時に説明するのはど
れか。　　　　　　　　　　　　　　　　　　　　　　　　　　　(111回PM108)

1. 養育支援訪問
2. 育成医療の給付
3. 養育医療の給付
4. 乳児家庭全戸訪問事業（こんにちは赤ちゃん事業）

9 Aさん（32歳，初産婦）は前置胎盤のため妊娠37週0日の午前10時から帝王
placenta previa
切開術を受ける予定である。

手術前日の看護師の対応で適切なのはどれか。 (111回 PM64)

1. 浣腸を行う。
2. 夕食が禁食となっているか確認する。
3. 輸血の準備ができているか確認する。
4. 下肢に間欠的空気圧迫装置を装着する。

［状況設定問題］

　Aさん（30歳，初産婦）は妊娠39週3日で陣痛発来し，4時に入院した。その後，陣
痛が増強して順調な分娩進行と診断されて，11時45分の診察で子宮口が8cm開大と
なった。看護師が12時に昼食を配膳にいくとAさんは額に汗をかいて，側臥位で「陣痛
がつらくて何も飲んだり食べたりしたくありません」と言っている。陣痛発作時は強い産痛と
努責感を訴え，目を硬く閉じて呼吸を止めて全身に力を入れている。

10 Aさんへの看護で最も適切なのはどれか。 (110回 PM106)

1. 坐位になるよう勧める。
2. シャワー浴を勧める。
3. 食事摂取を促す。
4. 呼吸法を促す。

11 Aさんは16時15分，3,300gの男児を経腟分娩で出産した。Apgar〈アプガー〉
スコアは1分後9点。胎盤娩出直後から凝血の混じった暗赤色の性器出血が持
続している。この時点での出血量は600mL。臍高で柔らかい子宮底を触れた。
脈拍90/分，血圧116/76mmHg。意識は清明。Aさんは「赤ちゃんの元気な
泣き声を聞いて安心しました」と言っている。

このときの看護師のAさんへの対応で最も適切なのはどれか。 (110回 PM107)

1. 子宮底の輪状マッサージを行う。
2. 膀胱留置カテーテルを挿入する。
3. 水分摂取を促す。
4. 全身清拭を行う。

12 Aさんの分娩経過は以下のとおりであった。

　2時00分　　陣痛周期10分
　4時00分　　入院
　15時00分　　分娩室入室
　15時30分　　子宮口全開大
　16時00分　　自然破水

　　　　16 時 15 分　児娩出
　　　　16 時 30 分　胎盤娩出

A さんの分娩所要時間はどれか。 (110 回 PM108)

1. 12 時間 30 分　　2. 14 時間 15 分　　3. 14 時間 30 分　　4. 16 時間 30 分

13 新生児の呼吸の生理的特徴で適切なのはどれか。 (111 回 PM65)

1. 成人に比べて肺のガス交換面積が大きい。
2. 周期性呼吸がみられる。
3. 胸式呼吸が主である。
4. 口呼吸が主である。

14 早期新生児の生理的黄疸で正しいのはどれか。 (110 回 AM59)

1. 生後 24 時間以内に出現し始める。
2. 皮膚の黄染は, 腹部から始まる。
3. 生後 4, 5 日でピークとなる。
4. 便が灰白色になる。

15 緊張性頸反射はどれか。 (95 回 AM136)

① 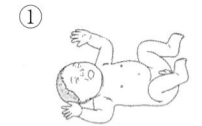 ②  ③ 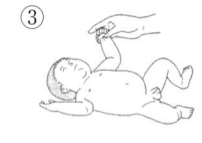 ④

1   解答 3

×1：卵子が受精能をもつ期間は，排卵後24時間である。

×2：受精は卵管膨大部で起こる。

○3：受精卵は卵管内で分裂し，受精後約4〜5日で子宮腔に達する。

×4：受精卵は胚盤胞の段階で着床する。

2   解答 4

×1：マタニティブルーズの症状は，抑うつ気分や涙もろさ，不安感，疲労感などである。意欲低下は産後うつ病の症状である。

×2：一過性の情動障害であるため，通常，治療を行わなくても発症から数日以内に症状は完全に消失する。

×3：好発時期は分娩直後から産後7〜10日以内で，主に産褥3〜5日が発症のピークである。

○4：産後のホルモン変動が要因と推測されている。

3   解答 3

○3　×1，2，4

分娩予定日である2月28日が40週0日にあたるため，2月5日は36週5日である。

4   解答 3

○3　×1，2，4

児背または児頭と母体との関係を胎向という。縦位では，児背が母体の右側に向かうものを第2胎向という。本文には，恥骨結合側に硬い球状のものを触れたとあり，これは児頭と考えられることから，第2頭位であることがわかる。第2頭位の胎児心音聴取部位は，右臍棘線中央である。

5   解答 1

○1　×2，3，4

ルービンが示した母親役割獲得過程による

と，5つの認識的操作を行いながら児との心理的な絆を形成する。これには，先輩母親や専門家を手本とする（模倣），子どもを対象にして母親役割を演じる（ロールプレイ），それらに基づいて空想する（空想），空想した態度や行動を母親像として自分に投影し，それを受け入れるか拒絶するかを決定する（取り込み・投影・拒絶），同時に過去の自己像を喪失したものとして悲しみあきらめる（悲嘆作業）がある。設問は，空想にあたる。

6   解答 4

×1：会陰部の感染を防ぎ，創傷治癒を促進するため清潔を保持する必要はあるが，消毒までは要しない。

×2：会陰縫合部の痛みに対しては，冷罨法が効果的である。

×3：膀胱の充満は子宮収縮を阻害するため，3〜4時間ごとに排尿し，その際悪露の付着したナプキンを交換するよう指導する。

○4：通常，悪露に凝血塊は混入しない。凝血塊の排泄がある場合は子宮復古不全が疑われるため，看護師に知らせるよう指導する。

7   解答 2

×1：産褥2日目に縫合部痛があるのは異常ではなく，感染徴候（発赤，腫脹など）もみられない。体温はやや高いが，乳房緊満が影響している可能性があることから，会陰縫合部の感染を起こしているとアセスメントすることはできない。

○2：乳管の開口により初乳が分泌されていることや乳房緊満があらわれてきていることから，産褥2日目として順調に経過していると考えられる。

×3：深部静脈血栓症では，下肢の浮腫や疼痛，皮膚の変色などの症状が現れる。

×4：子宮底の高さや硬度，悪露の量や性状は日数相当である。

8   解答 4

×1：養育支援訪問事業とは，特定妊婦，要支

援児童などに対し，養育が適切に行われるよう居宅で相談，指導，助言などの支援を行う事業をいう（児童福祉法第6条の3）。

×2：育成医療とは，自立支援医療に含まれるもので，身体障害児への医療をいう。支給を受けようとする障害児の保護者などは，市町村の自立支援医療費支給認定を受けなければならない（障害者総合支援法第52条）。

×3：養育医療とは，養育のため病院・診療所に入院することを必要とする未熟児に，養育に必要な医療の給付を行う（母子保健法第20条）。

○4：乳児家庭全戸訪問事業（こんにちは赤ちゃん事業）とは，市町村の区域内すべての乳児のいる家庭を訪問することにより，子育てに関する情報の提供，乳児および保護者の心身の状況および養育環境の把握，養育の相談，助言などの援助を行う事業をいう（児童福祉法第6条の3）。

9	解答 3

×1：予定帝王切開では，手術当日の朝に浣腸を実施する。

×2：Aさんは，翌日午前10時から帝王切開が予定されているため，全日の夕食を禁食にする必要はない。一般的には，21時以降禁飲食とする。

○3：前置胎盤の場合，帝王切開による分娩が選択されるが，大量出血を引き起こす可能性がある。そのため，前日に輸血の準備を確認することは重要である。

×4：深部静脈血栓予防のため，手術中または手術後に間欠的空気圧迫装置を装着する。手術前は，弾性ストッキングを着用する。

10	解答 4

×1：産婦が自由に，安楽な体位がとれるように関わることが重要である。

×2：シャワー浴はリラックス効果もあり，破水前の産婦に効果的なケアの一つであるが，Aさんは既に子宮口が8cm開大しており，努責感も出現しているため，この時期の看護としては不適切である。

×3：分娩はエネルギーを消耗するため，食事

摂取を促すことも必要だが，Aさんは産痛により飲食ができない状況にある。まずは産痛を緩和することを優先し，その後陣痛間欠時に少量ずつでも摂取できるように促すとよい。

○4：現在のAさんの状態は分娩第I期活動期の終盤にあたる。この時期は，強い産痛と努責感から呼吸を止めてしまうことも多い。Aさんも目を硬く閉じて呼吸を止めて全身に力を入れているため，全身のリラックスや呼吸法を促し，努責を回避させる看護が最も優先される。

11	解答 1

○1：分娩第3期の時点で，既に出血量が600mLであり，分娩時異常出血の定義である500mLを超えている。要因は，子宮収縮の不良が考えられ，凝血の混じった暗赤色の出血であることから，子宮弛緩症が疑われる。バイタルサインは正常で，意識も清明であることから，出血性ショックには至っていないと考える。最優先される看護は，子宮底の輪状マッサージであり，これにより子宮収縮を促進させることが重要である。

×2：膀胱の充満は，子宮収縮を阻害するため，状況に応じ導尿や膀胱留置カテーテルを挿入することも必要であるが，現時点で最も適切とはいえない。

×3，4：出血の程度によってはショック症状を呈し，DICを発症することもある。緊急手術が行われることもあるため，飲食は控える必要がある。状況によっては，血管確保や輸血の準備を行うこともあり，全身の注意深い観察と対応が必要とされる。そのため，現時点で全身清拭は適切ではない。

12	解答 3

○3 ×1，2，4

分娩所要時間は，分娩開始から胎盤娩出までの時間をいう。陣痛周期が10分以内または1時間に6回以上の陣痛の開始を分娩開始とするため，Aさんの場合2時00分から16時30分までの時間である。

13　解答 2

✕ 1：新生児は成人と比べ，肺のガス交換面積が小さい。そのため，成人より呼吸数が多くなっている。

〇 2：生後しばらく呼吸は不規則で，生理的に呼吸休止が認められる。これを周期性呼吸という。

✕ 3：新生児の呼吸の特徴は，胸部と腹部が同時に上下する胸腹式呼吸または腹式呼吸である。

✕ 4：新生児の呼吸は鼻呼吸が主で，口呼吸ができるようになるには数か月を要する。

14　解答 3

✕ 1：生理的黄疸は，生後 2～ 3 日目ごろより肉眼で確認されることが多く，早期新生児期（生後 7 日未満）のほとんどの新生児にみられる。生後 24 時間以内に黄疸が確認できる場合は，新生児溶血性疾患の可能性がある。

✕ 2：皮膚の黄染は，原則として最初は顔にのみ発現し，時間の経過とともに体幹，四肢へと広がっていく。

〇 3：黄疸の原因となる血性ビリルビン値は，生後 4～ 5 日頃にピークに達し，生後 1 週間以降は改善傾向となり，黄疸は自然消失する。

✕ 4：生理的黄疸では，灰白色の便にはならない。黄疸が持続し，灰白色の便がみられる場合は，先天性胆道閉鎖症を疑う。

15　解答 2

✕ 1：モロー反射である。仰臥位の児の両手を引き頭部を 30° 持ち上げ，急に離そうとすると，児は抱きつくような運動をする。生後 3～ 4 か月，遅くとも 6 か月で消失する。

〇 2：緊張性頸反射である。仰臥位で頭を一方に向けると，顔が向いた側の上下肢は伸展し，反対側の上下肢は屈曲し，フェンシング様の構えになる。4～ 6 か月で消失する。

✕ 3：把握反射である。手掌に検者の指を滑り込ませると握りしめる。足底でも起こる。手では生後 3～ 4 か月頃消失する。6 か月以降の出現は異常である。

✕ 4：歩行反射（自動歩行）である。児の両腋窩を検者の手で支え，児の足底が床に着くようにすると歩く動作を始める。生後 2 日以降に出現し，2～ 4 週間で消失する。

新体系看護学全書

母性看護学❷

マタニティサイクルにおける
母子の健康と看護

		定価（本体4,600円＋税）
2003年 1 月16日	第1版第1刷発行	
2006年12月13日	第2版第1刷発行	
2009年11月30日	第3版第1刷発行	
2012年 2 月22日	第4版第1刷発行	
2013年12月 5 日	第5版第1刷発行	
2019年12月10日	第6版第1刷発行	
2022年11月30日	第7版第1刷発行	
2025年 1 月31日	第7版第3刷発行	

編　集｜渡邊　浩子・板倉　敦夫・松﨑　政代©　　　　　〈検印省略〉

発行者｜亀井　淳

発行所｜株式会社 メヂカルフレンド社

https://www.medical-friend.jp
〒102-0073 東京都千代田区九段北3丁目2番4号 麹町郵便局私書箱48号
電話｜（03）3264-6611　振替｜00100-0-114708

Printed in Japan　落丁・乱丁本はお取り替えいたします
ブックデザイン｜松田行正（株式会社マツダオフィス）
印刷｜（株）太平印刷社　製本｜（株）村上製本所
ISBN 978-4-8392-3404-1　C3347　　　　　　　　　　　　000632-035